D1637888

Maquette : **MADmac**

33, rue Linné
75005 Paris

E-mail : infos@leduc-s.com
ISBN : 978-2-84899-192-4

LAURENCE WITTNER

LE PALMARÈS 2008 DES COSMÉTIQUES

LEDUC.S
ÉDITIONS

Sommaire

Introduction

L'ÉDITION 2007 du Palmarès des cosmétiques était une innovation. Pour la première fois, les produits d'hygiène et de beauté étaient examinés sous tous leurs aspects, selon des critères établis et évalués par des professionnels. Leurs choix, argumentés et justifiés, constituaient bien plus qu'un classement ou qu'un guide d'achat : un vrai décodage de ce qui fait l'intérêt, l'efficacité et la sécurité des cosmétiques, doublé d'une source d'informations inédite et unique permettant à chaque consommateur de mieux choisir ses produits.

Que s'est-il passé depuis ?

Le marché de la cosmétique a continué de croître et d'embellir (les ventes de l'ensemble du secteur ont augmenté de 5,7 % en 2006, la meilleure performance depuis 5 ans[1]...). L'année a été rythmée par des rapprochements ou des rachats entre différentes entreprises, par des campagnes de publicité vantant les plus extraordinaires innovations technologiques à l'origine du dernier produit révolutionnaire, par des communications régulières des représentants de la profession sur le thème du « Tout va bien, vous pouvez utiliser nos produits en toute confiance »...

2007 a aussi entendu, pourtant, d'autres informations moins médiatisées mais un peu moins idylliques et un peu plus troublantes. Petit éphéméride des infos qui dérangent :

- Le 12 mars, le Comité scientifique des produits de consommation européen (CSPC), après avoir étudié quarante-six composants présents dans des teintures capillaires, met en garde contre vingt-sept d'entre eux, particulièrement sensibilisants. Dans son rapport, le CSPC précise que les graves allergies cutanées provoquées par ces substances peuvent avoir une incidence sur la santé publique. La Commission européenne a décidé de procéder à une réévaluation des ingrédients des teintures capillaires autorisées dans l'Union. Un précédent avis du même Comité en 2003, faisant le lien entre l'utilisation prolongée de teintures et le développement de certains cancers, avait abouti à l'interdiction d'une trentaine d'entre elles en 2006.

1. Communiqué de la Fédération des Industries de la Parfumerie, 9 février 2007.

- En juillet, le réseau de Cosmétovigilance piloté par l'Affsaps[2] indique avoir recensé « 140 effets indésirables susceptibles d'être liés à l'utilisation de cosmétiques » durant l'année 2006 (un chiffre, bien sûr, à rapporter aux millions de produits vendus durant la même période). Dans 79 % des cas, il s'agissait de réactions allergiques allant de crises d'urticaire ou de poussées d'eczéma au choc anaphylactique. 32 % de ces effets indésirables ont été considérés comme graves, entraînant 15 hospitalisations, 6 inaptitudes professionnelles et 2 invalidités fonctionnelles temporaires. Des cas d'alopécie, de gêne respiratoire ou de convulsions ont également été enregistrés.
- Le 26 juillet, la même Afssaps lance une alerte sanitaire concernant des dentifrices pour la plupart importés de Chine « présentant un risque pour la santé du fait de la présence de diéthylène glycol ou d'une contamination microbienne ». Pas de panique dans un premier temps, l'alerte concerne surtout nos voisins européens. Jusqu'à ce que des contrôles plus poussés repèrent ces dentifrices dans une trentaine de magasins en France et dans des kits de brossage distribués gratuitement. Tous sont retirés du marché aujourd'hui.
- Le 17 août, on apprend qu'une grande marque de cosmétiques française vient de se faire épingler pour publicité trompeuse en Grande-Bretagne. Les preuves scientifiques apportées pour justifier les promesses d'efficacité d'une crème antirides et d'un produit amincissant n'ont pas été jugées suffisantes par l'Advertising Standard Authority, un genre de Bureau de Vérification des Publicités indépendant. La même instance a sanctionné deux autres campagnes de pub cette année, pour des mascaras cette fois : lors du tournage de ces spots, les actrices portaient des faux cils, ce qui, selon l'ASA, « exagère les propriétés du produit cosmétique et induit le consommateur en erreur ».
- Le 11 octobre, l'association américaine « The Campaign for Safe Cosmetics[3] » publie les résultats des analyses de 33 rouges à lèvres qu'elle a commandées à un laboratoire indépendant. Résultats : 61 % d'entre eux contiennent du plomb (un métal lourd toxique qui a la capacité de s'accumuler dans notre organisme), dans des proportions importantes et même parmi les produits de grandes marques et de luxe.

Bien sûr, ces quelques exemples montrent aussi que des organes de contrôle et de réglementation existent et qu'ils jouent leur rôle... Mais parallèlement, de nouvelles gammes cosmétiques ont été lancées, de nouvelles marques ont été créées, de nouvelles tendances ont émergé, de nouveaux ingrédients sont apparus, environ 2 000 nouveaux produits sont arrivés dans les magasins.

2. Agence Française de Sécurité Sanitaire des Produits de Santé. « Bilan des effets indésirables déclarés à l'Affsaps en 2006 », Juillet 2007.

3. www.safecosmetics.org

Apportant avec eux de nouveaux critères de choix, de nouvelles questions, parfois de nouveaux doutes... et l'évidente nécessité d'actualiser ce Palmarès, pour suivre les évolutions du marché des cosmétiques et répondre aux questions et aux attentes du consommateur. Car celui-ci, à moins d'être chimiste, cosmétologue, diplômé d'esthétique et de coiffure, dermatologue et allergologue, juriste et spécialisé dans la méta-analyse d'études scientifiques (tout cela à la fois, oui...) a toutes les chances de n'avoir qu'une vue partielle de son produit d'hygiène et de beauté, et, en passant à côté d'un point important ou en ignorant un de ses aspects, de faire, éventuellement, de mauvais choix.

Voici donc cette nouvelle édition, prenant en compte 1539 produits de 129 marques.

Le principe et l'esprit sont les mêmes qu'en 2007. Les critères d'évaluation restent identiques, mais enrichis des connaissances nouvelles en la matière. Le jury comprend les mêmes experts auxquels est venu se joindre un coiffeur expérimenté, tant dans la composition que dans l'utilisation des produits. Les choix de ces professionnels a toujours le même but : il ne s'agit pas de clouer au pilori certains produits ou de mettre certaines marques à l'index, mais d'offrir aux consommateurs un choix de cosmétiques sûrs, sains, efficaces et agréables à utiliser, que chacun peut acheter en toute confiance.

Une promesse sur laquelle chaque membre de l'équipe qui a préparé ce Palmarès 2008 s'engage, cette année encore.

Première partie

Les ingrédients du Palmarès

Pour asseoir son jugement sur un cosmétique, ce Palmarès commence toujours par regarder de quoi il est fait, ce qui le compose réellement, au-delà des promesses de l'emballage, de la bonne odeur de la crème ou de l'esthétique du packaging. Ainsi, il décrypte des listes d'ingrédients, et la règle vaut pour tous, de la même façon, sans exception. Il semblait donc logique et juste qu'elle s'applique en premier lieu au Palmarès lui-même et qu'il livre, lui aussi, la liste de ses ingrédients, qu'il détaille de quoi il est fait et ce qui le compose, qu'il ajoute aussi quelques actifs qui lui sont propres en forme d'éléments d'informations, pour que chacun puisse bien comprendre les choix des experts, quitte à décider ensuite d'y adhérer… ou pas.

Tendances 2008

La cosmétique se porte bien. Le marché est en croissance constante et régulière depuis 40 ans, les entreprises françaises s'y révèlent particulièrement dynamiques et certaines font figure de leaders mondiaux. Dans les pays dits « émergents » (Chine, Inde, Europe de l'Est…), la demande de produits de beauté explose, et même sur les marchés « matures » comme la France, le consommateur ne marque aucun désamour pour ses pots de crèmes, au contraire. Les fabricants entendent le message et la première tendance est bien celle du « Toujours plus ». Plus de marques, plus de gammes, plus de produits : la demande est là, et l'offre suit, logiquement et largement. Avec quelques caractéristiques nouvelles ou consolidées cette année.

La poussée du bio

« Si vous voulez investir dans les cosmétiques, allez vers le bio ! » Le conseil de cet expert financier est pertinent : si le marché des produits de beauté bio ne représente aujourd'hui qu'environ 1,5 %, il est porteur. En croissance de 20 % par an en Europe, il pourrait atteindre 30 % des ventes d'ici quelques années. Les nouvelles marques naturelles ou bio poussent comme des champignons, et, signe qui ne trompe pas sur l'avenir de cette tendance lourde du marché, les grandes entreprises conventionnelles rachètent ou investissent dans le secteur, quand elles ne lancent pas elles-mêmes leur gamme biologique ou naturelle.

Construite en réaction claire et frontale aux techniques de la cosmétologie classique, la vague bio affiche sa différence par un mot, qui s'étale en gros sur les étiquettes : « Sans ». Sans paraben, sans phénoxyéthanol, sans colorant ni parfum de synthèse, sans matières premières d'origine pétrochimique, sans silicones,… sans, finalement, toute une série d'ingrédients largement utilisés dans les produits conventionnels. Et sans toujours, il faut le dire, toutes les garanties de sécurité ou d'efficacité assurées par les grands laboratoires, la branche naturelle de la cosmétique ressemblant un peu à un champ encore mal défriché, avec ses très belles plantes, et aussi ses mauvaises herbes. Non, tout ce qui est naturel n'est pas bon. Et en attendant que le marché, le législateur ou les autorités de contrôle fassent le tri, il appartient au consommateur de rester vigilant dans le choix de ses produits. Ce Palmarès est là aussi pour l'y aider.

Des filtres UV partout

On les connaissait déjà bien sûr dans les laits et crèmes solaires avec une action très justifiée et revendiquée. Parfois aussi, mais plus discrètement, ils figuraient dans les formules d'une série de produits comme des gels-douches ou soins pour le corps où ils jouent le rôle de stabilisateurs de couleur. Ils s'affichent maintenant, et de plus en plus souvent, dans les crèmes de jour, le maquillage ou les produits capillaires, au nom de la protection antiradicalaire et anti-âge. La mode est venue des États-Unis où, pour parer aux effets néfastes des rayons solaires sur le processus de vieillissement de la peau, le mot d'ordre est devenu : « Jamais dehors sans son filtre ».

Cette tendance, pourtant, inquiète les experts. Car nombre de ces substances ne sont pas anodines. Certains filtres d'origine synthétique s'avèrent ainsi très sensibilisants, favorisant le déclenchement de phénomènes allergiques. D'autres sont fortement suspectés, du fait de leur activité de type œstrogénique ou anti-androgénique, de perturber l'équilibre endocrinien. Certains se révèlent même, et c'est un comble, photosensibilisants ! Quant aux écrans minéraux naturels, leur sécurité d'emploi, dans certaines conditions, est aujourd'hui remise en cause. Or, plus on multiplie les sources d'exposition à ces substances, plus on accroît les risques de souffrir de leurs effets indésirables [4].

D'autre part, il faut savoir qu'un filtre ou un écran n'assure qu'une protection limitée dans le temps : c'est pourquoi il est toujours conseillé de renouveler l'application des crèmes solaires toutes les deux heures environ. Quelle peut bien être alors leur utilité dans une crème de jour ou un fond de teint, par définition appliqué une seule fois par jour ? Sinon de faire croire à leur consommatrice qu'elle est protégée alors qu'elle ne l'est pas, passé 9 ou 10 heures du matin ?

Allergènes, nous voilà

Tous les dermatologues (et particulièrement en ville) le constatent : les « peaux sensibles » se multiplient. Selon une étude menée par le CHU de Brest en 2004, ce phénomène concerne 40 % des hommes et 60 % des femmes. De plus en plus d'enfants (et de plus en plus jeunes) également. En ligne de mire, les ingrédients cosmétiques allergisants et/ou irritants, aux premiers rangs desquels on trouve les parfums et huiles essentielles, certains filtres UV et conservateurs d'origine synthétique. Bien sûr, les molécules allergènes ne provoquent de réactions que chez les personnes sensibilisées. Mais, encore une fois, plus on multiplie les sources d'exposition, plus elles sont répétées et régulières, et plus on augmente les probabilités de développer des allergies, pouvant durer toute une vie.

La tendance inquiète, d'autant que les allergènes sont de plus en plus présents dans un nombre croissant de cosmétiques. C'est le cas des filtres UV, on vient de le voir. C'est aussi le cas de certaines substances utilisées de façon croissante par les fabricants pour suivre les tendances du marché. Ainsi, le remplacement des parabens (voir page suivante) généralise le recours à d'autres conservateurs, comme par exemple le Kathon CG®, un mélange de

4. Sur les inconvénients des filtres solaires, voir aussi p. 435

deux substances (méthylchoroisothiazolinone et méthylisothiazolinone) au fort potentiel allergisant. De même, le boom de la cosmétique bio augmente considérablement la présence des huiles essentielles, très largement utilisées en remplacement de substances traditionnelles odorantes ou antibactériennes « interdites » et mises à l'index par les chartes bio.

Les experts prévoient ainsi, pour les années à venir, des pics d'allergies à ces composés, qui, sans être réellement nouveaux, voient leur potentiel allergisant renforcé par la généralisation de leur utilisation.

Sus aux parabens

C'est une tendance lourde du marché, qui date déjà un peu mais ne fait que s'accentuer... Il y a une dizaine d'années encore, les parabens étaient considérés comme des conservateurs sûrs, efficaces et sans danger. À ce titre, ils entraient dans la composition de près de 80 % des produits cosmétiques. Mais en 2004, une étude[5] fait le lien entre paraben et cancer du sein.

Depuis, et même si les conclusions de cette étude ont été largement décriées et jamais confirmées, les parabens n'ont pas bonne presse. Les consommatrices les évitent... et les fabricants, qui entendent les répercussions de ce message par le biais de leur chiffre d'affaires, cherchent activement des solutions alternatives. Dans un premier temps, certains ont simplement remplacé ces conservateurs trop médiatiques par d'autres moins connus et moins facilement identifiables par les consommateurs, mais pas forcément plus recommandables, comme par exemple les libérateurs de formol reconnus cancérogènes au moins par inhalation (voir p. 24). D'autres ont augmenté les concentrations d'alcool dans leurs formulations, ce qui ne va pas, là non plus, sans quelques inconvénients, dus notamment à l'effet asséchant de cette substance plutôt déconseillée à toutes les peaux sèches ou sensibles, comme dans tous les produits à visée hydratante.

Dernière tendance cette année : des systèmes de conservation d'un genre nouveau, basés sur des composés naturels non répertoriés en tant que conservateurs dans la nomenclature officielle des ingrédients cosmétiques. On retrouve surtout deux d'entre eux dans un nombre croissant de produits.

- **Le duo « glucose oxydase – lactoperoxydase ».** Ce sont deux enzymes d'origine biotechnologique. La première est extraite industriellement du milieu de culture de champignons, ses propriétés bactéricides sont dues à une réaction enzymatique produisant de l'eau oxygénée. La seconde provient du lait et a une activité antimicrobienne.
- **La capryloyl glycine.** Il s'agit cette fois d'un dérivé d'acide aminé (un acyl aminoacide) utilisé pour ses propriétés antibactériennes, souvent en association avec l'undecylenoyl glycine, à l'activité antifongique.

5. Concentrations of Parabens in Human Breast tumors. Darbre P.D. et al. (2004). *Appl. Toxicol.*

L'avantage de ces systèmes est qu'ils semblent, au vu des connaissances actuelles, ne présenter aucun risque toxique pour l'organisme humain. Leur inconvénient réside surtout dans le fait que leur utilisation en cosmétique est très récente, qu'ils ont fait l'objet de très peu (voire pas du tout) d'études ou de publications scientifiques, et donc qu'on manque de recul sur leur efficacité réelle et leurs garanties de sécurité sanitaire. C'est le propre des innovations, bien sûr, et on ne peut pas reprocher aux fabricants de chercher des solutions douces et viables au remplacement des parabens. Mais en attendant plus d'informations sur ces nouveaux « conservateurs », les experts se montrent assez réservés quant à la généralisation de leur emploi.

Modes et textures

Les cosmétiques, on ne l'oublie pas, c'est aussi du plaisir. Une texture douce, une bonne odeur ou un joli packaging participent également à l'intérêt d'un produit de beauté. En la matière, la grande tendance reste évidemment le look naturel, même sur les emballages des produits les plus conventionnels. Mais d'autres orientations se dessinent, dont l'avenir seul pourra dire si ce sont de vraies lignes de fond ou de simples modes passagères.

Les flacons mousseurs

Ils ressemblent à de simples flacons-pompes avec un gros embout. Dans le flacon, le produit est liquide. Mais sous la pression, il se transforme en mousse légère et aérienne, très agréable à appliquer sur la peau. On passe les détails techniques pour seulement préciser que cette magie s'opère par un système de compression et n'a nul besoin de gaz propulseur pour fonctionner. Les flacons mousseurs, très peu nombreux encore l'année dernière, se sont appropriés cette année une vraie place dans le rayon des démaquillants, ils arrivent dans celui des gels-douches, on les attend bientôt pour révolutionner l'utilisation d'autres produits...

Les gels-crèmes

Finies les crèmes qui ressemblent à des crèmes, oubliées les émulsions un peu épaisses qui nécessitaient un massage (de quelques secondes !) pour pénétrer : les textures se fluidifient, s'assouplissent et même se gélifient dans des consistances légères et fraîches qui s'étalent comme par magie, s'appliquent en un clin d'œil et fondent sur la peau sans aucune sensation grasse. La tendance se confirme pour les soins du visage, les hydratants pour le corps, les produits amincissants... et même en bio, réputé pourtant pour ses textures plus consistantes.

Le chocolat

La cosmétique gourmande a le vent en poupe. Après les fruits, leurs acides et leurs couleurs sucrées, c'est maintenant au chocolat d'envahir de ses senteurs chaudes et de ses textures confortables, les masques, gommages, crèmes et soins corporels. Amorcé l'an dernier, le mouvement gagne cette année plus de produits et de marques, se déclinant en gammes entières. Avec plus ou moins de bonheur, il faut bien le dire : ça peut être très réussi, une crème au chocolat, mais ça peut être très décevant aussi parfois... et alors, l'addition (car ce sont plutôt des produits plus chers que la moyenne) a un petit goût amer, forcément.

Les produits qui se ressemblent

Ils ont les mêmes indications, des conditionnements quasi identiques, et à y regarder de plus près, la même composition, exactement. Mais ils sont vendus sous des marques différentes, dans des réseaux de distribution distincts, parfois à des prix allant du simple au double. C'est ce qu'on appelle un positionnement marketing, ou comment rentabiliser une formule en l'exploitant au maximum...

D'autres ne se ressemblent qu'un peu, diffèrent par un actif, un dosage de matière première, une fragrance. En cherchant un peu, on trouve là la signature d'un même laboratoire qui possède plusieurs marques, ou d'un formulateur free-lance qui travaille pour plusieurs petites entreprises aux moyens trop limités pour investir dans la recherche. Et quand on a trouvé une formule qui marche, on a parfois bien du mal à prendre des risques en innovant...

Les experts

Il se compose de cinq professionnels, tous indépendants de toute marque de cosmétique, tous experts confirmés dans leur domaine.

Les cosmétologues

Elles évaluent la composition des produits, la pertinence et l'équilibre des formulations, leur éventuelle efficacité, leurs potentiels effets secondaires et la conformité de leur étiquetage avec la législation en vigueur.

Laurence Coiffard. Pharmacien et Docteur en Sciences de la Vie et de la Nature, elle est également titulaire d'un DEA de Physicochimie des Bioproduits. Professeur au Laboratoire de Pharmacie industrielle et de Cosmétologie de l'Université de Pharmacie de Nantes, elle est habilitée à diriger des recherches. Elle a été membre de la Commission de Cosmétologie de l'Affsaps (Agence française de sécurité sanitaire des produits de santé) et fait partie du groupe de travail « Sécurité d'emploi des produits cosmétiques ».

Céline Couteau. Pharmacien et Docteur en Pharmacie et en Sciences de la Vie et de la Santé, elle est également titulaire d'un DEA de Physicochimie des Bioproduits et Maître de conférences au Laboratoire de Pharmacie Industrielle et Cosmétologie de l'Université de Pharmacie de Nantes.

La dermatologue

Elle évalue le caractère plus ou moins irritant et/ou allergisant des produits pour la peau.

Le Dr Marie Serre. Médecin, attachée d'allergologie pendant 20 ans dans le service de médecine interne de l'hôpital Saint-Joseph à Paris, elle a obtenu son diplôme de dermatologue à l'hôpital Saint-Louis où elle a été attachée dans le service de Dermatologie pendant 13 ans. Elle travaille aujourd'hui en libéral, dans un cabinet de dermatologie parisien.

L'esthéticienne

Elle évalue l'efficacité des produits en grandeur réelle et le « facteur plaisir » : confort et facilité d'utilisation, odeur, texture, facilité d'étalement, degré de pénétration, douceur... ainsi que le côté attractif et informatif du packaging.

Marie-France Nachtrab. Formée à l'esthétique en Allemagne où elle a obtenu son diplôme, elle y a travaillé durant 2 ans avant de rentrer en France. Elle a alors ouvert à Paris son propre institut, Peausitive, qu'elle dirige aujourd'hui depuis plus de 14 ans. Elle y anime une équipe d'esthéticiennes dans un esprit holistique et positif de la beauté, au service de la peau et du bien-être de ses clientes.

Le coiffeur

Il évalue l'efficacité des produits en grandeur réelle et le « facteur plaisir » : confort et facilité d'utilisation, odeur, texture, rinçabilité... ainsi que le côté attractif et informatif du packaging.

Georges Bacon. Titulaire des Brevets Professionnels et de Maîtrise après un cursus d'enseignement supérieur à Paris, il a été champion du monde de la coiffure à Rotterdam en 1980. Il a créé plusieurs salons dont l'un d'entre eux dans le prestigieux quartier de l'Étoile où se sont croisées des têtes célèbres, de Grégory Peck à Nathalie Delon. Pendant douze ans ambassadeur artistique d'une grande multinationale de cosmétiques française, il a aussi participé à la mise au point d'une gamme de produits capillaires, avant de créer un nouveau concept de salon, Coiffure et Nature, dans une ambiance rappelant la campagne et avec une philosophie essentiellement tournée vers le monde végétal.

Et la journaliste

Elle gère les relations avec les fabricants de cosmétiques, coordonne le travail des experts, synthétise leurs évaluations, attribue les notes du critère « qualité/prix », assure la présentation définitive du Palmarès.

Laurence Wittner. Diplômée de l'École Supérieure de Journalisme de Lille, elle est aujourd'hui journaliste indépendante. Elle a écrit plusieurs ouvrages aux éditions Leduc.s sur les thèmes de la nutrition, des cosmétiques et du décryptage des étiquettes.

Les critères d'évaluation

Six critères ont été définis pour évaluer les cosmétiques. Chaque expert est chargé d'attribuer une note (sur 20) dans un ou deux d'entre eux, en fonction de son domaine de compétence.

1. Composition – Efficacité

Les actifs nécessaires sont-ils présents pour que le produit offre le service qu'il revendique ? Le sont-ils en quantité suffisante pour se révéler réellement efficaces ? Aucune substance ne vient-elle contrecarrer l'action espérée ? Tous les composants de la formule sont-ils bienvenus ? Tout cela peut déjà s'apprécier à la seule lecture de la composition. Et puis, un cosmétique n'est pas qu'un mélange d'ingrédients. L'ensemble constitue une vraie alchimie dont il faut savoir évaluer l'intérêt et les effets.

Cela se teste aussi bien sûr et s'apprécie physiquement sur la peau, les cheveux, les dents…

- **La note / 20 :** moyenne des évaluations des cosmétologues, et de l'esthéticienne ou du coiffeur (selon le type de produit).

2. Tolérance cutanée

Sur la sellette ici : les ingrédients susceptibles de déclencher des allergies et/ou des irritations cutanées. Il s'agit de juger à la fois leur degré potentiel de nuisance ainsi que leur importance dans la formule. Cela ressort essentiellement de la compétence de la dermatologue, qui se base à la fois sur son expérience de terrain et sur sa connaissance des ingrédients cosmétiques.

- **La note / 20 :** attribuée par la dermatologue.

3. Confort d'utilisation

Texture, odeur, étalement, pénétration, douceur, légèreté de la mousse… chaque produit a été testé, essayé, comparé, sous l'autorité de l'esthéticienne pour tous les produits d'hygiène, de soins et de maquillage, sous celle du coiffeur pour les produits capillaires.

Bien sûr, odeurs, couleurs et textures peuvent parfois être appréciées différemment par les uns et les autres, et c'est vrai, une partie de ce critère repose sur des ressentis assez subjectifs. Mais l'expérience et le professionnalisme des experts peuvent tempérer (au moins un peu) le caractère un peu arbitraire de ce critère.

- **La note / 20 :** attribuée par l'esthéticienne ou le coiffeur.

4. Étiquetage

Un emballage « conforme » doit comporter toutes les informations prévues par la loi (liste des ingrédients selon la nomenclature officielle, date de péremption et/ou péremption après ouverture, numéro de lot...) pour assurer une bonne information du consommateur. L'argumentaire commercial doit être honnête et les allégations raisonnables au regard de ce que peut faire le produit. Chaque détail compte et, en l'occurrence, il se peut qu'on trouve cette année encore les experts un peu tatillons. Mais parfois, à force d'imprécisions et de flous, on peut en arriver à de réelles omissions plus ou moins problématiques, voire à de vrais mensonges. Si la loi prévoit certains passages obligés sur l'étiquette, ce n'est pas par hasard. On pourrait penser que peu importe, finalement, la façon plus ou moins conforme dont sont déclarés les ingrédients, pourvu qu'ils le soient. Ou qu'une mention absente ou en contradiction avec les recommandations officielles n'enlève rien à la qualité d'un produit. Mais quand la législation en matière d'étiquetage n'est pas respectée sur un (ou plusieurs) point, on en vient vite à se demander si elle l'est en ce qui concerne les bonnes pratiques de fabrication définies par la réglementation, par exemple... Dans ce domaine, les cosmétologues, qui connaissent la législation sur le bout de l'étiquette, règnent en maîtres absolus.

Et puis, parfois aussi, un mode d'emploi pas très clair ne favorise pas une utilisation optimale du produit, un flacon-pompe ne fonctionne pas ou, au contraire, un packaging charme au premier coup d'œil ou un emballage apporte ces petits plus qui font la différence. Dans ce cas, l'esthéticienne ou le coiffeur peuvent aussi avoir leur mot à dire...

- **La note / 20 :** attribuée le plus souvent par les seules cosmétologues, avec en cas de besoin, une pondération de l'esthéticienne ou du coiffeur.

5. Prix

On a reproché au Palmarès 2007 d'avoir minoré l'importance du prix dans les critères d'évaluation des produits, puisqu'il n'était noté que sur 10 alors que les autres l'étaient sur 20. Or, il s'avère qu'il constitue réellement pour le consommateur un des premiers éléments dans le choix d'un cosmétique, surtout tant qu'on reste dans le domaine de l'utilitaire. Et même dans les autres catégories, tout le monde n'a pas envie de n'acheter que du rêve... Ce critère a donc été revu à la hausse. Calculé en fonction de la moyenne des prix indicatifs conseillés des produits sélectionnés dans une même catégorie, il est pondéré par le facteur qualité : ainsi, une mauvaise formule qui coûte très cher est moins bien notée qu'une très bonne qui vaut autant.

- **La note / 20 :** attribuée par la journaliste.

6. Principe de précaution

On entend dire beaucoup de choses différentes, voire contradictoires, sur certains ingrédients incorporés fréquemment dans les cosmétiques. Tous, certes, sont autorisés par la loi. Mais parfois, cette assurance peut paraître insuffisante. Les sels d'aluminium, par exemple, bien connus et largement utilisés dans les antitranspirants, font toujours l'unanimité des experts de ce jury contre eux. Ils ne sont pas les seuls à susciter une certaine défiance. Basée sur la connaissance qu'ont les experts des ingrédients, sur des études scientifiques mettant en cause leur toxicité, sur une réticence face à leur mode opératoire, sur la fréquence d'effets secondaires indésirables, celle-ci se traduit dans ce Palmarès par une note qu'on a appelée le « Principe de précaution ».

À noter que ce critère ne comprend pas les risques d'allergies ou d'irritations, pris en compte dans le critère « Tolérance ». Et qu'il dépend beaucoup des dernières avancées scientifiques en matière de connaissance des ingrédients cosmétiques, ce qui explique qu'il peut parfois évoluer, et même d'une année sur l'autre.

- **La note / 20 :** synthèse des évaluations des cosmétologues, de l'esthéticienne ou du coiffeur (selon le type de produit) et des publications scientifiques compilées par la journaliste.

Gros plan sur quelques ingrédients

Fondement du critère « Principe de précaution » : les connaissances émanant de sources crédibles. Ce sont elles qui permettent de proposer ce tour d'horizon actualisé des substances les plus critiques ou les plus critiquées du moment, au regard des derniers éléments d'informations disponibles.

Ammonium lauryl sulfate

Tensioactif et agent moussant. Bien qu'autorisé par les labels bio, il possède les mêmes caractéristiques que le Sodium lauryl sulfate (voir ce terme) et s'avère donc irritant.

2- bromo-2-nitropropane-1,3-diol

Voir : Libérateurs de formol.

Aluminium (sels d')

Les sels d'aluminium sont principalement utilisés en tant qu'agents antiperspirants dans les produits antitranspirants. Ils sont suspectés de jouer un rôle dans la maladie d'Alzheimer ou dans certaines leucémies, mais on n'a toujours pas pu en apporter la preuve. Même s'il est avéré que leur pénétration transcutanée est importante, il faut noter que les cosmétiques ne constituent pas, loin s'en faut, notre principale source d'exposition à l'aluminium. En revanche, il est évident qu'en bloquant le processus naturel de la transpiration, ils perturbent le fonctionnement normal de l'organisme, et peuvent provoquer irritations, réactions inflammatoires et eczémas.

Gros plan sur quelques ingrédients *(suite)*

Benzophénone-3

Filtre UV synthétique. Son caractère allergisant est reconnu et, à ce titre, sa présence dans les cosmétiques doit être signalée par la mention : « Contient de l'oxybenzone ». Il est aussi suspecté de toxicité pour l'ensemble de l'organisme.

BHA / BHT

Antioxydants d'origine synthétique. Le CIRC (Centre international de recherche sur le cancer) classe le BHA parmi les cancérogènes possibles et le BHT parmi les substances dont l'innocuité n'a pas pu être établie. Leur toxicité pour le système digestif est avérée, mais seulement quand ils sont ingérés à très hautes doses.

Butane, Éthane, Isopentane, Pentane, Propane

Gaz propulseurs pour les bombes aérosols. La libération dans l'atmosphère de ces composés organiques volatils contribue à la formation du smog estival. Sauf en cas d'inhalation importante, ils ne paraissent pas toxiques pour la santé humaine.

Colorants azoïques

Ils sont suspectés d'être cancérogènes, toxiques, allergisants, irritants… Certains sont interdits aux États-Unis qui sont largement autorisés en Europe, d'autres sont strictement limités chez nous mais couramment employés ailleurs…

Colorants capillaires

Certains sont très allergisants, comme la paraphénylène-diamine (p-Phenylenediamine). Nombre d'entre eux sont associés à des risques de toxicité ou de cancers, mais les études manquent pour attribuer une responsabilité précise à une substance donnée. Ils sont actuellement en cours de réévaluation au niveau européen.

Diazolidinyl urea

Voir : Libérateurs de formol.

DMDM hydantoin

Voir : Libérateurs de formol.

Dioxyde de titane (Titanium dioxide)

Colorant blanc d'origine minérale. Il a été classé en février 2006 par le CIRC (Centre international de recherche sur le cancer) dans les substances susceptibles d'être cancérogènes pour l'homme. Mais le risque n'existe que par inhalation de grandes quantités de poudre de dioxyde de titane, particulièrement dans le milieu du travail, et donc pas sous la forme ni dans les concentrations utilisées dans les cosmétiques.

Le dioxyde de titane fait aussi partie des écrans minéraux (voir ce terme) utilisés dans les crèmes solaires.

Gros plan sur quelques ingrédients *(suite)*

Écrans minéraux (Titanium dioxide, Zinc oxide)

Ils réfléchissent les rayons UV pour protéger la peau des effets nocifs du soleil et se posent en alternative naturelle aux filtres UV synthétiques (voir ce terme). Leur sécurité d'emploi est actuellement remise en cause, du fait de leur utilisation sous forme de nanoparticules (permettant de limiter le film blanc inesthétique qu'ils laissaient auparavant sur la peau). Des études préliminaires montrent en effet que ces nanoparticules pourraient s'avérer toxiques pour l'organisme, notamment en produisant des radicaux libres et en endommageant l'ADN des cellules cutanées. Plusieurs associations écologiques comme les Amis de la Terre réclament la suspension de leur utilisation en attendant le résultat d'études plus complètes, qui sont en cours…

EDTA (et tous les *Quelque chose* EDTA)

Agents de chélation chimiques, contribuant à la stabilité de certains cosmétiques, notamment les savons, gels-douche ou shampooings… L'EDTA n'est nocif que lorsqu'il est ingéré en très grandes quantités. Il traverse difficilement la barrière cutanée, mais peut favoriser la pénétration d'autres substances, notamment à cause de ses propriétés de séquestrant du calcium. Il est déconseillé de le mettre au contact des yeux. Il est très persistant et donc, de fait, polluant pour l'environnement.

Filtres UV synthétiques

Ils absorbent les rayons UV pour protéger la peau des effets nocifs du soleil. Certains transformeraient l'énergie solaire en radicaux libres susceptibles d'endommager l'ADN, d'autres auraient une activité œstrogénique et cancérogène, d'autres encore sont des allergènes avérés. Point complet sur chacun en Annexe, p. 435.

Formaldéhyde

Conservateur antimicrobien et durcisseur d'ongles d'origine synthétique (formol). Il est cancérogène par inhalation, allergisant (faisant à ce titre partie des batteries officielles de tests d'allergie) et irritant. Bien qu'en concentrations limitées, il est toujours autorisé dans un nombre restreint de cosmétiques.

Huiles et cires minérales

Corps gras dérivés de l'industrie pétrochimique. Les huiles minérales, en plus de leur caractère polluant pour l'environnement, sont occlusives et comédogènes. Elles peuvent présenter un intérêt pour préserver l'hydratation des épidermes très secs mais sont susceptibles, en bouchant les pores de la peau, de favoriser l'apparition de boutons et points noirs.

Iodopropynyl butylcarbamate

Conservateur allergisant, comme tous les dérivés organiques de l'iode.

Imidazolidinyl urea

Voir : Libérateurs de formol.

Gros plan sur quelques ingrédients *(suite)*

Libérateurs de formol

Conservateurs d'origine synthétique, générant du formol au contact de l'eau (lors de la fabrication du cosmétique, dans son contenant, au moment de son utilisation...). Cette caractéristique les rend aussi dangereux que le formaldéhyde lui-même (voir ce terme), cancérogènes et allergisants. Mais toutes les substances incriminées ne se situent pas sur la même échelle : certaines libèrent peu de formaldéhyde, d'autres beaucoup plus. Le risque est donc difficilement quantifiable, mais il existe, notamment pour les substances suivantes : **2- bromo-2-nitropropane-1,3-diol, Diazolidinyl urea, DMDM hydantoin, Imidazolidinyl urea, Quaternium-15.**

Méthyldibromo glutaronitrile

Conservateur antimicrobien allergisant interdit en Europe depuis la directive du 22 mars 2007.

Méthylchloroisothiazolinone, Méthylisothiazolinone

Conservateurs antimicrobiens fortement allergisants.

Parabens

Conservateurs d'origine synthétique (esters de l'acide parahydroxybenzoïque) pouvant être utilisés seuls ou en mélange. Tous font partie des batteries de tests européens d'allergènes, mais leur potentiel sensibilisant semble relativement faible. L'Afssaps (Agence française de sécurité sanitaire des produits de santé) a statué sur l'absence de risque des parabens à courtes chaînes (**Methylparaben, Ethylparaben**), elle attend des études complémentaires pour se prononcer sur les risques associés aux **Propylparaben** et **Butylparaben** concernant la fertilité masculine, effets mis en évidence chez le jeune rat. Pour l'heure, une seule étude (japonaise) fait le lien entre **Methylparaben** et vieillissement cutané accéléré au soleil.

PEG et dérivés de PEG

Substances obtenues par éthoxylation (greffage de molécules d'oxyde d'éthylène), utilisées en tant qu'agents humectants pour les PEG, émulsifiants (ou tensioactifs) pour les esters de PEG. L'éthoxylation est un procédé chimique « dur », source de résidus très polluants, mais les PEG ne font courir, dans leur immense majorité, aucun risque à la santé humaine. L'*International Journal of Toxicology* relève toutefois quelques cas d'accroissement de la perméabilité de la peau à leur contact (facilitant la pénétration dans l'organisme d'autres ingrédients cosmétiques) et le potentiel irritant de nombre d'entre eux est avéré quand ils sont utilisés en trop grandes quantités.

Phénoxyéthanol

Éther de glycol, utilisé comme conservateur. Les éthers de glycol sont très divers, et possèdent des caractéristiques et des propriétés toxicologiques qui le sont tout autant. Leur utilisation (et leurs effets) dans l'industrie n'a rien à voir avec l'usage qui en est fait en cosmétique. Ceux dont les dangers étaient avérés figurent déjà

Gros plan sur quelques ingrédients *(suite)*

sur la liste des substances interdites. Ceux qui sont encore autorisés sont limités en concentration et considérés, pour l'heure et à cette condition, comme inoffensifs pour la santé. Quant au phénoxyéthanol, l'Afssaps (Agence française de sécurité sanitaire des produits de santé) a conclu en 2003 à sa totale innocuité.

Quaternium-15

Allergisant. Voir aussi : Libérateurs de formol.

Silicones

Huiles et cires synthétiques dérivées du silicium. Très peu biodégradables, elles s'avèrent très polluantes pour l'environnement. Mais semblent ne présenter aucun inconvénient pour la santé humaine et respectent plutôt bien la peau, permettant des textures fluides qui s'étalent bien.

Sodium lauryl sulfate

Tensioactif et agent moussant d'origine synthétique. Irritant, surtout à fortes concentrations, il est utilisé comme témoin positif dans certains dispositifs de contrôles de tolérance.

Toluène

Solvant, utilisé presque exclusivement dans les vernis à ongles. Il fait partie des composés organiques volatils responsables du smog estival, comme le butane (voir ce terme) et les autres gaz propulseurs. Il est également irritant pour la peau, les yeux et le système respiratoire.

Triclocarban, Triclosan

Conservateurs antimicrobiens et bactéricides dits à large spectre, c'est-à-dire efficaces sur un grand nombre de germes. Ils le sont même peut-être trop : plusieurs équipes de chercheurs mettent en garde contre une probable résistance des bactéries (du même type que celle qui s'est développée aux antibiotiques) et préconisent de limiter leur emploi aux utilisations réellement pertinentes, c'est-à-dire davantage dans les salles d'opération des hôpitaux que dans les déodorants. Des cas d'allergie de contact ont été rapportés.

Triethanolamine (et autres alkalonamines)

La triéthanolamine (ou TEA) est une substance de synthèse utilisée comme agent tampon (pour réguler le pH du produit). Les MEA, DEA et MIPA lui sont apparentées. Ces composés ont la particularité de former, en présence d'agents nitrosants (nitrites, oxydes d'azote…), des nitrosamines cancérogènes. La législation interdit l'introduction dans un même produit de ces composés et d'agents nitrosants. En cas de contamination accidentelle, la réaction de nitrosation ne survient que très lentement. Le risque existe, mais paraît donc assez faible.

Deuxième partie

Le Palmarès 2008

Le décor est planté, les produits évalués, les notes attribuées par chacun des experts. Reste à découvrir les résultats du Palmarès, les meilleurs cosmétiques actuellement disponibles sur le marché.

Comment lire ce Palmarès 2008

1 539 produits ont donc été évalués par le jury (soit 452 de plus qu'en 2007). 240 sont arrivés parmi les trois premiers de leur catégorie et ont gagné une place sur le podium des meilleurs parmi les meilleurs.

Les absents du Palmarès

Beaucoup de produits, de marques ne sont pas cités dans cette édition 2008. Cette absence peut s'expliquer par plusieurs raisons :

- **La marque n'a pas souhaité participer.** 211 marques ont été cette année invitées à soumettre leurs produits aux évaluations du jury. À noter qu'aucune contribution financière ne leur était demandée, leur participation consistant en une pré-sélection dans leurs gammes des cosmétiques qu'ils pensaient pouvoir accéder aux podiums, ainsi que la fourniture d'un exemplaire de chacun d'entre eux dans son emballage et de quelques informations le concernant. À chaque entreprise, on a exposé le principe du Palmarès et les critères. 129 ont décidé de jouer le jeu, les autres ont préféré s'abstenir…
- **Le produit a été mal noté.** Logiquement, il n'est pas cité dans ce livre, qui préfère s'en tenir à ceux qui sont réellement recommandables.
- **Le produit n'a pas obtenu des notes suffisantes.** Ce n'est pas qu'il soit vraiment à déconseiller, mais simplement que plusieurs autres ont été jugés meilleurs, sur un ou plusieurs critères. Quand on décide de ne mettre en valeur que les meilleurs des meilleurs, la sélection est parfois rude, mais c'est le principe du Palmarès.

Des notes aux étoiles

Chaque expert a donc attribué, pour chacun des critères qu'il avait à évaluer, une note sur 20. Le résultat final a été rapporté, pour plus de clarté, à une note sur 100, qui a déterminé le classement. Celle-ci représente le cosmétique dans sa globalité, tous critères confondus.

Les produits sont alors cités dans le **tableau des meilleurs,** avec le détail de leur évaluation pour chaque critère, ce qui permet à chaque consommateur d'évaluer leurs points forts d'un seul coup d'œil, et éventuellement de choisir celui qui lui convient le mieux. Pour l'un, le prix sera un argument déterminant, pour l'autre, ce sera l'efficacité de la formule (quitte à payer un peu plus cher), un troisième préfèrera peut-être ne pas transiger avec le principe de précaution…

La note de chaque critère a été traduite en étoiles, plus ou moins nombreuses.

Note	0 – 2	3 – 6	7 – 10	11 – 15	16 – 19	20
Nombre d'étoiles		☆	☆☆	☆☆☆	☆☆☆☆	☆☆☆☆☆

Dans chaque catégorie, les trois premiers montent sur le **podium.** On s'arrête alors sur ce qui fait leur intérêt, en analysant la liste de leurs ingrédients, leur présentation. Les experts expliquent leur évaluation en détaillant ce qui a déterminé leur avis sur le produit.

Quand le nombre de cosmétiques évalués dans une catégorie n'est pas réellement suffisant pour se forger une vraie vision de l'ensemble de l'offre du marché (souvent faute de candidats !), les produits qui méritent l'intérêt reçoivent une **mention spéciale,** et sont présentés exactement comme leurs camarades des podiums.

Des changements dans le classement

Il arrive qu'un produit, 1er ou 2e dans le Palmarès 2007 se retrouve cette année plus bas dans le classement. Ou qu'à l'inverse, un 5e ou un 10e en 2007 gravissent quelques marches cette année. Le premier est-il moins bon, le second est-il meilleur ? La réponse dépend des cas.

- **Le produit n'est pas tout à fait le même.** Il a gardé son nom, ne semble en rien différent. Et pourtant, sa formule a un peu changé, son packaging a été modifié ou c'est son prix qui a évolué. Et cela peut aller dans le bon sens… ou pas.
- **La concurrence a évolué dans sa catégorie.** Dans ce marché en perpétuelle expansion, il peut toujours arriver qu'un petit nouveau vienne détrôner un ancien. Ou que la commercialisation d'un plus ancien encore soit abandonnée, laissant une place vacante…
- **De nouveaux éléments d'appréciation changent la donne.** On dispose de nouvelles données sur un ingrédient (qui le rendent plus suspect, ou au contraire, le lavent de tout soupçon quant à sa toxicité, ou on lui a découvert de nouvelles propriétés…), la réglementation a changé sur un point ou certaines exigences paraissent moins absolues quand d'autres apparaissent.

Pour résumer, un produit déclassé n'est pas forcément moins bon qu'il n'était (mais il en existe aujourd'hui qui ont été jugés meilleurs), un produit mieux classé n'est pas forcément meilleur qu'il n'était, mais il est le meilleur de tous cette année !

Quelques repères

Le Palmarès s'est donné pour objectif, en plus d'offrir un classement de cosmétiques qu'on peut tous utiliser en parfaite confiance, d'aider les consommateurs à mieux les comprendre pour éventuellement choisir par eux-mêmes selon leurs propres critères.

Pour les trois premiers de chaque catégorie, il détaille donc ce qui fait l'intérêt du produit, sa liste d'ingrédients et ce qu'elle a d'intéressant, l'avis des experts.

En annexe, à la fin du livre, il offre un « Petit dictionnaire cosmétique », avec la définition de quelques termes spécifiques à ce domaine (p. 393).

Il fournit aussi un « Lexique des composants », un document précieux détaillant pour chaque ingrédient cosmétique : son nom selon la nomenclature INCI, sa traduction en français, les propriétés pour lesquelles il est utilisé (p. 395). À noter que dans le cours du livre, les ingrédients peuvent être présentés de deux façons :

- l'ingrédient désigné par son nom commun, en français ;
- l'ingrédient désigné sous son appellation INCI (la nomenclature officielle).

En annexe encore, la signification des différents logos et labels.

En annexe toujours, d'autres documents élaborés par les cosmétologues, Laurence Coiffard et Céline Couteau, pour mieux s'y retrouver parmi ces substances particulières que sont les molécules aromatiques allergènes (p. 429), les conservateurs (p. 431) et les filtres UV (p. 435).

Et maintenant que tout est dit, place au Palmarès 2008 des cosmétiques.

Produits pour

Bébés

Produits pour le bain, gels et mousses lavants pour bébés

Les résultats

Évalués : 24 produits, de 18 marques différentes.

Prix moyen / 100 ml : 6,18 €.

Ont obtenu au moins la moyenne : 24.

N'ont pas obtenu la moyenne dans au moins un critère : 5.

Meilleure note : 89,83/100.

Plus mauvaise note : 66/100.

Les critères des experts

On doit se montrer d'autant plus exigeant sur la qualité d'un produit pour enfant que jusqu'à l'âge de 10 ans environ, sa peau reste particulièrement fragile (bien plus que celle d'un adulte). Les plus jeunes se révèlent ainsi les premières victimes des phénomènes de sensibilisations ou d'irritations dus à l'utilisation des cosmétiques, allant de simples inconforts à de vraies allergies, dont les enfants peuvent souffrir... à vie. Et c'est bien à la composition qu'il faut se fier plutôt qu'au joli rose layette de l'étiquette.

À éviter

- Le **savon,** particulièrement décapant, ne doit pas être employé sur une peau sensible.
- Les **tensioactifs anioniques** font de belles mousses mais d'aussi belles irritations. Les Sodium lauryl sulfate et Ammonium lauryl sulfate comptent parmi les plus agressifs, et de la même façon, même si le second est accepté par les labels bio.
- Les **parfums,** synthétiques ou naturels, sont tous plus ou moins sensibilisants. Traquez les molécules aromatiques dont la déclaration est obligatoire (voir p. 429).
- Pour les plus jeunes, le système de conservation doit être encore plus fiable que jamais et sans faille. Mais certaines substances très efficaces sont dotées aussi d'autres propriétés qu'on préfère ne pas faire tester aux enfants. C'est le cas des **libérateurs de formaldéhyde** (classés cancérogènes par inhalation, allergènes et irritants) : 2-bromo-2-nitropropane-1,3-diol, Diazolidinyl urea, DMDM hydantoin, Imidazolidinyl urea, Quaternium-15. Sur la liste rouge également, les dérivés de l'iode comme le Iodopropynyl butylcarbamate.

À privilégier

- Les **tensioactifs amphotères,** parmi les plus doux, sont les mieux tolérés par toutes les peaux : Disodium cocoamphoacetate, Sodium Lauroamphoacetate...
- La **sécurité absolue** doit guider le choix en matière de cosmétiques pour enfant, et même aux dépens du coup de cœur, et même (surtout !) s'ils ne sentent pas la fraise et n'ont pas une jolie couleur irisée. Donc, pas de chimie trop agressive mais pas trop de naturel non plus, la nature n'étant pas avare de molécules sensibilisantes.

Les meilleurs

	Prix	Composition Efficacité	Tolérance cutanée	Étiquetage	Confort d'utilisation	Principe de précaution	Classement
Bioderma Atoderm - Gel surgras douceur	★★★★	★★★★	★★★★	★★★★	★★★★	★★★★	**1**
Mustela Stelatopia - Crème lavante	★★★★	★★★	★★★★	★★★★	★★★★	★★★★	**2**
Stiefel Physiogel - Base lavante	★★★	★★★★	★★★★	★★★★	★★★★	★★★★	**3**
Avène Pédiatril - Mousse lavante Corps et cheveux	★★★★	★★★★	★★★	★★★★	★★★★	★★★★	4
Rogé Cavaillès Crème lavante surgras Peaux de bébé	★★★★	★★★★	★★★★	★★★★	★★★★	★★★	5
Logona bébé Bain de soin calendula et Shampooing calendula	★★★	★★★	★★★★	★★★★	★★★★	★★★★	6
Bébé Cadum Gel sans savon corps et cheveux	★★★★★	★★★★	★★★	★★★★	★★★★	★★★	7
Klorane bébé Shampooing doux protecteur	★★★★	★★★★	★★★★	★★★★	★★★	★★★	8
Euphia Gel lavant délicat	★★★★	★★★	★★★★	★★★	★★★★	★★★★	9
Avène TriXéra - Bain émollient	★★★	★★★★	★★★	★★★★	★★★★	★★★★	10
Klorane bébé Gel douceur moussant	★★★★	★★★★	★★★	★★★★	★★★	★★★	11
Dado Sens ExtroDerm - Crème douche	★★★	★★★★	★★★★	★★★	★★★★	★★★★★	12
Cattier bébé Gel moussant Cheveux et corps	★★★★	★★★	★★★	★★★★	★★★★	★★★★	13
A-Derma Exomega - Shampooing mousse	★★	★★★★	★★★	★★★★	★★★★	★★★	14
Lamarque Eau de douche moussante enfants	★★	★★★	★★★★	★★★	★★★★	★★★★★	15

	Prix	Composition Efficacité	Tolérance cutanée	Étiquetage	Confort d'utilisation	Principe de précaution	Classement
Cattier bébé Mousse lavante Cheveux et corps	★★★	★★★	★★★	★★★	★★★	★★★★	16
Gamarde Dermo-soins bébé - Bain câlin	★★★	★★★	★★	★★★	★★★★	★★★★	17
Phyt's Soins 1er Âge - Gel moussant	★★★	★★★	★★★	★★★	★★★★	★★★★	18

Les 3 premiers

BIODERMA

Atoderm – Gel surgras douceur

Peaux sèches sensibles

Note : 89,83/100.

Présentation : Flacon de 500 ml.

Prix indicatif : 9,80 € *(1,96 €/100 ml).*

12 M

Disponible en : Pharmacies, Parapharmacies.

Site internet : www.bioderma.com

INGREDIENTS : Water (Aqua), Sodium laureth sulfate, Coco-betaine, Sodium lauroyl sarcosinate, Glycerin, Methylpropanediol, Mannitol, Xylitol, Rhamnose, Fructooligosaccharides, Copper sulfate, Coco-glucoside, Glyceryl oleate, Sodium chloride, Disodium EDTA, Capryloyl glycine, Citric acid, Sodium hydroxide, Fragrance (Parfum).

À noter dans la composition. Une formule sans savon, sans conservateur, sans molécule aromatique allergène, mais avec des tensioactifs parmi les moins agressifs pour la peau.

L'avis des experts. Voilà une base lavante qui ne peut qu'être bien tolérée. À noter qu'elle est d'abord indiquée pour les peaux sèches et sensibles... comme le sont souvent celles des bébés. Ce gel bleuté légèrement parfumé se transforme sous l'eau en mousse fine qui laisse la peau très douce. Un grand flacon pas trop cher qui peut ainsi convenir à toute la famille. On apprécie aussi l'étiquetage, où toutes les informations utiles (en plus d'être réglementaires) figurent en bonne place.

On le dit en passant : Hypoallergénique
Un produit dit « hypoallergénique » ne met pas à l'abri de toute réaction allergique ni même d'irritation. Ce terme signifie seulement que le produit a été formulé en vue de minimiser les risques d'allergies. Mais il faut le savoir (et c'est d'ailleurs un objectif quasi impossible à atteindre), cela ne représente pas une garantie à 100 %.

2 1 3

MUSTELA

Stelatopia – Crème lavante Corps et cheveux Peaux sèches à tendance atopique

Note :	86,5/100.
Présentation :	Flacon-pompe de 400 ml.
Prix indicatif :	11,94 € *(2,98 €/100 ml).*
Disponible en :	Pharmacies, Parapharmacies.
Site internet :	www.mustela.fr

INGREDIENTS : Aqua, Coco-glucoside, Disodium lauryl sulfosuccinate, Sodium cocoyl isethionate, Zea mays starch, Cetearyl alcohol, Hydroxypropyl guar, Citric acid, Glycine, Sodium hydroxymethylglycinate, Hydrogenated castor oil, Glycerin, Polyquaternium-10, Tetrasodium EDTA, Titanium dioxide, Helianthus annuus seed oil unsaponifiables, Sodium hydroxide.

À noter dans la composition. Encore une formule qui s'affiche sans savon, sans parfum et sans paraben même si elle contient tout de même au moins un conservateur répertorié comme tel dans la nomenclature officielle. Pas de pot ouvert dans l'étiquetage : le produit doit être utilisé dans les 30 mois qui suivent sa fabrication et la date limite d'utilisation est inscrite sur le flacon. Il est conseillé par le fabricant pour les nourrissons, les bébés et les enfants, comme pour toutes les peaux sèches à tendance atopique.

L'avis des experts. Rien à dire sur la composition, ni sur l'étiquetage, ni même sur la tolérance de cette crème lavante, vraiment très honorable. Tout à fait adaptée aux peaux souvent sèches des tout-petits, elle se fait très douce au moment de la toilette et ne mousse pour ainsi dire pas. Une neutralité bienvenue pour les épidermes les plus fragiles.

STIEFEL

Physiogel – Base lavante. Gel douche extra-doux – Peau et cuir chevelu sensible

Note :	84,33/100.
Présentation :	Flacon de 250 ml (étui carton).
Prix indicatif :	12,54 € *(5,01 €/100 ml).*
Disponible en :	Pharmacies, Parapharmacies.
Site internet :	www.stiefel.com

INGREDIENTS : Aqua, Polysorbate 20, PEG-120 methyl glucose dioleate, Disodium cocoamphodiacetate, Sodium cocoamphoacetate, Sodium laureth sulfate, Sodium chloride, Methyl gluceth-20, Citric acid, Tocopherol.

À noter dans la composition. Mais que de PEG et de substances éthoxylées ! Oui, c'est vrai. Et leurs procédés de fabrication ne font toujours pas de bien à notre environnement. Mais ils permettent aussi d'obtenir une base lavante vraiment très douce pour les peaux les plus en souffrance. Plus qu'aucune substance naturelle ne pourra jamais le faire.

L'avis des experts. Celui-là était déjà cité dans le Palmarès 2007 ! Et il se retrouve ici, en bonne place, pour les mêmes raisons. Douceur, transparence et non-agression de la peau sont toujours les maîtres mots pour décrire ce gel à la mousse légère et fine, dont le prix reste le seul (léger) handicap. Une présence deux années de suite dans ce classement des meilleurs signe une valeur sûre, incontestablement.

Flash marque : Stiefel

Pas de pub à la télé, pas de panneaux en 4x3, mais Stiefel peut se présenter sans mentir comme « un des plus grands laboratoires pharmaceutiques indépendants, spécialiste de la recherche en dermatologie ». Son domaine de prédilection : les soins « dermo-cosmétiques haute tolérance sans parfum, ni conservateur, ni émulsionnant, ni colorant ». Du neutre et du fiable, que les peaux irritées, sèches ou sensibles, apprécient.

Eaux et lotions nettoyantes pour bébés

Les résultats

Évalués : 10 produits, de 10 marques différentes.

Prix moyen / 100 ml : 4,38 €.

Ont obtenu au moins la moyenne : 10.

N'ont pas obtenu la moyenne dans au moins un critère : 4.

Meilleure note : 90/100.

Plus mauvaise note : 67,92/100.

Les critères des experts

En général, elles ne se rincent pas. Elles vont par conséquent rester en contact avec la peau du bébé pendant au moins quelques heures, et doivent donc avoir une composition irréprochable pour éviter tout risque de réaction indésirable. Les substances allergènes (voir p. 429), de même que tous les ingrédients asséchants ou irritants, sont plus que jamais malvenus dans les lotions nettoyantes qui se doivent d'être les plus pures et les plus neutres possibles. Elles n'ont pas vocation à parfumer ni à enchanter, juste à nettoyer sans agresser !

À éviter

- Les **huiles essentielles** sont des actifs puissants, et se trouvent de plus fort pourvues en molécules allergènes. Mieux vaut donc les limiter au maximum, tant en nombre qu'en concentration.
- La **résine de benjoin** (Styrax benzoin) peut être utilisée dans les cosmétiques pour ses propriétés antiseptiques et son parfum. Mais c'est aussi un allergène majeur, qu'il est bien déconseillé de mettre en contact avec les épidermes fragiles et sensibles des tout-petits.
- L'**alcool,** intégré parfois dans certains systèmes de conservation des cosmétiques, est bien trop asséchant pour les peaux à tendance sèche, comme le sont souvent celles des bébés.

À privilégier

- Les **eaux florales ou thermales** pures apportent apaisement, douceur et fraîcheur, et pour les premières, un parfum délicat et léger, sans contre-indication d'aucune sorte.

- Le **glycérol** (Glycerin), en plus de ses propriétés de solvant, constitue un actif hydratant connu depuis la nuit des temps. Le plus souvent d'origine végétale, il diminue les pertes en eau de l'épiderme, qu'il contribue à assouplir et adoucir. On ne connaît pas caresse plus tendre pour une peau de bébé !

Les meilleures

	Prix	Composition Efficacité	Tolérance cutanée	Étiquetage	Confort d'utilisation	Principe de précaution	Classement
Euphia Lotion florale nettoyante	★★★★	★★★	★★★★	★★★★	★★★★★	★★★★★	**1**
Bébé Cadum Eau nettoyante sans rinçage	★★★★★	★★★★	★★★★	★★★★	★★★★	★★★★	**2**
Avène Pédiatril - Solution nettoyante	★★★	★★★★	★★★★	★★★★	★★★★	★★★★	**3**
Cattier bébé Lait de toilette Visage et corps	★★★★	★★★	★★★	★★★★	★★★★	★★★★	4
Mustela Stelatopia - Eau nettoyante	★★★	★★★★	★★★	★★★★	★★★	★★★★	5
Logona bébé Huile nettoyante calendula	★★	★★★	★★★	★★★★	★★★★	★★★★	6

Les 3 premières

EUPHIA

Lotion florale nettoyante

Sans rinçage – Visage et corps

Note :	90/100.
Présentation :	Flacon-pompe de 500 ml.
Prix indicatif :	8,49 € *(1,69 €/100 ml).*
Disponible en :	Pharmacies, Parapharmacies.
Site internet :	www.euphia.com

6 M

INGREDIENTS : Aqua, Rosa damascena flower water*, Glycerin, Anthemis nobilis flower water, Capryloyl glycine, Glyceryl caprylate, Biosaccharide gum-1, Potassium sorbate, Caprylyl/capryl glucoside, Xanthan gum, Citrus auran-

tium ssp aurantium (leaf), Citrus aurantium ssp aurantium (flower).
* Issu de l'Agriculture Biologique

À noter dans la composition. Une formule basée sur deux eaux florales de rose (Rosa damascena) et de camomille (Anthemis nobilis), associées à de la fleur d'oranger (Citrus aurantium). Du 100 % naturel, précise le fabricant, qui ne nécessite pas d'ajout d'autre parfum pour avoir une senteur agréable. La conservation est assurée par un complexe de Capryloyl glycine (voir p. 14) et de Potassium sorbate, un conservateur accepté par les labels bio, comme Cosmébio et Écocert, qui garantit la conformité de ce produit à son cahier des charges.

L'avis des experts. Cette lotion était déjà n° 1 dans le Palmarès 2007 ! On apprécie d'abord, et avant même de prendre contact avec le produit lui-même, que la date de péremption soit doublée d'une période d'utilisation optimale, via le pot ouvert (voir p. 141). On salue aussi qu'Euphia soit une des rares entreprises à nous avoir communiqué les effets indésirables liés à l'utilisation de ses produits (ici, 2 pour 35 000 exemplaires vendus, un résultat des plus exemplaires). Les eaux florales se font douces et délicates sur la peau des bébés, et avec seulement 0,012 % d'huiles essentielles, le produit n'atteint même pas le seuil de déclaration obligatoire des allergènes pour les produits non rincés (voir p. 429), ce qui est le cas ici. Un sans faute (mis à part un petit défaut dans la déclaration de ses huiles essentielles), efficace et si agréable à utiliser qu'on le volerait presque à son enfant pour s'en servir de lotion apaisante après le démaquillage !

Flash marque : Euphia

Elle nous vient de Belgique et est encore assez peu connue en France. Elle le sera certainement de plus en plus, car cette marque, spécialisée dans les produits pour bébés, s'est placée résolument sur le créneau du naturel le plus doux, à des prix très abordables. Et pour parfaire le bien-être de nos tout-petits, elle commercialise un livret des plus sympathiques pour apprendre aux mamans à masser leur bébé, le summum du bonheur partagé.

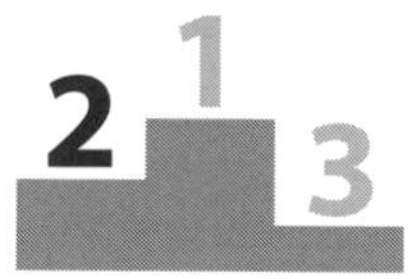

BÉBÉ CADUM

Eau nettoyante sans rinçage

Note :	89,67/100.
Présentation :	Flacon-pompe de 750 ml.
Prix indicatif :	6,15 € *(0,82 €/100 ml).*
Disponible en :	Grandes et moyennes surfaces.
Site internet :	www.cadum.fr

12 M

INGREDIENTS : Aqua, PEG-6 caprylic/capric glycerides, Propylene glycol, Sodium benzoate, PEG-40 hydrogenated castor oil, Parfum, Prunus dulcis, Potassium hydroxide, Glycerin, Tetrasodium glutamate diacetate, Citric acid.

À noter dans la composition. Ce n'est pas l'huile d'amande douce bio (en pourcentage un peu anecdotique dans la formule même si elle est revendiquée sur l'étiquette) qui fait l'intérêt de cette lotion. Non, c'est plutôt qu'elle ne contient rien qui fâche, quel que soit l'expert vers lequel on se tourne... Et à ceux qui auraient raté les épisodes précédents (ou le Palmarès 2007), on le redit pour éviter les cris d'effroi inutiles : non, la Castor oil n'est pas ce qu'on pense, mais bel et bien de l'huile de ricin, ici sous une forme hydrogénée et éthoxylée.

L'avis des experts. Là encore, on retrouve ici un résident du Palmarès 2007... qui confirme ses qualités en 2008. Rien qui fâche, donc, que du doux et du respectueux de la peau. Pour, il faut le souligner, un prix pratiquement dérisoire. Un peu trop encombrant en balade, le gros flacon-pompe, bien stable, trouvera tout naturellement sa place près de la table à langer pour les petites toilettes qui ne se rincent pas.

AVÈNE

Pédiatril – Solution nettoyante Visage et corps

Note :	81,92/100.
Présentation :	Flacon de 400 ml.
Prix indicatif :	12,90 € *(3,22 €/100 ml).*
Disponible en :	Pharmacies, Parapharmacies.
Site internet :	www.eau-thermale-avene.com

6 M

INGREDIENTS : Avene thermal spring water (Avene aqua), Glycerin, PEG-8, Coco-glucoside, Chlorphenesin, Citric acid, Phenoxyethanol, Sodium chloride, Water aqua, Disodium EDTA, Sodium hydroxide.

À noter dans la composition. Eau thermale réputée, tensioactif doux et glycérine hydratante constituent la base. Deux régulateurs de pH (Citric acid, Sodium hydroxide) pour une bonne adaptation à celui de la peau, et deux conservateurs.

L'avis des experts. Avec une liste d'ingrédients courte, on a forcément moins de chances de trouver des substances pouvant poser problème. Les deux conservateurs utilisés ici (Chlorphenesin, Phenoxyethanol) sont considérés comme tout à fait sûrs par les autorités sanitaires. On leur associe pourtant quelques cas d'allergies de contact, mais il faut noter qu'ils ne sont présents ici qu'en pourcentages limités (0,3 % maximum pour la Chlorphenesin) et qu'il est conseillé, de plus, de rincer le produit, ce qui minimise les risques de réaction indésirable. Cette solution, d'aspect et d'odeur très neutre, est bien protégée par un flacon-pompe opaque. Avène n'en fait pas des tonnes, ni dans la formulation, ni dans l'argumentaire sur l'emballage, mais la simplicité, quand elle est alliée au sérieux du laboratoire, a du bon !

Mentions spéciales

Laits (corps) pour bébés / Crèmes visage et corps pour bébés

Les critères des experts

Assez identiques dans leur composition comme dans leur destination, les laits et crèmes pour le corps se différencient surtout par leur texture (plus légère pour les premiers, plus épaisse pour les secondes)… Si on limite les allergènes (voir p. 429) au maximum, si on évite absolument l'alcool asséchant, si on regarde avec méfiance certains conservateurs aux potentialités sensibilisantes, si on exige toujours (comme dans les deux catégories précédentes) une sécurité sanitaire au-dessus de tout soupçon et une efficacité de haut niveau (autant de critères incontournables quand il s'agit de choisir un cosmétique pour un bébé, bien avant les seuls plaisirs olfactif ou tactile que son utilisation peut procurer !), on se rend compte, eh bien… que le choix de produits intéressants proposés par le marché devient finalement très, très réduit ! Dans ces deux catégories à visée essentiellement hydratante, seuls deux laits et trois crèmes ont ainsi été jugés suffisamment recommandables pour figurer dans le Palmarès cette année…

Les meilleurs laits (corps) pour bébés

	Prix	Composition Efficacité	Tolérance cutanée	Étiquetage	Confort d'utilisation	Principe de précaution	Classement
Dado Sens ExtroDerm - Baume pour le corps	★★★	★★★★	★★★★	★★★	★★★★	★★★★	1
Coslys Lait bébé	★★★★★	★★★	★★★	★★★★	★★★★	★★★★	2

Les nommés

DADO SENS

ExtroDerm – Baume pour le corps
Peaux sèches et sensibles

Note :	82,5/100.
Présentation :	Flacon de 200 ml (étui carton).
Prix indicatif :	18 € *(9 €/100 ml).*
Disponible en :	Magasins bio et de produits naturels, Instituts de beauté.
Site internet :	www.dadosens.de (en allemand).

9 M

INGREDIENTS : Aqua (Water), Squalane, Cetearyl ethylhexanoate, Urea, Simmondsia chinensis (Jojoba) seed oil, Borago officinalis seed oil, Glycerin, Glycine, Polyglyceryl-3 polyricinoleate, Sorbitan oleate, Magnesium sulfate, Farnesol, Tocopheryl acetate, Panthenol, Disteardimonium hectorite, Allantoin, Lecithin, Bisabolol, Carthamus tinctorius (Safflower) seed oil, Alcohol, Ascorbyl palmitate, Hydrogenated palm glycerides citrate, Tocopherol.

À noter dans la composition. Les six premiers ingrédients après l'eau (c'est-à-dire la majeure partie du produit) sont des actifs classés par la nomenclature officielle dans les catégories des émollients ou des humectants. Comprenez : voici une formule entièrement tournée vers l'hydratation ! On repère aussi des agents apaisants (Allantoin, Bisabolol) pour les sécheresses qui tiraillent et démangent, et d'autres émollients en pourcentages moins importants. Bref, tout ce qu'il faut pour une peau douce, souple, et tout à fait en forme !

L'avis des experts. Bonne formule, qu'on aurait davantage appréciée encore sans alcool du tout (même s'il y en a très peu) et sans molécules allergènes non plus (même s'il n'y en a qu'une, le farnésol, et que la substance est plutôt utilisée ici pour ses propriétés apaisantes). À l'application de ce lait au contact un peu épais mais qui pénètre bien et à l'odeur très neutre, on sent immédiatement la peau bien nourrie et protégée. Un bonheur pour les épidermes vraiment secs (et conseillé tout autant aux enfants qu'à leurs parents ou grands-parents). Et tout cela pour un prix qui sait rester relativement raisonnable.

COSLYS
Lait bébé

Note :	82,08/100.
Présentation :	Flacon-pompe de 500 ml.
Prix indicatif :	18,45 € *(3,69 €/100 ml).*
Disponible en :	Magasins bio, Instituts de beauté, Parashop.
Site internet :	www.coslys.fr

INGREDIENTS : Aqua (Water), Citrus amara flower water*, Caprylic/Capric triglyceride, Dicaprylyl carbonate, Cetearyl alcohol, Glyceryl stearate SE, Parfum, Prunus armeniaca kernel oil*, Butyrospermum parkii*, Cetearyl glucoside, Bisabolol, Xanthan gum, Glycine soja, Tocopherol, Chondrus crispus, Glucose, Sodium benzoate, Limonene, Linalool.
* Ingrédients issus de l'Agriculture Biologique.

À noter dans la composition. Eau, eau florale et trois émollients en tête de liste forment la base de ce lait. On remarque encore quelques agents, hydratant, apaisant ou émollient, et le parfum ajouté qui cause la présence de deux molécules allergènes.

L'avis des experts. 95 % d'ingrédients naturels (10 % de bio) revendiqués sur l'étiquette et détaillés, une fois n'est pas coutume, en français, aux côtés de la liste INCI officielle : c'est une initiative à saluer. Mais là encore, on aurait préféré sans allergènes ! Ces molécules aromatiques et les actifs hydratants font au final de ce lait un baume doux à l'odeur légère, pas gras du tout, et qu'on a plaisir à masser sur la peau de bébé.

Les meilleures crèmes (visage et corps) pour bébés

	Prix	Composition Efficacité	Tolérance cutanée	Étiquetage	Confort d'utilisation	Principe de précaution	Classement
Coslys Crème bébé	★★★ ★	★★★	★★★	★★★	★★★ ★	★★★ ★★	1
Cattier bébé Crème hydratante Visage et corps	★★★ ★★	★★★	★★★	★★★	★★★ ★	★★★ ★	2
Avène Pédiatril - Crème de soin Visage et corps	★★★	★★★ ★	★★★	★★★ ★	★★★	★★★ ★	3

Les nommées

COSLYS
Crème bébé

COSMETIQUE BIO CHARTE COSMEBIO ®

Note :	81,67/100.
Présentation :	Flacon-pompe de 150 ml.
Prix indicatif :	16,70 € *(11,13 €/100 ml).*
Disponible en :	Magasins bio, Instituts de beauté, Parashop.
Site internet :	www.coslys.fr

INGREDIENTS : Aqua (Water), Decyl oleate, Citrus amara flower water*, Glyceryl stearate SE, Prunus armeniaca kernel oil*, Glyceryl stearate, Glycerin, Anthemis nobilis flower water*, Parfum, Butyrospermum parkii*, Xanthan gum, Cetyl palmitate, Cocoglycerides, Bisabolol, Sodium benzoate, Limonene, Linalool.
* Ingrédients issus de l'Agriculture Biologique.

À noter dans la composition. Comme dans le lait de la même gamme (voir p. 44), cette crème se révèle riche d'eaux florales et d'émollients, auxquels s'ajoutent des actifs hydratants et apaisants, et toujours un parfum apportant ses deux molécules allergènes.

L'avis des experts. Le principe de formulation est assez semblable à celui du lait de la même marque, dans une texture un peu plus épaisse et bien nourrie en émollients. Bien sûr, on aurait préféré la même composition sans allergènes, mais cette crème relativement épaisse remplit très agréablement son office, dans une fragrance légère et délicate.

On le dit en passant : Flacons-pompe

Les flacons-pompe, c'est très bien. Le produit est mieux protégé de l'oxydation de l'air et des micro-organismes extérieurs, on n'y plonge pas les doigts, on en prélève à chaque pression la juste quantité nécessaire. C'est très bien... quand la pompe marche. Ce qui parfois n'est pas toujours tout à fait le cas, ou même parfois pas le cas du tout. On en a rencontré quelques-uns au cours des tests pour ce Palmarès qui refusaient tout à fait de libérer la moindre giclée de produit. Et alors, c'est dommage, à tous points de vue !

CATTIER BÉBÉ

Crème hydratante Visage et corps Amande douce

Note :	80,42/100.
Présentation :	Tube de 75 ml.
Prix indicatif :	6,66 € *(8,88 €/100 ml).*
Disponible en :	Magasins bio, Grands magasins (Printemps, BHV, Galeries Lafayette), Résonances, Monoprix, Parapharmacies.
Site internet :	www.laboratoirecattier.com

INGREDIENTS : Aqua (Water), Citrus aurantium amara flower*, Caprylic/capric triglyceride, Butyrospermum parkii*, Helianthus annuus oil*, Sorbitan stearate (and) Methyl glucose sesquistearate, Glycerin, Stearic acid, Cetyl alcohol, Buxus chinensis*, Prunus amygdalus dulcis oil*, Parfum, Sodium benzoate, Xanthan gum, Hydrolyzed wheat protein, Benzyl alcohol, Tocopherol, Geraniol, Limonene, Linalool.
* 19 % du total des ingrédients sont issus de l'Agriculture Biologique. 98,7 % du total des ingrédients sont d'origine naturelle.

À noter dans la composition. Des huiles de tournesol et de jojoba, d'amande douce aussi, et des émollients en suffisance dans un mélange d'eau et d'eau de fleurs d'oranger amer, un parfum et ses trois molécules aromatiques allergènes.

L'avis des experts. Il faut bien le dire, l'huile d'amande douce revendiquée sur l'étiquette n'est pas la plus présente dans cette formule, puisqu'elle arrive dans la liste des ingrédients après celles de tournesol et de jojoba. Les propriétés hydratantes et nourrissantes de ces dernières ne sont pourtant pas à négliger. Dans la série des petits bémols, soulignons aussi cet ingrédient composé (Sorbitan stearate (and) Methyl glucose sesquistearate) : certes, il est fourni « tout prêt » et déjà mélangé par le fournisseur de matières premières, cependant pour satisfaire à la déclaration des ingrédients en ordre décroissant, le fabricant devrait les classer selon leurs pourcentages précis. Mais cette crème blanche relativement épaisse se révèle bien nourrissante et fleure bon la fleur d'oranger pour un prix défiant toute concurrence.

AVÈNE

Pédiatril - Crème de soin Visage et corps

Note :	80,08/100.
Présentation :	Tube de 50 ml (étui carton).
Prix indicatif :	*7 € (14 €/100 ml).*
Disponible en :	Pharmacies, Parapharmacies.
Site internet :	www.eau-thermale-avene.com

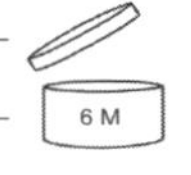

INGREDIENTS : Avene aqua, Glyceryl stearate, Squalane, Glycerin, Butyrospermum parkii, Cyclomethicone, Stearic acid, Cetearyl alcohol, Cetearyl glucoside, Chlorphenesin, Dimethiconol, Phenoxyethanol, Tocopheryl acetate, Triethanolamine.

À noter dans la composition. De l'eau thermale et quatre actifs émollients en tête de la liste des ingrédients pour assurer une base fortement hydratante. Viennent ensuite des huiles de silicone et un système de conservation à base de chlorphénésine, de phénoxyéthanol et d'antioxydant.

L'avis des experts. Voilà une composition classique de crème hydratante. Le fabricant souligne dans son argumentaire l'absence de colorants, de parfum et d'alcool pour une haute tolérance. Il précise aussi que la composition ne contient pas de parabens, ce qui est vrai, même si quelques cas d'allergies de contact ont été rapportés pour les deux conservateurs choisis. Au final, la sécurité de la formule semble assurée, et la crème, fine et douce, s'applique aisément, adoucissant visiblement la peau de l'enfant.

Mentions spéciales

Crèmes pour le change des bébés

Les critères des experts

Tous les critères valables pour les cosmétiques destinés aux bébés sont bien sûr à considérer à la puissance 10 quand il s'agit de crémer les fesses d'un nourrisson. Toute substance allergène ou irritante doit être proscrite absolument dans ce cas, ce qui signifie d'abord : aucune tolérance pour les molécules aromatiques (voir p. 429), comme pour tous les ingrédients pouvant provoquer le même type de réaction. C'est le cas de la lanoline (Lanolin) qu'on retrouve encore dans certaines formules bien qu'elle fasse partie des matières premières allergisantes avérées. Pas d'alcool non plus, évidemment, et un système de conservation efficace mais respectueux de l'épiderme (le « milieu » est des plus délicats, et à traiter avec tous les ménagements possibles !). Et, tout bien considéré, là encore, peu de produits peuvent être mis à l'honneur.

Les meilleures

	Prix	Composition Efficacité	Tolérance cutanée	Étiquetage	Confort d'utilisation	Principe de précaution	Classement
Klorane bébé Pâte à l'eau protectrice pour le change	★★★★★	★★★★	★★★★★	★★★★	★★★★	★★★★	**1**
Avène Pédiatril - Pâte à l'eau	★★★	★★★★	★★★★	★★★★	★★★★	★★★★	**2**

Les nommées

KLORANE BÉBÉ

Pâte à l'eau protectrice pour le change

Note :	93,58/100.
Présentation :	Tube de 75 ml (étui carton).
Prix indicatif :	5,35 € *(7,13 €/100 ml).*
Disponible en :	Pharmacies, Parapharmacies.
Site internet :	www.klorane-bebe.com

INGREDIENTS : Water (Aqua), Glycerin, Zinc oxide, Talc, Zea mays (corn) starch (Zea mays), Calendula officinalis flower extract (calendula officinalis), Magnesium aluminum silicate, Hydroxyethylcellulose, Squalane, Citric acid, Glyceryl stearate, PEG-100 stearate, Phenethyl alcohol.

À noter dans la composition. L'oxyde de zinc est utilisé ici pour ses propriétés antiseptiques et réparatrices de l'épiderme irrité, la glycérine et le squalane assurent l'hydratation, le talc, le silicate de magnésium et d'aluminium ainsi que l'amidon de maïs sont autant d'agents absorbant l'humidité excessive, le calendula joue son rôle d'apaisant, l'alcool de phénétyle de déodorant, l'acide citrique permet de maintenir un pH non agressif pour la peau.

L'avis des experts. Cette pâte à l'eau était déjà gratifiée d'une Mention spéciale dans le Palmarès 2007. On saluait alors sa composition classique, mais exemplaire, sa texture bien épaisse mais facile à étaler, sa tolérance maximale et son prix minimal ! Et franchement, il n'y a rien à dire d'autre cette année.

AVÈNE

Pédiatril – Pâte à l'eau

Note :	78,17/100.
Présentation :	Tube de 50 ml (étui carton).
Prix indicatif :	6,25 € ***(12,50 €/100 ml).***
Disponible en :	Pharmacies, Parapharmacies.
Site internet :	www.eau-thermale-avene.com

INGREDIENTS : Avene aqua, Glycerin, Zinc oxide, Caprylic/capric triglyceride, Prunus dulcis, Glyceryl stearate, Magnésium aluminum silicate, Hydroxyethylcellulose, Citric acid, PEG-100 stearate, Phenoxyethanol, Tocopheryl acetate.

À noter dans la composition. On retrouve ici les éléments de la formule qui gagne : eau thermale, oxyde de zinc antiseptique et réparateur, huile d'amande douce et autres émollients, silicate de magnésium et d'aluminium absorbant, acide citrique régulateur de pH... Seule différence majeure avec la crème n° 1 : la conservation au phénoxyéthanol.

L'avis des experts. C'est le prix et aussi le caractère légèrement sensibilisant du phénoxyéthanol qui modèrent un peu les notes ici. Mais l'ensemble de la formule reste très recommandable, et l'efficacité de cette crème bien épaisse assurée.

Huiles et baumes de massage pour bébés

Les résultats

Évalués : 10 produits, de 8 marques différentes.

Prix moyen / 100 ml : 20,02 €.

Ont obtenu au moins la moyenne : 10.

N'ont pas obtenu la moyenne dans au moins un critère : 4.

Meilleure note : 84,58/100.

Plus mauvaise note : 70,83/100.

Les critères des experts

Qu'est-ce qu'une huile de massage ? Un simple mélange de différentes huiles, plus ou moins élaboré, plus ou moins riche, plus ou moins varié. Les baumes, eux, sont des mélanges d'huiles associés à des corps gras plus solides (comme le beurre de karité, par exemple). Et les huiles, mises à part quelques-unes, ne posent pas de gros problèmes. Toutes les préparations pour massage sont-elles pour autant bonnes à prendre ? Ce serait trop simple... car ce qui fait la différence, c'est ce qui est ajouté (même si c'est très peu ou en très petites quantités) à ces formules de base. Et pour un bébé, il y les ingrédients vraiment déconseillés, et ceux qu'on accepte difficilement de voir « oubliés »...

À éviter

- Les **huiles essentielles,** oui, toujours, et c'est même un leitmotiv dès qu'on aborde la question des cosmétiques pour bébés. Parce qu'elles contiennent beaucoup de molécules aromatiques allergènes, parce que leur puissance ne s'accorde pas au mieux avec la peau fragile des jeunes enfants, et cela, même à très faibles doses. Elles sentent merveilleusement bon, c'est entendu, elles se prévalent de mille vertus, c'est un fait. Mais mieux vaut en profiter à un âge un peu plus avancé.

- Les **huiles de sésame, d'arachide, de germes de blé** (Sesamum indicum oil, Arachis hypogaea oil, Triticum vulgare germ oil) doivent être considérées avec circonspection et utilisées avec modération sur les bébés. Elles aussi peuvent être sources d'intolérances, voire d'allergies, et, les enfants se révélant de plus en plus nombreux à en souffrir, mieux vaut limiter quand faire se peut les sources d'exposition.

À privilégier

- Les **antioxydants,** comme la vitamine E et ses esters (Tocopherol, Tocopheryl acetate), préservent les huiles du rancissement et assurent ainsi leur bonne conservation dans le temps.
- Les **bouteilles opaques et les flacons-pompe,** eux aussi, protègent les huiles des effets oxydants de l'air et de la lumière.

Les meilleurs

	Prix	Composition Efficacité	Tolérance cutanée	Étiquetage	Confort d'utilisation	Principe de précaution	Classement
L'Occitane Baume Maman Bébé	★★★	★★★★	★★★★	★★★★	★★★★	★★★★	**1**
Forest People Baby love - Massage bébé	★★	★★★★	★★★★	★★★★	★★★★	★★★★★	**2**
Virginale Pour mon Ange - Huile protectrice au tilleul	★★★★	★★★	★★★★	★★★	★★★★	★★★★	**3**
Weleda Bébé Huile de massage douceur	★★★★★	★★★	★★★★	★★★	★★★★	★★★★	4
Tautropfen Huile pour bébé	★★★★	★★★	★★★★	★★★	★★★	★★★★★	5
Euphia Massage apaisant	★★	★★★	★★★	★★★★	★★★★	★★★★★	6

Les 3 premiers

L'OCCITANE
Baume Maman Bébé

Note :	84,58/100.
Présentation :	Boîte métal de 150 ml.
Prix indicatif :	26 € *(17,33 €/100 ml).*
Disponible en :	Boutiques L'Occitane, Internet.
Site internet :	www.loccitane.com

INGREDIENTS : Cocos nucifera (Coconut) oil, Butyrospermum parkii (Shea butter), Vitis vinifera (Grape) seed oil, Hydrogenated vegetable oil, Avena sativa (Oat) kernel flour, Helianthus annuus (Sunflower) seed oil, Butyrospermum parkii (Shea butter) extract, Tocopherol, Rosmarinus officinalis (Rosemary) leaf extract, Calendula officinalis flower extract.

À noter dans la composition. Huile de coco, beurre de karité, huiles de pépins de raisins, d'avoine et de tournesol pour hydrater et nourrir la peau, antioxydant, romarin rafraîchissant et antibactérien, calendula apaisant, et pas un allergène !

L'avis des experts. Si la perfection était de ce monde, on ne serait pas loin ici de la formule idéale ! Ce baume destiné autant à la peau malmenée des mamans qu'au délicat épiderme de leur enfant était d'ailleurs déjà à l'honneur dans le Palmarès 2007. Avec un seul bémol qui reste le même : cette huile végétale hydrogénée non identifiée dont on espère qu'elle est aussi noble et au-dessus de tout soupçon que toutes les autres, clairement nommées. Toujours aussi tendre et nourrissant à l'application, dans sa petite boîte toujours aussi pratique à glisser dans un sac à langer ou à main, ce baume très agréable gagne même quelques points par rapport à l'an dernier, grâce à son prix… en baisse de 2 € pour la boîte de 150 ml : c'est assez rare pour être souligné !

2 1 3

FOREST PEOPLE

Baby love
Massage bébé

Note :	84,17/100.
Présentation :	Flacon vaporisateur (métal) de 50 ml (existe aussi en 5 et 100 ml).
Prix indicatif :	14,90 € *(29,80 €/100 ml).*
Disponible en :	Magasins bio et de produits naturels, équitables ou de bien-être, Spas, Internet.
Site internet :	www.forest-people.com

INGREDIENTS : Cocos nucifera, Gardenia tahitensis, Argania spinosa, Tocopherol.

À noter dans la composition. Huile de coco et d'argan, monoï, vitamine E. Simple.

L'avis des experts. Simple, oui. Du côté des cosmétologues, on rechigne un peu à encenser une formulation aussi minimaliste, mais du côté de la dermatologue (tolérance maximale assurée !) et de l'esthéticienne (une huile douce qui pénètre bien, une application très facile, un parfum délicat et léger), on applaudit des deux mains ! Le contenant (le vaporisateur en métal) convient lui aussi parfaitement au contenu qu'il protège de l'air et de la lumière, et même l'étiquetage a fait des progrès par rapport à l'an dernier, même si c'est vrai, il peut encore être amélioré. Du coup (et au vu aussi de l'offre concurrente dans cette catégorie), ce petit produit bien sympathique gravit quelques marches et monte sur le podium !

VIRGINALE

Pour mon Ange
Huile protectrice au tilleul

Note :	83,33/100.
Présentation :	Flacon de 125 ml.
Prix indicatif :	18,50 € *(14,80 €/100 ml).*
Disponible en :	La Grande Récré, JouetLand, BébéLand, Internet.
Site internet :	www.virginale.net

INGREDIENTS : Helianthus annuus, Corylus avellana, Rosa centifolia, Tillia officinalis, Limnanthes alba, Parfum (huiles essentielles naturelles).

À noter dans la composition. Tournesol, noisette, rose, tilleul (mais lequel ? il en existe plusieurs sortes, ici, ce n'est pas précisé...), limnanthès blanc (ou herbe de la prairie), une formule simple mais originale.

L'avis des experts. Quelques progrès à faire en étiquetage ! Pour mieux désigner l'origine des ingrédients (et respecter la nomenclature INCI), indiquer quelles huiles essentielles composent le parfum (même si leur concentration en allergènes n'atteint pas le seuil de la déclaration obligatoire). Pour aussi affiner l'argumentaire en précisant le rôle des actifs... Pour le reste, ce mélange d'huiles se révèle très nourrissant (attention à bien caler Bébé, vos mains vont glisser !), et finalement assez économique puisque que très peu de produit suffit pour chaque massage. La senteur de tilleul est très agréable mais discrète, on aurait presque préféré la percevoir un peu mieux !

Flash marque : Virginale

L'histoire de Virginale, cette toute nouvelle marque qui n'a que quelques mois d'existence, est faite de coups de cœur et d'enthousiasme à renverser des montagnes. Né de la rencontre d'une biochimiste espagnole et de deux professionnels du marketing français, elle propose des produits qui se démarquent de l'offre du marché traditionnel des cosmétiques. Non pas tant dans la démarche (du naturel respectueux de la peau à base de plantes) que dans la manière mise en œuvre pour atteindre cet objectif : des formulations originales, une gamme pour enfant distribuée dans un réseau très en marge du marché classique (des magasins de jouets), une autre gamme de soins pour adultes qui arrive cette année. Le tout ne demandant qu'à s'améliorer et se développer. Mais à Virginale, on y croit !

Produits pour les

Cheveux

Shampooings

Les critères des experts

Bien sûr, la beauté du cheveu dépend d'abord de la santé de son propriétaire et de son hygiène de vie. Mais qu'il soit terne, gras, sec, cassant, raplapla, abîmé, ou simplement... pas très propre (eh oui, l'hygiène compte aussi !), il peut voir son état considérablement amélioré par certains actifs cosmétiques. Gros plan, donc, sur ces ingrédients qui font le résultat visible, à condition que la base ne vienne pas détruire leur action par un effet trop agressif ! C'est ainsi toujours la douceur réelle alliée à l'efficacité effective qui a guidé le choix des experts, et, c'est vrai, cela ne rime pas toujours parfaitement avec conformité réglementaire de l'étiquetage ou pertinence de l'argumentaire...

À éviter (dans la base)

- Les **tensioactifs anioniques** sont encore en ligne de mire (voir p. 32) à commencer par laurylsulfates de sodium et d'ammonium (Sodium lauryl sulfate, Ammonium lauryl sulfate) irritants. À regarder aussi avec circonspection, la cocamidopropyl bétaïne allergisante.
- Les **conservateurs suspectés d'effets secondaires,** surtout s'ils sont présents en cohortes impressionnantes (on ne juge pas un système de conservation au nombre de ses composants mais à la largeur du spectre de protection qu'il assure, voir p. 431). Les associations « libérateurs de formaldéhyde + composés très allergisants + nombreux composés peu allergisants » sont encore trop fréquents dans les shampooings.

À privilégier (les actifs efficaces)

- Pour les **cheveux gras :** argiles (Kaolin, Montmorillonite), bardane (Arctium lappa), ortie (Urtica dioica), romarin (Rosmarinus officinalis).
- Pour les **cheveux secs :** protéines de blé (Hydrolyzed wheat protein), huiles de carthame (Carthamus tinctorius oil), olive (Olea europaea oil), bourrache (Borago officinalis) ou argan (Argania spinosa oil), beurre de karité (Butyrospermum parkii butter).
- Pour les **pellicules :** saule (Betula alba, Salix alba), arbre à thé (Melaleuca alternifolia), genévrier cade (Juniperus oxycedrus). Dans cette catégorie, on conseille d'autre part de préférer la Piroctone olamine ou la Ciclopirox olamine (de plutôt bonne tolérance) à la pyrithione de zinc (Zinc pyrithione) irritante et potentiellement mutagène.

Shampooings Cheveux normaux et usage fréquent

Les résultats

Évalués : 24 produits, de 22 marques différentes.

Prix moyen / 100 ml : 3,89 €.

Ont obtenu au moins la moyenne : 23.

N'ont pas obtenu la moyenne dans au moins un critère : 12.

Meilleure note : 78,33/100.

Plus mauvaise note : 45,21/100.

Les meilleurs

	Prix	Composition Efficacité	Tolérance cutanée	Étiquetage	Confort d'utilisation	Principe de précaution	Classement
Melvita Shampooing Lavages fréquents	★★	★★★	★★★★	★★★★	★★★★	★★★★	**1**
Cosmigea Sapon'hair shampooing	★★	★★★	★★★★	★★★★	★★★★	★★★★	**2**
B com Bio Shampooing doux végétal – Usage fréquent Tous cheveux	★★★	★★★	★★★★	★★★	★★★★	★★★★	**3**
Nutricap Shampooing Beauté des cheveux	★★★★	★★★★	★★★	★★★★	★★★★	★★	4
Résonances Shampooing au miel, calendula et avoine	★★★★	★★	★★★★	★★★	★★★	★★★★	5
Cattier Shampooing au soluté de yogourt – Usage fréquent	★★★	★★★	★★★	★★★	★★★★	★★★★	6
Perle de Provence Gel shampooing	★★★	★★★	★★★★	★★★	★★★	★★★★	7
Lavera Hair Shampooing Lait pomme	★★★	★★★	★★★★	★★★	★★★	★★★★	8
Klorane Shampooing extra-doux au lait d'avoine	★★★	★★★	★★★★	★★★	★★★	★★★	9

	Prix	Composition Efficacité	Tolérance cutanée	Étiquetage	Confort d'utilisation	Principe de précaution	Classement
Patyka Shampooing bio romarin	★★★	★★★	★★★★	★★	★★	★★★★	10
Schwarzkopf Gliss – Shampooing + masque	★★★★	★★★	★★★	★★★	★★	★★★	11
Senteurs du Sud Shampooing crème	★	★★★	★★★★	★★★	★★★★	★★★★	12
Klorane Shampooing vitaminé à la pulpe de cédrat	★★★	★★★★	★★★★	★★★	★★	★★★	13
Terre de couleur Aube indienne – Shampooing White Montain	★	★★★	★★★★	★★★	★★★★	★★★	14
Le Petit Marseillais Shampooing à l'extrait de lin et au lait d'amande douce	★★★★★	★★★	★★★	★★★	★★	★★★	15
Phytosolba Secret professionnel by Phyto – Shampooing haute tolérance	★	★★★	★★★★	★★★	★★★★	★★★★	16
Phytosolba Secret professionnel by Phyto – Shampooing zénifiant	★	★★★	★★★★	★★★	★★★★	★★★	17
Dr Hauschka Shampooing Macadamia Orange	★★	★★★	★★★	★★★	★★★	★★★★	18
Green Mama Shampooing Brillance	★★	★★★	★★★★	★★★	★★	★★★★	19
René Furterer Naturia – Shampooing doux équilibrant	★★	★★★	★★★★	★★★★	★★	★★	20

Les 3 premiers

MELVITA

Shampooing lavages fréquents

Note :	78,33/100.
Présentation :	Flacon de 200 ml.
Prix indicatif :	*7,25 € (3,62 €/100 ml).*
Disponible en :	Magasins bio et de produits naturels.
Site internet :	www.melvita.com

12 M

INGREDIENTS INCI EU [US] : Aqua [Water], Decyl glucoside, Betaine, Lavandula angustifolia water [Lavandula angustifolia (Lavender) flower water]*, Glycerin, Ammonium lauryl sulfate, Cocamidopropyl betaine, Mel [Honey], Coco-glucoside, Glyceryl oleate, Sodium benzoate, Potassium sorbate, Dicaprylyl ether, Hydroxypropyl guar hydroxypropyltrimonium chloride, Lauryl alcohol, Hydrolyzed vegetable protein, Citric acid, Arnica chamissonis [Arnica chamissonis flower extract], Levulinic acid, Sodium levulinate, Mentha piperita oil [Mentha piperita (Peppermint) oil]*, Citral**, Hordeum vulgare extract*, Caramel, Backhousia citriodora [Backhousia citriodora oil]*, Terpineol.

* Ingrédients issus de l'Agriculture Biologique.

** Constituant naturel de l'huile essentielle.

À noter dans la composition. Plusieurs tensioactifs (pas tous dans les plus doux), des conditionneurs capillaires (Hydroxypropyl guar hydroxypropyltrimonium chloride, Hydrolyzed vegetable protein…), des antistatiques et des actifs végétaux : des ingrédients « classiques » d'un shampooing.

L'avis des experts. Douceur et brillance des cheveux sont assurées avec ce shampooing à la texture un peu liquide. De très bons résultats au quotidien malgré la présence de deux tensioactifs, irritant pour l'un (le laurylsulfate d'ammonium), allergisant pour l'autre (la cocamidopropyl bétaïne). On apprécie dans la formule la mise en œuvre d'actifs végétaux performants, et sur l'étiquette la traduction en français des principaux composants avec leurs pourcentages détaillés (une initiative du fabricant qu'on aimerait retrouver plus souvent chez d'autres…), on aime un peu moins la déclaration officielle qui associe nomenclatures européennes et américaines.

COSMIGEA

Sapon'Hair shampooing

ECO CERT

Aux macérats d'écorces de noix indiennes

Note :	77,92/100.
Présentation :	Flacon de 250 ml (existe aussi en format voyage de 50 ml).
Prix indicatif :	11,90 € *(4,76 €/100 ml).*
Disponible en :	Magasins bios, Salons de coiffure, Internet.
Site internet :	www.cosmigea.com

12 M

INGREDIENTS : Aqua (Water), Rosmarinus officinalis extract (Rosemary extract)*, Coco-glucoside, Sapindus mukorossi extract, Copaifera officinalis resin, Pogostemon cablin oil*, Hydrolyzed wheat protein, Hydrolyzed wheat starch, Acetum (Vinegar)*, Xanthan gum, Phytic acid, Dehydroacetic acid, Sodium chloride, Citric acid.
* Ingrédients issus de l'Agriculture Biologique.

À noter dans la composition. Des « noix de lavage » qu'on voyait plutôt jusqu'alors dans nos machines pour le linge (une innovation en cosmétique) et un tensioactif doux dans un hydrolat de romarin tonifiant, des conditionneurs capillaires (blé hydrolysé, vinaigre), des actifs aux accents exotiques (copaïba et patchouli)...

L'avis des experts. Riche idée d'apporter ces noix indiennes, une saponaire très écologique, dans un shampooing de haute tolérance et d'une grande douceur pour le cuir chevelu, qui laisse du corps et de la brillance aux cheveux. Son pouvoir moussant très faible peut surprendre, mais n'enlève rien à son efficacité. Lors des tests, ce produit a littéralement enthousiasmé ! On fait preuve d'un peu plus de réserve devant le système de conservation de la formule (au spectre d'action trop peu étendu) comme devant les quelques approximations de l'étiquetage. En résumé : un très bon produit qui peut mieux faire au niveau réglementaire !

Flash marque : Cosmigea

C'est une toute petite nouvelle en cosmétique, qui ne développe encore que quelques produits. Son créateur (un jeune pharmacien passionné) veut s'inscrire dans l'authentiquement naturel, écologique (100 % biodégradable) et équitable (les noix indiennes proviennent d'une filière du commerce équitable), en s'inspirant des traditions séculaires de l'Inde pour les adapter au présent. Encore peu distribuée (elle débute !), Cosmigea semble pourtant avoir trouvé plus qu'un créneau, une philosophie cosmétique...

2 1 3

B COM BIO

Shampooing doux végétal
Usage fréquent

Note :	74,58/100.
Présentation :	Tube de 200 ml.
Prix indicatif :	6,75 € *(3,37 €/100 ml).*
Disponible en :	Magasins bio, Pharmacies, Parapharmacies.
Site internet :	www.bcombio.com

3 M

INGREDIENTS : Aqua (Water), Anthemis nobilis distillate*, Cocamidopropyl betaine**, Sodium lauryl sulfate**, Glycerin**, Decyl glucoside**, Sodium lauroyl oat aminoacids**, Sodium sheamphoacetate, Inulin**, Sodium chloride, Benzyl alcohol, Sodium benzoate, Citric acid, Parfum**, D-limonene**.

* Origine biologique certifiée.

** Origine végétale.

À noter dans la composition. Une formule « classique » avec deux tensioactifs (pas parmi les plus doux) dans une base d'eau florale de camomille apaisante, des agents moussants et un actif de conditionnement capillaire.

L'avis des experts. Une belle mousse, un lavage sans problème, un résultat des plus honorables sur les cheveux : voilà pour le positif qui a valu le podium à ce produit. Quelques réserves côté packaging et argumentaire, mais un vrai bon point pour la traduction très précise des composants en français.

Shampooings Cheveux gras

Les résultats

Évalués : 9 produits, de 8 marques différentes.

Prix moyen / 100 ml : 3,98 €.

Ont obtenu au moins la moyenne : 9.

N'ont pas obtenu la moyenne dans au moins un critère : 5.

Meilleure note : 82,08/100.

Plus mauvaise note : 52,38/100.

Les meilleurs

	Prix	Composition Efficacité	Tolérance cutanée	Étiquetage	Confort d'utilisation	Principe de précaution	Classement
Cattier Shampooing à l'argile verte – Cheveux gras	★★★★★	★★★	★★★★	★★★	★★★★	★★★★	**1**
Cattier Shampooing au vinaigre de romarin – Cheveux gras	★★★★★	★★★	★★★	★★★	★★★	★★★★★	**2**
Melvita Shampooing cheveux gras	★★★★	★★★	★★★★	★★★	★★★	★★★★	**3**
Klorane Shampooing traitant séborégulateur à l'extrait d'ortie	★★★★	★★★	★★★	★★★	★★	★★★	4
Dr Hauschka Shampooing Capucine Citron	★★	★★★	★★★	★★★	★★★	★★★★	5
Terre de couleur Aube indienne Shampooing Montana	★★	★★★	★★★★	★★	★★★★	★★★	6
Green Mama Shampooing Équilibre	★★★	★★★	★★★★	★★★	★★	★★★★	7

On le dit en passant : Cheveux gras

Il est assez honnête de rappeler, et malgré tout le bien qu'on pense de certains produits, qu'un shampooing pour cheveux gras n'est en aucun cas capable d'empêcher les glandes sébacées de fonctionner... Mais il peut absorber l'excès de sébum, et l'idéal est qu'il le fasse avec le moins d'agressivité possible pour éviter un classique effet « rebond ». Son action sera alors appréciable, même si elle n'a qu'un temps.

Les 3 premiers

CATTIER

Shampooing Boue capillaire lavante Cheveux gras – Argile verte

COSMETIQUE BIO CHARTE COSMEBIO ®

Note :	82,08/100.
Présentation :	Flacon de 250 ml.
Prix indicatif :	7,40 € *(2,96 €/100 ml).*
Disponible en :	Magasins bio, Grands magasins (Printemps, BHV, Galeries Lafayette), Résonances, Monoprix, Parapharmacies.
Site internet :	www.laboratoirecattier.com

INGREDIENTS : Aqua, Ammonium lauryl sulfate, Lavandula angustifolia extract*, Cocamidopropyl betaine, Montmorillonite, Xanthan gum, Benzyl alcohol, Sodium benzoate, Glycerin, Usnea barbata, Hydrolyzed wheat protein, Salvia officinalis*, Lactic acid, Aniba rosaeodora, Santalum album, Pelargonium graveolens, Citrus dulcis, Citrus amara.
* 10,1 % du total des ingrédients sont issus de l'Agriculture Biologique – 99 % du total des ingrédients sont d'origine naturelle.

À noter dans la composition. Les tensioactifs « habituels » (et plutôt classés parmi les irritants) dans de l'eau florale de lavande accompagnent l'argile absorbante, des huiles essentielles (sauge, bois de rose, santal, géranium, orange et orange amère) et les protéines de blé en conditionneur capillaire.

L'avis des experts. L'effet « buvard » (ou en l'occurrence absorbeur de sébum) de l'argile est bien connu et il est accompagné ici d'une belle panoplie d'actifs de nature à potentialiser son action assainissante du cuir chevelu, pour un prix très, très doux. Plus doux, il faut l'avouer, que les tensioactifs choisis, c'est un peu dommage. Dans la liste des ingrédients, beaucoup d'huiles essentielles mais pas de molécules allergènes : on se situe juste en dessous des seuils de concentration, plus élevés dans les produits à rincer (voir p. 429), déterminés pour la déclaration obligatoire.

CATTIER

Shampooing Suc capillaire lavant Cheveux gras – Vinaigre de romarin

Note :	77,5/100.
Présentation :	Flacon de 250 ml.
Prix indicatif :	7,40 € *(2,96 €/100 ml).*
Disponible en :	Magasins bio, Grands magasins (Printemps, BHV, Galeries Lafayette), Résonances, Monoprix, Parapharmacies.
Site internet :	www.laboratoirecattier.com

INGREDIENTS : Aqua, Lavandula angustifolia extract*, Ammonium lauryl sulfate, Sodium cocoamphoacetate, Vinegar (and) Glycerin (and) Lavandula angustifolia (and) Rosmarinus officinalis leaf extract (and) Salvia officinalis leaf extract (and) Thymus vulgaris extract, Sodium chloride, Hydrolyzed wheat protein, Usnea barbata (and) Glycerin, Phytic acid, Hibiscus sabdariffa flower extract, Lactic acid, Benzyl alcohol, Potassium sorbate, Sodium benzoate, Citrus sinensis, Orange dulcis, Cananga odorata, Lavandula hybrida, Eugenia caryophyllus, Rosmarinus officinalis, Eucalyptus globulus, Eugenol, Linalool, Limonene.
* 28 % du total des ingrédients sont issus de l'Agriculture Biologique – 99 % du total des ingrédients sont d'origine naturelle.

À noter dans la composition. Eau florale de lavande, vinaigre de plantes (lavande, romarin, sauge, thym) et complexe d'huiles essentielles (orange, ylang-ylang, lavande, giroflier, romarin, eucalyptus) purifiantes et antiseptiques côté actifs. Un tensioactif « doux » et un autre qui l'est beaucoup moins pour la base.

L'avis des experts. Avec des actifs différents (complémentaires ?), cet autre shampooing du même laboratoire arrivé déjà sur la première marche du podium, se révèle tout aussi efficace, mais peut-être un tout petit moins agréable à utiliser (l'odeur du vinaigre…). Concernant les ingrédients, on a toujours les mêmes réserves sur le laurylsulfate d'ammonium et on regrette que les pourcentages de la composition du vinaigre de plantes n'aient pas été différenciés comme la loi l'exige (la présentation des ingrédients composés séparés d'un ou de plusieurs (and) n'est pas réglementaire). Mais le prix est toujours aussi doux…

2 1 3

MELVITA

Shampooing cheveux gras

Note :	73,33/100.
Présentation :	Flacon de 200 ml.
Prix indicatif :	*7,25 € (3,62 €/100 ml).*
Disponible en :	Magasins bio et de produits naturels.
Site internet :	www.melvita.com

12 M

INGREDIENTS INCI EU [US] : Aqua [Water], Pinus sylvestris [Pinus sylvestris leaf extract]*, Ammonium lauryl sulfate, Betaine, Decyl glucoside, Cocamidopropyl betaine, Glycerin, Capryloyl glycine, Coco-betaine, Undecylenoyl glycine, Citric acid, Coco-glucoside, Glyceryl oleate, Ravintsara cinnamomum camphora cineoliferum [Ravintsara cinnamomum camphora cineoliferum leaf oil], Sodium hydroxide, Hydroxypropyl guar hydroxypropyltrimonium chloride, Levulinic acid, Potassium sorbate, Sodium chloride, Rosmarinus officinalis [Rosmarinus officinalis (Rosemary) leaf oil]*, Hordeum vulgare [Hordeum vulgare extract]*, Sodium benzoate, Caramel, Arctium lappa [Arctium lappa root extract], Adiantum capillus veneris [Adiantum capillus veneris leaf extract], Urtica dioica [Urtica dioica (Nettle) extract], CI 75815 [Chlorophyllin-copper complex], Nasturtium officinale [Nasturtium officinale extract].

* Ingrédients issus de l'Agriculture Biologique.

À noter dans la composition. Eau d'aiguilles de pin sylvestre tonifiante, tensioactifs (pas trop doux), l'association Capryloyl glycine - Undecylenoyl glycine (voir p. 14) et de nombreux actifs végétaux et huiles essentielles : ravintsara, romarin, bardane, capillaire, ortie, cresson de fontaine, reconnus pour leur efficacité anti-cheveux gras.

L'avis des experts. Une formule très intéressante, et de bons résultats sur les cheveux gras. Là encore (comme pour son petit frère destiné aux cheveux normaux de la p. 60), la texture est un peu liquide, le parfum bien marqué. On regrette toujours la présence de tensioactifs classés dans les irritants ou allergisants. Côté étiquetage, c'est surtout l'argumentaire qui laisse un peu le lecteur sur sa faim, plus axé sur le « sans » (sodium lauryl ether sulfate, cocamide DEA, PEG, silicone, parfum de synthèse…) que sur le « avec » et la justification de la présence des actifs.

Shampooings Cheveux secs et fragiles

Les résultats

Évalués : 21 produits, de 17 marques différentes.

Prix moyen / 100 ml : 5,58 €.

Ont obtenu au moins la moyenne : 20.

N'ont pas obtenu la moyenne dans au moins un critère : 7.

Meilleure note : 78,92/100.

Plus mauvaise note : 38,17/100.

Les meilleurs

	Prix	Composition Efficacité	Tolérance cutanée	Étiquetage	Confort d'utilisation	Principe de précaution	Classement
Eucerin - Peau sèche Shampooing 5 % d'urée	★★★★	★★★	★★★★	★★★	★★★	★★★★	**1**
Coslys Shampooing cheveux secs	★★★★	★★★	★★★	★★★	★★★	★★★★	**2**
Les Floressances Olivier – Shampooing crème naturelle	★★★★	★★★	★★★★	★★★	★★★	★★★★	**3**
Schwarzkopf Gliss – Shampooing Oléo nutrition	★★★★★	★★★	★★★	★★★	★★	★★★	4
Cattier Shampooing à la moelle de bambou – Cheveux secs	★★★★	★★★	★★★	★★★	★★★	★★★★	5
Melvita Shampooing cheveux secs	★★★	★★★	★★★★	★★★	★★	★★★★	6
Green Mama Shampooing Nutrition	★★★	★★★	★★★	★★★	★★★	★★★★	7
René Furterer Karité – Shampooing nutrition intense	★	★★★★	★★★★	★★★★	★★★★	★★★	8
Ducray Nutricerat – Shampooing traitant ultra-nutritif	★★★	★★★	★★★★	★★★	★★★	★★★	9
L'Occitane Shampooing Cheveux secs et abîmés	★★★	★★★	★★★	★★★	★★★	★★★	10
René Furterer Shampooing réparateur après soleil	★★	★★★	★★★	★★★★	★★★	★★★	11
PhytoSpecific Shampooing Force vitale	★	★★★★	★★★	★★★	★★★★	★★★	12
René Furterer Carthame – Shampooing lait hydratant	★★	★★★	★★★	★★★★	★★★	★★	13
PhytoSpecific Shampooing Nutrition intense	★	★★★	★★★	★★★	★★★★	★★	14

	Prix	Composition Efficacité	Tolérance cutanée	Étiquetage	Confort d'utilisation	Principe de précaution	Classement
Klorane Shampooing traitant nutritif au beurre de mangue	★★★★	★★★	★★★	★★★	★★★	★	15
Virginale Shampooing Élite aux extraits de persil		★★★	★★★★	★★★	★★★	★★★★	16

Les 3 premiers

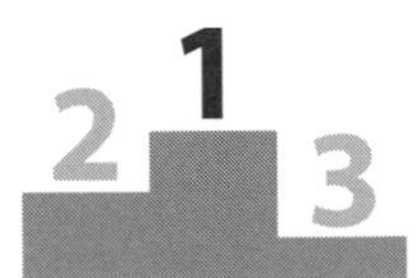

EUCERIN – PEAU SÈCHE

Shampooing 5 % d'urée

Note :	78,92/100.
Présentation :	Flacon de 200 ml (étui carton).
Prix indicatif :	8,50 € *(4,25 €/100 ml).*
Disponible en :	Pharmacies, Parapharmacies.
Site internet :	www.eucerin.fr

INGREDIENTS : Aqua, Sodium myreth sulfate, Urea, Decyl glucoside, Sodium lactate, Sodium cocoamphoacetate, Coco-glucoside, Laureth-9, PEG-200 hydrogenated glyceryl palmate, Glyceryl oleate, Lactic acid, Panthenol, Sodium benzoate, Polyquaternium-10, Sodium salicylate.

À noter dans la composition. Des tensioactifs plutôt doux, des conditionneurs capillaires et une belle dose d'urée en hydratant principal.

L'avis des experts. Déjà sur le podium l'an dernier, confirmé et même hissé sur la 1ère marche cette année, ce shampooing, avec sa composition très respectueuse du cuir chevelu, sa texture translucide et sa mousse légère, laisse les cheveux brillants et les cuirs chevelus apaisés.

COSLYS

Shampooing cheveux secs

Note :	77,5/100.
Présentation :	Flacon de 500 ml.
Prix indicatif :	10,90 € *(2,18 €/100 ml).*
Disponible en :	Magasins bio, Instituts de beauté, Parashop.
Site internet :	www.coslys.fr

INGREDIENTS : Aqua, Spiraea ulmaria flower water*, Sodium coco-sulfate, Cocamidopropyl betaine, Decyl glucoside, Diglycerin, Sodium chloride, Hydrolyzed wheat peptides, Coco-glucoside, Glyceryl oleate, Citrus dulcis oil*, Butyrospermum parkii*, Sweet almond oil polyglyceryl-6 esters, Coco alcohol, .Glycerin, Cananga odorata oil*, Sodium sulfate, Benzyl alcohol, Dehydroacetic acid, Glycine soja, Tocopherol, Benzyl benzoate, Limonene, Linalool.

* Ingrédients issus de l'Agriculture Biologique.

À noter dans la composition. Tensioactifs plutôt pas trop irritants dans de l'eau florale de reine des prés, beaucoup d'émollients et d'actifs pour nourrir les cheveux, à base de coco, d'amande douce et de beurre de karité notamment.

L'avis des experts. Une bonne formule, qui nourrit bien les cheveux, facilite leur démêlage et les laisse brillants et souples. Une performance aussi satisfaisante que celle du n° 1 de la catégorie, et ce sont deux petits riens qui ont fait la différence : le prix très intéressant a joué à la hausse, les deux molécules allergènes à la baisse…

LES FLORESSANCES

Shampooing Crème naturelle Olivier

Note :	75,83/100.
Présentation :	Flacon de 250 ml.
Prix indicatif :	6,70 € *(2,68 €/100 ml).*
Disponible en :	Grandes et moyennes surfaces.
Site internet :	www.leanature.com

12 M

INGREDIENTS : Aqua (Water), Lauryl glucoside, Sodium lauryl glucose carboxylate, Glycol stearate, Cocamidopropyl betaine, Sodium cocoyl glutamate, Glucose, Lactic acid, Sodium olivamphoacetate, Caprylyl/Capryl glucoside, Hydroxypropyl guar hydroxypropyltrimonium chloride, Olivamidopropyl betaine, Olea europaea (Olive) fruit oil, Parfum (Fragrance), Opuntia ficus indica fruit extract, Glucose oxidase, Lactoperoxidase. **Pour**

votre information, le parfum naturel utilisé contient différentes molécules naturelles dont : Citral, d-limonene.

À noter dans la composition. Beaucoup de tensioactifs, la plupart sans soucis. Des humectants et des émollients pour nourrir les cheveux secs, une formule dominée par l'olive et conservée avec le duo Glucose oxidase – Lactoperoxidase.

L'avis des experts. Encore de très bons résultats et une bonne formule, même si on manque encore un peu de recul sur le système conservateur à propos duquel les experts en microbiologie restent encore circonspects. Quelques petites erreurs d'étiquetage ont tempéré la très bonne impression d'ensemble, comme par exemple la déclaration des molécules allergènes, qui doivent être intégrées à la composition selon leur concentration et non notée comme « à part ».

Mentions spéciales

Shampooings Cheveux fins, sans volume

Les meilleurs

	Prix	Composition Efficacité	Tolérance cutanée	Étiquetage	Confort d'utilisation	Principe de précaution	Classement
Logona Shampooing crème Bambou	★★★	★★★	★★★★	★★★	★★★	★★★★	1
Green Mama Shampooing Volume	★★	★★★	★★★★	★★★	★★★	★★★★	2
Pantène Pro-V Shampooing Volume et tenue	★★★★★	★★★	★★★	★★★	★★	★★★	3

On le dit en passant : Volume (1)

Tous les cheveux raplapla vous le diront, ils veulent avoir l'air gonflé, en imposer sur leur tête, se la jouer grand volume. Et tous les coiffeurs vous feront remarquer qu'un shampooing, avec toute sa bonne volonté et sa non moins vaillante formule... n'y pourra pas grand-chose. Du vrai volume ? Non. Moins ramollir la fibre capillaire lors du lavage et lui laisser plus de tenue après le séchage, ce qui s'apprécie déjà en termes de résultats ? Ça oui, certains peuvent. Certains...

Les nommés

LOGONA

Shampooing crème
Bambou

Note :	70/100.
Présentation :	Flacon de 250 ml (étui carton).
Prix indicatif :	8,90 € *(3,56 €/100 ml).*
Disponible en :	Magasins bios et diététiques, Instituts de beauté, Internet.
Site internet :	www.logona.com
Distributeur français :	BleuVert, www.bleu-vert.fr

INGREDIENTS : Aqua (Water), Coco-glucoside, Alcohol*, Glycerin, Disodium cocoyl glutamate, Sodium cocoyl glutamate, Brassica oleracea italica (Broccoli) seed oil, Sodium PCA, Glyceryl oleate, Xanthan gum, Bambusa vulgaris extract, Arginine, Hydrolyzed silk, Parfum (Essential oils), Phytic acid, Citric acid, Citral, Limonene, Linalool.
* De culture biologique.

À noter dans la composition. De « bons » tensioactifs (pas trop agressifs), des émollients, de l'huile de brocoli et du bambou en principaux actifs, des antistatiques et conditionneurs capillaires, trois molécules allergènes.

L'avis des experts. De très bons résultats sur cheveux normaux ou secs (la texture est peut-être un peu lourde pour convenir vraiment aux cheveux fins et gras). Au niveau de la formule, on regrette la présence de l'alcool en 3e position et celle de trois allergènes. L'argumentaire, lui, se montre très… enthousiaste (la brillance apportée par le produit est-elle réellement « fascinante » ?) et on ne peut que souligner la mention « Testé uniquement avec des volontaires » : c'est effectivement toujours le cas pour les tests humains, mais c'est aussi une façon de dire que les animaux, eux, ne sont jamais volontaires (voir p. 238)…

GREEN MAMA

Shampooing Volume Cheveux mous et fins

Note :	66,04/100.
Présentation :	Flacon de 200 ml (étui carton).
Prix indicatif :	9 € *(4,50 €/100 ml).*
Disponible sur :	Internet.
Site internet :	www.greenmama.fr

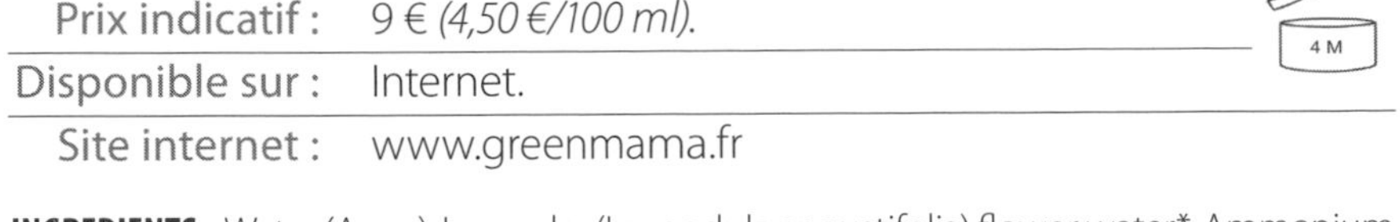

INGREDIENTS : Water (Aqua), Lavender (Lavandula angustifolia) flower water*, Ammonium lauryl sulfate, Glycerin, Lauryl glucoside, Cocamidopropyl betaine, Hydrolyzed wheat protein, Lavender (Lavendula angustifolia) oil*, Rosemary (Rosmarinus officinalis) oil*, Apricot kernel oil polyglyceryl-10 esters, Hydroxypropyl guar hydroxypropyltrimonium chloride, Sodium chloride, Citric acid, Sodium benzoate, Benzyl alcohol.
* Ingrédients issus de l'Agriculture Biologique.

À noter dans la composition. Des tensioactifs (plutôt classés dans les irritants) dans une base d'eau florale de lavande, des conditionneurs capillaires, deux huiles essentielles et un système de conservation autorisé par les labels bio.

L'avis des experts. Ce shampooing se révèle efficace sur tous les types de cheveux fins, mais c'est certainement davantage dû au tensioactif anionique (et irritant) et aux protéines de blé qu'aux huiles essentielles, comme le décrit l'argumentaire. Petit défaut d'étiquetage avec la déclaration des ingrédients où l'anglais prime sur les appellations INCI, ce qui n'est pas réglementaire. En revanche, on apprécie toujours autant la traduction des composants en français dans une liste spécifique.

PANTÈNE PRO-V

Shampooing Volume & Tenue

Note :	64,92/100.
Présentation :	Flacon de 250 ml.
Prix indicatif :	3,65 € *(1,46 €/100 ml).*
Disponible en :	Grandes et moyennes surfaces.
Site internet :	www.pantene.fr

INGREDIENTS : Aqua, Sodium laureth sulfate, Sodium lauryl sulfate, Sodium chloride, PPG-2 hydroxyethyl coco/Isostearamide, Citric acid, Sodium citrate, Sodium xylenesulfonate, Parfum, Sodium benzoate, Tetrasodium EDTA, Polyquaternium-10, Sodium diethylenetriamine pentamethylene phosphonate, Hexyl cinnamal, Panthenyl ethyl ether, Panthenol,

Benzyl salicylate, Butylphenyl methylpropional, Lysine HCl, Etidronic acid, Methyl tyrosinate HCl, Linalool, Limonene, Citronellol, Geraniol, Hydroxyisohexyl 3-cyclohexene carboxaldehyde, Histidine, Methylchloroisothiazolinone, Methylisothiazolinone.

À noter dans la composition. Des tensioactifs, dont le laurylsulfate de sodium irritant et son petit frère éthoxylé (Sodium laureth sulfate), un bon nombre d'antistatiques et de conditionneurs capillaires, tout de même huit molécules aromatiques allergènes et deux conservateurs sensibilisants…

L'avis des experts. C'est son prix défiant toute concurrence (et de loin) qui a hissé ce produit sur le podium. Son prix, et une promesse bien tenue, malgré une texture un peu fluide. Attention : la formule a tout de même un assez fort potentiel sensibilisant et mieux vaut l'éviter sur les têtes trop jeunes ou à tendances allergiques.

Shampooings antipelliculaires

Les résultats

Évalués : 13 produits, de 12 marques différentes.

Prix moyen / 100 ml : 5,67 €.

Ont obtenu au moins la moyenne : 13.

N'ont pas obtenu la moyenne dans au moins un critère : 2.

Meilleure note : 79,58/100.

Plus mauvaise note : 62,04/100.

Les meilleurs

	Prix	Composition Efficacité	Tolérance cutanée	Étiquetage	Confort d'utilisation	Principe de précaution	Classement
Santé Shampooing argile blanche antipelliculaire	★★★★	★★★	★★★★	★★★	★★★★	★★★★★	**1**
Bioderma Nodé DS+ – Shampooing antipelliculaire	★★	★★★★	★★★★	★★★★	★★★★	★★★★	**2**
Stiefel Stiprox 1,5 % Shampooing antipelliculaire	★	★★★★	★★★	★★★★	★★★★	★★★★	**3**
Cattier Shampooing au bois de saule – Antipelliculaire	★★★★	★★★	★★★	★★★	★★★★	★★★★	4

	Prix	Composition Efficacité	Tolérance cutanée	Étiquetage	Confort d'utilisation	Principe de précaution	Classement
Melvita Capiforce – Shampooing antipelliculaire régulateur	★★★	★★★	★★★	★★★	★★★	★★★★	5
René Furterer Melaleuca – Shampooing antipelliculaire	★★	★★★★	★★★★	★★★★	★★★★	★★★	6
Phytosolba Secret professionnel by Phyto – Shampooing frio-stimulant	★★★	★★★★	★★★	★★★	★★★	★★★	7
Annemarie Börlind Shampooing à l'ortie	★★★	★★★	★★★★	★★★	★★★	★★★★	8
Stiefel Stiprox 1 % – Shampooing antipelliculaire	★★	★★★★	★★★	★★★★	★★★	★★★★	9

Les 3 premiers

SANTÉ

Shampooing argile blanche
Antipelliculaire cheveux gras

Note :	79,58/100.
Présentation :	Flacon de 200 ml.
Prix indicatif :	*7,90 € (3,95 €/100 ml).*
Disponible en :	Magasins bio et diététiques, Instituts de beauté, Internet.
Site internet :	www.sante.de

Distributeur français : BleuVert, www.bleu-vert.fr

INGREDIENTS INCI EU [US] : Aqua [(Water), Alcohol denat.*, Coco-glucoside, Kaolin, Montmorillonite, Xanthan gum, Glycerin, Juniperus oxycedrus wood oil*, Betula alba leaf extract*, Salix alba (Willow) bark extract, Citric acid, Parfum (Essentials oils), Limonene.
* De culture biologique.

À noter dans la composition. Tensioactif doux, argiles (pour les cheveux gras), genévrier cade, bouleau et saule (pour lutter contre les pellicules), de l'alcool et un parfum apportant une molécule allergène.

L'avis des experts. Très bon produit, qui tient ses promesses et répond aux attentes dans tous les domaines. Doux pour le cuir chevelu, il élimine les desquamations et laisse un bel aspect aux cheveux. Peut-être un peu trop d'alcool et pas tout à fait assez de saule…

BIODERMA

Nodé DS +
Shampooing antipelliculaire

Note :	75,29/100.
Présentation :	Tube de 125 ml (étui carton).
Prix indicatif :	9,50 € *(7,60 €/100 ml).*
Disponible en :	Pharmacies, Parapharmacies.
Site internet :	www.bioderma.com

INGREDIENTS : Water (Aqua), Sodium laureth sulfate, Sodium cocoamphoacetate, PEG-60 almond glycerides, Sodium lauroyl sarcosinate, Juniperus oxycedrus wood extract, Coco-betaine, PEG-90 glyceryl isostearate, PEG-12 dimethicone, Sodium shale oil sulfonate, Salicylic acid, Piroctone olamine, Pyridoxine HCl, Undecyl alcohol, Zinc gluconate, Zinc pyrithione, Zanthoxylum alatum extract, Mannitol, Xylitol, Rhamnose, Fructooligosaccharides, Laminaria ochroleuca extract, Acrylates/C10-30 alkyl acrylate crosspolymer, Polyquaternium-10, Sodium chloride, Disodium EDTA, Sodium hydroxide, Laureth-2, Caprylic/Capric triglyceride, Oleyl alcohol, Fragrance (Parfum).

À noter dans la composition. De « bons » tensioactifs (pas trop agressifs), des émollients, le genévrier cade (Juniperus oxycedrus), les Piroctone olamine et Zinc pyrithione en principaux actifs, des antistatiques et conditionneurs capillaires.

L'avis des experts. Un très bon mélange d'actifs antipelliculaires, même si on garde toujours quelques réserves sur la pyrithione de zinc irritante. La tolérance de ce shampooing reste tout de même de très haut niveau, et il est doté d'une belle efficacité, laissant le cheveu souple et brillant. Seul son prix un peu élevé lui a fait manquer la 1ère place sur le podium.

STIEFEL

Stiprox 1,5 %

Shampooing antipelliculaire – Soin intensif

Note :	75,17/100.
Présentation :	Tube de 100 ml (étui carton).
Prix indicatif :	12,75 € *(12,75 €/100 ml).*
Disponible en :	Pharmacies, Parapharmacies.
Site internet :	www.stiefel.com

12 M

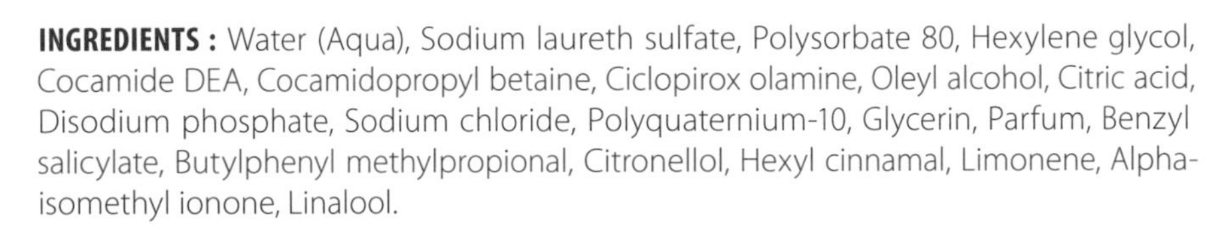
INGREDIENTS : Water (Aqua), Sodium laureth sulfate, Polysorbate 80, Hexylene glycol, Cocamide DEA, Cocamidopropyl betaine, Ciclopirox olamine, Oleyl alcohol, Citric acid, Disodium phosphate, Sodium chloride, Polyquaternium-10, Glycerin, Parfum, Benzyl salicylate, Butylphenyl methylpropional, Citronellol, Hexyl cinnamal, Limonene, Alpha-isomethyl ionone, Linalool.

À noter dans la composition. Tensioactifs éthoxylés, humectants, Ciclopirox olamine en actif antipelliculaire, et parfum apportant sept molécules allergènes.

L'avis des experts. Un peu dommage de multiplier les molécules allergènes et les ingrédients potentiellement allergisants comme la cocamidopropyl bétaïne sur un cuir chevelu déjà sensibilisé par les pellicules. Mais les résultats obtenus sont très satisfaisants. Le prix l'est nettement moins. On se console avec la double indication des dates d'utilisation et de péremption.

Mentions spéciales

Shampooings Cuirs chevelus irrités

Les meilleurs

	Prix	Composition Efficacité	Tolérance cutanée	Étiquetage	Confort d'utilisation	Principe de précaution	Classement
Bioderma Nodé – Shampooing fluide	★★★★	★★★★	★★★★	★★★★	★★★	★★★★	1
Ducray Élution – Shampooing traitant dermo-protecteur	★★★	★★★	★★★★	★★★	★★	★★★★	2

Les nommés

1 2008

BIODERMA
Nodé
Shampooing fluide

Note :	82/100.
Présentation :	Flacon de 400 ml.
Prix indicatif :	9,70 € *(2,42 €/100 ml).*
Disponible en :	Pharmacies, Parapharmacies.
Site internet :	www.bioderma.com

12 M

INGREDIENTS : Water (Aqua), Caprylyl/Capryl glucoside, PEG-150 distearate, PEG-6 caprylic/capric glycerides, Sodium lauroyl oat aminoacids, PEG-15 cocopolyamine, Disodium EDTA, Quaternium-80, Mannitol, Xylitol, Rhamnose, Fructooligosaccharides, Sodium hydroxide, Lactic acid, Methylparaben, Propylparaben, Fragrance (Parfum).

À noter dans la composition. Tensioactifs et émulsifiants parmi les plus doux pour la peau (mais pas toujours pour l'environnement, avec les « PEG » notamment), quelques antistatiques et conditionneurs capillaires, une bonne dose d'humectants et deux conservateurs faiblement allergisants.

L'avis des experts. Très bonne formule, parfaitement adaptée à son objectif. L'argumentaire précise « Sans cocamidopropyl bétaïne », il aurait pu ajouter « ni autre tensioactif irritant ». Que du doux et de l'adoucissant encore, indéniablement le meilleur produit de cette catégorie dans tous les domaines.

DUCRAY

Élution Shampooing traitant dermo-protecteur – Cuirs chevelus sensibles

Note :	67,63/100.
Présentation :	Flacon de 400 ml.
Prix indicatif :	11 € *(2,75 €/100 ml).*
Disponible en :	Pharmacies, Parapharmacies.
Site internet :	www.dermaweb.com

12 M

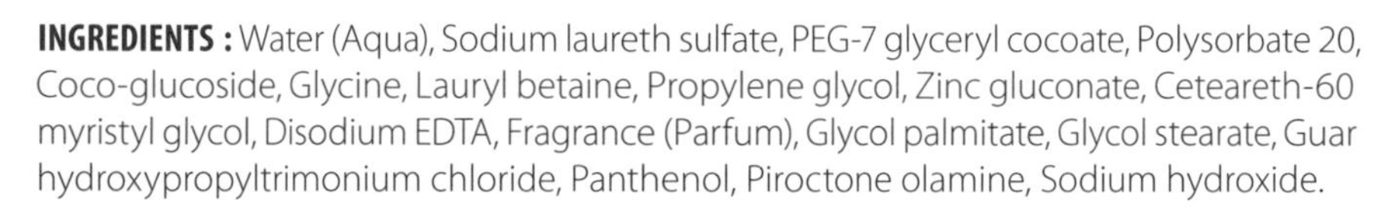

INGREDIENTS : Water (Aqua), Sodium laureth sulfate, PEG-7 glyceryl cocoate, Polysorbate 20, Coco-glucoside, Glycine, Lauryl betaine, Propylene glycol, Zinc gluconate, Ceteareth-60 myristyl glycol, Disodium EDTA, Fragrance (Parfum), Glycol palmitate, Glycol stearate, Guar hydroxypropyltrimonium chloride, Panthenol, Piroctone olamine, Sodium hydroxide.

À noter dans la composition. Tensioactifs et émulsifiants doux (quelques-uns sont éthoxylés), humectants et rien d'irritant : voilà pour le côté « cuir chevelu sensible ». La piroctone olamine antipelliculaire et le gluconate de zinc régulateur de sébum, voilà pour l'aspect « traitant dermo-protecteur ».

L'avis des experts. Encore une bonne formule pour la douceur avec le cuir chevelu, dont le cheveu profite aussi. On regrette l'absence d'argumentaire sur l'étiquette, cela n'aide pas le consommateur à s'y retrouver !

Mentions spéciales

Shampooings Cheveux colorés

Les meilleurs

	Prix	Composition Efficacité	Tolérance cutanée	Étiquetage	Confort d'utilisation	Principe de précaution	Classement
Klorane Shampooing traitant sublimateur à l'extrait de grenade	★★★★	★★★	★★★★	★★★	★★★	★★★★	1
Klorane Shampooing à la camomille	★★★	★★★★	★★★★	★★★	★★★	★★★★	
Phytosolba Secret professionnel by Phyto – Shampooing brillance couleur	★★	★★★	★★★	★★★	★★★★	★★★	2

Les nommés

KLORANE

Shampooing traitant sublimateur à l'extrait de grenade – Cheveux colorés

Note :	70,71/100.
Présentation :	Flacon 200 ml (étui carton).
Prix indicatif :	6,50 € *(3,25 €/100 ml).*
Disponible en :	Pharmacies, Parapharmacies.
Site internet :	www.dermaweb.com

12 M

KLORANE

Shampooing à la camomille

Note :	70,71/100.
Présentation :	Flacon 200 ml (étui carton).
Prix indicatif :	6,60 € *(3,30 €/100 ml).*
Disponible en :	Pharmacie, Parapharmacie.
Site internet :	www.dermaweb.com

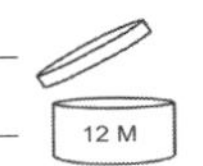

Shampooing traitant sublimateur à l'extrait de grenade

INGREDIENTS : Water (Aqua), Sodium laureth sulfate, Ceteareth-60 myristyl glycol, Punica granatum extract (punica granatum), Citric acid, PEG-7 glyceryl cocoate, Propylene glycol, Cocodimonium hydroxypropyl hydrolyzed wheat protein, Disodium cocoamphoacetate, Disodium EDTA, Fragrance (Parfum), Glycol palmitate, Glycol stearate, Guar hydroxypropyltrimonium chloride, Red 40, Sorbic acid.

Shampooing à la camomille

INGREDIENTS : Water (Aqua), Sodium laureth sulfate, Chamomilla recutita (Matricaria) extract (Chamomilla recutita), PEG-7 glyceryl cocoate, Cocamide MIPA, Lauryl betaine, Citric acid, Disodium EDTA, Fragrance (Parfum), Hydroxypropyl guar hydroxypopyltrimonium chloride, Methylisothiazolinone, Polyquaternium-7.

À noter dans la composition. Elles sont sœurs mais chacune a son caractère. Ces deux formules sont riches en tensioactifs et émulsifiants plus ou moins éthoxylés, en conditionneurs capillaires et antistatiques. La première se distingue par son système de conservation plus « soft » que la Methylisothiazolinone allergisante de la deuxième, mais contient en revanche un colorant azoïque (Red 40 ou CI 16035). Enfin, pour les actifs, comme les noms de chaque produit l'indiquent, grenade pour l'un, camomille pour l'autre.

L'avis des experts. La premère formule, à la grenade, trouve son efficacité dans son acidité, et ce sont bien ses propriétés astringentes qui jouent les fixateurs des pigments colorants sur tous les types de cheveux. La camomille du deuxième produit est réputée pour son coup de pouce à l'éclaircissement et la luminosité des cheveux blonds et châtain clair. Rien à signaler pour le reste : on est dans des valeurs sûres.

PHYTOSOLBA

Secret professionnel by Phyto
Shampooing brillance couleur

Note :	66,92/100.
Présentation :	Flacon de 200 ml (étui carton).
Prix indicatif :	10,60 € *(5,30 €/100 ml).*
Disponible en :	Salons de coiffure agréés.
Site internet :	www.secret-professionnel.com

12 M

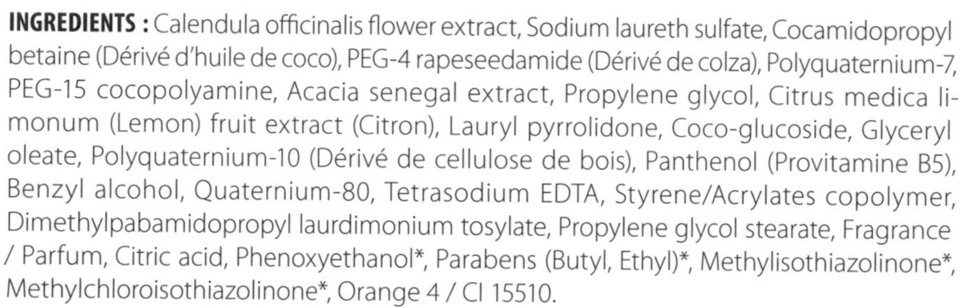

INGREDIENTS : Calendula officinalis flower extract, Sodium laureth sulfate, Cocamidopropyl betaine (Dérivé d'huile de coco), PEG-4 rapeseedamide (Dérivé de colza), Polyquaternium-7, PEG-15 cocopolyamine, Acacia senegal extract, Propylene glycol, Citrus medica limonum (Lemon) fruit extract (Citron), Lauryl pyrrolidone, Coco-glucoside, Glyceryl oleate, Polyquaternium-10 (Dérivé de cellulose de bois), Panthenol (Provitamine B5), Benzyl alcohol, Quaternium-80, Tetrasodium EDTA, Styrene/Acrylates copolymer, Dimethylpabamidopropyl laurdimonium tosylate, Propylene glycol stearate, Fragrance / Parfum, Citric acid, Phenoxyethanol*, Parabens (Butyl, Ethyl)*, Methylisothiazolinone*, Methylchloroisothiazolinone*, Orange 4 / CI 15510.
* Preservatives / Conservateurs.

À noter dans la composition. Des tensioactifs et des antistatiques en nombre dans une eau florale de calendula. Le citron en acidifiant et un absorbant UV (Dimethylpabamidopropyl laurdimonium tosylate) fixe la couleur. Avec un bon paquet de conservateurs, dont certains parmi les plus allergènes.

L'avis des experts. C'est son efficacité remarquable qui doit à ce produit de bénéficier d'une mention spéciale. Le principe de précaution est toutefois un peu mis à mal, du fait de nombre d'ingrédients au potentiel irritant ou allergène, ou sur lesquels planent des doutes quant à la toxicité. On note encore que le français investit la déclaration officielle des ingrédients, alors qu'il devrait sagement rester à côté.

Après-shampooings

Les critères des experts

Autant le bio et la cosmétique naturelle sont très à l'honneur dans les différentes catégories de shampooings où il s'agit surtout de laver sans agresser, autant la technicité des grands laboratoires l'emporte dans celles des soins pour cheveux. C'est en effet un domaine où l'efficacité joue un rôle prépondérant, et où, de plus, elle s'estime immédiatement après l'application. Pour citer une parole d'expert, « on n'attrape pas des mouches avec du vinaigre », et même si ce dernier peut apporter de la brillance, ce sont en général d'autres ingrédients moins basiques (et plus chimiques) qui se révèlent réellement performants. Cette fois, c'est le principe de précaution qui se trouve donc mis à mal. Là encore, et comme à chaque page de ce Palmarès, c'est un choix assumé du jury, auquel il revient à chaque consommateur d'adhérer… ou pas.

À éviter

- Les **molécules allergènes** (voir p. 429), les **conservateurs irritants ou allergisants,** surtout s'ils sont nombreux. Les soins pour cheveux devant en général rester posés plusieurs minutes, voire ne pas être rincés du tout, leurs effets sensibilisants sont d'autant plus importants.
- Les **filtres UV chimiques** n'ont de justification que pour protéger les cheveux colorés des atteintes de la lumière. Le reste du temps, on a plutôt intérêt à limiter leur emploi (voir p. 435).
- Les **colorants de synthèse** (voir p. 22), et même au-delà des redoutables (au moins pour certains) colorants capillaires, sont associés pour nombre d'entre eux (et notamment ceux de la famille des azoïques) au moins à des réactions allergiques.

À noter que de nombreux antistatiques, filmogènes et autres conditionneurs capillaires, s'ils ne posent pas de problème pour la santé humaine, se révèlent en revanche assez nocifs pour l'environnement.

À privilégier

- Pour les **cheveux secs,** les actifs nourrissants : huiles de carthame (Carthamus tinctorius oil), de sésame (Sesamum indicum oil), de jojoba (Simmondsia chinensis oil), beurres de karité (Butyrospermum parkii butter), de mangue (Mangifera indica butter), de cacao (Theobroma cacao butter)… et vitamines du groupe B (Panthenol, Pyridoxine HCl…).
- Pour les **chutes de cheveux,** peu d'actifs ont une efficacité reconnue. Mais certains acides aminés comme le tartrate de carnitine (Carnitine tartrate) ou de la taurine (Taurine) ne font pas de mal.
- Pour **protéger la couleur**, les filtres solaires trouvent ici leur utilité, de même que les antioxydants comme la vitamine E et ses esters (Tocopherol, Tocopheryl acetate) et des actifs comme l'hamamélis (Hamamelis virginiana), l'orange amère (Citrus aurantium amara) ou la grenade (Punica granatum).

Après-shampooings et soins Coiffants et démêlants

Les résultats

Évalués : 18 produits, de 12 marques différentes.

Prix moyen / 100 ml : 7,37 €.

Ont obtenu au moins la moyenne : 16.

N'ont pas obtenu la moyenne dans au moins un critère : 13.

Meilleure note : 77,75/100.

Plus mauvaise note : 45,42/100.

Les meilleurs

	Prix	Composition Efficacité	Tolérance cutanée	Étiquetage	Confort d'utilisation	Principe de précaution	Classement
Klorane Baume après-shampooing adoucissant et démêlant au lait d'avoine	★★★	★★★★	★★★★	★★★★	★★★★	★★★	1
Klorane Soin éclat vitaminé à la pulpe de cédrat	★★	★★★	★★★★	★★★	★★★	★★★★	2
René Furterer Fioravanti naturel Vinaigre de brillance	★★★★	★★★	★★★	★★★★	★★★	★★★★	3

	Prix	Composition Efficacité	Tolérance cutanée	Étiquetage	Confort d'utilisation	Principe de précaution	Classement
Résonances Baume démêlant Citron, karité, verveine et sauge	★★★★★	★★★	★★★	★★★★	★★★	★★★★	4
Klorane Vinaigre de brillance à la camomille	★★★★	★★★	★★★★	★★★	★	★★★★	5
Nutricap Soin nutritif et démêlant	★★★★	★★★	★★★★	★★★	★★★★	★★	6
L'Occitane Après-shampooing Cheveux fins et normaux	★★★	★★★	★★★	★★★	★★★	★★★	7
Phytosolba Secret professionnel by Phyto – Brume de beauté	★★	★★★	★★★★	★★★	★★★★	★★★★	8
Santé Après-shampooing & masque express 2 en 1	★★	★★★	★★★	★★★	★★★	★★★★	9

Les 3 premiers

KLORANE

Baume après-shampooing adoucissant et démêlant au lait d'avoine

Note : 77,75/100.

Présentation : Tube de 150 ml.

Prix indicatif : 7,25 € *(4,83 €/100 ml).*

Disponible en : Pharmacies, Parapharmacies.

Site internet : www.dermaweb.com

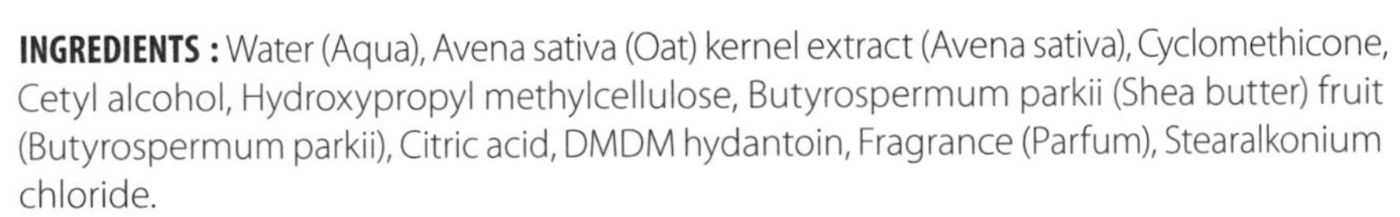

INGREDIENTS : Water (Aqua), Avena sativa (Oat) kernel extract (Avena sativa), Cyclomethicone, Cetyl alcohol, Hydroxypropyl methylcellulose, Butyrospermum parkii (Shea butter) fruit (Butyrospermum parkii), Citric acid, DMDM hydantoin, Fragrance (Parfum), Stearalkonium chloride.

À noter dans la composition. Au-delà de l'avoine, la plupart des ingrédients (antistatiques, filmogènes et silicone) sont destinés à la bonne glisse du peigne dans les cheveux. À noter la présence de deux conservateurs dont un libérateur de formol (DMDM hydantoin) et un sel d'ammonium quaternaire irritant (Stearalkonium chloride).

L'avis des experts. Un bon démêlant, facile d'emploi, qui apporte brillance et légèreté. Une première place justifiée du point de vue de l'efficacité, mais dont le système de conservation, avec un composé irritant et un autre générant un composé cancérogène (avéré par voie respiratoire) au contact de l'eau, gagnerait à être revu.

KLORANE

Soin éclat vitaminé à la pulpe de cédrat

Note :	73,25/100.
Présentation :	Flacon vaporisateur de 100 ml.
Prix indicatif :	9 € *(9 €/100 ml).*
Disponible en :	Pharmacies, Parapharmacies.
Site internet :	www.dermaweb.com

12 M

INGREDIENTS : Water (Aqua), Citrus medica vulgaris fruit extract (Citrus medica vulgaris), Diisopropyl adipate, Polysorbate 20, Vinegar (Acetum), Amodimethicone, Cetrimonium chloride, Fragrance (Parfum), Trideceth-12, Yellow 10 (CI 47005).

À noter dans la composition. Une base d'eau de cédrat, avec des antistatiques, du vinaigre pour la brillance, des composés éthoxylés, une silicone et un conservateur (Cetrimonium chloride) au potentiel assez fortement irritant.

L'avis des experts. Très bons résultats pour ce soin qui présente l'avantage de ne pas devoir être rincé et se révèle des plus pratiques dans sa présentation de vaporisateur. Son seul point noir : sa composition un peu toxique pour l'environnement et son conservateur, le chlorure de cétrimonium, qui pourrait être remplacé par un autre moins agressif.

RENÉ FURTERER

Fioravanti naturel Vinaigre de brillance

Note :	72,67/100.
Présentation :	Flacon de 250 ml (étui carton).
Prix indicatif :	11,90 € *(4,76 €/100 ml).*
Disponible en :	Pharmacies, Parapharmacies.
Site internet :	www.renefurterer.com

12 M

INGREDIENTS : Water (Aqua), SD alcohol 38-B (Alcohol denat.), PEG/PPG-14/4 dimethicone, Malpighia glabra (Acerola) fruit extract (Malpighia glabra), Amodimethicone, Butylphenyl methylpropional, Cetrimonium chloride, Citral, Citronellol, Eugenol, Fragrance (Parfum), Hexyl cinnamal, Limonene, Linalool, Trideceth-12.

À noter dans la composition. En fait de vinaigre, il s'agit d'abord d'alcool dénaturé, agrémenté d'extrait d'acérola, de deux dérivés de silicone assurant démêlage et brillance, d'un conservateur irritant et de sept molécules aromatiques allergènes.

L'avis des experts. Beaucoup d'atouts pour ce produit quant à ses résultats… c'est pourquoi il se retrouve sur le podium. Mais un peu moins d'enthousiasme à la seule vue de sa composition. Le parfum, par exemple, indispensable pour rendre le produit agréable à l'utilisation, se révèle tout de même bien sensibilisant.

Flash marque : Pierre Fabre

Klorane, René Furterer, mais aussi Avène, A-derma, Ducray, Galénic… toutes ces marques appartiennent aux laboratoires Pierre Fabre qui, depuis 1961, n'a cessé de croître et de s'étendre dans le domaine de la dermo-cosmétique et du médicament. Près de 900 salariés partout dans le monde, des efforts constants en matière de recherche et d'innovation et une solide réputation de sérieux et de fiabilité font de ce groupe une valeur sûre de la cosmétique. Efficacité garantie, fortement axée sur une « phytofilière » en constante évolution, et qui s'oriente de plus en plus vers un ensemble de composants parmi les plus recommandables.

Mentions spéciales

Après-shampooings et soins lissants

Les meilleurs

	Prix	Composition Efficacité	Tolérance cutanée	Étiquetage	Confort d'utilisation	Principe de précaution	Classement
Phytosolba Secret professionnel by Phyto – Sérum végétal lissant	★★	★★★★	★★★★	★★★	★★★★	★★★★	**1**
Franck Provost Sérum lissant – Liss'active	★★★	★★	★★★★	★★★	★★★	★★★★	**2**

Les nommés

PHYTOSOLBA

Secret professionnel by Phyto

Sérum végétal lissant

Note :	71,13/100.
Présentation :	Flacon vaporisateur de 30 ml (étui carton).
Prix indicatif :	21,60 € *(72 €/100 ml).*
Disponible en :	Salons de coiffure agréés.
Site internet :	www.secret-professionnel.com

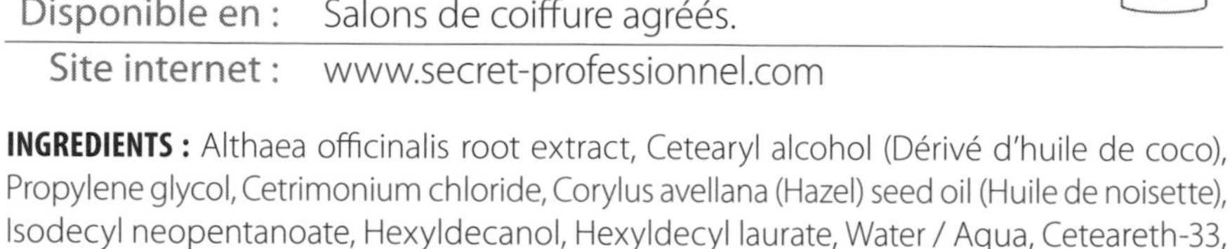

INGREDIENTS : Althaea officinalis root extract, Cetearyl alcohol (Dérivé d'huile de coco), Propylene glycol, Cetrimonium chloride, Corylus avellana (Hazel) seed oil (Huile de noisette), Isodecyl neopentanoate, Hexyldecanol, Hexyldecyl laurate, Water / Aqua, Ceteareth-33, Camelina sativa seed oil, Guar hydroxypropyltrimonium chloride, Tilia tomentosa bud extract (Tilleul), Bambusa vulgaris leaf/stem extract, Hibiscus sabdariffa flower extract, Helianthus annuus (Sunflower) seed oil (Huile de tournesol), Behentrimonium methosulfate, Glycerin, Caprylyl glycol, Wheat amino acids, Fragrance / Parfum, Phenoxyethanol, Alcohol denat. (Alcool de betterave).

À noter dans la composition. Le produit se présente comme « à la moelle de bambou », mais il est surtout riche de guimauve, huiles de noisette, de tournesol et de cameline, et de tilleul. Il est aussi bien gorgé d'humectants, d'émollients et d'antistatiques. Avec deux conservateurs, dont un irritant (Behentrimonium methosulfate) et un jugé responsable dans les cabinets de dermatologues de rares réactions allergiques (Phenoxyethanol).

L'avis des experts. Une très bonne formule, absolument irréprochable sur les frisottis et petites mèches rebelles, comme sur les cheveux secs et frisés. Une composition très axée sur le végétal, qui devrait pourtant s'abstenir, sur l'étiquette, de mélanger la traduction française à la déclaration officielle de ses ingrédients. On le redit : celle-ci est toujours bienvenue, mais indépendamment des appellations INCI, pour satisfaire pleinement à la réglementation en la matière.

FRANCK PROVOST

Sérum lissant – Liss'active

Note :	64,92/100.
Présentation :	Flacon-pompe (verre) de 50 ml (étui carton).
Prix indicatif :	20 € *(40 €/100 ml).*
Disponible en :	Salons de coiffure agréés.
Site internet :	www.franckprovost.com

INGREDIENTS : Cyclomethicone, Dimethiconol, Alcohol denat., C12-15 Alkyl benzoate, Fragrance (Parfum), Benzyl benzoate, Citral, Hexyl cinnamal, Butylphenyl methylpropional, Limonene, Linalool, Phenyl trimethicone, Benzophenone-3, CI 26100 (Red 17).

À noter dans la composition. Une composition basée sur les silicones (pour l'effet lissant). Avec de l'alcool, des émollients, six molécules aromatiques allergènes et un filtre UV, également allergène.

L'avis des experts. On peut discuter la présence d'un filtre UV dans ce type de cosmétique où il est utilisé davantage pour stabiliser la couleur du produit que pour protéger les cheveux des rayons solaires. La concentration en molécules aromatiques n'est évidemment pas un plus. Mais ce sérum, au vaporisateur bien pratique, au joli packaging et au prix dans la moyenne, a tout de même des attraits, à commencer par son efficacité très appréciable sur les frisottis.

Après-shampooings et soins Cheveux secs et fragiles

Les résultats

Évalués : 32 produits, de 13 marques différentes.

Prix moyen / 100 ml : 11,91 €.

Ont obtenu au moins la moyenne : 31.

N'ont pas obtenu la moyenne dans au moins un critère : 11.

Meilleure note : 71,92/100.

Plus mauvaise note : 46,50/100.

Les meilleurs

	Prix	Composition Efficacité	Tolérance cutanée	Étiquetage	Confort d'utilisation	Principe de précaution	Classement
Schwarzkopf Gliss – Après-shampooing Oléo nutrition	★★★★★	★★★	★★★	★★★★	★★★	★★★	**1**
Ducray Nutricerat Masque ultra-nutritif	★★★	★★★	★★★★	★★★	★★★	★★★	**2**
Klorane Beurre de mangue Concentré réparateur profond	★	★★★★	★★★★	★★★★	★★★★	★★★	**3**
Klorane Crème illuminatrice après-shampooing à la camomille	★★★	★★★	★★★★	★★★	★★★	★★★	4
Lavera Hair Soin capillaire réparateur Lait rose	★★★	★★★	★★★	★★★	★★	★★★★	5
René Furterer Carthame – Masque douceur hydro-nutritif	★★★	★★★★	★★★	★★★★	★★★★	★★	6
Terre d'Oc Noix de coco de Bali Soin cheveux	★★	★★★	★★★★	★★★★	★★	★★★★	7

	Prix	Composition Efficacité	Tolérance cutanée	Étiquetage	Confort d'utilisation	Principe de précaution	Classement
Phytosolba Secret professionnel by Phyto Crème de beauté plus	✯	✯✯✯✯	✯✯✯	✯✯✯	✯✯✯✯	✯✯✯	8
Ducray Nutricerat – Émulsion quotidienne ultra-nutritive	✯✯✯	✯✯✯	✯✯✯	✯✯✯	✯✯✯✯	✯✯	9
Klorane Baume après-shampooing nutritif et démêlant au beurre de mangue	✯✯✯✯	✯✯✯	✯✯✯✯	✯✯✯	✯✯	✯✯✯	10
Klorane Soin fluide sans rinçage nutritif et gainant au beurre de mangue	✯✯✯	✯✯✯	✯✯✯	✯✯✯	✯✯✯	✯✯	11
René Furterer Okara Masque reconstituant	✯✯✯	✯✯✯	✯✯✯	✯✯✯	✯✯	✯✯✯	12
Terre de couleur Aube indienne Masque capillaire Alaska	✯✯✯	✯✯✯	✯✯✯✯	✯✯✯	✯✯	✯✯✯	13
Ducray Nutricerat – Concentré gainant ultra-nutritif	✯	✯✯✯	✯✯✯✯	✯✯✯	✯✯✯	✯✯✯	14
Phyt's Masque capillaire	✯✯✯	✯✯✯	✯✯✯	✯✯✯	✯✯	✯✯✯✯	15
Terre de couleur Aube indienne Baume Indiana	✯✯	✯✯	✯✯✯	✯✯✯	✯✯✯	✯✯✯	16
Ducray Nutricerat – Spray anti-dessèchement protecteur	✯✯	✯✯✯	✯✯✯	✯✯✯	✯✯✯	✯✯✯	17

Les 3 premiers

SCHWARZKOPF
Gliss
Après-shampooing Oléo nutrition

Note :	71,92/100.
Présentation :	Flacon de 200 ml.
Prix indicatif :	3,64 € *(1,82 €/100 ml).*
Disponible en :	Grandes et moyennes surfaces.
Site internet :	www.henkelfrance.fr

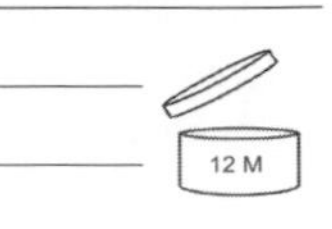

INGREDIENTS : Aqua, Cetearyl alcohol, Quaternium-87, Dimethicone, Isopropyl myristate, Stearamidopropyl dimethylamine, Glyceryl stearate, Distearoylethyl hydroxyethylmonium methosulfate, Propylene glycol, Ceteareth-20, Citric acid, Phenoxyethanol, Polyquaternium-37, Propylene glycol dicaprylate/Dicaprate, Dimethiconol, Methylparaben, Pantolactone, Parfum, Laurdimonium hydroxypropyl hydrolyzed wheat protein, Hydrolyzed wheat protein, Argania spinosa, Butyrospermum parkii, PPG-1 trideceth-6, Linalool, Limonene, Hexyl cinnamal, Benzyl salicylate, Citronellol, CI 47005, CI 15985.

À noter dans la composition. L'argan et le karité nourrissants revendiqués sur l'étiquette arrivent plutôt en fin de liste, après de nombreux émollients, conditionneurs capillaires et antistatiques qui tous concourent à la tenue et la beauté des cheveux. À souligner aussi : la présence de quelques molécules aromatiques allergènes, d'un colorant azoïque et, pour la conservation, de méthylparaben et de phénoxyéthanol.

L'avis des experts. Une formule bien équilibrée, même si on aurait aimé voir les actifs revendiqués un peu plus concentrés. Pour le reste, c'est du classique assez nourrissant, qui laisse les cheveux souples et doux, à un prix vraiment très, très compétitif. C'est même le critère qui a fait la décision et porté ce produit sur la plus haute marche du podium. Du bon, accessible à tout le monde, ça ne se refuse pas.

DUCRAY

Nutricerat – Masque ultra-nutritif
Cheveux très secs et abîmés

Note : 70,67/100.

Présentation : Pot de 150 ml (étui carton).

Prix indicatif : 12,50 € *(8,33 €/100 ml).*

Disponible en : Pharmacies, Parapharmacies.

Site internet : www.dermaweb.com

INGREDIENTS : Water (Aqua), Ethylhexyl palmitate, Cetearyl alcohol, Behentrimonium chloride, Shorea robusta seed butter, Shorea robusta, C12-16 alcohols, Caramel, Ceteareth-33, Fragrance (Parfum), Guar hydroxypropyltrimonium chloride, Hydrogenated lecithin, Isopropyl alcohol, Linalool, Methylparaben, Palmitic acid, Squalane, Yellow 5 (CI 19140), Yellow 6 (CI 15985).

À noter dans la composition. Basée sur la richesse du beurre d'illipé (Shorea robusta), la formule est complétée par plusieurs émollients, antistatiques et conditionneurs capillaires. Avec deux conservateurs, le chlorure de béhentrimonium irritant et le méthylparaben, et un colorant azoïque (CI 15985).

L'avis des experts. Une formule intelligente ! Le chlorure de béhentrimonium, à caractère irritant, ne figure pas, c'est vrai, parmi nos conservateurs préférés. Mais s'il est utilisé ici, c'est qu'il remplit aussi la fonction de conditionneur capillaire. Chaque ingrédient de cette formule assez réduite est ainsi choisi précisément pour ses multiples propriétés (émollient ET antistatique, par exemple), donnant, avec assez peu de moyens, des résultats vraiment très satisfaisants. On relève aussi la double indication des dates d'utilisation et de péremption, qu'on apprécie toujours (voir p. 20).

KLORANE

Beurre de mangue
Concentré réparateur profond

Note :	70,33/100.
Présentation :	Pot de 50 ml.
Prix indicatif :	13,45 € *(26,90 €/100 ml).*
Disponible en :	Pharmacies, Parapharmacies.
Site internet :	www.dermaweb.com

6 M

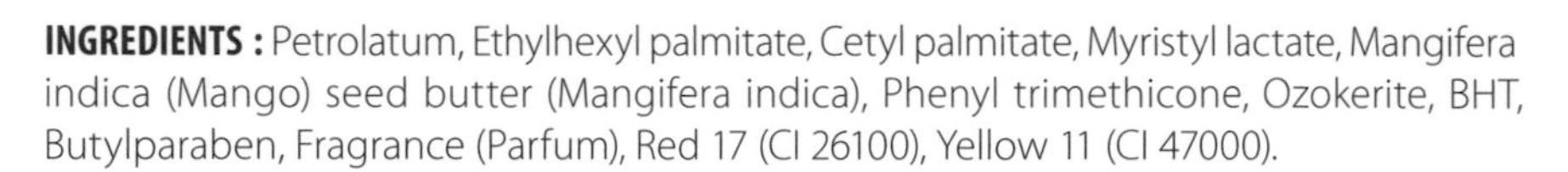
INGREDIENTS : Petrolatum, Ethylhexyl palmitate, Cetyl palmitate, Myristyl lactate, Mangifera indica (Mango) seed butter (Mangifera indica), Phenyl trimethicone, Ozokerite, BHT, Butylparaben, Fragrance (Parfum), Red 17 (CI 26100), Yellow 11 (CI 47000).

À noter dans la composition. Le beurre de mangue en agent nutritif, avec quelques émollients, une huile de silicone (Phenyl trimethicone) et une cire minérale (Ozokerite) pour gainer le cheveu, un paraben (voir p. 24) et un antioxydant, le BHT (voir p. 22) pour la conservation. Un colorant azoïque aussi (CI 26100).

L'avis des experts. Ç'aurait été notre préféré… si ce n'était son prix, vraiment élevé. Mais la composition tient toutes ses promesses, les cheveux redeviennent lisses et souples comme par magie. Les légères réserves face au BHT et aux ingrédients un peu polluants pour l'environnement n'ont pas réussi à contrecarrer la très bonne impression d'ensemble.

Mentions spéciales

Après-shampooings et soins Cheveux fins, sans volume

Les meilleurs

	Prix	Composition Efficacité	Tolérance cutanée	Étiquetage	Confort d'utilisation	Principe de précaution	Classement
Pantène Pro-V Soin après-shampooing Volume et tenue	★★★★★	★★★	★★★	★★★	★★★	★★★	1
René Furterer Tonucia – Soin fortifiant densifiant sans rinçage	★★★	★★★	★★★	★★★★	★★★	★★★★	2

On le dit en passant : Volume (2)

Pour les soins comme pour les shampooings, mieux vaut ne pas attendre de miracle des produits promettant plus de volumes qu'une encyclopédie… À défaut d'efficacité vraiment probante sur ce point, on peut se concentrer sur l'effet brillance et beauté…

Les nommés

PANTÈNE PRO-V

Soin après-shampooing
Volume et tenue

Note :	70,25/100.
Présentation :	Flacon de 250 ml.
Prix indicatif :	3,65 € *(1,46 €/100 ml).*
Disponible en :	Grandes et moyennes surfaces.
Site internet :	www.pantene.fr

12 M

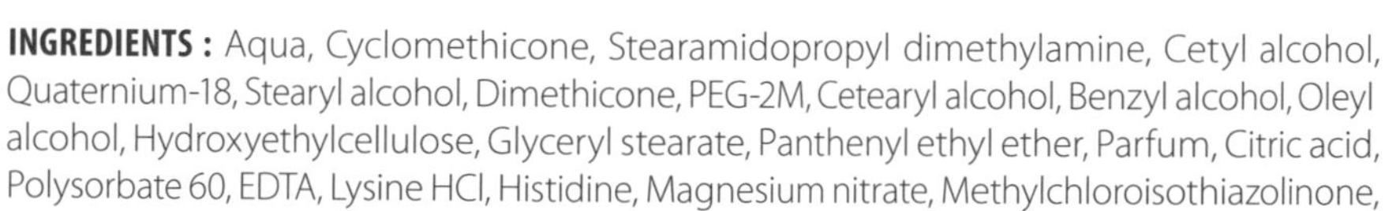
INGREDIENTS : Aqua, Cyclomethicone, Stearamidopropyl dimethylamine, Cetyl alcohol, Quaternium-18, Stearyl alcohol, Dimethicone, PEG-2M, Cetearyl alcohol, Benzyl alcohol, Oleyl alcohol, Hydroxyethylcellulose, Glyceryl stearate, Panthenyl ethyl ether, Parfum, Citric acid, Polysorbate 60, EDTA, Lysine HCl, Histidine, Magnesium nitrate, Methylchloroisothiazolinone, Magnesium chloride, Methylisothiazolinone.

À noter dans la composition. Silicones, antistatiques, filmogènes, émollients : un complexe de conditionneurs capillaires pour la tenue des cheveux, mais aussi deux conservateurs parmi les plus sensibilisants (Methylchloroisothiazolinone, Methylisothiazolinone) et quatre molécules aromatiques allergènes.

L'avis des experts. La formule réunit un bel arsenal d'actifs conçus pour mettre les cheveux au mieux de leur forme, et, à défaut de réel volume, leur donner tenue et maintien. Facile à appliquer, ce soin facilite vraiment le démêlage et donne de beaux résultats, à un prix très avantageux, ce qui constitue un atout considérable.

RENÉ FURTERER

Tonucia

Soin fortifiant densifiant sans rinçage

Note :	69,17/100.
Présentation :	Flacon vaporisateur de 150 ml.
Prix indicatif :	9,10 € *(6,06 €/100 ml).*
Disponible en :	Pharmacies, Parapharmacies.
Site internet :	www.renefurterer.com

INGREDIENTS : Water (Aqua), SD alcohol 39-C (Alcohol denat.), Decyl glucoside, Hydrolyzed wheat protein, Acrylates/Lauryl acrylate/Stearyl acrylate/Ethylamine oxide methacrylate copolymer, BHT, Cetrimonium chloride, Citric acid, Citrus aurantium dulcis (Orange) oil (Citrus dulcis), Glycine soja (Soybean) oil (Glycine soja), Glycine soja (Soybean) sterols (Glycine soja), Glycolipids, Lavandula angustifolia (Lavender) oil (Lavendula angustifolia), Lavandula hybrida oil (Lavandula hybrida), Limonene, Linalool, Linoleamidopropyl PG-Dimonium chloride phosphate, PEG/PPG-14/4 dimethicone, PEG-40 hydrogenated castor oil, Phospholipids.

À noter dans la composition. Beaucoup de filmogènes, d'antistatiques et de conditionneurs capillaires dans une base d'eau et d'alcool, des huiles essentielles de lavande (et leurs deux molécules allergènes), l'acidité de l'orange amère pour resserrer les écailles des cheveux, le BHT en antioxydant et le chlorure de cétrimonium en conservateur.

L'avis des experts. La promesse de « densification » des cheveux est sûrement un peu excessive. Mais le produit, bien pratique dans son vaporisateur et ne nécessitant pas de rinçage, apporte néanmoins un peu de tenue et beaucoup de brillance. Passées les réserves habituelles sur le système de conservation plutôt irritant, on s'interroge tout de même sur l'intérêt de l'alcool en si grande proportion dans la formule.

Mentions spéciales

Après-shampooings et soins Cheveux colorés

Les meilleurs

	Prix	Composition Efficacité	Tolérance cutanée	Étiquetage	Confort d'utilisation	Principe de précaution	Classement
René Furterer Okara Protect color – Soin nutri-protecteur sans rinçage – Cheveux colorés	★★★	★★★	★★★	★★★★	★★★★	★★★	**1**
Klorane Soin biphase sublimateur à l'extrait de grenade	★★	★★★	★★★★	★★★	★★★	★★★★	**2**

Les nommés

RENÉ FURTERER

Okara Protect color – Soin nutri-protecteur sans rinçage – Chcvcux colorés

Note :	69,83/100.
Présentation :	Flacon vaporisateur de 150 ml.
Prix indicatif :	12,30 € *(8,20 €/100 ml).*
Disponible en :	Pharmacies, Parapharmacies.
Site internet :	www.renefurterer.com

12 M

INGREDIENTS : Water (Aqua), Cyclomethicone, Laureth-4, Citric acid, Dimethicone, Hamamelis virginiana (Witch hazel) extract (Hamamelis virginiana), Amyl cinnamal, Benzophenone-4, Butylphenyl methylpropional, Cetrimonium chloride, Citral, Citronellol, Cocodimonium hydroxypropyl hydrolyzed wheat protein, Ethylhexyl methoxycinnamate, Fragrance (Parfum), Glycine soja (Soybean) protein (Glycine soja), Hexyl cinnamal, Hydroxycitronellal, Limonene, Panthenol, PEG/PPG-14/4 dimethicone, Polyquaternium-22, Propylene glycol, Tocopheryl acetate, Yellow 6 (CI 15985).

À noter dans la composition. En plus des agents antistatiques et filmogènes classiques dans tous les soins après-shampooing, la protection de la couleur, nous dit le fabricant, est assurée par l'hamamélis, un dérivé de vitamine E antioxydante (Tocopheryl acetate) et deux filtres solaires (Benzophenone-4, Ethylhexyl methoxycinnamate). Le chlorure de cétrimonium irritant est utilisé pour la conservation.

L'avis des experts. La très bonne protection de la couleur apportée par ce produit se révèle d'autant plus efficace qu'il est conseillé de ne pas le rincer. Les actifs ont ainsi vraiment le temps d'agir, ce qui parfois se révèle un argument à double tranchant, notamment pour les ingrédients sensibilisants ou suspectés d'effets indésirables (molécules aromatiques allergènes, conservateur, filtres solaires). Très bien, donc, pour l'efficacité, moins satisfaisant au regard du principe de précaution.

KLORANE

Soin biphase sublimateur à l'extrait de grenade

Note :	65,25/100.
Présentation :	Flacon vaporisateur de 100 ml.
Prix indicatif :	9,10 € *(9,10 €/100 ml).*
Disponible en :	Pharmacies, Parapharmacies.
Site internet :	www.dermaweb.com

12 M

INGREDIENTS : Water (Aqua), Cyclomethicone, Laureth-4, Punica granatum extract (Punica granatum), Cetearyl ethylhexanoate, Cetrimonium chloride, Citric acid, Cocodimonium Hydroxypropyl hydrolyzed wheat protein, Dimethicone, Disodium EDTA, Ethylhexyl methoxycinnamate, Fragrance (Parfum), Isopropyl myristate, PEG/PPG-14/4 dimethicone, Phenyl trimethicone, Polyquaternium-22, Red 4 (CI 14700).

À noter dans la composition. Même principe de formulation que le produit n° 1 (la maison-mère est la même…) : mêmes antistatiques et filmogènes, même conservateur, un seul filtre UV pour deux chez René Furterer, un colorant rouge plutôt qu'un jaune (mais toujours azoïque) et la grenade en lieu et place de l'hamamélis.

L'avis des experts. Même principe de formule mais un peu moins nourrie en ingrédients protecteurs de couleur pour tout de même des résultats fort honnêtes. Par voie de conséquence, la tolérance globale est meilleure, mais le produit est un peu plus cher…

Mentions spéciales

Après-shampooings et soins antipelliculaires

Les meilleurs

	Prix	Composition Efficacité	Tolérance cutanée	Étiquetage	Confort d'utilisation	Principe de précaution	Classement
René Furterer Melaleuca – Spray assainissant	★★★	★★★★	★★★	★★★★	★★★★	★★★★	1
Ducray Kélual DS Mousse traitante états squameux récidivants	★★	★★★★	★★★★	★★★★	★★★	★★★★	2

Les nommés

RENÉ FURTERER
Melaleuca
Spray assainissant antipelliculaire

Note : 81,33/100.
Présentation : Flacon vaporisateur de 100 ml.
Prix indicatif : 11,80 € *(11,80 €/100 ml).*
Disponible en : Pharmacies, Parapharmacies.
Site internet : www.renefurterer.com

INGREDIENTS : Water (Aqua), SD alcohol 39-C (Alcohol denat.), Glycine, PEG/PPG-14/4 dimethicone, Acetamide MEA, Linoleamidopropyl PG-Dimonium chloride phosphate, Benzyl alcohol, Benzyl benzoate, Benzyl salicylate, Coumarin, Eucalyptus globulus leaf oil (Eucalyptus globulus), Fragrance (Parfum), Geraniol, Limonene, Linalool, Melaleuca alternifolia (Tea tree) leaf oil (Melaleuca alternifolia), Mentha piperita (Peppermint) oil (Mentha piperita), Piroctone olamine, Zinc sulfate.

À noter dans la composition. Antistatiques et filmogènes dans une base d'eau alcoolisée, huiles essentielles d'eucalyptus, d'arbre à thé (Melaleuca alternifolia) et de menthe assainissantes du cuir chevelu (avec, tout de même, leurs sept molécules aromatiques allergènes) et la piroctone olamine en agent antipelliculaire et conservateur.

L'avis des experts. Bonne formule, au parfum frais et agréable, très pratique de par sa présentation en vaporisateur qui permet une bonne répartition du produit (sur la tête, l'alcool s'évapore, les actifs restent...). Les propriétés des huiles essentielles sont indéniables (et font l'efficacité de ce spray), leur caractère allergène aussi et d'autant plus qu'elles sont présentes en fortes concentrations. Au final, une belle efficacité à un prix raisonnable.

DUCRAY

Kélual DS – Mousse traitante états squameux récidivants

Note :	76,25/100.
Présentation :	Bombe métal de 75 ml.
Prix indicatif :	12 € *(16 €/100 ml).*
Disponible en :	Pharmacies, Parapharmacies.
Site internet :	www.dermaweb.com

12 M

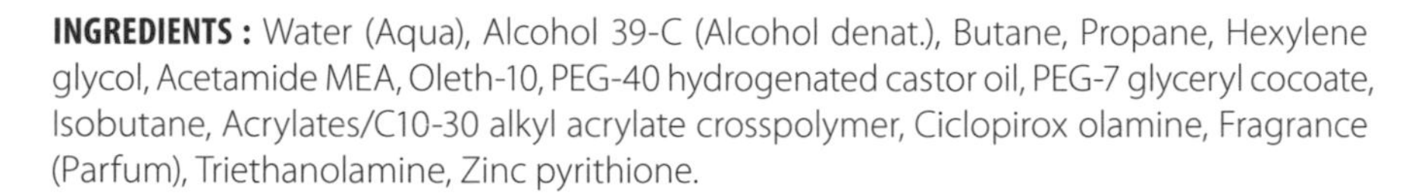
INGREDIENTS : Water (Aqua), Alcohol 39-C (Alcohol denat.), Butane, Propane, Hexylene glycol, Acetamide MEA, Oleth-10, PEG-40 hydrogenated castor oil, PEG-7 glyceryl cocoate, Isobutane, Acrylates/C10-30 alkyl acrylate crosspolymer, Ciclopirox olamine, Fragrance (Parfum), Triethanolamine, Zinc pyrithione.

À noter dans la composition. Comme pour le produit n° 1, une base d'eau alcoolisée diffuse sur la chevelure des émollients et agents filmogènes, avec deux actifs antipelliculaires, la ciclopirox olamine et la pyrithione de zinc (irritante). La présentation en bombe explique la présence de trois gaz propulseurs (également COV polluants, voir p. 22), les butane, propane et isobutane.

L'avis des experts. Là encore, c'est l'efficacité qui a porté ce produit à la 2e place du classement. La pulvérisation de la bombe n'est pas forcément très agréable, et il faut bien respecter le temps de pose (15 minutes) pour un résultat optimal, le tout avant de procéder au shampooing : tout cela n'est pas des plus pratiques, mais peut fortement contribuer à éliminer les pellicules, surtout en complément d'un shampooing performant. Au niveau de l'étiquetage, bon point pour la double indication des dates d'utilisation et de péremption (voir p. 20).

Mentions spéciales

Après-shampooings et soins antichute

Les meilleurs

	Prix	Composition Efficacité	Tolérance cutanée	Étiquetage	Confort d'utilisation	Principe de précaution	Classement
Schwarzkopf Activ Dr Hoting Femme/ Homme – Lotion traitante	★★★★★	★★★	★★★★	★★★	★★	★★★★	**1**
Phytosolba Secret professionnel by Phyto – Sérum croissance optimum	★★	★★★	★★★★	★★★	★★★	★★★★	**2**

Les nommés

SCHWARZKOPF

Activ Dr Hoting Femme/Homme

Lotion traitante

Note :	78,17/100 (Femme) – 77,33/100 (Homme)
Présentation :	Flacon de 150 ml (étui carton).
Prix indicatif :	10 € *(6,66 €/100ml).*
Disponible en :	Grandes et moyennes surfaces.
Site internet :	www.henkelfrance.fr

Activ Dr Hoting Femme

INGREDIENTS : Aqua, Alcohol denat., Carnitine tartaric acid, Propylene glycol, Taurine, PEG-40 hydrogenated castor oil, Parfum, Panthenol, Echinacea purpurea, Butylphenyl methylpropional, Alpha-isomethyl ionone, Limonene, Citronellol.

Activ Dr Hoting Homme

INGREDIENTS : Aqua, Alcohol denat., Carnitine tartaric acid, Propylene glycol, Taurine, PEG-40 hydrogenated castor oil, Parfum, Panthenol, Echinacea purpurea, Menthol, Limonene, Benzyl salicylate, Citrus limonum, Linalool, Citronellol, Butylphenyl methylpropional.

À noter dans la composition. Complexe antichute composé de carnitine, taurine, vitamine B (Panthenol) et alcool. Les deux formules (homme et femme) diffèrent seulement par leurs parfums et les molécules aromatiques allergènes qui leur sont associées (plus nombreuses du côté des hommes).

L'avis des experts. Même si on ne peut pas attendre de miracle des cosmétiques antichute de cheveux, les acides aminés (carnitine et taurine) sont réputés pour leur activité effective en la matière et les vitamines du groupe B sont essentielles pour les cheveux. On est tout de même un peu surpris que les actifs mis en œuvre pour les hommes et les femmes soient exactement les mêmes, les causes des alopécies relevant tout de même de processus un peu particuliers à chaque sexe. Mais le prix de ces deux lotions est incroyablement bas !

PHYTOSOLBA
Secret professionnel by Phyto
Sérum croissance optimum

Note :	75,25/100.
Présentation :	10 fioles unidoses (verre) de 6 ml chacune (étui carton).
Prix indicatif :	37,60 € *(62,66 €/100 ml).*
Disponible en :	Salons de coiffure agréés.
Site internet :	www.secret-professionnel.com

INGREDIENTS : Water / Aqua (Eau purifiée), Alcohol denat. (Alcool de betterave), Sigesbeckia orientalis extract, Hydrolyzed soy protein (Hydrolyzat de protéines de soja), 3-aminopropane sulfonic acid, Sodium chondroitin sulfate, PVP, Ethyl ester of hydrolyzed silk, Pyridoxine HCl (Vitamine B6), Panthenol (Provitamine B5), Propylene glycol, Viburnum prunifolium extract, Theophylline.

À noter dans la composition. Des actifs végétaux tonifiants, deux vitamines du groupe B, des antistatiques et des conditionneurs capillaires.

L'avis des experts. Une formule intéressante, et notamment par la présence de deux types de vitamines du groupe B. La présentation en ampoules, parfaitement hygiénique et très pratique, est également à remarquer, d'autant qu'elle permet de minimiser le recours aux conservateurs. En revanche, elle rend le prix très élevé, on n'a rien sans rien…

Mentions spéciales

Lotions et sérums pour cheveux

Les meilleurs

	Prix	Composition Efficacité	Tolérance cutanée	Étiquetage	Confort d'utilisation	Principe de précaution	Classement
Phytosolba Secret professionnel by Phyto – Secret botanique	★★★★★	★★★★	★★★★	★★★	★★★★	★★★★★	1
Dr Hauschka Lotion capillaire au Neem	★★★★	★★★	★★★	★★★	★★★	★★★★	2

Les nommés

PHYTOSOLBA

Secret professionnel by Phyto
Secret botanique

Note :	84,83/100.
Présentation :	Bouteille de 150 ml (avec pipette et flacon applicateur, étui carton).
Prix indicatif :	14,40 € *(9,60 €/100 ml).*
Disponible en :	Salons de coiffure agréés.
Site internet :	www.secret-professionnel.com

INGREDIENTS : Rosmarinus officinalis (Rosemary) leaf water (Eau florale de romarin), Alcohol denat. (Alcool de betterave), PEG-33 castor oil (Dérivé d'huile de ricin), Menthol, Mentha piperita (Peppermint) oil (Menthe), Eucalyptus globulus leaf oil, Melaleuca leucadendron cajaput oil (Cajeput), Menthoxypropanediol, Humulus lupulus (Hops) extract (Houblon), Melaleuca alternifolia (tea tree) leaf oil (Arbre à thé), Hamamelis virginiana (Witch hazel) extract, Arctium majus root extract (Bardane), Thenoyl methionate, Limonene..

À noter dans la composition. Essentiellement des actifs végétaux et des huiles essentielles dans une base d'eau florale de romarin.

L'avis des experts. La richesse de la formule en actifs fait tout son intérêt. Destiné à préparer cheveux et cuir chevelu au shampooing, le produit est conçu pour permettre une meilleure irrigation cutanée par les capillaires et une optimisation idéale des soins à venir. Son odeur assez forte d'huiles essentielles peut déconcerter les non-habitués, mais la satisfaction au final est garantie. D'autre part, on apprécie l'effort de transparence incitant le fabricant à donner la traduction française de ses composants, mais, on le redit, pour être tout à fait réglementaire, elle devrait rester en dehors de la déclaration INCI officielle.

DR HAUSCHKA

Lotion capillaire au Neem
Soin fortifiant et vivifiant

Note :	76,04/100.
Présentation :	Flacon (verre) de 100 ml (étui carton).
Prix indicatif :	18,50 € *(18,50 €/100 ml).*
Disponible en :	Pharmacies, Parapharmacies, Magasins bio, Instituts de beauté, Spas, Grands magasins.
Site internet :	www.drhauschka.fr

INGREDIENTS : Water (Aqua), Alcohol, Neem (Melia azadirachta) leaf extract, Nettle (Urtica urens) extract, Arnica montana extract, Birch (Betula alba) bark extract, Calendula officinalis extract, Horse chesnut (Aesculus hippocastanum) extract, Borage (Borago officinalis) extract, Burdok (Arctium lappa) extract, Rosemary (Rosmarinus officinalis) essential oil, Fragrance (Parfum), Citronellol*, Geraniol*, Linalool*, Limonene*, Coumarin*.
* Constituant d'huiles essentielles naturelles.

À noter dans la composition. Margousier, ortie, bouleau, souci, marronnier d'Inde, bourrache, bardane et romarin pour les actifs, eau et alcool pour la base, et cinq molécules aromatiques allergènes.

L'avis des experts. C'est un peu une lotion à tout faire, tant elle regroupe d'actifs à visées différentes : ortie, bardane et romarin pour la régulation de la sécrétion du sébum, margousier et bourrache pour nourrir et éviter le dessèchement, marronnier d'Inde pour prévenir les chutes de cheveux, bouleau pour une légère action antipelliculaire… Pas hyper-pratique à appliquer, mais pas trop chère non plus, cette lotion ne nécessite pas de rinçage ce qui est un plus, sauf à considérer le nombre de ses ingrédients sensibilisants pour les personnes concernées.

Mentions spéciales

Colorations

Les critères des experts

Le problème des colorations pour cheveux est bien plus qu'un problème, c'est un dilemme. D'un côté, les produits vraiment performants, qui tirent leur efficacité d'ingrédients très allergènes, voire potentiellement cancérogènes. De l'autre, les teintures végétales, absolument pas toxiques ni dangereuses, mais aux résultats souvent décevants. Garder, ou pas, ses cheveux blancs, est ainsi un vrai choix aux multiples enjeux, et il faut l'avouer, les fabricants de cette catégorie de produits ne se bousculent pas pour participer à ce Palmarès et se soumettre aux évaluations des experts…

À éviter

- Les **colorants capillaires chimiques** et en particulier tous les dérivés de la paraphénylène diamine ou du résorcinol, ou encore les diaminotoluènes, très critiques quant à leur toxicité et très allergisants. Ils sont légion pourtant, et indissociables des colorations « classiques ».
- Les **composés oxydants,** qui attaquent la fibre capillaire pour permettre aux colorants de la pénétrer durablement, au premier rang desquels on trouve le peroxyde d'hydrogène (Hydrogen peroxide).
- Les **conservateurs très allergisants,** qui ajoutent à la très mauvaise tolérance de ces produits, et parmi eux toujours les Methylchloroisothiazolinone et Methylisothiazolinone.

À privilégier

- Les **colorations aux formules « raisonnées »** qui usent très modérément de la chimie pour assurer une efficacité honnête, en s'appuyant sur une base à dominante végétale.
- Une **bonne philosophie de la vie** qui laisse à penser qu'un cheveu blanc n'est peut-être pas une catastrophe…

La meilleure

	Prix	Composition Efficacité	Tolérance cutanée	Étiquetage	Confort d'utilisation	Principe de précaution	Classement
Wella EOS – Coloration à base de plantes	★★★★	★★★★	★★★	★★★★	★★★★	★★★★	1

WELLA
EOS
Coloration à base de plantes

Note :	69,25/100.
Présentation :	Boîte aluminium (poudre) 120 g (soit 4 colorations).
Prix indicatif :	Variable en fonction des salons (le facteur prix a été calculé sur une moyenne des prix pratiqués).
Disponible en :	Salons de coiffure agréés (appliquée uniquement en salon).
Site internet :	www.wella.fr

INGREDIENTS : Indigofera tinctoria, Paraffinum liquidum, Cyamopsis tetragonolba, Cassia auriculata, HC Red n° 3, PEG-35 castor oil, Hexyldecyl laurate, Lawsonia inermis, Hexyldecanol, HC Blue n° 2, 3-nitro-p-hydroxyethylaminophenol, Parfum.

À noter dans la composition. Des plantes, comme le revendique l'étiquette, mais pas seulement. Le 3-nitro-p-hydroxyethylaminophenol est un colorant chimique, et pour lequel des cas d'allergies sont rapportés, les HC Red n° 3 et HC Blue n° 2 ne sont pas naturels non plus (ils sont classés par le Centre International de Recherche sur le Cancer dans les substances dont la cancérogénicité n'a pas pu être établie).

L'avis des experts. C'est sa performance et sa toxicité réduite (en tout cas par rapport aux autres colorations efficaces actuellement sur le marché) qui font arriver ce produit dans le Palmarès. Il assure une bonne couverture des cheveux blancs (sauf en cas de pourcentage élevé, de l'ordre de 70 % et plus), des couleurs qui tiennent et une belle brillance. Pas de blonde cependant à l'horizon puisque aucun éclaircissement n'est possible, cette teinture ne contenant pas de composés oxydants.

Produits d'

Hygiène

Savons

Les résultats

Évalués : 22 produits, de 15 marques différentes.

Prix moyen / 100 g : 3,59 €.

Ont obtenu au moins la moyenne : 22.

N'ont pas obtenu la moyenne dans au moins un critère : 11.

Meilleure note : 87,29/100.

Plus mauvaise note : 62,13/100.

Les critères des experts

Il ne faut pas trop se fier, parfois, à ce que disent les étiquettes. Par exemple, et de par sa composition même, un savon n'est jamais ni hydratant, ni adoucissant, ni nourrissant, ni adapté aux peaux sensibles et délicates, ni conseillé pour le visage... Cela dit, tous les ingrédients qui peuvent diminuer un peu l'effet intrinsèquement asséchant du savon sont évidemment les bienvenus. De même qu'on note positivement l'absence de tous ceux qui ajoutent encore à son caractère non moins naturellement agressif ou sensibilisant.

À éviter

- Trop de **molécules aromatiques allergènes** (voir p. 429) rendent le savon d'autant plus sensibilisant que le film hydrolipidique de la peau (sa barrière protectrice naturelle) se trouve bien malmené par le lavage d'une part, et l'action de l'eau d'autre part.
- L'abus d'**agents de chélation** (Tetrasodium EDTA, Tetrasodium etidronate, Etidronic acid) : ils sont utilisés pour leurs propriétés de séquestrants du calcium (composant du calcaire) et permettent la formation d'une plus belle mousse, mais s'avèrent très polluants pour l'environnement et éventuellement nocifs pour l'organisme (mais surtout par ingestion et à hautes doses). En tout état de cause, un seul suffit.
- L'**huile de graine laurier noble** (Laurus nobilis oil), toxique pour l'organisme et interdite d'utilisation cosmétique depuis 2001. On la retrouve pourtant encore, notamment dans la composition des savons d'Alep.

À privilégier

- Les **agents adoucissants ou hydratants** contrecarrant les effets décapants du savon : glycérol (Glycerin), huiles d'olive (Olea europaea oil), d'amande douce (Prunus amygdalus dulcis oil) ou d'argan (Argania spinosa oil), beurre de karité (Butyrospermum parkii butter)...
- Les **agents antiseptiques** sont parfois utiles pour le lavage des mains (avec modération toutefois pour ne pas risquer de développer de résistances chez les micro-organismes auxquels ils s'attaquent), et certains peuvent être naturels comme les huiles essentielles de romarin (Rosmarinus officinalis) ou d'arbre à thé (Melaleuca alternifolia)...

Les meilleurs

	Prix	Composition Efficacité	Tolérance cutanée	Étiquetage	Confort d'utilisation	Principe de précaution	Classement
Cattier Savon doux végétal Argimiel – Peaux mixtes	★★★	★★★★	★★★★	★★★★	★★★★	★★★★★	1
Cattier Savon doux végétal Alargil – Peaux grasses	★★★	★★★★	★★★★	★★★★	★★★★	★★★★★	
Les Floressances Savon végétal à l'huile d'argan biologique	★★★	★★★★	★★★★	★★★★	★★★★	★★★★	2
Cadum Savon de toilette à l'huile d'amandes douces biologiques	★★★★★	★★★★	★★★	★★★	★★★★	★★★★	3
Cadum Savon crème hydratant Visage et corps	★★★★	★★★★	★★★	★★★★	★★★★	★★★★	
Melvita Savon de toilette ultra-riche	★★★	★★★★	★★★★★	★★★★	★★★★	★★★★★	4
Florame Savon aux huiles essentielles biologiques Géranium rosa	★★★	★★★★	★★★	★★★★	★★★★	★★★★★	5
Weleda Savon végétal au calendula	★★	★★★★	★★★★	★★★★	★★★★	★★★★★	6
Dove Beauty cream bar – Pain de toilette soft peeling	★★★★	★★★	★★★	★★★★	★★★★	★★★★	7
Le Petit Marseillais Savon crème extra doux hydratant au lait de palme	★★★★	★★★	★★★	★★★★	★★★★	★★★★	8
L'Occitane Savon biologique à la tomate et aux feuilles d'olivier	★★	★★★★	★★★★	★★★★	★★★★	★★★★	9
Dove Beauty cream bar Pain de toilette	★★★★	★★★	★★★	★★★★	★★★★	★★★★	10

	Prix	Composition Efficacité	Tolérance cutanée	Étiquetage	Confort d'utilisation	Principe de précaution	Classement
Avène Cold Cream Pain surgras sans savon	★★	★★★★	★★★	★★★★	★★★★	★★★	11
Centella Savon végétal	★	★★★	★★★★	★★★★	★★★★	★★★★	12
Résonances Savon noir	★	★★★★	★★★★	★★★★	★★★★	★★★★★	13
Perle de Provence Savonnette Perle de soin Chanvre	★★★	★★★	★★★★	★★	★★★	★★★★★	14
Perle de Provence Savonnette de toilette de Marseille	★★★	★★★	★★★★	★★	★★★	★★★★★	15

Les 3 premiers

CATTIER

- Savon doux végétal Argimiel – Peaux mixtes
- Savon doux végétal Alargil – Peaux grasses

Note :	87,29/100.
Présentation :	Pain de 150 g (étui plastique).
Prix indicatif :	4,26 € *(2,84 €/100 g).*
Disponible en :	Magasins bio, Grands magasins (Printemps, BHV, Galeries Lafayette), Résonances, Monoprix, Parapharmacies.
Site internet :	www.laboratoirecattier.com

Savon doux végétal Argimiel

INGREDIENTS : Sodium stearate, Sodium isostearate, Sodium cocoate, Aqua, Illite, Kaolin, Helianthus annuus seed oil, Glycerin, Lavandula angustifolia, Stearic acid, Isostearic acid, Coconut acid, Sodium chloride, Mel, Linalool.

Savon doux végétal Alargil

INGREDIENTS : Sodium stearate, Sodium isostearate, Sodium cocoate, Bentonite, Aqua, Glycerin, Mentha piperita, Rosmarinus officinalis, Melaleuca alternifolia, Stearic acid, Isostearic acid, Coconut acid, Sodium chloride, Limonene.

À noter dans la composition. Deux bases lavantes identiques, enrichies, pour la première, en huile de tournesol, miel hydratant et lavande parfumée, pour la deuxième en argile absorbante et huiles essentielles antiseptiques bienvenues sur les peaux grasses.

L'avis des experts. Très bien pour des savons ! Compositions sans soucis, présentations rustiques très nature, mousses légères, parfums présents mais pas entêtants, nettoyage sans agression excessive. Il n'y a que la dermatologue pour faire un peu la grimace… comme devant tous les « vrais » savons, mais ceux-ci, qui n'accumulent pas les ingrédients dits détergents ou décapants, ont même su trouver grâce à ses yeux.

LES FLORESSANCES

Savon végétal à l'huile d'argan biologique

Note :	85,42/100.
Présentation :	Pain de 100 g (étui plastique).
Prix indicatif :	2,14 € *(2,14 €/100 g).*
Disponible en :	Grandes et moyennes surfaces.
Site internet :	www.leanature.com

INGREDIENTS : Sodium palmate, Sodium palm kernelate, Aqua, Argania spinosa (Argan) kernel oil, Citrus sinensis (Orange) oil, Palm kernel acid, Sodium chloride, Glycerin, Parfum (Fragrance), Tetrasodium etidronate, CI 77492, Limonene.

À noter dans la composition. Une base lavante assez classique comportant (même si l'argumentaire précise « sans EDTA ») un agent de chélation mais un seul, de l'huile d'argan et de la glycérine en tant qu'agents hydratants, et pour le « plaisir », un colorant (CI 77492 désigne des oxydes de fer) et du parfum.

L'avis des experts. Rien à reprocher à cette formule, on peut simplement remarquer que l'étiquette insiste sur les vertus hydratantes et adoucissantes de l'huile d'argan alors qu'un savon ne peut par nature s'en prévaloir, même s'il en contient. Il permet en revanche un lavage agréable, avec une mousse fine et douce, un parfum d'orange très plaisant bien qu'un peu fugace.

CADUM

Savon de toilette à l'huile d'amandes douces biologiques

Note :	**84,48/100.**
Présentation :	4 pains de 125 g (étui papier plastifié).
Prix indicatif :	2,36 € *(0,47 €/100g).*
Disponible en :	Grandes et moyennes surfaces.
Site internet :	www.cadum.fr

CADUM

Savon crème hydratant Visage et corps

Note :	**84,48/100.**
Présentation :	6 pains de 100 g (étui papier plastifié).
Prix indicatif :	3,50 € *(0,58 €/100g).*
Disponible en :	Grandes et moyennes surfaces.
Site internet :	www.cadum.fr

Savon de toilette à l'huile d'amandes douces biologiques

INGREDIENTS : Sodium tallowate, Sodium palm kernelate, Aqua, Parfum, Glycerin, Olea europaea oil, Lauric acid, CI 77891, Tetrasodium glutamate diacetate, Prunus amygdalus dulcis oil, Hexyl cinnamal, Benzyl salicylate, Butylphenyl methylpropional, Citronellol, Geraniol, Linalool, Coumarin, Limonene, Alpha isomethyl ionone, Benzyl alcohol, Rosmarinus officinalis.

Savon crème hydratant

INGREDIENTS : Sodium tallowate, Sodium palm kernelate, Aqua, Glycerin, Lauric acid, Parfum, Prunus amygdalus dulcis oil, Squalane, Sodium chloride, CI 77891, Tetrasodium glutamate diacetate, Rosmarinus officinalis, Hexyl cinnamal, Linalool, Alpha isomethyl ionone, Coumarin, Butylphenyl methylpropional, Hydroxyisohexyl 3-cyclohexene carboxaldehyde, Benzyl salicylate.

À noter dans la composition. Voilà encore deux principes de formulation très semblables (comme c'est souvent le cas dans les produits de même catégorie d'une même marque). Même base lavante agrémentée de la fameuse huile d'amande douce qui a fait l'image de marque Cadum, même colorant (un dioxyde de titane, le CI 77891), même romarin antiseptique et même parfum (ou presque) responsable de la longue liste des molécules aromatiques allergènes (10 pour le premier, 7 pour le deuxième).

L'avis des experts. Dommage qu'il y ait tant d'allergènes ! C'est la seule raison qui empêche ces savons de monter plus haut sur le podium… même si celui à l'huile d'amande douce est déjà un habitué de ce Palmarès. Et si on ne recommande pas (comme le fait l'étiquette du savon crème « hydratant ») de s'en servir pour le visage, il est vrai que le lavage paraît très doux, avec des mousses crémeuses qui sentent bon… le savon Cadum ! C'est comme une madeleine, ça sent l'enfance et on aime toujours autant !

On le dit en passant : Allergènes (1)

26 composés aromatiques, classés dans les allergènes, doivent obligatoirement être déclarés dans la liste des ingrédients (voir p. 429). Mais ce ne sont pas les seuls à pouvoir être responsables du déclenchement d'allergies. Bien d'autres ingrédients cosmétiques sont dotés de cette caractéristique, et parmi eux, de nombreux conservateurs. Mais qui dit « allergène » ne dit pas forcément « allergie pour tout le monde » : seules les personnes réactives à ces substances particulières sont concernées. Elles ne forment pas la majorité, c'est vrai, même si elles se révèlent de plus en plus nombreuses. Car tout composé allergène est également sensibilisant, et plus on est en contact avec une substance, plus on risque de déclencher une réaction, à plus ou moins long terme. Moralité ? On peut sans danger utiliser des produits contenant des molécules allergènes si on n'y est pas allergique… mais avec modération, pour ne pas le devenir !

Gels-douche et savons liquides

Les résultats

Évalués : 64 produits, de 37 marques différentes.

Prix moyen / 100 ml : 4,66 €.

Ont obtenu au moins la moyenne : 64.

N'ont pas obtenu la moyenne dans au moins un critère : 21.

Meilleure note : 87,25/100.

Plus mauvaise note : 56,25/100.

Les critères des experts

Il est quotidien (du moins, on l'espère !), il reste en libre-service au bord du bac à douche et sert à toute la famille : il doit être irréprochable. Pour plaire à tout le monde, résister à la chaleur et à l'humidité ambiante comme au flacon mal refermé par le petit dernier (autant de conditions qui nécessitent un bon système de conservation du produit), pour faire de ce geste d'hygiène de base un moment agréable et sans risque pour les épidermes trop sensibles. À noter que les shampooings-douche, qui paraissent bien pratiques, ne posent pas, en général, de problèmes pour le corps, mais se révèlent assez décevants quant à leurs résultats sur la tête : la peau et les cheveux ont des besoins différents !

À éviter

- Les **tensioactifs trop irritants :** ils forment la base des gels-douche, et toutes proportions gardées (les peaux d'adultes sont plus résistantes que celles des enfants), on retrouve ici les mêmes critères que pour les gels lavants des bébés (voir p. 32).
- L'**alcool** n'arrange pas l'effet inévitablement un peu agressif des savons liquides vis-à-vis du film hydrolipidique cutané, et pour tout dire, il n'a rien à y faire.
- Les **allergènes** doivent être limités au maximum : cela vaut pour les molécules aromatiques contenues dans les parfums et huiles essentielles (voir p. 429), mais aussi pour certains conservateurs, comme par exemple le duo « Methylchloroisothiazolinone – Methylisothiazolinone », qu'on retrouve encore trop souvent dans ce type de produits.
- Les **filtres UV**, utilisés dans ce genre de formules pour stabiliser leurs couleurs, devraient, du fait de leurs potentiels effets secondaires (voir p. 12 et 435), être limités aux crèmes protectrices solaires.

À privilégier

- Les **agents hydratants** ne peuvent pas réellement nourrir la peau (ils ont trop peu de temps pour agir), mais ils limitent le dessèchement consécutif au lavage.
- Un **système de conservation complet**, qui protège aussi bien du développement des champignons que des atteintes bactériennes. Pour mieux s'y retrouver, voir p. 431.

On le dit en passant : Actifs

Quand l'étiquette met en avant un actif en particulier et son action (forcément positive, si elle est revendiquée !), on aime bien le voir arriver assez haut dans la liste des ingrédients. On a vu pourtant, entre autres, une huile d'olive inscrite en gros sous le nom d'un gel-douche s'adjuger seulement la 12e position dans la composition, ou une huile d'argan aux propriétés largement détaillées se retrouver à la 13e place… Et quand on sait que les 3 ou 4 premiers ingrédients constituent 80 à 90 % du produit, cela laisse rêveur sur la concentration réelle de ces actifs si précieux. Et cela ressemble, du coup, sinon à de la publicité mensongère, en tout cas à une légère indélicatesse du fabricant qui trompe un tout petit peu son monde…

Les meilleurs

	Prix	Composition Efficacité	Tolérance cutanée	Étiquetage	Confort d'utilisation	Principe de précaution	Classement
Bioderma Atoderm Gel surgras douceur	★★★★	★★★★	★★★★	★★★★	★★★★	★★★★	**1**
Eucerin – Peau sèche Gel nettoyant 5 % d'urée	★★★	★★★★	★★★★	★★★★	★★★★	★★★★	**2**
Belle et bio Mousse de douche	★★★	★★★★	★★★★	★★★★	★★★★	★★★★★	**3**
Thémis Douche hydratante au sucre de canne biologique	★★★	★★★★	★★★★	★★★★	★★★★★	★★★★	4
Coslys Gel douche	★★★	★★★★	★★★	★★★★	★★★★	★★★★★	5
Résonances Gel douche apaisant	★★★	★★★	★★★★	★★★★	★★★★	★★★★	6
Perle de Provence Savon liquide Pur chanvre	★★★	★★★	★★★★	★★★★	★★★★	★★★★★	7
Weleda Crème de douche à l'argousier	★★★	★★★★	★★★★	★★★	★★★★	★★★★	8
Patyka Gel douche bio orange	★★★	★★★★	★★★★	★★★★	★★★★	★★★	9
Stiefel Physiogel – Base lavante	★★	★★★★	★★★★	★★★★	★★★★	★★★★	10
Cattier Moussant familial sans savon	★★★★	★★★	★★★	★★★★	★★★★	★★★★	11
Monoprix Crème douche & bain hydratante	★★★★★	★★★★	★★★	★★★★	★★★★	★★★	12
Résonances Gel douche décontractant	★★★	★★★	★★★★	★★★★	★★★★	★★★★	13
Le Petit Marseillais Savon liquide à l'huile d'olive	★★★★	★★★	★★★★	★★★★	★★★	★★★	14
Lavera Body SPA – Gel Douche et bain Lait et miel et Body SPA – Gel Douche et bain Vanille-coco	★★★	★★★★	★★★★	★★★	★★★★	★★★★	15

	Prix	Composition Efficacité	Tolérance cutanée	Étiquetage	Confort d'utilisation	Principe de précaution	Classement
Résonances Shampooing douche tonique	★★★	★★★	★★★ ★	★★★ ★	★★★ ★	★★★	16
Lavera Body SPA – Gel Douche et bain Rose sauvage	★★★	★★★	★★★ ★	★★★ ★	★★★ ★	★★★ ★	17
anne lind Gel douche Caramel	★★★	★★★	★★★ ★	★★★ ★	★★★ ★	★★★ ★	18
anne lind Gel douche Lemon grass	★★★	★★★	★★★ ★	★★★ ★	★★★ ★	★★★ ★	19
Florame Gel douche à l'HE de Bois de rose	★★★ ★	★★★	★★★	★★★	★★★ ★	★★★ ★	20
Cadum Douche sans savon	★★★ ★	★★★	★★★	★★★ ★	★★★ ★	★★★	21
Rogé Cavaillès Crème lavante surgras extra-douce Peaux sensibles	★★★	★★★ ★	★★★ ★	★★★ ★	★★★ ★	★★★	22
Les Floressances Olivier – Crème de douche hydratante	★★★	★★★	★★★ ★	★★★	★★★ ★	★★★ ★	23
Logona Tropic – Gel douche Papaye et lait de coco	★★★	★★★	★★★ ★	★★★ ★	★★★ ★	★★★ ★	24
Dr Hauschka Crème douche au citron	★	★★★ ★	★★★	★★★ ★	★★★ ★	★★★ ★	25

Les 3 premiers

BIODERMA

Atoderm – Gel surgras douceur
Peaux sèches sensibles

Note :	87,25/100.
Présentation :	Flacon de 500 ml.
Prix indicatif :	9,80 € *(1,96 €/100 ml).*
Disponible en :	Pharmacies, Parapharmacies.
Site internet :	www.bioderma.com

INGREDIENTS : Water (Aqua), Sodium laureth sulfate, Coco-betaine, Sodium lauroyl sarcosinate, Glycerin, Methylpropanediol, Mannitol, Xylitol, Rhamnose, Fructooligosaccharides, Copper sulfate, Coco-glucoside, Glyceryl oleate, Sodium chloride, Disodium EDTA, Capryloyl glycine, Citric acid, Sodium hydroxide, Fragrance (Parfum).

À noter dans la composition. Les mêmes avantages, exactement, que la formule arrivée n° 1 dans le Palmarès des gels lavants pour bébés : eh oui, c'est le même produit !

L'avis des experts. Ce qui est bon pour les bébés l'est aussi pour leurs parents, surtout quand il s'agit d'un produit finalement aussi basique, dans sa composition comme dans son utilisation, qu'un gel-douche. Les critères qui ont fait la décision p. 35 l'ont aussi faite ici, d'autant que le facteur prix se trouve, au regard du marché des gels-douche également, très avantageux. Un tout petit peu moins tout de même que sur celui des produits pour bébés, c'est ce qui explique la note légèrement moins élevée. Pour le reste, c'est du tout bon, de la même façon !

EUCERIN – PEAU SÈCHE

Gel nettoyant 5 % d'urée
Visage et corps

Note :	84,83/100.
Présentation :	Flacon de 200 ml (étui carton).
Prix indicatif :	7,50 € *(3,75 €/100 ml).*
Disponible en :	Pharmacies, Parapharmacies.
Site internet :	www.eucerin.fr

INGREDIENTS : Aqua, Sorbitol, Glycerin, Sodium myreth sulfate, Sodium lactate, Urea, Sodium cocoamphoacetate, Lauryl glucoside, PEG-40 hydrogenated castor oil, Lactic acid, Sodium benzoate, Sodium salicylate, Polyquaternium-10.

À noter dans la composition. Des tensioactifs parmi les moins agressifs sont associés à une série d'agents humectants (Sorbitol, Glycerin, Urea, Lactic acid), l'urée et l'acide lactique contribuant de façon avérée à limiter la déshydratation de l'épiderme…

L'avis des experts. Ce qui aide les peaux sèches ne peut qu'être utile à toutes les autres en matière de bonne hydratation. Ce gel translucide très doux à la mousse légère convient ainsi à tout le monde, et même, comme le précise le fabricant, pour la toilette intime. On note aussi que les études cliniques permettant de revendiquer l'efficacité du produit ont été réalisées sur plus de 700 personnes (un record, quand on sait que la plupart des tests sont effectués d'habitude sur une vingtaine de volontaires en moyenne !).

BELLE ET BIO

Mousse de douche
pour peaux sensibles

Note :	84,75/100.
Présentation :	Flacon-pompe mousseur de 250 ml.
Prix indicatif :	9 € *(3,60 €/100 ml).*
Disponible en :	Magasins bio et de produits naturels, Pharmacies, Parapharmacies, Internet.
Site internet :	www.belleetbio.com

INGREDIENTS : Aqua, Cocamidopropyl betaine, Sodium lauroyl oat aminoacids, Melissa officinalis distillate*, Citrus aurantium amara flower distillate*, Glycerin, Citrus aurantium dulcis oil*, Citric acid, Sodium benzoate, Limonene.
* Ingrédients issus de l'Agriculture Biologique.

À noter dans la composition. Deux tensioactifs, dont l'un au moins est parfois associé à des réactions indésirables (la cocamidopropyl bétaïne), mais noyés dans un mélange d'eau et d'eaux florales de fleur d'oranger et de mélisse aux vertus apaisantes. Une huile essentielle (d'où le limonène, molécule allergène) et un conservateur. Et c'est tout !

L'avis des experts. Par la magie de l'embout mousseur (voir les Tendances, p. 15), le fluide liquide translucide contenu dans le flacon se transforme en mousse blanche d'une simple pression sur la pompe, et… oh oui, c'est une mousse douce ! Si légère et aérienne qu'on croirait se laver avec un nuage ! Aucune agression ressentie sur la peau, un parfum orangé présent mais discret, un bonheur de douche qui peut même paraître trop superficielle aux amateurs de lavages plus… virils. Mais ces demoiselles ne peuvent qu'adorer. Un seul regret : il est précisé sur l'emballage que tout contact avec les muqueuses doit être évité. Ni lors du test, ni au vu de la composition, on n'a pu comprendre cette mise en garde. Excès de précaution de la part du fabricant ?

Mentions spéciales

Bains moussants / Sels de bain / Huiles de bain

Les critères des experts

Quel bon moment que le bain !

Pourtant, les bains moussants sont, pour faire court, des gels-douche qui moussent beaucoup, avec une jolie couleur et parfum bien marqué… et donc beaucoup de tensioactifs dont certains se révèlent assez agressifs, des colorants pas toujours anodins et des parfums renfermant souvent une bonne quantité de molécules allergènes… Tout cela n'aidant pas à verser en toute quiétude nombre de produits dans nos baignoires…

Les sels de bain, comme leur nom l'indique, sont composés d'abord de sel (parfois de mer), saupoudrés de quelques actifs comme des algues ou des huiles essentielles. En général, les premières ne font que du bien, mais les secondes, malgré toutes leurs propriétés intéressantes, sont aussi sources d'allergies.

Quant aux huiles de bain, elles sont faites évidemment d'huiles, avec là encore des actifs parfumés, le tout formant une belle émulsion homogène dans l'eau de la baignoire grâce à… des émulsifiants, quelquefois un peu irritants eux aussi.

Tout cela est paré des plus grands pouvoirs : ça « délasse », ça « plonge dans un nuage de volupté », ça procure de la « détente » ou du « plaisir », ça « adoucit » ou ça « purifie », ça « diffuse dans l'organisme », ça permet éventuellement de « devenir la plus belle femme du monde »… du moins si on en croit les étiquettes qui flirtent ainsi parfois avec des argumentaires proches du médical (mais un cosmétique n'est pas un médicament et son langage lui est interdit !) ou très semblables à… du n'importe quoi.

Pas facile dans ces conditions de choisir de vraiment bons produits, à tous points de vue. Et voilà comment les cosmétiques destinés au bain tiennent en 2 mentions spéciales.

Les meilleurs bains moussants

	Prix	Composition Efficacité	Tolérance cutanée	Étiquetage	Confort d'utilisation	Principe de précaution	Classement
L'Occitane Bain moussant à l'huile essentielle de lavande	★★★	★★★★	★★★★	★★★★	★★★★	★★★★	1
Dove Lumière et soie – Bain de beauté	★★★★	★★★	★★★	★★★	★★★★	★★★	2

Les nommés

L'OCCITANE

Bain moussant à l'huile essentielle de lavande

Note :	81,29/100.
Présentation :	Flacon (métal) de 500 ml.
Prix indicatif :	16,50 € *(3,30 €/100 ml).*
Disponible en :	Boutiques L'Occitane, Internet.
Site internet :	www.loccitane.com

12 M

INGREDIENTS : Aqua/Water, Sodium laureth sulfate, Cocamidopropyl betaine, Sodium chloride, Rosmarinus officinalis (Rosemary) leaf extract, Lavandula angustifolia (Lavender) oil, Parfum (Fragrance), Limonene, Linalool.

À noter dans la composition. De l'eau, deux tensioactifs qui font une belle mousse, du romarin et l'huile essentielle de lavande.

L'avis des experts. Une formule assez simple et plutôt classique, mais efficace, avec seulement deux molécules allergènes. Une mousse fine qui se développe sans excès, un agréable parfum de lavande et pas d'agression décapante : la peau reste douce.

DOVE

Lumière et soie
Bain de beauté

Note :	**78,67/100.**
Présentation :	Flacon de 500 ml.
Prix indicatif :	5,25 € *(1,05 €/100 ml).*
Disponible en :	Grandes et moyennes surfaces.
Site internet :	www.dove.com

INGREDIENTS : Aqua, Sodium laureth sulfate (A)/Sodium C12-13 pareth sulfate (B)*, Cocamidopropyl betaine, Glycerin, Sodium chloride, Parfum, Glycol distearate, Serica, Allantoin, Sodium lactate, TEA-lactate, Serine, Lactic acid, Urea, Sorbitol, Isopropyl palmitate, Acrylates copolymer, Laureth-4, Sodium citrate, Citric acid, Sodium benzoate, Alpha isomethyl ionone, Butylphenyl methylpropional, Hexyl cinnamal, Limonene, Linalool, CI 16255, CI 47005.

* Voir le code de production.

À noter dans la composition. Eau et tensioactifs arrivent très normalement en tête de liste, agrémentés d'une belle quantité d'actifs émollients et hydratants (lactate de sodium, TEA-lactate, acide lactique, urée, sorbitol...). De la soie aussi, comme le nom du produit le laisse supposer (Serica), quelques molécules aromatiques allergènes et deux colorants (un rouge, un jaune).

L'avis des experts. Un gel nacré classique d'une couleur pêche rosée très tendre, une belle mousse irisée, un parfum léger sans surprise. Une valeur sûre à très, très bas prix ! On apprécie la présence des actifs hydratants (la signature Dove !), un peu moins celle des cinq molécules aromatiques allergènes et du colorant rouge azoïque (voir p. 22). Autre petite remarque : la déclaration des tensioactifs (c'est l'un ou l'autre en fonction du code de production) n'est pas tout à fait réglementaire. Dans l'idéal (mais il paraît tout de même plus normal qu'idéal que le consommateur puisse s'y retrouver !), il faudrait prévoir deux étiquettes différentes, une pour la production (A), une autre pour la production (B), avec chacune leur ingrédient indiqué seul.

> **Flash marque :** Dove
>
> On ne présente plus Dove, « inventeur » en 1957 du « savon à la crème hydratante » : on en a tous eu un en mains au moins une fois dans sa vie… On peut en revanche découvrir encore son site Internet, relais de sa campagne de publicité (depuis 2005, tout de même !) « pour toutes les beautés », basée sur l'estime de soi et en forme de manifeste contre le matraquage ambiant du « plus jeune, plus mince, plus lisse, plus belle ». À l'affiche, des mannequins… qui nous ressemblent, et une enquête de satisfaction sur les produits auprès de plus de 1 000 000 de femmes partout dans le monde. Du marketing ? Peut-être. Mais du comme ça, on aime bien…

Les meilleurs sels de bain

	Prix	Composition Efficacité	Tolérance cutanée	Étiquetage	Confort d'utilisation	Principe de précaution	Classement
Résonances Thalasso mer d'Iroise Sels de bains relaxants	★★★★	★★★★	★★★★	★★★	★★★★	★★★★★	1
Forest People Bain des îles rafraîchissant	★★★★	★★★★	★★★★	★★	★★★★★	★★★★★	2

Les nommés

RÉSONANCES
Thalasso mer d'Iroise
Sels de bain relaxants

Note :	87,08/100.
Présentation :	Flacon de 1 kg.
Prix indicatif :	19,95 € *(1,99 €/100 g).*
Disponible en :	Boutiques Résonances.
Site internet :	www.resonances.fr

18 M

INGREDIENTS : Maris sal, Saccharum officinarum*, Parfum, Centaurea cyanus*, Algae extract, Kaolin, Citronellol, Linalool, Limonene.
* Ingrédients issus de l'Agriculture Biologique.

À noter dans la composition. Sel de mer, sucre de canne, bleuet, algues et argile, assortis d'un parfum aux trois molécules allergènes.

L'avis des experts. Bon point : la traduction de la composition en français sur l'étiquette précise la nature des algues utilisées dans ces sels : Ulva lactuca et microalgue Chlorella emersonii. Cela aurait pu être également précisé dans la liste réglementaire de déclaration des ingrédients. Autre bon point pour les fleurs de bleuet contenues dans les sels qui parsèment joliment l'eau du bain. Les senteurs fraîches et toniques, très agréables, ont peut-être des vertus relaxantes, mais ce mot précis ne devrait pas être employé sans précautions dans l'argumentaire : une réelle relaxation est une notion qu'il paraît difficile d'envisager avec un cosmétique.

FOREST PEOPLE

Bain des îles rafraîchissant

Note :	86,67/100.
Présentation :	Bouteille de 500 g.
Prix indicatif :	14 € *(2,80 €/100 g).*
Disponible en :	Magasins bio et de produits naturels, équitables ou de bien-être, Spas, Internet.
Site internet :	www.forest-people.com

INGREDIENTS : Sel*, Huiles essentielles : Ravintsara* (Cinnamomum camphora), Mandravasarotra* (Cinnamosma fragrans), Eucalyptus globulus* (Eucalyptus globulus).
* Ingrédient sous mention Nature et Progrès cosmétique Bio-écologique.

À noter dans la composition. Sel de Guérande et huiles essentielles de Madagascar (dosées en dessous du seuil légal de déclaration obligatoire des molécules allergènes).

L'avis des experts. Une composition dont certains diront qu'elle est simpliste, que d'autres trouvent très épurée. Elle offre quoi qu'il en soit un bain agréable, à la fois véritablement frais, fort et épicé, à réserver plutôt pour l'été, et très pratique aussi en simple bain de pieds. Alors, évidemment, la déclaration des ingrédients est à revoir : l'INCI a un peu (beaucoup) mal à la conformité...

Les meilleures huiles de bain

	Prix	Composition Efficacité	Tolérance cutanée	Étiquetage	Confort d'utilisation	Principe de précaution	Classement
Les Floressances Huile bain et massage Olivier	★★★★	★★★★	★★★★	★★★★	★★★★	★★★★	1
Dr. Hauschka Bain au citron	★★★	★★★★	★★★★	★★★★	★★★★	★★★★	2
L'Occitane Huile de bain et de massage Relaxant	★★	★★★★	★★★	★★★★	★★★★	★★★★	3

Les nommées

LES FLORESSANCES
Huile de bain et massage
Olivier

Note : 85,21/100.
Présentation : Flacon de 150 ml.
Prix indicatif : *7,70 € (5,13 €/100 ml).*
Disponible en : Grandes et moyennes surfaces.
Site internet : www.leanature.com

12 M

INGREDIENTS : Helianthus annuus (Sunflower) seed oil, Olea europaea (Olive) fruit oil, Prunus amygdalus dulcis (Sweet almond) oil, Cocoglycerides, Squalane, Thymus vulgaris (Thyme) oil, Cupressus sempervirens oil, Tocopherol, Polyglyceryl-3 diisostearate, Pinus sylvestris leaf oil, Eucalyptus globulus leaf oil, Rosmarinus officinalis (Rosemary) leaf oil. Pour votre information, les huiles essentielles utilisées comme parfum contiennent différentes molécules naturelles dont : d-Limonene.

À noter dans la composition. Des huiles bien sûr (tournesol, olive, amande douce), des huiles essentielles (thym, cyprès, pin, eucalyptus, romarin), deux émulsifiants et un antioxydant. Et donc, une molécule allergène apportée par les huiles essentielles.

L'avis des experts. Bonne formule ! Bien conçue, comme le revendique l'étiquette, pour les peaux sèches et dévitalisées. Et malgré ce qu'on pourrait imaginer à la vue de tant d'huiles, la peau ne ressort pas grasse du tout du bain, simplement confortable. On peut se plonger sans crainte dans une eau un peu laiteuse, aux bonnes senteurs provençales légères parmi lesquelles le romarin ressort bien. C'est très doux. Le prix aussi, ce qui ne gâte rien.

On le dit en passant : Allergènes (2)

La déclaration de 26 substances allergènes (voir p. 429) est une obligation légale. Elles doivent à ce titre être intégrées à la liste des ingrédients, en fonction de leur concentration dans le produit. Aussi, on regarde d'un œil un peu critique les mentions du genre : « Pour votre information, les huiles essentielles et extraits contiennent naturellement… », ou « Composants naturels des huiles essentielles… », ou « Riches en molécules naturelles comme… ». Oui, c'est naturel, mais c'est allergène quand même. Et, au risque de se répéter, ce n'est pas une information donnée de bonne grâce par le fabricant, c'est une mention obligatoire, prévue par la loi.

DR. HAUSCHKA

Bain au citron

Note :	83,33/100.
Présentation :	Flacon de 150 ml (étui carton).
Prix indicatif :	15 € *(10 €/100 ml).*
Disponible en :	Pharmacies, Parapharmacies, Magasins bio, Instituts de beauté, Spas, Grands magasins.
Site internet :	www.drhauschka.fr

INGREDIENTS : Sulfated castor oil, Glycerin, Lemon (Citrus Limonum) essential oil, Alcohol, Fragrance (Parfum), Limonene*, Citral*, Linalool*, Geraniol*, Citronellol*, Jojoba (Buxus chinensis) oil, Xanthophyll.

* Constituant d'huiles essentielles naturelles.

À noter dans la composition. Huile sulfatée de ricin (on dit bien de ricin…) et aussi un peu de jojoba, glycérol, huile essentielle de citron et ses molécules allergènes. Et des caroténoïdes, la xantophylle, en guise de colorant jaune.

L'avis des experts. On a craqué sur l'odeur de citron pas trop sucrée qui embaume la salle de bains et enchante la baigneuse ! La peau en ressort très douce mais tonifiée, et on se sent soi-même très tonique. Bref, on a beaucoup aimé. Du coup, on passe un peu plus vite sur les cinq allergènes et l'alcool, qui gagneraient pourtant à se montrer un peu moins…

L'OCCITANE

Huile de bain et de massage aux huiles essentielles lavande, tea tree, géranium

Note :	77,67/100.
Présentation :	Flacon de 100 ml.
Prix indicatif :	14,50 € *(14,50 €/100 ml).*
Disponible en :	Boutiques L'Occitane, Internet.
Site internet :	www.loccitane.com

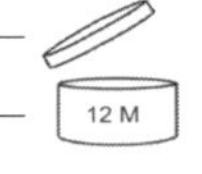

INGREDIENTS : Vitis vinifera (Grape) seed oil, Prunus armeniaca (Apricot) kernel oil, Laureth-3, Parfum/Fragrance, Borago officinalis seed oil, Lavandula angustifolia (Lavender) oil, Limonene, Linalool, Hippophae rhamnoides oil, Rosmarinus officinalis (Rosemary) leaf extract, Helianthus annuus (Sunflower) seed oil, Pelargonium graveolens flower oil, Melaleuca alternifolia (Tea tree) leaf oil, Citronellol, Geraniol.

À noter dans la composition. Une base d'huiles de pépins de raisins, de noyaux d'abricots, de bourrache, d'argousier et de tournesol. Un émulsifiant. Des huiles essentielles de lavande, géranium et arbre à thé (Melaleuca alternifolia), un peu de romarin et quatre molécules aromatiques allergènes.

L'avis des experts. Rien à dire sur la formule, mais pour l'étiquetage, on préférerait ne pas y voir figurer le mot « relaxant » ni les précautions d'emploi (un cosmétique ne devrait pas être assorti de mises en garde, même s'il est seulement question de préciser que le produit ne doit être utilisé que par des adultes). Dans la baignoire, c'est d'abord la douceur de l'ensemble qui plaît, même les peaux les plus inconfortables au contact de l'eau s'en sortent adoucies. L'odeur est plaisante, dans un bain clair et sans mousse du tout.

Dentifrices

Les résultats

Évalués : 28 produits, de 13 marques différentes.

Prix moyen / 100 ml : 6,99 €.

Ont obtenu au moins la moyenne : 28.

N'ont pas obtenu la moyenne dans au moins un critère : 8.

Meilleure note : 90,69/100.

Plus mauvaise note : 60/100.

Les critères des experts

Le fluor est-il indispensable dans un dentifrice ? Oui, affirme une partie du jury : c'est le seul actif reconnu pour prévenir les caries. Pas forcément, répondent d'autres experts : trop de fluor peut provoquer une maladie des dents, la fluorose, se manifestant par l'apparition de taches blanches ou jaunâtres sur les dents. Or, on a beaucoup d'occasions d'être en contact avec cette substance (par le biais de certains aliments, par exemple) et mieux vaut lutter contre la plaque dentaire (le « nid » des caries) grâce à d'autres actifs comme le xylitol, la propolis ou l'huile essentielle d'anis… Ce Palmarès ne tranchera pas la question, mais veut rappeler deux principes.

- La teneur en fluor est réglementée par la loi, en fonction de l'âge ou du type de dentifrice (voir tableau page suivante), ce qui constitue une garantie de sécurité.
- Si un adulte peut assurer une parfaite hygiène buccale grâce à des brossages sérieux (trois minutes minimum) et réguliers (après chaque repas) avec toutes sortes de dentifrices, le fluor reste indispensable pour les enfants, surtout s'ils ne maîtrisent pas encore au mieux le geste un peu technique que nécessite l'usage d'une brosse à dents.

Cela dit, un dentifrice n'est pas fait que de fluor…

À vérifier

- La **dose de fluor** contenue dans le dentifrice doit être indiquée sur l'emballage : vérifiez que le vôtre correspond à vos besoins.

Les doses légales de fluor dans les dentifrices ***(en ppm : partie par million)***

[F]	Pour	Statut du produit
< 500 ppm	Enfants de 3 à 6 ans	Cosmétique
de 1 000 à 1 500 ppm	Enfants de + de 7ans et adultes	Cosmétique
> 1 500 ppm	Adultes	Médicament
NB : les pates au fluor ne sont pas recommandées chez l'enfant de moins de 2 ans (qui n'est pas capable de recracher le dentifrice et risque une intoxication).		

À éviter

- Les **antibactériens trop puissants, comme le triclosan** (Triclosan), peuvent être intégrés dans les dentifrices pour lutter contre la formation de la plaque dentaire. Il apparaît toutefois qu'en plus d'être allergènes, leur surutilisation est en passe de créer le développement de résistances chez les bactéries (comme il en existe aux antibiotiques).

LES PRODUITS D'HYGIÈNE

Les meilleurs

	Prix	Composition Efficacité	Tolérance cutanée	Étiquetage	Confort d'utilisation	Principe de précaution	Classement
Gaba Elmex sans menthol	★★★ ★	★★★ ★	★★★ ★	★★★ ★	★★★ ★	★★★ ★	
Gaba Elmex – Protection caries	★★★ ★	★★★ ★	★★★ ★	★★★ ★	★★★ ★	★★★ ★	**1**
Gaba Elmex sensitive dentifrice	★★★ ★	★★★ ★	★★★ ★	★★★ ★	★★★ ★	★★★ ★	
Pierre Fabre Oral Care Elgydium Protection caries	★★★ ★	★★★ ★	★★★ ★	★★★ ★	★★★ ★	★★★ ★	**2**
Colgate Max Fresh menthe givrée	★★★ ★	★★★ ★	★★★ ★	★★★ ★	★★★ ★	★★★ ★	**3**
Signal Soin fraîcheur aquamenthe	★★★ ★	★★★ ★	★★★ ★	★★★	★★★ ★	★★★ ★	4
Pierre Fabre Oral Care Elgydium Blancheur	★★★ ★	★★★ ★	★★★ ★	★★★ ★	★★★ ★	★★★ ★	5
Signal Intégral nutri	★★★ ★★	★★★ ★	★★★ ★	★★★	★★★	★★★	6
Cattier Dentolis Dentifrice reminéralisant Protection des gencives	★★★	★★★ ★	★★★ ★	★★★ ★	★★★ ★	★★★ ★★	7
Gaba Méridol dentifrice	★★★	★★★ ★	★★★ ★	★★★ ★	★★★ ★	★★★ ★	8
Cattier Dentargile Anis Anti-plaque Anti-tartre	★★★	★★★ ★	★★★ ★	★★★ ★	★★★ ★	★★★ ★★	9
Cattier Dentargile Citron Gencives irritées	★★★	★★★ ★	★★★ ★	★★★ ★	★★★ ★	★★★ ★★	
Colgate Max Fresh liquide menthe intense	★★★ ★	★★★ ★	★★★ ★	★★★ ★	★★★ ★	★★★	10
Logodent Pâte dentifrice minérale	★★★ ★	★★★	★★★ ★	★★★ ★	★★★★	★★★ ★	11
Cattier Dentargile Menthe Dentifrice reminéralisant Rafraîchissant	★★★	★★★	★★★ ★	★★★ ★	★★★ ★	★★★ ★★	12
Weleda Pâte dentifrice au calendula	★★★	★★★	★★★ ★	★★★ ★	★★★ ★	★★★ ★	13

	Prix	Composition Efficacité	Tolérance cutanée	Étiquetage	Confort d'utilisation	Principe de précaution	Classement
Belle et bio Dentifrice menthe	★★★	★★★	★★★★	★★★★	★★★★	★★★★	14
Cattier Éridène Dentifrice blanchissant Formule originale	★★	★★★★	★★★★	★★★	★★★★	★★★★	15
Gaba Elmex – Nettoyage intense	★★	★★★★	★★★★	★★★★	★★★★	★★★★	16

Les 3 premiers

GABA

- Elmex sans menthol
- Elmex Protection caries
- Elmex sensitive

Note :	90,69/100.
Présentation :	Tube de 75 ml (étui carton).
Prix indicatif :	3,65 € *(4,86 €/100 ml).* 3,75 € *(5 €/100 ml).* 3,80 € *(5,06 €/100 ml).*
Disponible en :	Pharmacies, Parapharmacies.
Site internet :	www.gaba-international.com/france/

Elmex sans menthol

PRINCIPE ACTIF : Fluorure d'amines Olaflur (1 250 ppm F-).

INGREDIENTS : Aqua, Sorbitol, Hydrated silica, Hydroxyethylcellulose, Olaflur, Titanium dioxide, Aroma (pomme-banane), Saccharin.
Contient un dérivé fluoré.

Elmex Protection caries

PRINCIPE ACTIF : Fluorure d'amines Olaflur (1 250 ppm F-).

INGREDIENTS : Aqua, Hydrated silica, Sorbitol, Hydroxyethylcellulose, Olaflur, Aroma (menthe), Titanium dioxide, Saccharin.
Contient un dérivé fluoré.

Elmex Sensitive

PRINCIPE ACTIF : Fluorure d'amines Olaflur (1 400 ppm F-).

INGREDIENTS : Aqua, Sorbitol, Polyethylene, Hydrated silica, Hydroxyethylcellulose, Olaflur, Silica dimethyl silylate, Aroma (menthe-eucalyptus), Titanium dioxide, Saccharin, Potassium hydroxide.
Contient un dérivé fluoré.

À noter dans la composition. Trois formules à base de sorbitol. Les deux premières diffèrent surtout par leur parfum (rendant le « sans menthol » compatible avec l'homéopathie). À l'acide silicique abrasif, l'hydroxyethylcellulose liante, l'oxyde de titane colorant (blanc), la saccharine édulcorante et le dérivé fluoré, la troisième formule ajoute des actifs, abrasif pour les billes de polyéthylène ou régulateur de pH pour l'hydroxyde de potassium.

L'avis des experts. Voilà de vieilles connaissances de ce Palmarès, déjà en bonnes places dans l'édition 2007, et qui gardent cette année encore tous leurs attraits : des pâtes fines et douces, des arômes marqués mais discrets, une belle absence des ingrédients les plus irritants et les plus allergènes, un étiquetage en totale conformité avec la réglementation et des prix en dessous de la moyenne du marché... À noter à ce sujet que le petit dernier de ce laboratoire, le « Elmex Nettoyage intense » ne se retrouve à la 16e place du classement qu'à cause de son prix, nettement plus élevé.

PIERRE FABRE – ORAL CARE
Elgydium Protection caries

Note :	86,4/100.
Présentation :	Tube de 75 ml (étui carton).
Prix indicatif :	3,50 € *(4,66 €/100 ml).*
Disponible en :	Pharmacies, Parapharmacies.
Site internet :	www.pierre-fabre.com

INGREDIENTS : Aqua, Calcium carbonate, Glycerin, Silica, Sodium lauryl sulfate, Aroma, Chondrus crispus, Nicomethanol hydrofluoride, PEG-12 dimethicone, Benzyl alcohol, Cellulose gum, Limonene, Sodium saccharin, Titanium dioxide.

À noter dans la composition. Le carbonate de calcium est un abrasif, le dérivé fluoré est le Fluorinol. Une formule assez classique complétée par des agents moussants et texturants, de la saccharine et le dioxyde de titane en colorant blanc.

L'avis des experts. L'emballage annonce une nouvelle formule. Vérification faite, ce sont les mêmes éléments, exactement, que ceux qui étaient arrivés en 2e place du Palmarès 2007, mais dosés différemment, ce dont témoigne l'ordre de la liste des ingrédients. Au test, il faut bien l'avouer, on n'a pas trop senti la différence, et cette année comme l'an dernier, on n'a à peu près que du bien à dire de cette pâte d'aspect classique, agréable et aux arômes discrets, efficace et sans soucis.

COLGATE
Max Fresh Menthe givrée avec cristaux fraîcheur

Note :	86,17/100.
Présentation :	Tube de 75 ml (étui carton).
Prix indicatif :	2,29 € *(3,05 €/100 ml).*
Disponible en :	Grandes et moyennes surfaces.
Site internet :	www.colgate.fr

INGREDIENTS : Sorbitol, Aqua, Hydrated silica, Sodium lauryl sulfate, Aroma, PEG-12, Cellulose gum, Cocamidopropyl betaine, Sodium fluoride, Sodium saccharin, Hydroxypropyl methylcellulose, Menthol, Limonene, CI 77891, CI 42090.
Contient du Fluorure de sodim (1 450 ppm F-).

À noter dans la composition. Sur le papier, la formule ressemble à du très classique : sorbitol en duo avec du laurylsulfate de sodium, dérivé fluoré, abrasif et agent moussant, édulcorant et colorant : rien que du très connu, et du classique éprouvé.

L'avis des experts. C'est dans la bouche que ça change ! On nous annonce des dents plus blanches (Mmmm...) et une nouvelle dimension de fraîcheur. Cette promesse-là au moins est tenue et bien tenue : le goût de menthe très prononcé reste en bouche bien après le brossage. Ce gel d'un bleu glacé parsemé de cristaux qui fondent sous la brosse est ludique et original, et comme on n'a pas l'occasion tous les jours d'être étonné en se lavant les dents, on a apprécié !

Mentions spéciales

Dentifrices pour enfants

Les critères des experts

Les dentifrices pour enfants, on est bien d'accord, doivent contenir du fluor, mais en quantités adaptées à la taille de leurs dents (et surtout de leur organisme). Et puis, bien sûr, il faut penser qu'un enfant est susceptible (bien plus qu'un adulte) d'avaler un peu du produit au lieu de tout recracher au moment du rinçage : il convient donc de se montrer encore plus vigilant face aux ingrédients potentiellement toxiques ou allergènes.

Les meilleurs

	Prix	Composition Efficacité	Tolérance cutanée	Étiquetage	Confort d'utilisation	Principe de précaution	Classement
Signal 7-13 ans	★★★★★	★★★★	★★★★	★★★★	★★★★	★★★★	1
Gaba Elmex – Dentifrice junior	★★★	★★★★	★★★★	★★★★	★★★★	★★★★	2

Les nommés

SIGNAL

7-13 ans

Menthe douce

Note :	87,33/100.
Présentation :	Tube de 75 ml.
Prix indicatif :	1,78 € *(2,37 €/100 ml).*
Disponible en :	Grandes et moyennes surfaces.
Site internet :	www.missionsignal.fr

12 M

INGREDIENTS : Sorbitol, Aqua, Hydrated silica, PEG-32, Sodium lauryl sulfate, Cellulose gum, Aroma, Sodium fluoride, Sodium saccharin, Mica, Calcium gluconate, Glycerin, Limonene, CI 74160, CI 77891.
Contient du Fluorure de sodium (1450 ppm de Fluor).

À noter dans la composition. Une formule classique de dentifrice, avec sorbitol et laurylsulfate de sodium, fluor, humectants et colorants…

L'avis des experts. C'est le moins cher de la sélection, et ce critère n'est pas négligeable, loin s'en faut. C'est aussi une formule qui n'appelle aucun commentaire particulier, parce qu'elle contient tout ce qu'il faut sans trop en faire, une dose de fluor adaptée à l'âge indiqué, un arôme marqué mais assez doux pour plaire aux jeunes dents. Si ça pouvait inciter nos enfants à se brosser les dents plus régulièrement...

GABA

Elmex Dentifrice junior

7-12 ans

Note :	81,25/100
Présentation :	Tube de 75 ml (étui carton).
Prix indicatif :	3,75 € *(5 €/100 ml).*
Disponible en :	Pharmacies, Parapharmacies.
Site internet :	www.gaba-international.com/france/

PRINCIPE ACTIF : Fluorure d'amines Olaflur (1 100 ppm F-).

INGREDIENTS : Aqua, Sorbitol, Hydrated silica, Polyethylene, Hydroxyethylcellulose, Olaflur, Titanium dioxide, Aroma (menthe douce), Limonene, Saccharin.
Contient un dérivé fluoré.

À noter dans la composition. La formule ressemble comme une petite sœur à celles des grands (voir p. 131), l'arôme de menthe douce mis à part.

L'avis des experts. C'est une valeur sûre et bien adaptée aux jeunes. Et plutôt que de redire tout le bien qu'on pense des dentifrices de ce laboratoire, on préfère souligner que c'est l'un des seuls à avoir fourni, à notre demande, les informations réglementaires (que tout fabricant doit fournir aux consommateurs qui en font la demande) concernant les effets indésirables liés à l'utilisation de ses produits. Cette pâte 7-13 ans n'est pas une formule assez ancienne pour en avoir enregistré, mais les chiffres fournis pour les autres sont éloquents. Exemples : Elmex sans menthol (voir p. 131) : 1 cas de sécheresse buccale sur 10 millions de tubes vendus ; Elmex Sensitive (voir p. 131) : 0 effet indésirable recensé pour 90 millions de tubes vendus...

Mentions spéciales

Bains de bouche

Les critères des experts

Avec ou sans fluor, avec ou sans allergènes, avec ou sans ingrédients irritants… les questions autour du bain de bouche ressemblent comme deux soins d'hygiène buccale à celles qui président au choix d'un dentifrice. Et d'ailleurs, de nombreux actifs se retrouvent dans un type de produits comme dans l'autre. Finalement, c'est surtout l'usage qu'on en fait et la forme galénique (ou la texture) du produit qui change !

Les meilleurs

	Prix	Composition Efficacité	Tolérance cutanée	Étiquetage	Confort d'utilisation	Principe de précaution	Classement
Gaba Elmex Sensitive – Solution dentaire	★★★★★	★★★★	★★★★	★★★★	★★★★	★★★★	1
Gaba Elmex Protection caries – Solution dentaire	★★★★★	★★★★	★★★★	★★★★	★★★★	★★★★	
WalaVita Bain de bouche	★★★	★★★★	★★★★	★★★★	★★★★	★★★★	2

Les nommés

GABA

- Elmex Sensitive – Solution dentaire
- Elmex Protection caries – Solution dentaire

Note :	88,92/100.
Présentation :	Flacon de 400 ml avec bouchon doseur.
Prix indicatif :	4,40 € *(1,10 €/100 ml).*
Disponible en :	Pharmacies, Parapharmacies
Site internet :	www.gaba-international.com/france/

Elmex Sensitive Solution dentaire

COMPOSITION : Contient deux dérivés fluorés (250 ppm F-) : Fluorure d'amines (Olafluor), Fluorure de potassium.

INGREDIENTS : Aqua, Propylene glycol, PEG-40 hydrogenated castor oil, Olaflur, Aroma (menthe-eucalyptus), PVP/Dimethylaminoethylmethacrylate/Polycarbamyl polyglycol ester, Saccharin, Hydroxyethylcellulose, Potassium fluoride, Potassium hydroxide, Polyaminopropyl biguanide.

Elmex Protection caries Solution dentaire

COMPOSITION : Contient deux dérivés fluorés (250 ppm F-) : Fluorure d'amines (Olafluor), Fluorure de sodium.

INGREDIENTS : Aqua, PEG-40 hydrogenated castor oil, Olaflur, Aroma (menthe), Potassium acesulfame, Sodium fluoride, Polyaminopropyl biguanide, Hydrochloric acid.

À noter dans la composition. Côté Sensitive : solvant, émulsifiant et liant assurent la fluidité, le fluor la protection anticaries, l'arôme et la saccharine un goût acceptable à la solution, protégée par un conservateur. Côté Protection caries : c'est le même principe, avec simplement de petites variations concernant quelques ingrédients et le parfum.

L'avis des experts. Pourquoi changer une équipe qui gagne ? La même Mention spéciale dans le Palmarès 2007 voyait déjà le même produit nommé comme le meilleur. Voici donc des solutions fraîches et toniques, des compositions très honorables, une tolérance maximale et un tout petit prix… Tout cela n'a pas de prix !

WALAVITA
Bain de bouche

Note :	82,92/100.
Présentation :	Flacon de 300 ml.
Prix indicatif :	10 € *(3,33 €/100 ml).*
Disponible en :	Pharmacies, Parapharmacies, Magasins bio, Instituts de beauté, Spas, Grands magasins.
Site internet :	www.drhauschka.fr

INGREDIENTS : Aqua, Alcohol, Sorbitol, Althaea officinalis, Salvia officinalis, Krameria triandra, Calendula officinalis, Potentilla erecta, Aesculus hippocastanum, Melia azadirachta, Commiphora myrrha, Parfum, Limonene*, Eugenol*, Linalool*, Sodium magnesium silicate, Glycerin, Propolis cera.

* Constituant d'huiles essentielles naturelles.

À noter dans la composition. Guimauve, sauge, ratanhia, souci, potentille, marronnier d'Inde, margousier, myrrhe : une formule particulièrement riche en actifs végétaux et en huiles essentielles, auxquels s'ajoute un produit de la ruche, la propolis.

L'avis des experts. Toutes les plantes de cette formule sont choisies pour leurs propriétés assainissantes ou antibactériennes et sont destinées à travailler en synergie pour contribuer à une bonne hygiène buccale. Le marron d'Inde (Aesculus hippocastanum) agit de plus sur la circulation sanguine pour limiter les saignements des gencives. Une alternative intéressante qu'il est dommage d'associer à tant d'alcool. En bouche, ça picote les plus sensibles, ça tonifie les plus endurcis, et avec son petit goût particulier, procure une sensation de fraîcheur douce et pas désagréable.

Déodorants

Les résultats

Évalués : 28 produits, de 20 marques différentes.

Prix moyen pour 100 ml des déo-billes et roll-on : 20,85 €.

Prix moyen pour 100 ml des sprays et vaporisateurs : 11,89 €.

Ont obtenu au moins la moyenne : 28.

N'ont pas obtenu la moyenne dans au moins un critère : 23.

Meilleure note : 81,5/100.

Plus mauvaise note : 67,5/100.

Les critères des experts

Côté présentation, on trouve deux sortes de déodorants : vapo ou bille, ce choix dépend surtout de préférences personnelles. Côté formulation, il existe également deux sortes de produits : les antitranspirants, contenant des sels d'aluminium (voir p. 21) et les « vrais » déo, qui jouent sur des complexes d'agents déodorants et d'huiles essentielles. Les premiers bloquent le processus de la transpiration (d'où leur efficacité incontestable, qui ne va pas sans effets secondaires), les seconds s'attaquent aux bactéries responsables des mauvaises odeurs pour les neutraliser… avec plus ou moins de bonheur. Et si on veut un produit qui allie réelle efficacité et totale sécurité, le choix se restreint considérablement.

À éviter

- Les **sels d'aluminium** sont unanimement rejetés par tous les experts de ce Palmarès (consensus assez rare pour être souligné !). À noter que cette méfiance vaut pour TOUS les sels d'aluminium, qu'il s'agisse des sels simples (Aluminum chlorohydrate, Aluminum chlorohydrex PG…) ou des sels doubles comme le sulfate d'aluminium et de potassium (Potassium alum), qui, même s'il constitue l'ingrédient essentiel des pierres d'alun (même naturelles), n'en est pas moins un antiperspirant comme les autres.

- Les **molécules allergènes** (voir p. 429) et les **ingrédients suspectés d'être toxiques** se montrent d'autant plus redoutables que les aisselles épilées (privant la peau de sa protection naturelle que constituent les poils) représentent une voie d'accès très large vers l'intérieur de notre organisme.

À privilégier

- Les **huiles essentielles** s'avèrent précieuses pour les vrais déodorants. D'abord, la plupart d'entre elles sont antibactériennes ; de plus, elles sentent bon, et un parfum agréable est une autre façon de lutter contre ceux qui le sont moins. Mais, c'est vrai, elles n'ont pas que des avantages, notamment du fait de leurs molécules allergènes.
- Les **agents déodorants sans effet indésirable** et efficaces existent aussi. Les deux principaux : le citrate de triéthyle (Triethyl citrate) et le ricinoléate de zinc (Zinc ricinoleate).

On le dit en passant : Aluminium

Un « déodorant » qui s'affiche « Sans Aluminium chlorohydrate » n'est pas forcément un produit qui ne contient aucun sel d'aluminium (on en a vu !). Pour ne pas se tromper, mieux vaut faire confiance à ceux qui se revendiquent « Sans aluminium » ou vérifier la liste des ingrédients.

Les meilleurs déo-billes et roll-on

	Prix	Composition Efficacité	Tolérance cutanée	Étiquetage	Confort d'utilisation	Principe de précaution	Classement
Melvita Déodorant bille purifiant	★★	★★★★	★★★	★★★★	★★★★	★★★★	**1**
Avène Soin déodorant régulateur Peaux sensibles	★★	★★★★	★★★★	★★★★	★★★★	★★★	**2**
Bioregena Déodorant bille	★★	★★★★	★★★	★★★★	★★★★	★★★★	**3**
Centella Déodorant	★★★	★★★	★★★	★★★	★★★★	★★★★	4
Cosmélite Bioty's – Déodorant doux	★★	★★★	★★★★	★★★★	★★★★	★★★★	5
L'Occitane Stick déodorant fraîcheur	★	★★★★	★★★	★★★★	★★★★	★★★★	6
Rogé Cavaillès Déo-soin dermato	★★★	★★★★	★★★	★★★	★★★★	★★	7

Les 3 premiers

MELVITA

Déodorant bille

Purifiant

Note :	77,54/100.
Présentation :	Roll-on de 50 ml.
Prix indicatif :	12,60 € *(25,20 €/100 ml).*
Disponible en :	Magasins bio et de produits naturels.
Site internet :	www.melvita.com

INGREDIENTS INCI EU [US] : Aqua [Water], Aloe barbadensis [Aloe barbadensis leaf extract]*, Dicaprylyl ether, Caprylic/Capric triglyceride, Octyldodecanol, Glycerin, Arachidyl alcohol, Undecylenoyl glycine, Capryloyl glycine, Behenyl alcohol, Hydroxypropyl starch phosphate, Benzyl alcohol, Candida bombicola/Glucose/Methyl rapeseedate ferment, Macadamia ternifolia [Macadamia ternifolia seed oil]*, Triticum vulgare [Triticum vulgare (wheat) starch]*, Arachidyl glucoside, Sodium hydroxide, Limonene**, Dehydroacetic acid, Xanthan gum, Santalum austrocaledonicum [Santalum austrocaledonicum oil], Parfum [Fragrance], Tocopherol, Maltodextrin, Citral**, Linalool**, Camellia sinensis [Camellia sinensis leaf extract].

* Ingrédients issus de l'Agriculture Biologique.

** Constituants naturels du concentré aromatique.

À noter dans la composition. Peu d'huiles essentielles et donc peu de molécules allergènes (seulement trois), pas d'alcool et bien évidemment pas de sels d'aluminium, mais un complexe d'agents antibactériens d'origine naturelle, dont le couple Capryloyl glycine – Undecylenoyl glycine (voir p. 14) et des actifs hydratants et adoucissants fort bienvenus dans ce type de produit avec de l'aloe vera en tête de liste.

L'avis des experts. Il était déjà n° 1 dans le Palmarès 2007, et aucun de ses concurrents n'a pu le détrôner cette année. Cette formule vraiment originale de déodorant a fait la preuve de son efficacité sur la journée. Pas d'irritations en vue, une odeur toujours aussi fraîche et discrète et un vrai confort à l'application demeurent les point forts du produit, le prix et la déclaration des ingrédients (conçue pour tenter de concilier règles européennes et exigences américaines), de légers bémols à une impression d'ensemble très positive.

AVÈNE
Soin déodorant régulateur
Peaux sensibles

Note :	76,79/100.
Présentation :	Roll-on de 50 ml.
Prix indicatif :	9 € *(18 €/100 ml).*
Disponible en :	Pharmacies, Parapharmacies.
Site internet :	www.eau-thermale-avene.com

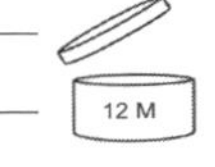

INGREDIENTS : Avene aqua, Isodecyl neopentanoate, Cyclomethicone, Pentylene glycol, Aqua, Hydroxyethyl acrylate/Sodium acryloyldimethyl taurate copolymer, BHT, Citric acid, Dimethyl phenylpropanol, Disodium EDTA, Parfum, Guar hydroxypropyltrimonium chloride, Lysine, Polysorbate 60, Propylene glycol, Sorbitan stearate, Squalane, Zinc ricinoleate.

À noter dans la composition. Pas de « naturel » ici, mais une formule, annoncée comme sans alcool, sans conservateur et sans sels d'aluminium, qui associe agent déodorant, émollients et de nombreux actifs destinés à améliorer la tolérance du produit pour les peaux sensibles.

L'avis des experts. « Sans alcool et sans aluminium » représente toujours un plus pour un déo. La formule est également conçue pour que l'agent déodorant reste efficace tout au long de la journée, ce que nous avons pu vérifier en grandeur réelle. Aucun problème à l'application : ça glisse tout seul ! Le parfum est fleuri et léger, et l'aspect « chimique » de la formule ne contient rien qui puisse faire peur. On aurait peut-être simplement préféré l'utilisation d'un autre antioxydant, le BHT n'étant pas notre préféré (voir p. 22). L'étiquetage, en revanche, est impeccable, indiquant en particulier une double date d'utilisation et de péremption…

On le dit en passant : Dates d'utilisation

La loi ne l'exige pas (et les cosmétologues du jury de ce Palmarès pensaient déjà l'an dernier que c'est un tort) mais on apprécie toujours quand un fabricant indique deux périodes d'utilisation sur son emballage : une correspondant à une date d'utilisation maximale, la péremption (à utiliser avant le…), et une pour indiquer la période d'utilisation optimale après ouverture (c'est le « pot ouvert »). La réglementation n'en demande qu'une, mais les législateurs n'ont pas dû penser au fait qu'un cosmétique ne se conserve pas de la même façon avant et après son ouverture et que, finalement, ces deux indications sont des repères bien différents et tous deux indispensables à la sécurité du consommateur.

BIOREGENA

Déodorant bille
à l'huile essentielle de menthe poivrée

COSMETIQUE BIO CHARTE COSMEBIO®

Note :	74,79/100.
Présentation :	Roll-on de 50 ml.
Prix indicatif :	9,95 € *(19,90 €/100 ml).*
Disponible en :	Magasins bio et de produits naturels, Pharmacies, Parapharmacies.
Site internet :	www.phyto-actif.com

INGREDIENTS : Aqua (Water), Lavandula angustifolia aqua*, Sesamum indicum oil*, Arachidyl alcohol (and) Behenyl alcohol (and) Arachidyl glucoside, Glycerin, Zinc ricinoleate, Talc, Caprylyl/Capryl glucoside, Candida bombicola/Glucose/Methyl rapeseedate ferment, Dehydroacetic acid (and) Benzyl alcohol, Buxus chinensis oil*, Prunus amygdalus dulcis (Sweet almond oil), Mentha piperita oil*, Lavandin (Lavandula hybrida) oil, Xanthan gum, Tocopherol (and) Glycine soja, Salvia officinalis oil*, Pelargonium asperum oil, Cupressus sempervirens oil, Pinus sylvestris oil, Sorbic acid, Linalool, Limonene, Citronellol, Geraniol, Citral.

* Ingrédients issus de l'Agriculture Biologique.

À noter dans la composition. Pas d'alcool ni d'aluminium, comme le souligne l'argumentaire, mais du ricinoleate de zinc, des huiles essentielles antibactériennes (menthe, lavande, géranium, cyprès, pin sylvestre) et pas mal d'actifs émollients (huiles de sésame, d'amande douce et de jojoba, glycérol…) dans une base d'eau et d'eau florale de lavande. Avec tout de même cinq molécules allergènes.

L'avis des experts. Bien sûr, en matière de déodorant, il est intéressant (ô combien !) de ne pas intégrer de l'aluminium dans la formule… mais il faut aussi veiller à ne pas avoir la main trop lourde sur les allergènes, surtout dans un produit qu'on utilise après épilation. Par ailleurs (et heureusement), le reste de la composition se fait très douce, la sensation est fraîche sur la peau, l'odeur de menthe est bien présente et l'argumentaire pas loin d'être exemplaire, qui détaille le mode de fonctionnement des actifs antibactériens sur le processus de formation des odeurs de la transpiration et rappelle qu'ils « respectent les fonctions naturelles du corps ». L'étiquette deviendrait parfaite si la liste des ingrédients détaillait réellement ses composants en fonction de leur pourcentage réel et non en laissant les matières premières composées regroupées autour d'un (and)…

Les meilleurs déos-sprays et vaporisateurs

	Prix	Composition Efficacité	Tolérance cutanée	Étiquetage	Confort d'utilisation	Principe de précaution	Classement
Bioregena Déodorant spray	★★★★	★★★	★★★	★★★★	★★★★	★★★★	1
Phyt's Déophyt's	★★★★	★★★	★★★	★★★★	★★★★	★★★★★	2
Logona Asia – Déo spray	★★★	★★★	★★★★	★★★★	★★★	★★★★★	3
Lavera Basis sensitiv – Déo spray	★★★	★★★	★★★★	★★★★	★★★	★★★★★	4
Plante system Déodorant pureté	★	★★★	★★★★	★★★★	★★★★	★★★★★	5
Annemarie Börlind Body Lind – Déodorant	★★	★★★	★★★	★★★★	★★★★	★★★★★	6
Sanoflore Déodorant sans sel d'aluminium	★★	★★★	★★★	★★★★	★★★★	★★★★	7
Douces Angevines Théo – Déodorant	★	★★★	★★★	★★★	★★★	★★★★★	8
Dr. Hauschka Déodorant douceur	★	★★★	★★★	★★★	★★★★	★★★★★	9
Douces Angevines Julie – Tendre déodorant	★	★★★	★★★	★★★	★★★	★★★★★	10

Les 3 premiers

BIOREGENA

Déodorant spray
à l'huile essentielle de menthe poivrée

Note : 81,5/100.

Présentation : Vaporisateur de 100 ml.

Prix indicatif : 9,95 € *(9,95 €/100 ml).*

Disponible en : Magasins bio et de produits naturels, Pharmacies, Parapharmacies.

Site internet : www.phyto-actif.com

INGREDIENTS : Melaleuca alternifolia aqua*, Caprylyl/Capryl glucoside, Hamamelis virginiana extract, Candida bombicola/Glucose/Methyl rapeseedate ferment, Citrus grandis

seed extract, Aloe barbadensis gel, Calendula officinalis extract, Pinus sylvestris oil*, Cupressus sempervirens oil*, Salvia sclarea oil, Mentha piperita oil*, Cymbopogon martini oil*, Limonene**, Linalool**, Geraniol**, Citronellol**, Farnesol**.
* Ingrédients issus de l'Agriculture Biologique.
** Naturellement présents dans les huiles essentielles.

À noter dans la composition. Eau florale d'arbre à thé, douceur de l'hamamélis et du calendula, hydratation de l'aloe vera et huiles essentielles antibactériennes, avec leurs molécules allergènes.

L'avis des experts. Une bonne formule qu'on aurait davantage appréciée encore avec moins d'allergènes. Pour le reste, voici un déodorant sans aluminium, sans alcool et sans gaz propulseur, qui affiche une proportion de 99,94 % d'ingrédients d'origine naturelle et de 90,70 % de bio (il est des produits comme ça pour lesquels le label bio semble tout à fait mérité, et pour tout dire, plus justifié que pour d'autres...). Comme chez son petit frère en roll-on (voir p. 142), l'odeur de menthe est bien présente, la sensation est fraîche sur la peau et l'efficacité sur les odeurs de transpiration très bonne.

PHYT'S
Déophyt's – Déodorant dermoprotecteur haute tolérance

Note :	81,25/100.
Présentation :	Vaporisateur (métal) de 100 ml.
Prix indicatif :	10,90 € *(10,90 €/100 ml).*
Disponible en :	Instituts de beauté.
Site internet :	www.phyts.com

8 M

INGREDIENTS : Aqua (Water), Alcohol*, Glycerin (végétal), Aloe barbadensis (Leaf) extract* (and) Maltodextrin*, Citrus medica limonum (Lemon peel) oil*, Cupressus sempervirens (Cypress) oil*, Eucalyptus globulus (Eucalyptus leaf) oil*, Lavandula angustifolia (Lavender) oil*, Melaleuca alternifolia (Tea tree leaf) oil*, Cymbopogon flexuosus (Lemongrass) oil*, Citrus nobilis (Mandarin orange peel) oil*, Cymbopogon martini (Palmarosa) oil*, Origanum vulgare (Origan flower) oil*, Citrus aurantium amara (Bitter orange leaf) oil*, Pinus sylvestris (Pine leaf) oil*, Caprylyl/Capryl glucoside, Caprylic/Capric glycerides polyglyceryn-10 esters, et ingrédients naturellement présents dans les huiles essentielles : citral, géraniol, limonène et linalol.
* 99 % des ingrédients végétaux sont issus de l'Agriculture Biologique. 31 % du total des ingrédients sont issus de l'Agriculture Biologique. 100 % du total des ingrédients sont d'origine naturelle.

À noter dans la composition. De l'alcool et beaucoup d'huiles essentielles, avec quelques actifs émollients.

L'avis des experts. Les molécules allergènes seraient à éliminer, ou au moins à considérablement réduire : c'est un peu le leitmotiv dans cette catégorie de produits. Où, c'est vrai, quand on s'interdit les sels d'aluminium (ce qui est très bien), il faut bien aller chercher l'efficacité quelque part. Mais cela fait regarder la mention « haute tolérance » avec un rien de circonspection. Reste qu'il s'agit là d'un « vrai » déo, qu'il se révèle frais sur la peau et que son action perdure sur la journée. À déconseiller tout de même juste après l'épilation.

2 1 3

LOGONA

Asia – Déo Spray Fleur de lotus & Bambou

Note :	79,17/100.
Présentation :	Vaporisateur (verre) de 100 ml (étui carton).
Prix indicatif :	11,90 € *(11,90 €/100 ml).*
Disponible en :	Magasins bio et diététiques, Instituts de beauté, Internet.
Site internet :	www.logona.com

INGREDIENTS : Alcohol*, Aqua (Water), Parfum (Essential oils), Triethyl citrate, Lauryl lactate, Bambusa vulgaris extract, Nelumbo nucifera flower extract, Bisabolol, Lecithin, Carthamus tinctorius (Safflower) seed oil, Limonene, Linalool, Citral, Eugenol, Geraniol, Benzyl benzoate, Coumarin.
* De culture biologique.

À noter dans la composition. Aux côtés du bambou et du lotus, de l'huile de carthame, du lactate de lauryle émollient et un actif déodorant. Mais beaucoup d'alcool et de molécules allergènes.

L'avis des experts. Pour les allergènes, effectivement, sept, ça commence à faire vraiment beaucoup. Mais le parfum est léger et l'effet déodorant tout à fait efficace…

Et pour ces messieurs, qu'est-ce que ce sera ?

Des bons déos aussi, s'il vous plaît ! Mais rien que pour eux, c'est en p. 374.

Produits pour le

Corps

Exfoliants

Les résultats

Évalués : 29 produits, de 22 marques différentes.

Prix moyen / 100 ml : 10,31 €.

Ont obtenu au moins la moyenne : 29.

N'ont pas obtenu la moyenne dans au moins un critère : 10.

Meilleure note : 87,5/100.

Plus mauvaise note : 59,38/100.

Les critères des experts

Les données, pour cette catégorie de cosmétiques, n'ont pas vraiment changé depuis l'an dernier. Pour résumer, en matière d'exfoliation, on se trouve devant deux options principales : le gommage par le synthétique, parfaitement régulier et sans aspérité (comme avec les micro-billes de polyéthylène) ou l'exfoliation végétale à l'aide de différentes matières dures mises à disposition par la nature (noyaux d'abricots, coques d'amandes, écorce de bambou, etc.), qui, même broyées finement, peuvent encore contenir quelques irrégularités plus ou moins agréables ou agressives pour la peau. À noter tout de même que la nature (un peu aidée par la technique) fait des progrès, les micro-billes de jojoba, par exemple, s'approchant en douceur de la perfection du polyéthylène. Et bien sûr, un cosmétique est un tout complexe, et à coté de l'exfoliant, on trouve beaucoup d'autres choses dans un gommage !

À éviter

- L'**alcool**, incorporé en tant que conservateur dans certaines formules, renforce le côté naturellement asséchant du gommage.
- Les **molécules aromatiques allergènes** (voir p. 429) et les **conservateurs sensibilisants** se révèlent d'autant plus « actifs » que la peau est « mise à nu » par l'exfoliation.
- Les **gommages qui font mal** à l'application (on en a vu pendant les tests !), vraiment trop agressifs pour l'épiderme.
- Les **expositions solaires** juste après une exfoliation, même si certains argumentaires laissent à penser que c'est possible : la peau vient de perdre une partie de sa photo-protection naturelle avec l'élimination des cellules mortes et autre sébum, ce n'est pas le moment de lui infliger un nouveau traitement traumatisant sous forme de rayons UV.

À privilégier

- Les **émollients et hydratants** : même s'ils ne feront pas de miracle (un gommage n'est jamais un moment de pure douceur pour la peau !), ils peuvent limiter le côté naturellement décapant de l'exfoliation.

Les meilleurs

	Prix	Composition Efficacité	Tolérance cutanée	Étiquetage	Confort d'utilisation	Principe de précaution	Classement
Thémis Couleur café Gommage pour le corps	★★★★	★★★★	★★★★	★★★★	★★★★★	★★★★	**1**
Coslys Gommage corporel	★★★★★	★★★★	★★★★	★★★	★★★★	★★★★	**2**
Green Energy La récolte des plantes Pâté exfoliant ayurvédique	★★★	★★★★	★★★★	★★	★★★★★	★★★★	**3**
anne lind Gommage douche Cranberry	★★★★	★★★	★★★★	★★★★	★★★★	★★★★	4
Thémis Exfoliant Cristaux de sucre	★★★	★★★★	★★★	★★★★	★★★★★	★★★★	5
Logona Asia – Peeling pour le corps	★★★★	★★★	★★★★	★★★★	★★★★	★★★★	6
L'Occitane Sucres peau douce Ruban d'orange	★★★★	★★★★	★★★★	★★★	★★★★	★★★★	7
Green Energy La récolte des fleurs d'orange – Pâté exfoliant anti-âge	★★	★★★★	★★★	★★★	★★★★★	★★★★	8
Melvita Gommage corps – Gelée exfoliante extra-douce	★★★★	★★★	★★★	★★★	★★★★	★★★★	9
Senteurs du Sud Gel exfoliant	★★★	★★★★	★★★	★★★	★★★★	★★★★	10
Les Floressances Argan – Gommage oriental	★★★★	★★★	★★★	★★★	★★★★	★★★★★	11
Avène Gommage doux corporel Peaux sensibles	★★★	★★★★	★★★	★★★★	★★★★	★★★	12
Terre d'Oc Noix de coco de Bali Gommage lulur	★★★	★★★	★★★★	★★★★	★★★★	★★★★★	13
Tridyn / Biodine corps Aroma'gel exfoliant	★★★	★★★	★★★★	★★★	★★★	★★★★	14
B com Bio Exfoliant doux végétal Crème gommante Corps	★★★	★★★	★★★★	★★★	★★★★	★★★★	15

	Prix	Composition Efficacité	Tolérance cutanée	Étiquetage	Confort d'utilisation	Principe de précaution	Classement
Cosmélite / Gourmande Exfoliant visage et corps au chocolat	★★★	★★★	★★★★	★★★★	★★★★	★★★	16
Biguine bio Exfoliant Noyau d'abricot	★★	★★★	★★★★	★★★★	★★★★	★★★★	17
Annemarie Börlind Body Effect – Gommage douche énergisant	★	★★★★	★★★★	★★★★	★★★★	★★★★	18
Gamarde Exfoliant douceur	★★	★★★	★★★	★★★	★★★★	★★★★	19
L'Occitane Sels exfoliants Verveine pour le corps	★★★★	★★★	★★★	★★★★	★★	★★★★★	20

Les 3 premiers

THÉMIS

Couleur café

Gommage pour le corps

Note :	87,5/100.
Présentation :	Pot de 200 ml.
Prix indicatif :	14,95 € *(7,47 €/100 ml).*
Disponible en :	Magasins bio, Parapharmacies, Grands magasins, Instituts de beauté.
Site internet :	www.themis.tm.fr

4 M

INGREDIENTS : Aqua, Sesamum indicum*, Coffea arabica*, Myristyl alcohol, Arachidyl alcohol, Myristyl glucoside, Behenyl alcohol, Theobroma cacao*, Magnesium aluminum silicate, Arachidyl glucoside, Dehydroacetic acid, Lactic acid, Xanthan gum, Benzyl alcohol, Tocopherol.

* Ingrédients issus de l'Agriculture Biologique.

Ingrédients soulignés : produits issus du commerce équitable (> 70 % de la matière sèche).

À noter dans la composition. Un gommage à base de grains de café, broyés en particules extra-fines. Des émollients et du beurre de cacao adoucissant, des conservateurs autorisés par les labels bio.

L'avis des experts. Vous le reconnaissez ? L'an dernier, on vantait sa délicieuse odeur de café et sa haute tolérance cutanée. Il était déjà n° 1, et il est toujours aussi facile et agréable à utiliser, se rince toujours aussi bien et laisse toujours la peau aussi douce, sans l'assécher. Seul son prix est un peu moins doux, encore que bien en dessous de la moyenne des produits de cette catégorie. Bref, on l'aime toujours autant !

COSLYS
Gommage corporel

Note :	86,67/100.
Présentation :	Flacon de 500 ml.
Prix indicatif :	18,73 € *(3,74 €/100 ml).*
Disponible en :	Magasins bio, Instituts de beauté, Parashop.
Site internet :	www.coslys.fr

INGREDIENTS : Aqua, Lavandula hybrida flower water*, Caprylic/Capric triglyceride, Spiraea ulmaria flower water*, Cetearyl alcohol, Glyceryl stearate SE, Jojoba esters, Prunus amygdalus dulcis oil*, Cetearyl glucoside, Prunus amygdalus shell powder, Lavandula angustifolia oil*, Xanthan gum, Benzyl alcohol, Dehydroacetic acid, Chondrus crispus, Glucose, Linalool.
* Ingrédients issus de l'Agriculture Biologique.

À noter dans la composition. Coques d'amandes broyées et micro-billes de jojoba pour l'exfoliation, humectants et émollients pour la douceur, eaux florales de lavandin et de reine des prés pour la fraîcheur, conservateurs autorisés par les labels bio.

L'avis des experts. Sur le papier, on est toujours un peu réservé sur les poudres d'écorces ou de coques, qui peuvent présenter des particules aux arêtes vives un peu agressives sur la peau. Mais sous la douche, la douceur est au rendez-vous. La granulométrie fine de l'agent gommant permet une exfoliation sans agression et ça sent bon l'amande. Et la première douceur de toutes est pour le porte-monnaie : c'est le produit le moins cher (et de loin) de la catégorie !

GREEN ENERGY

La récolte des plantes
Pâté exfoliant ayurvédique

Note :	84,38/100.
Présentation :	Pot de 250 ml (étui carton).
Prix indicatif :	25,40 € *(10,16 €/100 ml).*
Disponible en :	Parfumeries, Instituts de beauté, Internet (via www.mademoiselle-bio.com)
Site internet :	www.greenenergy-cosmetics.com

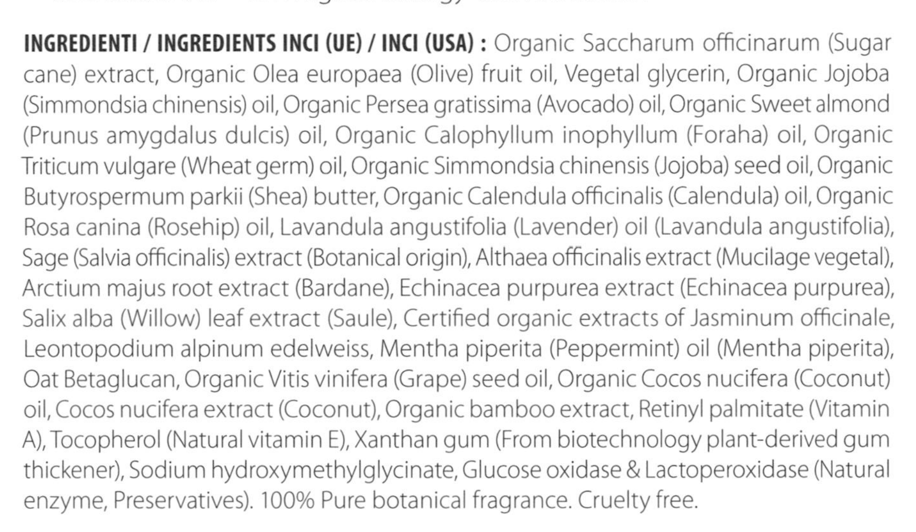

INGREDIENTI / INGREDIENTS INCI (UE) / INCI (USA) : Organic Saccharum officinarum (Sugar cane) extract, Organic Olea europaea (Olive) fruit oil, Vegetal glycerin, Organic Jojoba (Simmondsia chinensis) oil, Organic Persea gratissima (Avocado) oil, Organic Sweet almond (Prunus amygdalus dulcis) oil, Organic Calophyllum inophyllum (Foraha) oil, Organic Triticum vulgare (Wheat germ) oil, Organic Simmondsia chinensis (Jojoba) seed oil, Organic Butyrospermum parkii (Shea) butter, Organic Calendula officinalis (Calendula) oil, Organic Rosa canina (Rosehip) oil, Lavandula angustifolia (Lavender) oil (Lavandula angustifolia), Sage (Salvia officinalis) extract (Botanical origin), Althaea officinalis extract (Mucilage vegetal), Arctium majus root extract (Bardane), Echinacea purpurea extract (Echinacea purpurea), Salix alba (Willow) leaf extract (Saule), Certified organic extracts of Jasminum officinale, Leontopodium alpinum edelweiss, Mentha piperita (Peppermint) oil (Mentha piperita), Oat Betaglucan, Organic Vitis vinifera (Grape) seed oil, Organic Cocos nucifera (Coconut) oil, Cocos nucifera extract (Coconut), Organic bamboo extract, Retinyl palmitate (Vitamin A), Tocopherol (Natural vitamin E), Xanthan gum (From biotechnology plant-derived gum thickener), Sodium hydroxymethylglycinate, Glucose oxidase & Lactoperoxidase (Natural enzyme, Preservatives). 100% Pure botanical fragrance. Cruelty free.

Le coup de gueule des experts. On comprend les exigences de l'exportation et la difficulté de concilier les différentes législations concernant la déclaration des ingrédients. Mais là, tout de même... Avec du français mélangé à de l'INCI et à de l'anglais, des redondances inutiles et des mentions plus que superflues, ça finit par devenir vraiment très compliqué. Alors, on reprend tout, en deux fois plus réglementaire, presque deux fois plus court et beaucoup plus clair, et ça donne ça :

INGREDIENTS : Saccharum officinarum extract*, Olea europaea oil*, Glycerin, Simmondsia chinensis oil*, Persea gratissima oil*, Prunus amygdalus dulcis oil*, Calophyllum inophyllum oil*, Triticum vulgare germ oil*, Butyrospermum parkii butter*, Calendula officinalis oil*, Rosa canina fruit oil*, Lavandula angustifolia oil, Salvia officinalis extract, Althaea officinalis extract, Arctium majus extract, Echinacea purpurea extract, Salix alba bark extract, Jasminum officinale extract*, Leontopodium alpinum extract, Mentha piperita oil, Oat betaglucan, Vitis vinifera seed oil*, Cocos nucifera oil*, Cocos nucifera extract, Bambusa vulgaris extract *, Retinyl palmitate, Tocopherol, Xanthan gum, Sodium hydroxymethylglycinate, Glucose oxidase, Lactoperoxidase.

* Ingrédients issus de l'Agriculture Biologique.

À noter dans la composition. Après les cristaux de sucre de canne exfoliant, une multitude d'émollients et adoucissants d'origine végétale : olive, jojoba, avocat, amande douce, tamanu, beurre de karité, calendula, rose, lavande, sauge, guimauve, bardane, échinacée pourpre, saule, jasmin, edelweiss, menthe, avoine, pépins de raisin, noix de coco, bambou... Plus deux vitamines antioxydantes et un système de conservation à base d'enzymes et d'hydroxymethylglycinate de sodium.

Le coup de cœur des experts. C'est la découverte de l'année ! On récolte les plantes avec bonheur pour ce gommage d'un joli vert délicat à la texture douce de gel-crème. C'est frais et doux sur la peau, le sucre fondant sous l'eau pour exfolier presque tendrement. Après la douche, la peau reste soyeuse, lisse et très souple. Oui, on a beaucoup aimé ! On note aussi l'innovation en matière de conservateurs (voir p. 14), qui tente une solution au remplacement des parabens et autres substances plus ou moins irritantes et allergisantes. Même si, c'est vrai, on manque encore de recul sur son efficacité à long terme.

Flash marque : Green Energy

Elle arrive de Milan où on s'y connaît en matière de « fashion concept ». Green Energy se décrit comme une « marque raffinée et sensuelle de haute qualité, alliant sensations méditerranéennes, essences enivrantes et extraits précieux ». Ses compositions se caractérisent par la richesse des actifs végétaux, le plus souvent bio, par des fragrances délicates et des textures très agréables. Sa créatrice, Wilma Scarton, veut marier glamour et écologie, traditions et technologie, et le moins qu'on puisse dire, c'est que les enfants de ces unions 100 % nature ne manquent pas de charme.

Soins corporels hydratants

Les résultats

Évalués : 79 produits, de 47 marques différentes.

Prix moyen / 100 ml : 15,51 €.

Ont obtenu au moins la moyenne : 79.

N'ont pas obtenu la moyenne dans au moins un critère : 33.

Meilleure note : 88,58/100.

Plus mauvaise note : 65/100.

Les critères des experts

Âge, pollution, douches quotidiennes, chlore des piscines, sel de la mer ou alimentation déséquilibrée, la peau a de multiples raisons de s'assécher, tirailler et devenir inconfortable. Pas de secret pour bien la nourrir, il lui faut des actifs riches et des formules qui n'aggravent pas son cas en multipliant les ingrédients irritants ou sensibilisants (émulsifiants, conservateurs, molécules aromatiques allergènes...). Ces critères étaient exactement les mêmes pour le Palmarès 2007, et ceci explique peut-être que le podium cette année, dans cette catégorie de produits, a un petit air de déjà-vu.

À éviter

- L'**alcool** est totalement incompatible avec toute forme d'hydratation.
- Les **filtres UV** ne présentent aucun intérêt dans un lait destiné à nourrir la peau avant de la recouvrir de vêtements. Ils sont toujours accompagnés en revanche des mêmes réserves concernant leur caractère allergisant et leur éventuelle toxicité (voir p. 23).
- Les simples **mélanges d'huiles aromatisées de quelques molécules aromatiques allergènes** présentent peu d'intérêt. En matière de formulation, on peut faire mieux et moins sensibilisant.

À privilégier

- Les **émollients et humectants** (huiles végétales ou composés synthétiques). À noter que l'association du **glycérol** (Glycerin) et de la paraffine d'origine minérale (Paraffinum liquidum...) est reconnue pour limiter les pertes en eau de l'épiderme. Idéale pour les peaux très sèches, même si les dérivés du pétrole sont polluants pour l'environnement.
- Les **antioxydants** sont toujours indispensables dans les mélanges de corps gras, qu'ils protègent du rancissement.
- Les **actifs revendiqués situés en début de la liste des ingrédients :** c'est la preuve qu'ils sont suffisamment dosés et que l'argumentaire n'est pas outrancier. Parce que 0,5 % de beurre de karité n'a jamais fait une crème « riche en karité »...

On le dit en passant : Hydratation

On rappelle que l'hydratation, en cosmétique, ne concerne que les couches supérieures de l'épiderme. La loi exige qu'à chaque fois que ce terme est employé dans l'argumentaire d'un produit, la précision doit être apportée sur l'emballage, clairement et en toutes lettres, généralement par le biais d'un astérisque renvoyant à la mention légale. Ça, c'est la loi. Parce que dans les faits, elle manque assez souvent, cette mention légale, et on le regrette...

Les meilleurs

	Prix	Composition Efficacité	Tolérance cutanée	Étiquetage	Confort d'utilisation	Principe de précaution	Classement
Melvita Lait pour le corps hydratant et adoucissant	★★★★	★★★★	★★★	★★★★	★★★★★	★★★★	**1**
L'Occitane Lait corps à l'huile essentielle de lavande	★★★★	★★★★	★★★	★★★★	★★★★★	★★★★	**2**
Stiefel Physiogel – Lait hydratant	★★★★	★★★★	★★★★	★★★	★★★★	★★★★	
Green Energy Le rituel extra doux Crème fraîche anti-stress	★★★★	★★★★	★★★★	★★	★★★★★	★★★★★	**3**
Thémis Crème toucher velours au beurre de Murumuru	★★★★	★★★★	★★★	★★★★	★★★★★	★★★★	4
Cattier Lait hydratant pour le corps – Fermeté	★★★★	★★★	★★★★	★★★	★★★★	★★★★★	5
Ducray Ictyane – Baume corporel	★★★★	★★★★	★★★★	★★★★	★★★★	★★★	6
Green Energy La récolte des fleurs d'orange – Lait corps régénérant	★★★★	★★★★	★★★	★★	★★★★★	★★★★★	7
Cattier Lait hydratant pour le corps – Nourrissant	★★★★	★★★★	★★★★	★★★	★★★★	★★★★	8
Cosmélite Bioty's – Lait hydratant apaisant	★★★★	★★★★	★★★	★★★★	★★★★	★★★★	9
Nature & Découvertes Crème gourmande à la vanille des Comores	★★★	★★★★	★★★	★★★★	★★★★	★★★★★	10
Cosmélite Bioty's – Lait hydratant tonifiant	★★★★	★★★	★★★	★★★★	★★★★	★★★★	11
Cattier Émulsion hydratante pour le corps – Adoucissante	★★★★	★★★	★★★★	★★★	★★★★	★★★★★	12

	Prix	Composition Efficacité	Tolérance cutanée	Étiquetage	Confort d'utilisation	Principe de précaution	Classement
Weleda Lait dynamisant à l'argousier	★★★	★★★	★★★★	★★★	★★★★	★★★★★	13
Logona Tropic – Beurre corporel	★★★	★★★★	★★★★	★★★	★★★★	★★★★★	14
Lavera Body SPA – Lait corporel Lait et Miel	★★★★	★★★	★★★	★★★	★★★★	★★★★	15
Avène TriXéra – Crème émolliente	★★★★	★★★★	★★★★	★★★	★★★★	★★★	16
A-Derma Sensiphase Lait apaisant corps	★★★★	★★★★	★★★	★★★★	★★★★	★★★	17
Dado Sens ExtroDerm Baume pour le corps	★★★	★★★★	★★★★	★★★	★★★	★★★★	18
B com Bio Essentielle Crème hydratante et raffermissante Corps	★★★	★★★	★★★★	★★★	★★★★	★★★★	19
Senteurs du Sud Lait corporel	★★	★★★★	★★★★	★★★	★★★★	★★★★★	20

Les 3 premiers

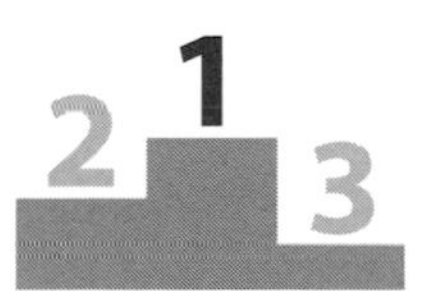

MELVITA

Lait pour le corps
hydratant et adoucissant

Note :	88,58/100.
Présentation :	Flacon de 400 ml.
Prix indicatif :	17 € *(4,25 €/100 ml).*
Disponible en :	Magasins bio et de produits naturels.
Site internet :	www.melvita.com

6 M

INGREDIENTS INCI EU [US] : Aqua [Aqua], Caprylic/Capric triglyceride, Glycerin, Dicaprylyl ether, Octyldodecanol, Rosa moschata oil [Rosa moschata seed oil]*, Arachidyl alcohol, Squalane, Behenyl alcohol, Cera alba [Beeswax], Limonene**, Glyceryl stearate SE, Sclerotium gum, Parfum [Fragrance], Arachidyl glucoside, Sodium benzoate, Xanthan gum, Potassium sorbate, Citric acid, Hordeum vulgare extract*, Gossypium herbaceum

seed extract [Gossypium herbaceum (Cotton) seed extract], Linalool**, Eugenol**, Citral**, Benzyl benzoate**.
* Ingrédients issus de l'Agriculture Biologique
** Constituants des huiles essentielles

À noter dans la composition. Que d'émollients, que d'émollients ! La formule en est presque exclusivement constituée, avec en plus deux conservateurs autorisés par les labels bio et cinq molécules allergènes apportées par le complexe d'huiles essentielles revendiqué comme actif sur l'étiquette.

L'avis des experts. Un petit air de déjà-vu, donc, avec le n° 1 2007 qui reste n° 1 en 2008, les mêmes arguments produisant les mêmes effets. Délicatement parfumé, ce lait reste facile à faire pénétrer et laisse la peau souple et très douce. Sa formule a légèrement évolué mais au seul contact du produit, c'est très peu perceptible. Et comme on note toutes les évolutions, on a remarqué aussi celle du prix, un tout petit peu en baisse.

L'OCCITANE
Lait corps à l'huile essentielle de lavande AOC

Note :	87,92/100
Présentation :	Flacon-pompe de 250 ml.
Prix indicatif :	21 € *(8,40 €/100 ml).*
Disponible en :	Boutiques l'Occitane, Internet.
Site internet :	www.loccitane.com

STIEFEL
Physiogel Lait hydratant

Note :	87,92/100
Présentation :	Flacon de 200 ml (étui carton).
Prix indicatif :	13,14 € *(6,57 €/100 ml).*
Disponible en :	Pharmacies, Parapharmacies.
Site internet :	www.stiefel.com

L'Occitane
Lait corps à l'huile essentielle de lavande de Haute-Provence AOC

INGREDIENTS : Aqua/Water, Caprylic/Capric triglyceride**, Rosa damascena flower extract*, Glycerin**, Cetearyl alcohol**, Macadamia ternifolia seed oil*, Cetearyl glucoside**, Benzyl alcohol, Hydrogenated vegetable oil**, Potassium sorbate, Lavandula angustifolia

(Lavender) oil**, Linalool**, Tocopherol**, Xanthan gum**, Dehydroacetic acid, Sodium benzoate, Rosmarinus officinalis (Rosemary) leaf extract**, Helianthus annuus (Sunflower) seed oil**, Limonene**, Geraniol**.
* Ingrédients issus de l'Agriculture Biologique.
** Ingrédients d'origine naturelle.

À noter dans la composition. Beaucoup d'émollients avec des actifs qui prennent soin de la peau (rose protectrice, lavande odorante, romarin tonifiant...), des conservateurs autorisés en bio et trois molécules aromatiques allergènes.

L'avis des experts. Eh oui, on se répète ! L'an dernier, ce lait fluide qui fleure bon la Provence arrivait déjà (et déjà ex-æquo) sur la 2e marche du podium. Sa formule a un peu évolué mais il a gardé tous ses atouts : il fait toujours la peau très douce au toucher, sans aucune sensation grasse, et son prix a à peine évolué lui aussi...

Stiefel
Physiogel – Lait hydratant

INGREDIENTS : Aqua, Caprylic/Capric triglyceride, Glycerin, Pentylene glycol, Cocos nucifera, Palm glycerides, Butyrospermum parkii, Olea europaea, Hydrogenated lecithin, Hydroxyethylcellulose, Caprylyl glycol, Xanthan gum, Squalane, Sodium carbomer, Carbomer, Ceramide 3.

À noter dans la composition. Émollients et humectants au programme, noix de coco, huile d'olive et beurre de karité pour nourrir, squalane et céramides pour prendre soin de la peau.

L'avis des experts. Pas d'émulsifiant (ou tensioactif), aucune substance allergisante ni irritante, ce lait, qu'on aimait déjà beaucoup l'an dernier (surtout du côté de la dermatologue pour sa tolérance presque maximale), est spécialement conçu pour les peaux sensibles ou réactives, voire à tendance atopique. Objectif réussi, et utilisation même pas désagréable : avec une odeur très neutre (il n'y a pas de parfum non plus, évidemment) et une texture fluide, la peau est bien nourrie, en toute sécurité. C'est pourquoi ce lait était déjà à cette place en 2007, et c'est pourquoi il n'en a pas bougé cette année !

2 1 3

GREEN ENERGY
Le rituel extra doux
Crème fraîche anti-stress

Note :	87,75/100.
Présentation :	Flacon-pompe de 250 ml (étui carton).
Prix indicatif :	17 € *(6,80 €/100 ml).*
Disponible en :	Parfumeries, Instituts de beauté, Internet (via www.mademoiselle-bio.com)
Site internet :	www.greenenergy-cosmetics.com

12 M

INGREDIENTI / INGREDIENTS INCI (UE) / INCI (USA) : Delonized Water (Aqua/Water), Aqueous organic extracts of Rosmarinus officinalis (Rosemary), Urtica dioica (Nettle), Glycine soja (Soybean) oil, Cetearyl alcohol (Plant wax), Caprylic/Capric triglyceride, Vegetal glycerin (Plant based), Hydrogenated palm glycerides, Aloe barbadensis (Certified organic aloe vera gel), Prunus amygdalus dulcis (Sweet almond) fruit extract (Prunus dulcis), Butyrospermum parkii (Shea butter) fruit (Butyrospermum parkii), Triticum vulgare (Wheat germ) oil, Oryzanol (Rice extract), Xanthan gum (Plant gum), Cera alba (Certified organic beeswax), Cocos nucifera (Coconut) oil, Cocoa powder (Theobroma cacao), Cacao butter (Theobroma cacao), Fresh mint (Mentha piperita), Sandalwood oil (Santalum album), Vanilla absolute (Vanilla planifolia), Spearmint oil (Mentha viridis), Peppermint oil (Mentha piperita), Fragrance (Parfum).

À noter dans la composition. Romarin, ortie, amande douce, noix de coco, santal, vanille et aussi, pour nourrir la peau, soja, aloe vera, beurre de karité, huile de germes de blé… Et bien sûr cacao, en poudre et en beurre, pour la « saveur » antistress.

L'avis des experts. On ne sait pas si c'est antistress, mais cette crème couleur chocolat au lait, qui fait irrésistiblement penser à une Danette, est toute légère et avec sa texture proche du gel, pénètre sans peine. La peau devient douce et reste parfumée, elle ne sent pas le chocolat mais une fragrance un peu épicée très agréable. Bref, là encore, on a été conquis, et pour ce qu'on pense de la déclaration des ingrédients, voir p. 153 !

Mentions spéciales

Soins plaisir pour le corps

Les critères des experts

À mi-chemin entre les hydratants, les huiles de massages (voir p. 183), les parfums… et le pur bonheur de l'application, ces produits axent leurs argumentaires sur le geste qui fait du bien et rend plus belle, d'une façon ou d'une autre. Mais enchantement des sens ne signifie pas qu'on peut fermer les yeux sur la composition, et comme pour tous les cosmétiques corporels, on surveille attentivement la présence (et le nombre) des ingrédients les plus allergènes ou sensibilisants : filtres solaires, conservateurs, molécules aromatiques…

Les meilleurs

	Prix	Composition Efficacité	Tolérance cutanée	Étiquetage	Confort d'utilisation	Principe de précaution	Classement
Melvita Bio Excellia Huile sèche satinante	★★★★★	★★★★	★★★★	★★★★	★★★★	★★★★	**1**
Natessance Sweet Coton Huile Sensualité	★★★★	★★★★	★★★	★★★★	★★★★	★★★★★	**2**
Terre d'Oc Grenade de l'Inde Huile scintillante Corps et cheveux	★★★★	★★★★	★★★★	★★★★	★★★★	★★★★★	**3**

LES PRODUITS POUR LE CORPS

Les nommés

MELVITA

Bio Excellia

Huile sèche satinante

Note :	88,96/100.
Présentation :	Flacon vaporisateur de 150 ml (étui carton).
Prix indicatif :	17,90 € *(11,93 €/100 ml).*
Disponible en :	Magasins bio et de produits naturels.
Site internet :	www.melvita.com

INGREDIENTS INCI EU [US] : Caprylic/Capric triglyceride, Dicaprylyl carbonate, Octyldodecanol, Dicaprylyl ether, Helianthus annuus seed oil [Helianthus annuus (Sunflower) seed oil]*, Corylus avellana nut oil [Corylus avellana (Hazel) seed oil]*, Borago officinalis seed oil*, Oenothera biennis oil [Oenothera biennis (Evening primrose) oil]*, Parfum [Fragrance], Tocopherol, Linalool**, Limonene**, Geraniol**.

* Ingrédients issus de l'Agriculture Biologique.

** Constituants des huiles essentielles.

À noter dans la composition. Des émollients, des huiles de tournesol, noisette, bourrache et onagre, un antioxydant (Tocopherol) pour les protéger du rancissement, un parfum et ses trois molécules allergènes.

L'avis des experts. Elle était déjà là l'an dernier, sur cette même 1ère marche du podium, et elle a à nouveau séduit l'ensemble du jury cette année. Son parfum a changé, un peu moins floral, un peu plus chaud, et aussi un peu moins allergisant puisque le produit a perdu au passage deux molécules aromatiques allergènes : bravo ! Pour le reste, le vaporisateur rend l'utilisation toujours aussi pratique, et la peau ressort du court massage nécessaire à la pénétration de l'huile vraiment douce et lisse au toucher, très souple et confortable. Et tout ça pour un prix plus intéressant que l'an dernier avec tout de même une baisse de 2,87 € aux 100 ml !

NATESSANCE

Sweet Coton
Huile Sensualité

Note :	88,13/100.
Présentation :	Roll-on de 75 ml (étui carton).
Prix indicatif :	10,76 € *(14,34 €/100 ml).*
Disponible en :	Pharmacies, Parapharmacies, Magasins bio, Internet.
Site internet :	www.natessance.com

INGREDIENTS : Sesamum indicum (Sesame) seed oil*, Helianthus annuus (Sunflower) seed oil*, Gossypium herbaceum (Cotton) seed oil*, Cananga odorata flower oil, Parfum (Fragrance), Tocopherol, Ocinum basilicum (Basil) oil, Zingiber officinale (root) oil, Cinnamomum zeylanicum nees (bark) oil, Piper nigrum (Pepper) fruit oil, Ptychopetalum olacoides bark extract. Pour votre information, les huiles essentielles et extraits contiennent naturellement : Citral, Farnesol, d-Limonene, Linalool, Cinnamal, Eugenol, Isoeugenol, Benzyl salicylate.

* Produits issus de l'Agriculture Biologique.

À noter dans la composition. Huiles végétales émollientes (sésame, tournesol, coton), huiles essentielles (ylang-ylang, basilic, gingembre, cannelle, poivre) avec leurs huit molécules aromatiques allergènes (eh oui, tout de même !), antioxydant et extrait (annoncé comme aphrodisiaque sur l'étiquette) de muira puama.

L'avis des experts. Le côté très novateur de cette huile est sa présentation en roll-on, bien pratique pour l'appliquer sans excès ni sensation grasse. Senteurs chaudes, épicées et exotiques pour une détente assurée dans un bon complexe d'huiles végétales nourrissantes. Seul mauvais point : le nombre d'allergènes, contrepartie de la richesse et de l'effet « sensuel » des huiles essentielles. Au final, un produit sympathique, avec un étiquetage pratiquement sans défaut (si on excepte justement la présentation des allergènes, voir p. 126) où on a apprécié la mention recommandant de renoncer à l'exposition au soleil après l'application, pour éviter les sensibilisations qui en découlent.

Flash marque : Léa nature

Natessance, Floressances et le dernier-né, Jardin Bio Étic distribué en grandes surfaces : toutes ces marques appartiennent au groupe Léa Nature. Installée à La Rochelle, cette maison à l'origine familiale étend ses compétences en matière de plantes et de produits naturels à l'alimentation ou encore aux textiles. Biologique et équitable, la marque Natessance s'est enrichie récemment d'un nouveau logo : le « 1 % pour la planète », qui marque l'engagement du fabricant à reverser 1 % de son chiffre d'affaires à des associations environnementales.

TERRE D'OC

Grenade de l'Inde
Huile scintillante Corps et cheveux

Note :	**86,88/100.**
Présentation :	Bouteille (verre) de 100 ml.
Prix indicatif :	16,95 € *(16,95 €/100 ml).*
Disponible chez :	Nature & Découvertes.
Site internet :	www.terredoc.com

12 M

INGREDIENTS : Cocoglycerides. Coco-caprylate caprate, Corylus avellana (Hazelnut) seed oil*, Simmondsia chinensis (Jojoba) seed oil*, Prunus amygdalus dulcis (Sweet almond) oil*, Sesamum indicum (Sesame) seed oil*, Silica, Parfum (Fragrance), Punica granatum seed powder, Pistacia vera seed oil, Camellia kissi seed oil, Caprylyl/Capryl glucoside, Tocopherol, Glycine soja (Soybean) oil, Mica (CI 77019), Natural oxides (CI 77891, CI 77 491), Citral[1], Limonene[1], Geraniol[1], Linalool[1].

[1] Constituant d'huiles essentielles naturelles.

* Ingrédients issus de l'Agriculture Biologique.

À noter dans la composition. Principalement des émollients et des huiles végétales pour nourrir l'épiderme (noisette, jojoba, amande douce, sésame, pistache, camélia) accompagnés d'un antioxydant. Et la touche finale qui fait la différence : la grenade et les colorants (naturels). Avec quatre molécules aromatiques allergènes.

L'avis des experts. Bonne formule ! Et très beau produit, d'abord à admirer pour sa chaude couleur grenat, scintillant dans sa fine bouteille au graphisme évoquant l'Inde. Un peu grasse à l'application (attention, il en faut très peu), l'huile est vite absorbée, son odeur délicatement fruitée se fait légère mais très agréable et la peau reste souple, très légèrement pailletée, l'effet restant assez discret. Mais sous la lumière, c'est vraiment très joli ! Une ou deux molécules allergènes en moins et ce serait parfait.

Amincissants

Les résultats

Évalués : 23 produits, de 18 marques différentes.
Prix moyen / 100 ml : 31,59 €.
Ont obtenu au moins la moyenne : 23.
N'ont pas obtenu la moyenne dans au moins un critère : 9.
Meilleure note : 85,83/100.
Plus mauvaise note : 65,42/100.

Les critères des experts

On insistait déjà l'an dernier sur le fait qu'en matière de minceur, le plus important restait bien l'hygiène de vie, à savoir une alimentation légère et la pratique régulière d'un sport. Mais c'est vrai, certains actifs cosmétiques peuvent appuyer la démarche. Sachant que leur efficacité réside aussi dans le massage nécessaire pour appliquer la crème, ce qui facilite grandement l'élimination des graisses.

À éviter

- Tous les **ingrédients déconseillés pour les hydratants corporels** (voir p. 155), car une crème amincissante, c'est d'abord une crème qui s'applique de la même façon sur la peau : seuls les actifs diffèrent (enfin, on l'espère).
- Les **promesses trop belles pour être vraies** ne devraient jamais inciter à l'achat d'un cosmétique. Même si on a envie d'y croire, on n'a pas encore de preuves de miracles en la matière, et un peu de sens critique dans le magasin évite bien des ponctions inutiles dans le porte-monnaie et des déceptions désagréables dans les salles de bain.

À privilégier

- La **caféine** (Caffeine) est le principal actif reconnu pour l'amincissement. Et bien sûr, tout ce qui en contient : **guarana** (Paullinia cupana), **café** (Coffea arabica), **thé vert** (Camellia sinensis). Efficace à condition d'être suffisamment dosé, bien sûr. Les **algues**, comme le **fucus** (Fucus vesiculosus), ont aussi leurs vertus ainsi que de nombreux extraits végétaux, le **lierre** (Hedera helix) par exemple.
- Les actifs restructurant le tissu conjonctif ont également leur utilité en complément : c'est le cas de la **prêle** (Equisetum arvense) grâce à sa richesse en silicium…

Les meilleurs

	Prix	Composition Efficacité	Tolérance cutanée	Étiquetage	Confort d'utilisation	Principe de précaution	Classement
Placentor Végétal Équilibre minceur Gel amincissant	★★★★★	★★★	★★★	★★★★	★★★★	★★★★	**1**
Melvita Alga Science Crème amincissante	★★★★	★★★	★★★	★★★★	★★★★	★★★★	**2**
Biguine bio Gel thé vert et menthol	★★★	★★★★	★★★	★★★★	★★★★	★★★★	**3**
Cosmence No Stock Chrono Gel de jour lissant	★★★★	★★★★	★★★	★★★★	★★★★	★★★	4
Phyt's Minceur jour	★★★	★★★	★★★	★★★	★★★★	★★★★	5
Annemarie Börlind Body Effect – Gel minceur	★★★	★★★	★★★	★★★	★★★★	★★★★	6
Résonances Huile de massage drainage minceur	★★★★	★★★	★★★	★★★	★★★★	★★★★★	7
Eumadis Huile sèche amincissante	★★★	★★★	★★★★	★★★	★★★	★★★★★	8
Cosmélite Ligne et Minceur – Spray minceur à l'Adiporéguline	★★★★	★★★	★★★	★★★★	★★★	★★★	9
Naturetis Gel minceur fleur de lys	★★	★★★	★★★	★★★★	★★★★	★★★★	10
Liérac Morpho-slim Concentré anti-cellulite	★★★★	★★★★	★★★	★★★★	★★★★	★★	11
Phyt's Minceur nuit	★★★	★★★	★★★	★★★	★★★★	★★★★	12
Weleda Huile de massage minceur	★★★	★★	★★★★	★★★	★★★★	★★★★★	13
Galénic Élancyl – Cellu-reverse Sérum minceur	★★★	★★★★	★★★	★★★★	★★★★	★★	14
Centella Huile Silhouette	★★★	★★★	★★★	★★★	★★★	★★★★★	15

Les 3 premiers

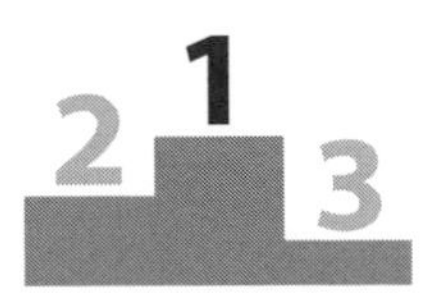

PLACENTOR VÉGÉTAL

Équilibre minceur

Gel amincissant

Note :	85,83/100.
Présentation :	Tube de 200 ml.
Prix indicatif :	15,50 € *(7,75 €/100 ml).*
Disponible en :	Pharmacies, Parapharmacies.
Site internet :	www.sicobel.com

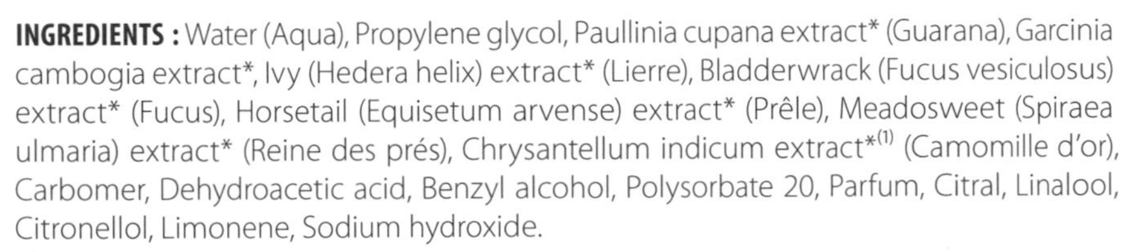
INGREDIENTS : Water (Aqua), Propylene glycol, Paullinia cupana extract* (Guarana), Garcinia cambogia extract*, Ivy (Hedera helix) extract* (Lierre), Bladderwrack (Fucus vesiculosus) extract* (Fucus), Horsetail (Equisetum arvense) extract* (Prêle), Meadosweet (Spiraea ulmaria) extract* (Reine des prés), Chrysantellum indicum extract*(1) (Camomille d'or), Carbomer, Dehydroacetic acid, Benzyl alcohol, Polysorbate 20, Parfum, Citral, Linalool, Citronellol, Limonene, Sodium hydroxide.

* Origine végétale.

(1) Brevet Sicobel.

À noter dans la composition. L'actif minceur est le guarana, en troisième position dans la liste des ingrédients, aves les lierre, fucus et prêle, des algues également, des extraits végétaux et quatre molécules aromatiques allergènes.

L'avis des experts. Un bon complexe de plantes réputées pour leur action sur l'amincissement et la caféine du guarana assurent à ce gel frais et joliment ambré une efficacité raisonnable. D'ailleurs, on le disait l'an dernier dans le Palmarès où ce produit était déjà cité. Du côté de l'étiquetage, on n'aime pas quand le français se mêle à la déclaration officielle des ingrédients, mais on apprécie l'argumentaire honnête qui précise que « Équilibre minceur renforce les résultats du régime alimentaire »... On salue aussi le prix, qui exagère aussi peu que la promesse : c'est le moins cher de sa catégorie !

MELVITA

Alga Science

Crème amincissante

Note :	81,25/100.
Présentation :	Tube de 150 ml (étui carton).
Prix indicatif :	19,20 € *(12,80 €/100 ml).*
Disponible en :	Magasins bio et de produits naturels.
Site internet :	www.melvita.com

6 M

INGREDIENTS INCI EU [US] : Aqua [Water], Glycerin, Octyldodecanol, Cocoglycerides, Caprylic/Capric triglyceride, Caffeine, Arachidyl alcohol, Oleic/Linoleic/Linolenic polyglycerides, Macadamia ternifolia seed oil*, Rosa rubiginosa [Rosa rubiginosa seed oil]*, Behenyl alcohol, Sodium salicylate, Glyceryl dibehenate, Lecithin, Parfum [Fragrance], Tribehenin, Arachidyl glucoside, Sodium benzoate, Cera alba [Beeswax], Sclerotium gum, Xanthan gum, Citral**, Cetearyl alcohol, Potassium sorbate, Glyceryl behenate, Phytic acid, Juniperus communis oil [Juniperus communis fruit oil]*, Tocopherol, Limonene**, Fucus vesiculosus extract, Hordeum vulgare extract*, Crithmum maritimum extract, Silica, Geraniol**, Citric acid, Gelidium cartilagineum extract, Cymbopogon schoenanthus oil*, Citrus grandis oil [Citrus grandis (Grapefruit) peel oil]*.

* Ingrédients issus de l'Agriculture biologique.

** Constituants naturels des huiles essentielles.

À noter dans la composition. Après l'eau, quatre émollients, de la caféine, encore cinq émollients (dont les huiles de macadamia et de rosier muscat), et d'autres encore plus loin dans la liste. Des huiles essentielles de genévrier et de lemongrass (et leurs trois molécules allergènes), une algue et de la Criste marine, des conservateurs autorisés par les labels bio.

L'avis des experts. La formule est riche, et elle nourrit en plus de son but affiché de faire mincir (même si 3 % de caféine, comme le précise l'argumentaire, paraît un dosage un peu faible). L'émulsion à l'odeur citronnée agréable paraît fine, mais demande un bon massage (ce qui est parfait en pour mincir !) pour bien pénétrer. On apprécie de plus l'argumentaire très précis, qui explicite dans le détail le rôle des actifs, et la traduction en français des ingrédients dans une liste spécifique, comme il se doit.

2 1 3

BIGUINE BIO

Gel thé vert et menthol

Note :	80,63/100.
Présentation :	Tube de 200 ml.
Prix indicatif :	42 € *(21 €/100 ml)*
Disponible en :	Salons de coiffure et Instituts Biguine.
Site internet :	www.biguine.com

3 M

INGREDIENTS : Aqua (Water), Alcohol*, Glycerin (vegetal), Menthol* (naturel), Lavandula hybrida (Lavendin flower water), Xanthan gum, Paullinia cupara (Guarana seed extract), Spiraea ulmaria* (Meadowsweet extract), Equisetum arvense* (Horsetail leaf extract), Citrus medica limonum* (Lemon peel oil), Lavandula hybrida* (Lavendin oil), Camellia sinensis (leaf powder), Salvia officinalis* (Sage oil), Chlorophyllin-magnesium complex et ingrédients naturellement présents dans les huiles essentielles : limonene, géraniol, Citral.
* 95 % des ingrédients végétaux sont issus de l'Agriculture Biologique. 23 % du total des ingrédients sont issus de l'Agriculture Biologique. 100 % du total des ingrédients sont d'origine naturelle.

À noter dans la composition. Menthol, guarana et thé vert (Camellia sinensis) en actifs amincissants, reine des prés en agent drainant, prêle, huiles essentielles de citron et de lavande tonifiantes (et avec elles trois molécules aromatiques allergènes).

L'avis des experts. Si on passe sur la déclaration des ingrédients pas vraiment conforme aux exigences de la réglementation, reste un gel vert foncé fluide à l'odeur très mentholée contenant quelques actifs réputés efficaces pour l'amincissement. La sensation très, très fraîche ressentie à l'application s'avère assez persistante (très agréable l'été !). On s'interroge sur la conservation du produit : la brève période d'utilisation conseillée après ouverture (3 mois seulement) s'explique aussi par l'absence de conservateurs.

Raffermissants

Les résultats

Évalués : 19 produits, de 19 marques différentes.

Prix moyen / 100 ml : 34,22 €.

Ont obtenu au moins la moyenne : 19.

N'ont pas obtenu la moyenne dans au moins un critère : 5.

Meilleure note : 82,08/100.

Plus mauvaise note : 70/100.

Les critères des experts

On les met souvent dans le même tube, mais les amincissants et les raffermissants, ce n'est pas la même chose. Les premiers sont censés faire fondre les graisses, les seconds raffermir les tissus cutanés et aider l'épiderme à garder un aspect le plus lisse possible… Et pour ce faire, pas de secret, il faut d'abord nourrir de façon à ce que la peau soit souple et d'une élasticité sans relâche (vivent les émollients et hydratants), il faut ensuite tonifier pour qu'elle reste ferme sur ses positions (voici le temps des actifs lissants, tenseurs et tonifiants).

À éviter

- L'**alcool** peut avoir un certain effet tenseur mais il est surtout asséchant, et à terme, plus agressif que bénéfique pour la peau.
- L'**accumulation de molécules aromatiques allergènes** (eh oui, encore !) d'autant plus présentes que de nombreuses huiles essentielles se prévalent de propriétés tonifiantes.
- L'**accumulation de conservateurs sensibilisants,** d'autant moins utiles que la plupart des produits raffermissants ne contiennent pas d'eau mais sont constitués de mélanges d'huiles et de corps gras qui ne demandent que des antioxydants pour prévenir leur rancissement.

À privilégier

- Les **agents émollients et hydratants,** qu'ils se présentent sous forme d'huiles végétales ou d'actifs synthétiques.
- Les **actifs tonifiants** comme les huiles essentielles (cyprès, genévrier, citron, menthe, etc. !).
- Les **actifs lissants ou tenseurs** comme l'hydrocotyle (Centella asiatica) et ses dérivés ou les polymères (tous les quelque chose crosspolymer).

Les meilleurs

	Prix	Composition Efficacité	Tolérance cutanée	Étiquetage	Confort d'utilisation	Principe de précaution	Classement
Tridyn – Biodine Huile de massage Svelt'aromatic	★★★	★★★★	★★★	★★★★	★★★★	★★★★★	**1**
Les Floressances Minci Argan	★★★★★	★★★	★★★	★★★	★★★★	★★★★	**2**
Annemarie Börlind Body Effect Crème raffermissante pour le corps	★★★	★★★★	★★★	★★★★	★★★★	★★★★	**3**
L'Occitane Huile souplesse Amande	★★	★★★★	★★★	★★★★	★★★★	★★★★★	4
Tautropfen Huile au souci et au citrus	★★★	★★★	★★★★	★★★★	★★★★	★★★★★	5
Melvita Huile minceur	★★★	★★★	★★★	★★★	★★★★	★★★★	6
Clarins Soin remodelant Ventre-Taille	★★	★★★★	★★★	★★★★	★★★★	★★★	7
Naturetis Huile raffermissante à la fleur de lys	★	★★★★	★★★★	★★★	★★★★	★★★★★	8
Phyt's Dermyl 111	★★	★★★	★★★	★★★	★★★★	★★★★★	9
Centella Gel raffermissant	★★	★★★	★★★★	★★★	★★★★	★★★★	10

TRIDYN – BIODINE

Huile de massage Svelt'aromatic

Note :	82,08/100.
Présentation :	Flacon-pompe (verre) de 50 ml.
Prix indicatif :	17,35 € *(35,90 €/100 ml).*
Disponible en :	Instituts de beauté, Spas, Parapharmacies, Magasins bio.
Site internet :	www.biodine.net

INGREDIENTS : Dicaprylyl carbonate, Helianthus annuus oil*, Lavandula hybrida oil*, Cupressus sempervirens oil*, Juniperus communis oil*, Origanum compactum oil*, Limonene, Citrus

limonum oil*, Linalool, Cymbopogon flexuosus oil*, Tocopherol, Citral, Geraniol.
* Ingrédients issus de l'Agriculture Biologique.

À noter dans la composition. Pour nourrir la peau, un émollient et de l'huile de tournesol. Pour la tonifier, des huiles essentielles de lavande, cyprès, genévrier, origan, citron et lemongrass, avec bien sûr, deux molécules allergènes. Et de la vitamine E en antioxydant (Tocopherol).

L'avis des experts. Une bonne formule simple, assez classique de ce genre de produit, mais aussi assez efficace. L'huile est claire, s'applique aisément, sa senteur herbale est bien tonique. À utiliser en massages réguliers.

2 1 3

LES FLORESSANCES

Minci Argan

Note :	81,25/100.
Présentation :	Flacon de 150 ml.
Prix indicatif :	9,04 € *(6,02 €/100 g).*
Disponible en :	Grandes et moyennes surfaces.
Site internet :	www.leanature.com

12 M

INGREDIENTS : Helianthus annuus (Sunflower) seed oil, Cocoglycerides, Bellis perennis (Daisy) flower extract, Argania spinosa (Argan) kernel oil, Cupressus sempervirens (Cypress) oil, Citrus medica limonum (Lemon) peel oil, Citrus paradise (Grapefruit) oil, Cymbopogon citratus oil, Tocopherol, Juniperus communis fruit oil, Cupressus funebris oil, Calophyllum tacamahaca seed oil, Rosmarinus officinalis (Rosemary) leaf oil, Origanum compactum oil, Pelargonium graveolens (Geranium) flower oil, Menthol, Zingiber officinale (Ginger) root oil, Mentha piperita (Peppermint) oil, Mentha viridis oil. Pour votre information : les huiles essentielles utilisées contiennent différentes molécules naturelles dont : Citral, Citronellol, Geraniol, d-Limonene, Linalool.

À noter dans la composition. Pour les huiles végétales, dans l'ordre : tournesol, argan, tamanu ; pour les extraits végétaux : pâquerette ; pour les huiles essentielles : cyprès, citron, pamplemousse, citronnelle, genévrier, cyprès (un autre), romarin, origan, géranium, gingembre, menthe. Du menthol aussi, un antioxydant et cinq molécules aromatiques allergènes.

L'avis des experts. Miser sur la richesse en huiles essentielles peut être payant pour la fermeté cutanée, mais cela renforce d'autant le caractère allergisant du produit. Cela dit, pour les personnes non sensibilisées, c'est un produit très intéressant, qui a toutes les chances de tenir la promesse de son argumentaire : raffermir. Et à ce propos, on ne peut pas s'empêcher de penser que le nom de cette huile (Minci Argan) est peut-être mal choisi : d'abord parce qu'il ne s'agit pas de mincir mais de raffermir, ensuite parce qu'il y a quand même beaucoup plus de tournesol que d'argan... Mais le prix est tellement attractif !

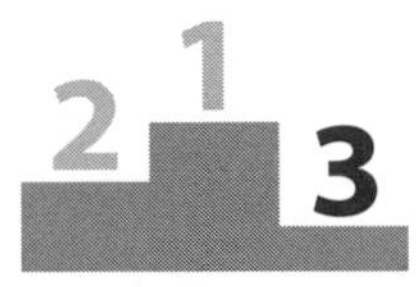

ANNEMARIE BÖRLIND

Body Effect

Crème raffermissante pour le corps

Note :	81,08/100.
Présentation :	Tube de 150 ml (étui carton).
Prix indicatif :	28,40 € *(18,93 €/100 ml)*
Disponible en :	Magasins bio et de produits naturels, Instituts de beauté.
Site internet :	www.boerlind.com

INGREDIENTS : Aqua (Water), Macadamia ternifolia seed oil, Coco-caprylate caprate, Simmondsia chinensis (Jojoba) seed oil, Sorbitan stearate, Butyrospermum parkii (Shea butter), Glyceryl stearate, Hydrolyzed soy flour, Sorbitol, Fucus vesiculosus extract, Ethylhexyl stearate, Glycerin, Behenyl alcohol, Phenoxyethanol, Cholesteryl hydroxystearate, Helichrysum italicum extract, Benzyl alcohol, Potassium cetyl phosphate, Stearic acid, Chondrus crispus (Carrageenan), Hydrolyzed adansonia digitata leaf extract, Limonene, Tocopheryl acetate, Allantoin, Citrus aurantium dulcis (Orange) fruit extract, Sucrose cocoate, Asiaticoside, Madecassoside, Panthenol, Aroma (Fragrance), Ceramide 3, Ceramide 6, Ascorbyl palmitate, Hydrogenated palm glycerides citrate, Malachite extract, Tocopherol, Eugenol, Geraniol, Lecithin, Linalool.

À noter dans la composition. Beaucoup d'émollients, des huiles de macadamia, de jojoba et du beurre de karité, des extraits de fucus, d'immortelle (Helichrysum italicum), d'algue et de baobab (Adansonia digitata), d'hydrocotyle ou herbe du tigre contenant divers glucosides (Asiaticoside, Madecassoside) et malachite raffermissante. Avec ce qu'il faut d'antioxydant et une conservation au phénoxyéthanol.

L'avis des experts. Déjà sur le podium l'an dernier, cette crème qui, avec tous ses actifs, fait plus que raffermir, mais lisse et affine aussi un peu tout en laissant la peau douce, garde tous ses attraits pour un prix resté inchangé. On s'est interrogé sur la place du phénoxyéthanol, qui paraît bien haut dans la liste des ingrédients. Réponse du fabricant : « *Nous avons décidé de ne pas nous prévaloir de la règle permettant, en dessous du seuil de concentration de 1 %, la déclaration des ingrédients dans un ordre ne correspondant plus forcément à leur importance décroissante. Nous les énumérons donc tous selon leurs concentrations exactes, du premier jusqu'au dernier. Et il est donc normal que le conservateur arrive à cette place, alors que son dosage, en fait, reste bien en-dessous de la quantité autorisée par les normes légales.* ». Phénoxyéthanol qui, soit dit en passant, est considéré comme parfaitement sûr, bien qu'un peu allergisant, par les autorités sanitaires françaises et européennes.

On le dit en passant : Médical

Un cosmétique n'est pas un médicament. Il n'a pas le même statut, n'est pas soumis aux mêmes contrôles, et n'est certainement pas censé remplir le même rôle. En conséquence, tout mot, toute allusion, tout argumentaire flirtant avec le vocabulaire médical est interdit sur les emballages des produits de beauté. Un exemple ? Une crème de contient pas de « principes actifs » réservés aux médicaments, mais des actifs (par ailleurs plus ou moins efficaces). De même, la cellulite est, au sens propre du terme, un état d'asphyxie du tissu conjonctif adipeux par hyperviscosité de sa substance fondamentale, en clair : une maladie, ne relevant pas d'un « traitement » cosmétique. La peau d'orange, elle, peut rester du domaine des crèmes de beauté. Il n'existe pas de « lifting cosmétique » non plus, ni de correction « quasi chirurgicale » des défauts cutanés, etc.

Mentions spéciales

Soins du buste et du décolleté

Les critères des experts

Dans l'idéal, et pour cette peau si fragile du buste, le mot d'ordre serait : pas d'alcool, aucun ingrédient allergisant, nulle trace de composés irritants ! Et éventuellement aussi des actifs performants. Dans les faits, eh bien, il faut faire avec l'offre du marché : le monde n'est pas parfait, les soins du buste non plus, on en trouve tout de même d'acceptables.

Les meilleurs

	Prix	Composition Efficacité	Tolérance cutanée	Étiquetage	Confort d'utilisation	Principe de précaution	Classement
Melvita Gel crème pour le buste	★★★★	★★★	★★★	★★★★	★★★★	★★★★★	**1**
Centella Galbe et fermeté du buste	★★	★★★	★★★	★★★	★★★★	★★★★★	**2**

Les nommés

MELVITA

Gel crème pour le buste

Note :	83,75/100.
Présentation :	Flacon-pompe (verre) de 50 ml (étui carton).
Prix indicatif :	15,90 € *(31,80 €/100 ml).*
Disponible en :	Magasins bio et de produits naturels.
Site internet :	www.melvita.com

6 M

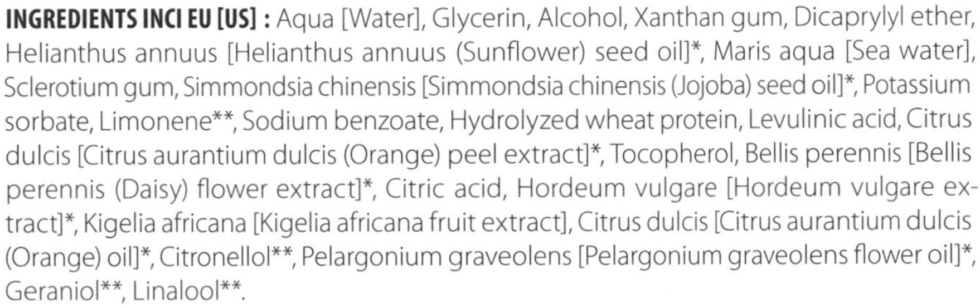

INGREDIENTS INCI EU [US] : Aqua [Water], Glycerin, Alcohol, Xanthan gum, Dicaprylyl ether, Helianthus annuus [Helianthus annuus (Sunflower) seed oil]*, Maris aqua [Sea water], Sclerotium gum, Simmondsia chinensis [Simmondsia chinensis (Jojoba) seed oil]*, Potassium sorbate, Limonene**, Sodium benzoate, Hydrolyzed wheat protein, Levulinic acid, Citrus dulcis [Citrus aurantium dulcis (Orange) peel extract]*, Tocopherol, Bellis perennis [Bellis perennis (Daisy) flower extract]*, Citric acid, Hordeum vulgare [Hordeum vulgare extract]*, Kigelia africana [Kigelia africana fruit extract], Citrus dulcis [Citrus aurantium dulcis (Orange) oil]*, Citronellol**, Pelargonium graveolens [Pelargonium graveolens flower oil]*, Geraniol**, Linalool**.

* Ingrédients issus de l'Agriculture Biologique.

** Constituants naturels des huiles essentielles.

À noter dans la composition. Émollients, huiles de tournesol et de jojoba, eau de mer, protéines de blé, pâquerette, orge, huiles essentielles d'orange et de géranium et leurs deux molécules aromatiques allergènes, alcool et conservateurs autorisés en bio : voilà pour le « classique ». En actif plus exotique : le Kigelia africana, un arbre africain aux vertus raffermissantes, nous assure le fabricant.

L'avis des experts. Dommage pour l'alcool et les allergènes, et puisque la formule a été légèrement revue depuis l'an dernier, on aurait préféré que ce soit dans le sens de leur suppression. Mais par ailleurs, cette crème gélifiée fluide qui fleure bon l'orange est toujours aussi agréable à utiliser qu'en 2007, où elle était déjà citée comme très recommandable dans ce Palmarès...

CENTELLA
Galbe et fermeté du buste

Note :	76,46/100.
Présentation :	Bouteille (faïence) avec pipette de 30 ml (étui carton).
Prix indicatif :	36 € *(120 €/100 ml).*
Disponible en :	Magasins diététiques et de produits biologiques.
Site internet :	www.centella.com

INGREDIENTS : Sesamum indicum oil*, Trigonella foenum graecum*, Helianthus annuus*, Triticum vulgare oil, Corylus avellana oil*, Camellia oleifera oil, Hypericum perforatum*, Humulus lupulus*, Jojoba wax*, Centella asiatica*, Rosmarinus officinalis oil*, Thymus vulgaris oil*, Salvia officinalis oil*, Pinus sylvestris oil*, Majorana hortensis oil*, Mentha piperita oil*, Lavandula angustifolia oil* et ingrédients naturellement présents dans les huiles essentielles : Géraniol, Limonène, Linalol.

* Ingrédients issus de l'Agriculture Biologique.

À noter dans la composition. Huiles de sésame, de tournesol, de germes de blé, de noisette, de camélia et de millepertuis pour nourrir la peau ; extraits de fenugrec (Trigonella foenum graecum), houblon (Humulus lupulus), jojoba et hydrocotyle (Centella asiatica) pour l'effet raffermissant ; huiles essentielles de romarin, thym, sauge, pin, marjolaine, menthe, lavande pour la tonicité.

L'avis des experts. Voilà un cosmétique composé à 100 % d'ingrédients qu'on peut considérer comme des actifs, d'origine végétale et bio à 75 %. Ce petit cocktail sent surtout la menthe et demande un petit massage doux pour bien pénétrer. Si ce n'était la présence d'allergènes et l'addition plutôt salée, on le recommanderait sans réserve… même s'il y quelques progrès à faire du côté de l'étiquetage.

Mentions spéciales

Vergetures

Les critères des experts

Difficile de les atténuer quand elles sont apparues, le plus souvent au cours d'une grossesse ou lors d'une variation de poids importante. Mais on peut les prévenir, et cela passe d'abord par l'élasticité et la tonicité d'une peau bien nourrie (hydratants, tonifiants) et aussi quelques actifs comme les algues principalement, ou encore quelques affermissants.

Les meilleurs

	Prix	Composition Efficacité	Tolérance cutanée	Étiquetage	Confort d'utilisation	Principe de précaution	Classement
Eucerin Peau sensible Huile de soin vergetures	★★★★★	★★★★	★★★★	★★★★	★★★★	★★★★★	1
Clarins Soin complet Spécial vergetures	★★★	★★★★	★★★	★★★★	★★★★	★★★★	2
Galénic Élancyl Concentré Vergetures	★★★	★★★★	★★★	★★★★	★★★★	★★★★	3

Les nommés

EUCERIN
Peau sensible
Huile de soin vergetures

Note :	90,21/100.
Présentation :	Flacon de 125 ml (étui carton).
Prix indicatif :	14,85 € *(11,88€/100 ml).*
Disponible en :	Pharmacies, Parapharmacies.
Site internet :	www.eucerin.fr

6 M

INGREDIENTS : Helianthus annuus, Macadamia ternifolia, Sesamum indicum, Simmondsia chinensis, Prunus dulcis, Theobroma cacao, Tocopherol, Parfum.

À noter dans la composition. Uniquement des émollients d'origine végétale (huiles de tournesol, macadamia, sésame, jojoba, amande douce et beurre de cacao), un antioxydant (de la vitamine E : Tocopherol) pour protéger les huiles et un parfum.

L'avis des experts. Peut-on faire plus simple ? À noter que cette question n'est pas une critique. Car si la formule semble basique, elle n'en contient pas moins tous les éléments nécessaires pour renforcer la résistance de la peau. Et le fait de ne pas multiplier les ingrédients permet de proposer un produit sans aucune substance allergisante ni irritante… ou presque : la dermatologue a hésité à mettre un 20/20 pour la tolérance cutanée mais certaines personnes peuvent déclencher une réaction au sésame ou au parfum, alors… Le fabricant, lui, assure d'une « efficacité prouvée contre les vergetures », même s'il ne fournit pas le détail de ses tests. Sa notice, en revanche, indique la technique de massage la plus performante pour appliquer ce soin.

CLARINS

Soin complet Spécial vergetures

Note :	80/100.
Présentation :	Tube de 200 ml (étui carton).
Prix indicatif :	43 € *(21,50 €/100 ml).*
Disponible en :	Parfumeries, Internet.
Site internet :	http://fr.clarins.com

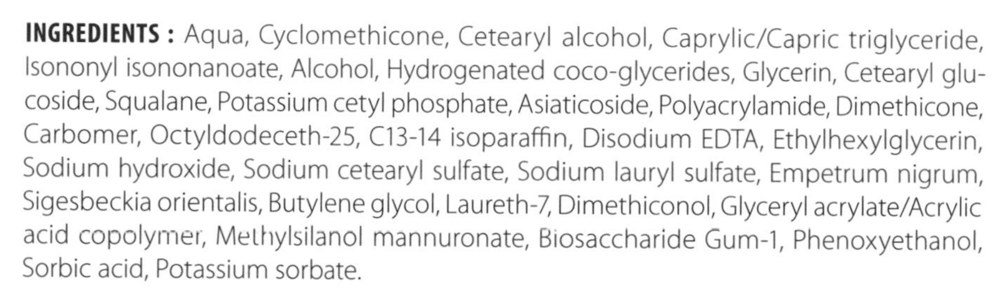
INGREDIENTS : Aqua, Cyclomethicone, Cetearyl alcohol, Caprylic/Capric triglyceride, Isononyl isononanoate, Alcohol, Hydrogenated coco-glycerides, Glycerin, Cetearyl glucoside, Squalane, Potassium cetyl phosphate, Asiaticoside, Polyacrylamide, Dimethicone, Carbomer, Octyldodeceth-25, C13-14 isoparaffin, Disodium EDTA, Ethylhexylglycerin, Sodium hydroxide, Sodium cetearyl sulfate, Sodium lauryl sulfate, Empetrum nigrum, Sigesbeckia orientalis, Butylene glycol, Laureth-7, Dimethiconol, Glyceryl acrylate/Acrylic acid copolymer, Methylsilanol mannuronate, Biosaccharide Gum-1, Phenoxyethanol, Sorbic acid, Potassium sorbate.

À noter dans la composition. Un très grand nombre d'émollients, avec notamment des huiles de silicone et du squalane. Des actifs végétaux comme la camarine noire (Empetrum nigrum) qui, selon le fabricant, freine le gonflement des cellules graisseuses, une molécule extraite de l'hydrocotyle (Asiaticoside) qui stimule la formation de collagène ou le sigesbeckia tonifiant. Une conservation assurée par le phénoxyéthanol, l'acide sorbique et le sorbate de potassium.

L'avis des experts. Une formule élaborée et un soin réellement complet pour nourrir la peau et renforcer ses défenses contre le relâchement. Une crème blanche un peu épaisse à l'odeur neutre (la composition ne contient pas de parfum) qui pénètre facilement, notamment grâce à la gestuelle d'application détaillée sur la notice jointe au produit. Une valeur sûre.

GALÉNIC

Élancyl

Concentré Vergetures

Note :	**79,17/100.**
Présentation :	Tube de 75 ml (étui carton).
Prix indicatif :	18 € *(24 €/100 ml).*
Disponible en :	Pharmacies, Parapharmacies.
Site internet :	www.elancyl.com

INGREDIENTS : Water (Aqua), Glycerin, Cyclomethicone, PEG-4, Glycolic acid, Guanidine carbonate, Algae extract (Algae), Bis-PEG/PPG-14/14 dimethicone, Benzyl salicylate, Butylphenyl methylpropional, Citronellol, Citrus aurantium dulcis (Orange) oil (Citrus dulcis), Fragrance (Parfum), Hexyl cinnamal, Limonene, Linalool, Rosmarinus officinalis (Rosemary) leaf oil (Rosmarinus officinalis), Sodium chloride, Zinc gluconate.

À noter dans la composition. Des émollients avec le glycérol (Glycerin) et des huiles de silicone, un extrait d'algue dont l'origine n'est pas précisée, un agent tenseur (Guanidine carbonate), l'acide glycolique exfoliant pour débarrasser la surface de la peau de ses cellules mortes et favoriser la pénétration des autres actifs, des huiles essentielles tonifiantes d'orange et de romarin avec leurs cinq molécules aromatiques allergènes.

L'avis des experts. On aurait aimé que le nom de l'algue soit explicité pour mieux évaluer son action. Pour le reste, ce gel d'un vert frais, agréable à l'application, est conçu pour nourrir et tonifier la peau. On regrette tout de même la présence de tant d'allergènes.

LES PRODUITS POUR LE CORPS

Mentions spéciales

Soins des jambes

Les critères des experts

Les jambes fatiguées ont besoin de fraîcheur et de légèreté, et c'est également vrai des compositions des crèmes qui les soulagent : menthe, menthol et camphre rafraîchissants sont donc les vedettes de la catégorie, et même l'alcool, une fois n'est pas coutume, n'est pas déconseillé. Carrément malvenu en revanche sur l'étiquette, le terme « jambes lourdes », puisqu'il désigne le premier stade d'une maladie veineuse et que son traitement appartient donc au domaine médical, sphère où un cosmétique, on le redit, n'a rien à faire (voir p. 174).

Les meilleurs

	Prix	Composition Efficacité	Tolérance cutanée	Étiquetage	Confort d'utilisation	Principe de précaution	Classement
Cosmélite / Bioty's Gel fermeté Tonus et jambes légères	★★★★	★★★★	★★★★	★★★★	★★★★	★★★★	1
Hydraflore Lait pour les jambes	★★★★	★★★★	★★★	★★★★	★★★★	★★★★	2

Les nommés

COSMÉLITE / BIOTY'S
Gel fermeté
Tonus et jambes légères

Note : 85,21/100.

Présentation : Flacon-pompe de 200 ml.

Prix indicatif : 24,20 € *(12,10 €/100 ml).*

12 M

Disponible en : Pharmacies, Parapharmacies, Parfumeries, Internet.

Site internet : www.cosmelite.com

INGREDIENTS: Aqua (Water), Alcohol*, Citrus aurantium dulcis fruit water (Orange fruit water)*, Cellulose gum, Adansonia digitata, Xanthan gum, Menthol, Sodium benzoate,

Phytic acid, Sorbitol, Citric acid, CI 77007 (Ultramarines).
* Ingrédients issus de l'Agriculture Biologique.

À noter dans la composition. Eau florale d'orange, baobab et glycérol, alcool et menthol rafraîchissants, conservateurs autorisés par les labels bio, et un colorant bleu.

L'avis des experts. Pratique dans son flacon-pompe, ce gel translucide à l'odeur de menthe est frais à l'application, mais « l'effet froid » annoncé sur l'étiquette reste une sensation légère, comme d'ailleurs l'hydratation. Les jambes fatiguées le deviendront aussi après utilisation, au moins un peu plus. Et on apprécie, comme d'habitude, la double indication des dates d'utilisation et de péremption (voir p. 141).

HYDRAFLORE
Lait pour les jambes

Note :	81,58/100.
Présentation :	Flacon de 200 ml.
Prix indicatif :	17 € *(8,50 €/100 ml).*
Disponible en :	Magasins diététique et de produits biologiques.
Site internet :	www.centella.com

4 M

INGREDIENTS : Aqua (Spring water), PEG-6 stearate (and) Ceteth-20 (and) Glyceryl stearate (and) Steareth-20, Sesamum indicum oil*, Helianthus annuus*, Menthol, Ricinus communis oil, Alcohol*, Glycerin, Carrageenan, Camphor, Aesculus hippocastanum*, Centella asiatica*, Vitis vinifera L., Benzyl alcohol, Mentha piperita oil*, Cupressus oil*. Citric acid, Tocopheryl acetate, Sodium benzoate (and) Potassium sorbate, CI 19140, CI 42090 et ingrédients naturellement présents dans les huiles essentielles : Limonène, Linalol.
* Ingrédients issus de l'Agriculture Biologique.

À noter dans la composition. Dans une base d'eau et d'émulsifiants, des huiles de sésame, de tournesol et de ricin, du glycérol pour l'hydratation ; du menthol, de l'alcool, du camphre et de l'huile essentielle de menthe pour l'effet frais ; des extraits de marronnier d'Inde, d'hydrocotyle (Centella asiatica), de vigne et de cyprès pour une action veinotonique ; un antioxydant, des conservateurs autorisés en bio et deux colorants : du jaune avec la tartrazine, colorant azoïque (CI 19140) et le bleu brillant FCP, autre colorant azoïque (CI 42090). Deux molécules aromatiques allergènes.

L'avis des experts. L'efficacité de ce lait vient de l'association « alcool-menthol-camphre ». La fraîcheur, immédiate à l'application, n'est pas très persistante, mais les actifs végétaux compensent pour un bien-être plus durable. Sur l'étiquette, quelques imperfections dans la déclaration des ingrédients : les pourcentages de plusieurs d'entre eux, faisant partie de matières premières composées, n'ont pas été « décomposés » et ils ne figurent donc pas à leur juste place, et les molécules aromatiques allergènes devraient être intégrées dans la liste-même. En revanche, une date d'utilisation après ouverture ET une autre pour la péremption sont, elles, parfaitement différenciées, ce qui est très bien !

Massages et soins-détente

Les résultats

Évalués : 32 produits, de 24 marques différentes.

Prix moyen / 100 ml : 15,93 €.

Ont obtenu au moins la moyenne : 32.

N'ont pas obtenu la moyenne dans au moins un critère : 14.

Meilleure note : 86,46/100.

Plus mauvaise note : 68,33/100.

Les critères des experts

Rien qu'à l'idée d'un bon massage, on se sent tout de suite plus détendu. Les argumentaires des cosmétiques savent en jouer, qui promettent monts et merveilles, de la sérénité à la sensualité, du « nettoyage du corps » à des « sensations extrêmes de bien-être »... Ce ne sont pourtant, le plus souvent, que quelques huiles. Qu'on préfère toujours de bonne qualité, riches d'actifs nourrissants et hydratants, et bien protégées du rancissement par quelque antioxydant.

À éviter

- La **lanoline** (Lanolin) est fortement allergisante : on la trouve pourtant encore dans quelques formules destinées au massage.
- L'**harpagophytum** (Harpagophytum procubens) est parfois utilisé dans des huiles axées sur la détente. Mais ses propriétés anti-inflammatoires et antalgiques en font un vrai principe actif de médicament, et on n'aime pas trop le voir dans la composition d'un cosmétique.
- Un trop grand nombre de **molécules aromatiques allergènes** (voir p. 429), comme à l'habitude et à plus forte raison pour un produit longuement massé sur la peau.

À privilégier

- Les **contenants protecteurs :** le verre est préférable au plastique pour les huiles essentielles parfois un peu corrosives, un matériau opaque est idéal pour les huiles végétales ainsi à l'abri de la lumière, un flacon-pompe est parfait pour l'hygiène...
- Un **système de conservation adapté,** c'est-à-dire : des antioxydants comme la vitamine E et ses dérivés (Tocopherol, Tocopheryl acetate...) ou les dérivés de vitamine C (Ascorbyl palmitate...) pour les huiles, des conservateurs

antibactériens et antifongiques (voir p. 431) quand la formule contient de l'eau et des corps gras.

Les meilleurs

	Prix	Composition Efficacité	Tolérance cutanée	Étiquetage	Confort d'utilisation	Principe de précaution	Classement
Les Floressances Huile de bain et massage Olivier	★★★★	★★★★	★★★★	★★★★	★★★★	★★★★	**1**
Résonances Huile de massage à l'huile d'argan bio et à l'huile essentielle de néroli	★★★	★★★★	★★★★	★★★★	★★★★	★★★★★	**2**
Nature & Découvertes Lait de soin relaxant aux algues de Molène	★★★	★★★★	★★★★	★★★★	★★★★	★★★★★	**3**
Green Energy La récolte d'olive – Crème de massage nourrissante et régénérante	★★★	★★★★	★★★★	★★	★★★★★	★★★★★	4
Lavera Body SPA – Huile corporelle Instant de repos	★★★	★★★★	★★★★	★★★★	★★★★	★★★★★	5
Logona Daily Care – Huile de soin et de massage	★★★★	★★★	★★★	★★★	★★★★	★★★★	6
Patyka Huile massage bio eucalyptus	★★★★★	★★★	★★★★	★★★★	★★★	★★★★	7
Les Floressances Huile bain et massage Argan	★★★★	★★★★	★★★	★★★	★★★★	★★★★	8
Patyka Huile corps biologique	★★★	★★★	★★★	★★★★	★★★★★	★★★★★	9
Terre d'Oc Argan du Maroc – Huile de massage à l'huile d'argan fleur d'oranger	★★★	★★★★	★★★	★★★★	★★★★	★★★★★	10
Green Energy La récolte des fruits Crème douce de massage énergisante	★★★	★★★★	★★★	★★	★★★★	★★★★★	11

	Prix	Composition Efficacité	Tolérance cutanée	Étiquetage	Confort d'utilisation	Principe de précaution	Classement
Suzanne aux bains Duo des sens – Huile de massage relaxante bio	★	★★★ ★	★★★	★★★ ★	★★★ ★★	★★★ ★★	12
Les Floressances Argan – Beurre oriental	★★★	★★★ ★	★★★	★★★	★★★ ★★	★★★	13
Weleda Huile relaxante à la lavande	★★	★★★	★★★ ★	★★★	★★★ ★	★★★ ★★	14
Weleda Huile de massage au calendula	★★	★★★	★★★ ★	★★★	★★★ ★	★★★ ★★	14
Herbes et Traditions Lait corps aromatique détente	★★★ ★	★★★ ★	★★★	★★★	★★★ ★	★★★ ★	15
Senteurs du Sud Huile de soin massage	★	★★★ ★	★★★ ★	★★★ ★	★★★ ★	★★★ ★★	16
Herbes et Traditions Huile de massage anti-stress	★★	★★★ ★	★★★ ★	★★★	★★★ ★	★★★ ★	17
The Body Shop Objectif corps – Huile de massage tonifiante	★★★ ★	★★★	★★★	★★★	★★★ ★	★★★ ★	18
Natessance Sweet Coton – Huile Relaxante aux 15 plantes	★★	★★★ ★	★★★	★★★ ★	★★★ ★	★★★ ★	19
Résonances Baume pour le corps Sensuel	★★	★★★	★★★ ★	★★★	★★★ ★	★★★ ★★	20

Les 3 premiers

LES FLORESSANCES

Huile de bain et massage
Olivier

Note :	86,46/100.
Présentation :	Flacon de 150 ml.
Prix indicatif :	*7,70 € (5,13 €/100 ml).*
Disponible en :	Grandes et moyennes surfaces.
Site internet :	www.leanature.com

L'avis des experts. Ce produit vous dit quelque chose ? Vous avez raison ! Rendez-vous p. 125, ou comment ce classement prouve qu'une formule élaborée pour deux objectifs (le massage et le bain) peut satisfaire parfaitement aux deux !

RÉSONANCES

Huile de massage à l'huile d'argan bio et à l'huile essentielle de néroli

Note :	86,42/100.
Présentation :	Flacon (verre) de 150 ml (étui carton).
Prix indicatif :	14,95€ *(9,96 €/100 ml).*
Disponible en :	Boutiques Résonances.
Site internet :	www.resonances.fr

INGREDIENTS : Helianthus annuus [Sunflower] seed oil*, Sesamum indicum [Sesame] seed oil*, Simmondsia chinensis [jojoba] seed oil, Argania spinosa kernel oil*, Prunus amygdalus dulcis [Sweet almond] oil*, Dicaprylyl ether, Aloe ferox leaf extract, Tocopherol, Limonene, Geraniol, Farnesol, Citral.
*Ingrédients issus de l'Agriculture Biologique.

À noter dans la composition. Un mélange d'huiles de tournesol, de sésame, de jojoba, d'argan et d'amande douce avec un extrait d'aloe vera hydratant. L'huile essentielle de néroli apporte quatre molécules aromatiques allergènes.

L'avis des experts. La bonne odeur du néroli accompagne ces huiles parfaites pour le massage. La peau reste douce et pas trop grasse, bien nourrie et souple. Un bon moment en perspective.

2 1 3

NATURE & DÉCOUVERTES

Lait de soin relaxant aux algues de Molène

Note :	85,83/100.
Présentation :	Flacon-pompe de 200 ml (étui carton).
Prix indicatif :	19,95 € *(9,97 €/100 ml).*
Disponible en :	Boutiques Nature & Découvertes.
Site internet :	www.natureetdecouvertes.com

9 M

INGREDIENTS : Caprylic/Capric triglyceride, Aqua, Centaurea cyanus water*, Glycerin, Sucrose laurate, Sucrose stearate, Algae extract, Prunus amygdalus dulcis oil*, Simmondsia chinensis oil*, Sodium benzoate, Alcohol, Citrus aurantium dulcis oil*, Prunus amygdalus amara oil, Potassium sorbate, Tocopherol, Caprylyl/Capryl glucoside, Propolis extract, Aloe barbadensis gel*, CI 75815, Sodium hydroxide, Limonene.
* Ingrédients issus de l'Agriculture Biologique.

À noter dans la composition. Des émollients dans une eau florale de bleuet, dont un peu de gel d'aloe vera, de la propolis et deux dérivés du saccharose très doux pour la peau (Sucrose laurate, Sucrose stearate), des algues, des huiles d'amande douce et de jojoba, de l'huile essentielle d'amande amère (avec une seule molécule allergène, le limonène), deux conservateurs autorisés par les labels bio et un colorant vert, le complexe cuivrique de chlorophylle.

L'avis des experts. On aurait aimé connaître le nom exact des algues mises en œuvre dans ce produit : la déclaration des ingrédients n'en dit rien, l'argumentaire précise seulement leur provenance : l'archipel de Molène. Mais ce lait fluide couleur vert amande, idéal pour les réfractaires aux huiles toujours un peu grasses, fleure bon et effleure doucement la peau qu'il laisse souple et bien nourrie. Très agréable.

Produits des **Pieds** et des **Mains**

Soins des pieds

Les résultats

Évalués : 12 produits, de 10 marques différentes.

Prix moyen / 100 ml : 20,64 €.

Ont obtenu au moins la moyenne : 12.

N'ont pas obtenu la moyenne dans au moins un critère : 3.

Meilleure note : 87,92/100.

Plus mauvaise note : 69,38/100.

Les critères des experts

On a beau dire que nos pieds, qui nous portent vaillamment tout au long de nos longues journées, méritent tous les égards, il faut bien reconnaître que la recherche cosmétique n'est pas aussi intense dans cette catégorie que dans celles, par exemple, des antirides... Résultat : avec des critères toujours constants de la part du jury et une offre de produits très peu renouvelée, le podium 2008 marche dans les pas de celui de 2007. Et même pas à pas, marche après marche, jusqu'à être exactement le même ! Avec des crèmes qui offrent tous les services qu'on attend d'elles, et évitent les erreurs de formulation classiques qu'on trouve encore par ailleurs.

À éviter

- La **lanoline** (Lanolin) est peut-être un bon émollient, mais c'est aussi une matière première fortement allergisante.
- Les **filtres UV**, dont on a déjà dit qu'il valait mieux ne les utiliser qu'à bon escient (dans les crèmes solaires protectrices), n'ont franchement aucun intérêt sur les pieds, surtout s'ils sont chaussés !

À privilégier

- **Émollients et hydratants** apportent confort et douceur, sous forme d'huiles végétales ou de composés synthétiques, de glycérol (Glycerin) ou d'urée (Urea)... mais ça ne doit pas rendre la texture du produit trop grasse : les pieds chaussés n'apprécient pas.
- Les **actifs rafraîchissants** apaisent les pieds échauffés : menthe, menthol, lavande...
- Les **absorbants** limitent les désagréments de la transpiration : Magnesium aluminum silicate, Microcrystalline cellulose, et tous les ingrédients comprenant le mot starch (amidon en anglais), qu'il soit de tapioca, de maïs ou de blé (Tapioca starch, Zea mays starch, Triticum vulgare starch).

- Un peu de **déodorant** n'est pas de refus non plus à cet endroit du corps, certaines huiles essentielles jouent de plus un rôle **antibactérien**, comme celles d'arbre à thé et de romarin (Melaleuca alternifolia oil, Rosmarinus officinalis oil…).

Les meilleurs

	Prix	Composition Efficacité	Tolérance cutanée	Étiquetage	Confort d'utilisation	Principe de précaution	Classement
Cattier Crème réparatrice Pieds secs	★★★	★★★★	★★★★	★★★★	★★★★	★★★★★	**1**
Thémis Crème réparatrice au beurre de cacao Zones sèches	★★★★	★★★	★★★	★★★★	★★★★	★★★★	**2**
Melvita Crème extra-douce pour les pieds	★★★★	★★★	★★★	★★★★	★★★★	★★★★★	**3**
Eucerin Peau sèche Crème pieds 10 % d'urée	★★★★	★★★	★★★★	★★★★	★★★★	★★★★	4
L'Occitane Crème pieds Peaux sèches	★★★	★★★★	★★★	★★★★	★★★★	★★★	5
Dado Sens SalvaCare Baume anti-callosités	★★	★★★★	★★★	★★★	★★★★	★★★★	6
Dr. Hauschka Crème fitness pour les pieds	★★	★★★	★★★	★★★★	★★★★	★★★★★	7

Les 3 premiers

CATTIER
Crème réparatrice Pieds secs

COSMETIQUE BIO CHARTE COSMEBIO

Note :	87,92/100.
Présentation :	Tube de 75 ml.
Prix indicatif :	8,60 € *(11,46€/100 ml).*
Disponible en :	Magasins bio, Grands magasins (Printemps, BHV, Galeries Lafayette), Résonances, Monoprix, Parapharmacies.
Site internet :	www.laboratoirecattier.com

12 M

INGREDIENTS : Aqua, Hamamelis virginiana distillate*, Butyrospermum parkii*, Jojoba esters, Caprylic/Capric triglyceride, Glycerin, Sorbitan stearate (and) Methyl glucose sesquistearate, Stearic acid, Squalane (vegetable), Xanthan gum, Sodium benzoate, Benzyl alcohol, Pelargonium graveolens*.
* 15,4 % du total des ingrédients sont issus de l'Agriculture Biologique. 99 % du total des ingrédients sont d'origine naturelle.

À noter dans la composition. Eau florale d'hamamélis astringente, émollients (beurre de karité, jojoba, glycérol...), squalane et acide stéarique également en agents de restauration lipidique. Deux conservateurs autorisés en bio et une huile essentielle de géranium tonifiante.

L'avis des experts. Voilà une bonne formule.... Aussi bonne que dans le Palmarès 2007 où elle arrivait sur la 1ère marche du podium. On disait déjà que cette crème nourrissante procurait une sensation fraîche et bienfaisante dès l'application, sans paraître grasse. Rien n'a changé, donc, pas même les petites imperfections de l'étiquetage qui ne déclare pas tous ses ingrédients selon leurs justes concentrations en ne détaillant pas celles de son émulsifiant composé de deux matières premières différentes (Sorbitan stearate (and) Methyl glucose sesquistearate)...

2 1 3

THÉMIS

Crème réparatrice au beurre de cacao – Zones sèches

Note :	85,63/100.
Présentation :	Tube de 200 ml.
Prix indicatif :	14,95 € *(7,47 €/100 ml).*
Disponible en :	Magasins bio, Parapharmacies, Grands magasins, Instituts de beauté.
Site internet :	www.themis.tm.fr

6 M

INGREDIENTS : Aqua, Sesamum indicum*, Glycerin, Arachidyl alcohol, Coco-caprylate caprate, Behenyl alcohol, Arachidyl glucoside, Theobroma cacao*, Magnesium aluminum silicate, Hydrolyzed rice protein*, Mel, Verbena officinalis, Litsea cubeba, Dehydroacetic acid, Tocopherol, Xanthan gum, Benzyl alcohol, Lactic acid, Citral, Limonene, Geraniol, Linalool.

* Ingrédients issus de l'Agriculture Biologique.

Ingrédients soulignés : produits issus du commerce équitable (> 50 % de la matière sèche).

À noter dans la composition. Les cinq premiers ingrédients de la liste (après l'eau) sont des émollients (et il y en a encore d'autres ensuite, dont le beurre de cacao) : ça donne déjà une idée du pouvoir hydratant de cette crème. La formule fait aussi place à un agent absorbant, le silicate double de magnésium et d'aluminium, au miel adoucissant, à l'huile essentielle de verveine citronnée tonifiante (Litsea cubeba) comme à ses quatre molécules aromatiques allergènes.

L'avis des experts. « Voilà une crème qui pénètre bien, laisse une impression douce et fraîche et pas de sensation grasse : on peut enfiler ses chaussures dans l'instant sans problème ! ». Ça, c'est ce qu'on écrivait en 2007, à cette même place… sur le même produit. On n'a pas changé d'avis depuis. Et cette crème bien riche convient parfaitement également aux mains, comme à toutes les zones très sèches du corps.

MELVITA

Crème extra-douce pour les pieds

Note :	84,79/100.
Présentation :	Tube (métal) de 150 ml.
Prix indicatif :	12,80 € *(8,53 €/100 ml).*
Disponible en :	Magasins bio et de produits naturels.
Site internet :	www.melvita.com

6 M

INGREDIENTS INCI EU [US] : Aqua [Aqua], Lavandula angustifolia [Lavandula angustifolia (Lavender) flower water]*, Glycerin, Caprylic/Capric triglyceride, Dicaprylyl carbonate, Macadamia ternifolia [Macadamia ternifolia seed oil]*, Nigella sativa [Nigella sativa seed oil]*, Octyldodecanol, Cetearyl alcohol, Glyceryl oleate, Glyceryl stearate, Olivoyl hydrolyzed wheat protein, Cera alba [Beeswax], Stearic acid, Benzyl alcohol, Sclerotium gum, Mentha arvensis [Mentha arvensis leaf extract], Dehydroacetic acid, Potassium hydroxide, Rosmarinus officinalis [Rosmarinus officinalis (Rosemary) leaf oil]*, Tocopherol, Citrus grandis [Citrus grandis (Grapefruit) seed extract], Citric acid, Hordeum vulgare [Hordeum vulgare extract]*, Sodium benzoate, Limonene**, Ascorbic acid.
* Ingrédients issus de l'Agriculture Biologique.
** Constituants naturels des huiles essentielles.

À noter dans la composition. Dans une base d'eau florale de lavande, du glycérol en belle quantité, beaucoup d'émollients, des actifs naturels antibactériens comme l'huile de nigelle noire et les huiles essentielles de menthe et de romarin, de l'acide stéarique, des conservateurs autorisés en bio et deux molécules aromatiques allergènes.

L'avis des experts. On se répète ! Odeur mentholée très agréable, crème nourrissante, bonne pénétration, pas de sensation de gras sur les pieds… et une 3e place conservée sur le podium pour la 2e année consécutive. Le jury a donc de la suite dans les idées, et ce n'est pas le prix légèrement en baisse de ce produit qui l'a fait changer d'avis !

Soins des mains

Les résultats

Évalués : 27 produits, de 23 marques différentes.

Prix moyen / 100 ml : 28,81 €.

Ont obtenu au moins la moyenne : 27.

N'ont pas obtenu la moyenne dans au moins un critère : 6.

Meilleure note : 85,05/100.

Plus mauvaise note : 72,71/100.

Les critères des experts

Eau, air, froid, chocs, contacts avec des matières plus ou moins décapantes ou irritantes : les mains sont agressées en permanence. Pour résister, elles ont besoin d'être protégées, et cela passe d'abord par une peau en pleine forme, bien nourrie, parfaitement hydratée. Une bonne crème pour les mains est donc d'abord émolliente, riche d'actifs renforçant la tonicité et la résistance de l'épiderme, et bien sûr, évitant de constituer elle-même une agression supplémentaire par le biais d'ingrédients irritants ou sensibilisants. Et si elle a une odeur agréable, c'est encore mieux.

À éviter

- L'**alcool**, on l'a déjà dit, ne favorise jamais l'hydratation, au contraire.
- La **lanoline**, pour exactement les raisons qu'on évoquait pour le choix d'un soin pour les pieds (p. 190).
- Les **filtres solaires** sont employés ici aussi pour, selon les argumentaires des emballages, lutter contre le vieillissement de la peau en évitant la formation de radicaux libres du fait des rayons UV. Valable uniquement en été (et encore…). Le reste du temps, mieux vaut un bon antioxydant pour produire le même effet.

À privilégier

- Les **émollients et humectants** se posent en grands sauveurs des mains. On a déjà parlé de l'efficacité du couple **glycérol-paraffine** (p. 155) pour limiter les pertes en eau de la peau. Mais la cosmétique dispose de très nombreux autres ingrédients intéressants.
- Les **acides gras essentiels** de nombreuses huiles végétales participent à une bonne structure de l'épiderme : macadamia (Macadamia ternifolia), olive (Olea europaea), onagre (Oenothera biennis), bourrache (Borago officinalis),

germes de blé (Triticum vulgare), argan (Argania spinosa), jojoba (Simmondsia chinensis), tournesol (Helianthus annuus)…

- Les **agents adoucissants** luttent contre les rugosités ambiantes : aloe vera (Aloe barbadensis, Aloe ferox), miel (Mel), beurre de karité (Butyrospermum parkii), huile d'amande douce (Prunus amygdalus dulcis)…

Les meilleurs

	Prix	Composition Efficacité	Tolérance cutanée	Étiquetage	Confort d'utilisation	Principe de précaution	Classement
L'Occitane Baume du Jardin biologique à la tomate et à l'huile d'olive	★★★	★★★★	★★★	★★★★	★★★★	★★★★	**1**
Coslys Crème soin mains	★★★★	★★★★	★★★	★★★	★★★★	★★★★★	**2**
Melvita Crème extra-riche pour les mains	★★★★	★★★	★★★	★★★	★★★★	★★★★★	**3**
Weleda Crème main à l'argousier	★★★	★★★	★★★	★★★★	★★★★	★★★★★	4
Senteurs du Sud Crème pour les mains	★★★	★★★★	★★★	★★★★	★★★★	★★★★	5
B com Bio Essentielle – Crème protectrice et réparatrice Mains et ongles	★★★★	★★★	★★★★	★★★	★★★★	★★★★	6
Eucerin – Peau sèche Crème mains 5 % d'urée	★★★★	★★★★	★★★★	★★★★	★★★	★★★★	7
Cattier Crème mains Argile blanche	★★★★	★★★	★★★	★★★	★★★★	★★★★	8
Les Floressances Bourrache Soin des mains	★★★★	★★★	★★★★	★★★	★★★★	★★★★	9
Suzanne aux bains Empreinte digitale Crème réparatrice mains	★★	★★★★	★★★	★★★★	★★★★	★★★★	10
Naturetis (1) Masque exfoliant à la fleur de lys	★	★★★★	★★★	★★★★	★★★★★	★★★★	11
Avène Cold Cream – Crème mains	★★★★	★★★★	★★★	★★★	★★★★	★★★	12

	Prix	Composition Efficacité	Tolérance cutanée	Étiquetage	Confort d'utilisation	Principe de précaution	Classement
Jacques Paltz Crème Protection mains à l'huile essentielle de Niaouli	★★★	★★★	★★★★	★★★	★★★★	★★★★	13
Florame DermaStress-Protection Crème mains	★★★	★★★★	★★	★★★★	★★★★	★★★★	14
L'Occitane Crème mains Miel et citron	★★	★★★★	★★★	★★★★	★★★★	★★★	15

(1) : Ce produit fait partie d'un programme complet et original pour les mains comprenant un masque exfoliant, une huile nourrissante et un baume protecteur. Un peu cher mais très séduisant ! (En pharmacies, parapharmacies, magasins bio et sur www.naturetis.com).

Les 3 premiers

L'OCCITANE

Baume du Jardin biologique à la tomate et à l'huile d'olive

Note :	85,05/100.
Présentation :	Tube de 75 ml (étui carton).
Prix indicatif :	13 € *(17,33 €/100 ml).*
Disponible en :	Boutiques L'Occitane, Internet.
Site internet :	www.loccitane.com

INGREDIENTS : Aqua, Citrus aurantium amara (Bitter orange) flower extract*, Caprylic/Capric triglyceride**, Glycerin**, Butyrospermum parkii (Shea butter)*, Alcohol*, Olea europaea (Olive) fruit oil*, Cetearyl alcohol**, Hydrogenated vegetable oil**, Cetearyl glucoside**, Prunus amygdalus dulcis (Sweet almond) oil*, Slerotium gum**, Olea europaea (Olive) fruit oil**, Helianthus annuus (Sunflower) seed oil**, Aloe barbadensis leaf extract*, Solanum lycopersicum (Tomato) fruit extract*, Rosmarinus officinalis (Rosemary) leaf extract**, Calendula officinalis flower extract**, Parfum/Fragrance, Tocopheryl acetate**, Tocopherol**, Potassium sorbate, Sodium benzoate, Limonene**, Linalool**.
* Ingrédients issus de l'Agriculture Biologique.
** Ingrédients d'origine naturelle.

À noter dans la composition. Dans une eau de fleurs d'oranger amer (rafraîchissante), de nombreux émollients (dont les huiles d'olive – de la bio et de la non-bio – d'amande douce et de tournesol, le beurre de karité), de l'aloe vera et du calendula adoucissants, de l'huile essentielle de romarin (et deux molécules aromatiques allergènes), deux antioxydants avec de la vitamine E

(Tocopherol) et un de ses dérivés (Tocopheryl acetate), deux conservateurs autorisés par les labels bio.

L'avis des experts. Une formule très complète pour les mains, qu'elle nourrit et enveloppe durablement d'un film protecteur au parfum frais et léger. L'ouverture du tube est très pratique et le packaging plutôt réussi. Tomate et huile d'olive appellent les mains vers la cuisine (provençale, forcément !) mais les préparent aussi très doucement aux caresses... Une bonne crème, sans réserve, si ce n'est la présence d'alcool (il y en a peu, mais pas du tout aurait été encore mieux).

COSLYS

Crème soin mains

Note :	84,83/100.
Présentation :	Tube de 150 ml.
Prix indicatif :	15,80 € *(10,53 €/100 ml).*
Disponible en :	Magasins bio, Instituts de beauté, Parashop.
Site internet :	www.coslys.fr

INGREDIENTS : Aqua, Glyceryl stearate SE, Decyl oleate, Glyceryl stearate, Macadamia ternifolia seed oil*, Caprylic/Capric triglyceride, Glycerin, Prunus armeniaca kernel oil*, Butyrospermum parkii*, Simmondsia chinensis seed oil*, Pyrus malus fruit extract*, Citrus limonum peel oil*, Sodium benzoate, Cetearyl alcohol, Prunus amygdalus dulcis oil*, Cetyl palmitate, Cocoglycerides, Olea europaea oil*, Potassium sorbate, Parfum, Citric acid, Glycine soja, Tocopherol, Limonene.
* Ingrédients issus de l'Agriculture Biologique.

À noter dans la composition. Beaucoup d'ingrédients d'origine végétale (dont 95 % de bio) : huiles de macadamia, de noyaux d'abricot, de jojoba, d'amande douce, d'olive, beurre de karité, encore d'autres émollients dont le glycérol, de la pomme, de l'huile essentielle de citron avec une molécule aromatique allergène, un antioxydant,

L'avis des experts. Bonne formule ! Une émulsion assez légère et fondant rapidement sur la peau qui reste confortable et protégée sans être grasse. Une fragrance dominée par les oléagineux, mais on devine celle de la pomme. Quelques petites lacunes au niveau de l'étiquetage, où il manque, par exemple, la mention réglementaire indiquant que l'hydratation concerne les couches superficielles de la peau, mais où celle (inutile) indiquant l'absence de tests sur animaux est bien présente. Rien qui fâche vraiment cependant...

2 1 3

MELVITA

Crème extra-riche pour les mains

Note :	84,21/100.
Présentation :	Tube (métal) de 150 ml.
Prix indicatif :	14,20 € *(9,46 €/100 ml).*
Disponible en :	Magasins bio et de produits naturels.
Site internet :	www.melvita.com

6 M

INGREDIENTS INCI EU [US] : Aqua [Aqua], Aloe barbadensis [Aloe barbadensis leaf extract]*, Glycerin, Caprylic/Capric triglyceride, Dicaprylyl carbonate, Octyldodecanol, Cetearyl alcohol, Butyrospermum parkii [Butyrospermum parkii (Shea butter) fruit]*, Glyceryl oleate, Glyceryl stearate, Olivoyl hydrolyzed wheat protein, Argania spinosa [Argania spinosa kernel oil]*, Corylus avellana [Corylus avellana (Hazel) seed oil]*, Stearic acid, Theobroma cacao [Theobroma cacao (Cocoa) seed butter]*, Benzyl alcohol, Parfum [Fragrance], Sclerotium gum, Dehydroacetic acid, Potassium hydroxide, Linalool**, Citric acid, Tocopherol, Limonene**, Geraniol**.

* Ingrédients issus de l'Agriculture Biologique.

** Constituants naturels des huiles essentielles.

À noter dans la composition. Une base douce faite d'aloe vera et de glycérol accueille encore pas moins de treize autres ingrédients émollients (dont les beurres de karité et de cacao, des protéines de blé, des huiles d'argan et de noisette)... Avec un antioxydant et un parfum apportant trois molécules aromatiques allergènes.

L'avis des experts. Celle-là, on la connaît déjà depuis le Palmarès 2007. Malgré la rude concurrence cette année, cette crème à la douce odeur de lavande a gardé toutes ses qualités et reste sur le podium. Elle n'a pas changé, notre avis sur elle non plus !

Soins du
Visage

Gommages et exfoliants

Les résultats

Évalués : 36 produits, de 28 marques différentes.

Prix moyen / 100 ml : 33,34 €.

Ont obtenu au moins la moyenne : 36.

N'ont pas obtenu la moyenne dans au moins un critère : 17.

Meilleure note : 85,63/100.

Plus mauvaise note : 61,25/100.

Les critères des experts

Êtes-vous kératolytique ou mécanique ? Dans le premier cas, vous privilégiez les exfoliations sans frottements (ou presque), par simple application de produits agissant sur la kératine de la peau pour en éliminer les cellules mortes. Vos actifs, ce sont les acides de fruits ou l'acide salicylique... Dans le second cas, vous procédez à un gommage par massage (comme pour le corps, voir p. 148) et ce sont les agents abrasifs (eh oui, c'est leur nom !) qui opèrent le nettoyage. Ils peuvent se présenter sous forme de micro-billes parfaitement régulières (d'origine synthétique ou naturelle), ou encore de poudres (particules micronisées, c'est-à-dire réduites à la taille de l'ordre du micron) issues de composés naturels durs (noyaux de fruits, écorces, pépins, grains, cristaux...). Moins uniformes, elles peuvent conserver quelques arêtes vives un peu agressives que la peau fragile et souvent sensible du visage peut apprécier modérément. Car la délicatesse devrait être le mot d'ordre de tous les gommages pour le visage.

À éviter

- Les **ingrédients irritants** qui ajoutent au caractère naturellement agressif du gommage, comme les sels d'ammonium quaternaires utilisés comme conservateurs (Cetrimonium chloride, Benzalkonium bromide...)
- Les **gommages trop fréquents**, même s'ils sont conseillés sur l'étiquette. Tous les jours, vraiment, c'est trop. Le rythme d'une à deux fois par semaine maximum semble plus raisonnable.

À privilégier

- Les **émollients et hydratants** compensent l'assèchement inévitable provoqué par le gommage.
- Les bases contenant des **eaux florales** rafraîchissantes et apaisantes calment l'échauffement provoqué par les agents abrasifs. Au choix, lavande (Lavandula angustifolia), mélilot (Melilotus officinalis), orange douce (Citrus aurantium dulcis)…

Les meilleurs

	Prix	Composition Efficacité	Tolérance cutanée	Étiquetage	Confort d'utilisation	Principe de précaution	Classement
Hydraflore Gommage doux mélilot	★★★	★★★★	★★★★	★★★★	★★★★	★★★★★	**1**
Terre d'Oc Grenade de l'Inde Gommage lumière visage	★★★★	★★★★	★★★	★★★★	★★★★	★★★★	**2**
Tautropfen Argile de soin au son d'amande	★★★★	★★★	★★★★★	★★★★	★★★★	★★★★★	**3**
Cattier Gommage visage à l'argile blanche	★★★★	★★★★	★★★★	★★★	★★★★	★★★★	4
Santé Crème gommage Lotus et thé blanc	★★★	★★★	★★★★	★★★★	★★★★	★★★★★	5
Cosmélite Bioty's – Émulsion gommante Peau de velours	★★★★	★★★	★★★★	★★★	★★★★	★★★★★	6
Les Floressances Olivier – Peeling anti-âge	★★★★	★★★	★★★	★★★	★★★★	★★★★	7
Galénic Pur Gelée exfoliante visage	★★★	★★★★	★★★★	★★★★	★★★★	★★★★	8
Cosmélite Gourmande – Exfoliant visage et corps au chocolat	★★★★	★★★	★★★★	★★★★	★★★★	★★★	9
Annemarie Börlind Gommage bio-stimulant	★★	★★★★	★★★★	★★★★	★★★★	★★★★	10
Biokosma All Skin Types Peeling doux	★★	★★★★	★★★★	★★★★	★★★★	★★★★★	11
Melvita Gommage visage Mousse	★★★	★★★★	★★★★	★★★	★★★	★★★★	12
Green Energy La récolte des fruits Sorbet exfoliant énergisant	★★	★★★★	★★★	★★	★★★★	★★★★	13
Biactol Plus Gel exfoliant	★★★★	★★★	★★★	★★★	★★★★	★★★	14
Avène Gommage doux purifiant Peaux sensibles	★★★	★★★★	★★★★	★★★★	★★★★	★★★★	15

	Prix	Composition Efficacité	Tolérance cutanée	Étiquetage	Confort d'utilisation	Principe de précaution	Classement
Douces Angevines Lumière – Gommage	★★	★★★★	★★★★	★★★	★★★	★★★★★	16
Green Energy La récolte des fleurs d'orange Crème fraîche exfoliante	★★	★★★★	★★★	★★	★★★★	★★★★	17
Eumadis Mosqueta's Gommage doux	★★	★★★★	★★★	★★★	★★★★	★★★★	18
Kibio Mousse tendre gommage	★	★★★★	★★★	★★★★	★★★★	★★★★★	19
Monoprix visage Gommage douceur	★★★★★	★★★	★★★	★★★	★★★★	★★★	20

Les 3 premiers

HYDRAFLORE
Gommage doux mélilot

Note :	85,63/100.
Présentation :	Tube de 100 ml.
Prix indicatif :	16 € *(16 €/100 ml).*
Disponible en :	Magasins diététiques et de produits biologiques.
Site internet :	www.centella.com

INGREDIENTS : Aqua, Lavendula angustifolia water*, Glycerin, Melilot (Melilotus officinalis) extract, Oryza sativa (Rice) hull powder, Caprylyl/Capryl glucoside, Chondrus crispus, Benzyl alcohol, Sodium benzoate (and) Potassium sorbate, Citric acid, Rosewood (Aniba parviflora) oil, Geranium (Pelargonium roseum) oil*.
* Ingrédients issus de l'Agriculture Biologique.

À noter dans la composition. Lavande et mélilot apaisants, glycérol pour limiter l'assèchement de la peau, micro-billes de poudre de riz en agent abrasif, trois conservateurs autorisés en bio et de l'huile essentielle de géranium (en pourcentage assez limité pour ne pas atteindre le taux légal de déclaration des molécules allergènes, voir p. 429).

L'avis des experts. Une bonne formule, qui associe dans un gommage mécanique des micro-billes régulières et des agents hydratants et apaisants. La granulométrie de ce gel translucide est très fine, la peau gommée sans se sentir agressée, l'odeur florale et discrète. Pas de grosses surprises à l'application, mais parfois, on préfère quand il n'y en a pas de mauvaises. De ce fait, on peut même recommander ce produit aux peaux sensibles, d'autant que son prix sait rester aussi très doux. Et la petite cerise sur le gâteau : la double mention des dates de péremption et d'utilisation après ouverture (voir p. 141).

On le dit en passant : Bio (1)

Pas de label ne signifie pas forcément « pas de bio », mais seulement « pas de certification ». Pour rappel, obtenir le droit d'apposer tel ou tel logo a un coût (frais de dossiers, de contrôle, etc.), et certaines entreprises préfèrent en faire l'économie, en tablant sur la confiance que leur accordent leurs clients.

Une confiance à toujours accorder avec mesure, label ou pas. Ainsi, une enquête menée par la DGCCRF[1] fin 2006 a relevé des anomalies dans certains cosmétiques certifiés (« erreurs » sur les pourcentages d'ingrédients bio, par exemple) et a décelé des produits de synthèse dans 6 échantillons (sur 47 prélèvements) de produits qualifiés de naturels ou de bio sur l'étiquette. L'enquête s'est terminée par deux procès-verbaux, huit rappels de réglementation, une notification d'information réglementaire et un message qui se veut rassurant : il n'a pas été mis en évidence d'anomalies graves. Et la peur du gendarme aidant, nul doute que ce genre de contrôle en évitera d'éventuelles autres à l'avenir…

1. Direction générale de la concurrence, de la consommation et de la répression des fraudes : Enquête menée aux 2e et 3e trimestres 2006 auprès de 139 entreprises. http://www.dgccrf.minefi.gouv.fr/actualites/breves/2007/brv1107a.htm

TERRE D'OC
Grenade de l'Inde
Gommage lumière visage

Note :	85,42/100.
Présentation :	Pot (verre) de 100 ml (étui carton).
Prix indicatif :	13,50 € *(13,50 €/100 ml)*.
Disponible chez :	Nature & Découvertes.
Site internet :	www.terredoc.com

9 M

INGREDIENTS : Aqua (Water), Aloe barbadensis gel*, Xanthan gum, Glycerin, Cocamidopropyl betaine, Silica, Polyglyceryl-3 caprylate, Punica granatum seed powder, Cicer arietinum, Pistacia vera seed oil*, Yogurt powder, Ficus carica (Fig) fruit extract, Zizyphus joazeiro bark extract, Sodium sweetalmondamphoacetate, Parfum (Fragrance), Dehydroacetic acid, Benzyl alcohol, Potassium aluminum silicate, CI 77491 (Red iron oxide), Limonene.
* Ingrédients issus de l'Agriculture Biologique.

À noter dans la composition. Aloe vera et glycérol hydratants, écorces de grenade (Punica granatum) et poudre de pois chiches (Cicer arietinum) en guise d'agents abrasifs, huile de pistache, yaourt, figue (Ficus carica) et jujubier (Zizyphus joazeiro) pour adoucir la peau, deux tensioactifs, deux conservateurs autorisés en bio et une molécule aromatique allergène.

L'avis des experts. Tout est doux dans ce gommage ! La très belle couleur rouge nacrée, la granulométrie très fine, le parfum légèrement fruité, même le prix ne fait pas dans l'agressif. Sur la peau, le gel devient blanc, et une fois rincée, la peau est fraîche… et douce elle aussi ! Un seul petit bémol, la présence de deux composés allergisants : la cocamidopropyl bétaïne et le limonène. Mais on a vu bien pire.

TAUTROPFEN

Argile de soin au son d'amande

Note :	85/100.
Présentation :	Flacon doseur de 80 g (étui carton).
Prix indicatif :	9,90 € *(12,37 €/100 g).*
Disponible en :	Magasins bio et de produits naturels, Instituts de beauté.
Site internet :	www.tautropfen.de (En allemand)

INGREDIENTS : Moroccan lava clay, Prunus amygdalus dulcis (Sweet almond) seed meal.

À noter dans la composition. Du rhassoul (de l'argile), du son d'amandes douces et… c'est tout !

L'avis des experts. Cette poudre doucement abrasive était déjà là l'an dernier et c'était le seul gommage à se présenter sous cette forme. Cette année, on en a vu d'autres, mais aucun n'a pu vraiment rivaliser avec ce produit simple (l'an dernier, on disait : à peine une formulation mais un mélange efficace !) vraiment agréable à utiliser. Aucune trace d'allergène, une tolérance maximale et un principe de précaution au mieux de sa forme, un prix toujours au plus bas de la catégorie, et, vue la présentation en poudre, pas le moindre souci de conservation même si une date de péremption est tout de même indiquée. Bref, tout pour plaire, y compris à la peau, qui apprécie parfois, tout comme nous, un peu de simplicité tranquille.

Flash marque : Tautropfen

Un nom à coucher dehors ? En allemand, il signifie « Goutte de rosée »... Imprononçable ? Suivez les conseils d'une de ses représentantes, pensez à Tao trop fun (en prononçant le p de trop) et vous aurez votre passeport vers cette jolie marque qui se développe depuis 2003 dans le giron du groupe de cosmétiques allemand Annemarie Börlind. Arrivée en France en 2005, Tautropfen s'affiche comme une ligne cohérente 100 % naturelle, et pour près de la moitié de ses produits 100 % bio, associée au commerce équitable et à des projets socio-environnementaux un peu partout dans le monde. Elle développe des formulations simples mais efficaces, dans un souci de perfection élitiste et avec une démarche quasi militante en direction de la nature et de ses occupants.

Masques

Les critères des experts

Lissants, hydratants, régénérants, revitalisants (et on en passe...) : les masques pour le visage sont parés de bien des vertus. Ce qu'ils sont au moins censés faire tous, c'est donner un coup d'éclat à la peau, en lui apportant les actifs qui lui manquent pour paraître au mieux de sa forme, surtout après un gommage. Évidemment, les ingrédients intéressants diffèrent selon la nature de la peau. Et ne peuvent agir efficacement que si d'autres ne viennent pas contrecarrer leurs effets...

À éviter

- L'**alcool**, encore lui, ne peut présenter d'intérêt (et encore) que pour les peaux à tendance grasse, mais reste l'ennemi n° 1 de toute hydratation.
- La **lanoline**, elle, est effectivement hydratante, mais toujours aussi allergisante.
- Les **composés allergisants de toutes sortes**, à commencer par le benjoin (Styrax benzoin), sont d'autant plus à placer en liste rouge qu'un masque restant posé de longues minutes, ils ont tout le temps de sensibiliser la peau fragile du visage.

À privilégier

- Pour les **peaux dites normales et sèches**, les **hydratants** riches en acides gras essentiels tiennent la vedette et ce sont souvent des huiles végétales : tournesol (Helianthus annuus), germes de blé (Triticum vulgare germ), bourrache (Borago officinalis), onagre (Oenothera biennis), sésame (Sesamum indicum), argan (Argania spinosa)... Les beurres de cacao (Theobroma cacao) ou de karité (Butyrospermum parkii) sont également intéressants, comme, toujours, le glycérol (Glycerin). Les **antioxydants** (Tocopherol, Retinyl palmitate, Ascorbyl palmitate) sont également utilisés pour prévenir la formation de radicaux libres et limiter les effets du vieillissement.

- Pour les **peaux grasses**, les **argiles** (Kaolin, Montmorillonite, Illite) sont conseillés pour absorber les excès de sébum, les **actifs purifiants et antibactériens** jouent un rôle assainissant comme c'est le cas des huiles essentielles d'arbre à thé (Melaleuca alternifolia), de romarin (Rosmarinus officinalis) ou de menthe (Mentha piperita).
- Les **peaux sensibles** doivent absolument éviter tout ce qui peut les agresser ou les assécher, et privilégier les actifs apaisants comme les eaux florales d'hamamélis (Hamamelis virginiana), de mélilot (Melilotus officinalis), de tilleul (Tilia cordata) ou l'aloe vera (Aloe barbadensis), et les hydratants très doux, surtout d'origine synthétique (la nature pouvant se montrer parfois un peu trop active ou allergisante pour ces épidermes très réactifs !).

Masques
Peaux normales… et mixtes

Les résultats

Évalués : 20 produits, de 18 marques différentes.

Prix moyen / 100 ml : 41,51 €.

Ont obtenu au moins la moyenne : 20.

N'ont pas obtenu la moyenne dans au moins un critère : 10.

Meilleure note : 90,42/100.

Plus mauvaise note : 64,38/100.

Attention

Parfois, l'étiquetage peut être trompeur, et les indications portées sur les emballages pas tout à fait pertinentes. Ainsi pour les masques, beaucoup de ceux conseillés pour les peaux normales ou pour toutes peaux contiennent en fait des ingrédients qui conviennent à d'autres types bien précis. Le jury a fait le tri. Et c'est pourquoi cette catégorie des « Peaux normales » se divise en fait en deux sous-catégories, les « vraies » normales et les normales à tendance grasse ou « Peaux mixtes ».

Les meilleurs masques Peaux normales

	Prix	Composition Efficacité	Tolérance cutanée	Étiquetage	Confort d'utilisation	Principe de précaution	Classement
Thémis Masque chocolat	★★★★	★★★★	★★★★	★★★★	★★★★★	★★★★	**1**
Eumadis Mosqueta's Masque Super hydratant	★★★★	★★★★	★★★	★★★★	★★★★	★★★★	**2**
Green Energy Le rituel extra doux Masque anti-stress	★★★	★★★★	★★★	★★	★★★★★	★★★★	**3**
Weleda Masque éclat rafraîchissant iris	★★★	★★★	★★★★	★★★★	★★★★	★★★★★	4
Annemarie Börlind Masque relaxant	★★	★★★	★★★★	★★★	★★★★	★★★★	5
Biokosma All Skin Types Masque crème régénérant	★★	★★★★	★★★★	★★★	★★★★	★★★★	6
Cosmélite Gourmande – Masque Gourmand au chocolat	★★★	★★★★	★★★	★★★	★★★★	★★★	7

Les meilleurs masques Peaux mixtes

	Prix	Composition Efficacité	Tolérance cutanée	Étiquetage	Confort d'utilisation	Principe de précaution	Classement
Suzanne aux bains Silence… on pause Masque délassant	★★★	★★★★	★★★	★★★★	★★★★	★★★★	**1**
L'Occitane Masque éclat express à l'huile d'olive	★★★★	★★★	★★★	★★★★	★★★★	★★★★	**2**
Nature & Découvertes Masque éclat aux algues de Molène	★★★	★★★★	★★★	★★★★	★★★★	★★★★	**3**
Guayapi Masque au borojo Nourrissant	★★★★	★★	★★★★	★★★★	★★★	★★★★★	4

Les 3 premiers masques Peaux normales

THÉMIS

Masque chocolat

Note :	90,42/100.
Présentation :	Pot de 100 ml.
Prix indicatif :	15,80 € *(15,80 €/100 ml).*
Disponible en :	Magasins bio, Parapharmacies, Grands magasins, Instituts de beauté.
Site internet :	www.themis.tm.fr

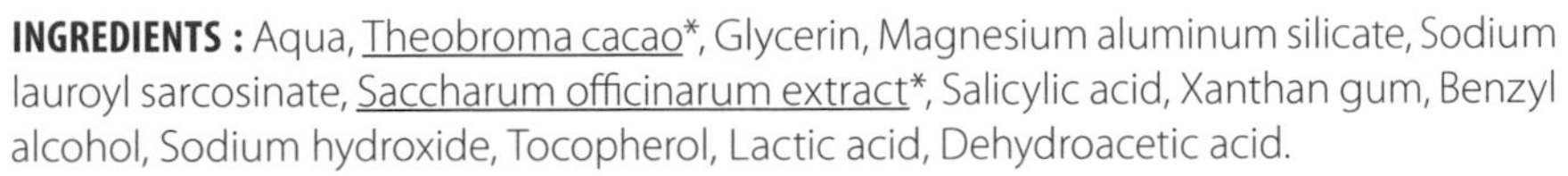

INGREDIENTS : Aqua, Theobroma cacao*, Glycerin, Magnesium aluminum silicate, Sodium lauroyl sarcosinate, Saccharum officinarum extract*, Salicylic acid, Xanthan gum, Benzyl alcohol, Sodium hydroxide, Tocopherol, Lactic acid, Dehydroacetic acid.

* Produits issus de l'Agriculture Biologique.

Ingrédients soulignés : produits issus du commerce équitable (> 50 % de la matière sèche).

À noter dans la composition. Beurre de cacao et sucre de canne issus du commerce équitable avec du glycérol pour l'hydratation, le silicate double de magnésium et d'aluminum pour jouer les absorbants, les acides salicylique et lactique pour une légère action kératolytique, un antioxydant, deux conservateurs autorisés en bio assortis d'une date d'utilisation après ouverture relativement brève (4 mois).

L'avis des experts. Re-voici en vedette un chouchou du Palmarès 2007. C'était une découverte et une vraie bonne surprise, ce masque au chocolat qui sent si bon, fait la peau lisse et le teint clair ! Depuis, on a vu d'autres produits au chocolat... Mais celui-ci, avec sa forte concentration en cacao, sa formule intelligente et efficace, sa très bonne tolérance et son odeur gourmande, est resté le favori du jury. Son fabricant nous confiait comment il avait été difficile à mettre au point, et comment son processus de fabrication nécessitait une vigilance poussée à chaque étape : ses efforts sont récompensés, ce Masque chocolat est vraiment un must !

2 1 3

EUMADIS
Mosqueta's
Masque Super hydratant

Note : 84,79/100.

Présentation : Tube de 75 ml (étui carton).

Prix indicatif : 20 € *(26,66 €/100 ml).*

12 M

Disponible en : Magasins diététiques, Parapharmacies.

Site internet : www.eumadis.com

INGREDIENTS : Aqua, Aloe barbadensis leaf juice*, Hypericum perforatum, Rosa gallica extract*, Rosa moschata seed oil*, Hamamelis virginiana*, Glycerin, Dicaprylyl ether, Chondrus crispus (Carrageenan) extract, Sesamum indicum oil*, Sclerotium gum, Benzyl alcohol, Xanthan gum, Sodium citrate, Parfum (Essential oils), Undecylenoyl glycine, Capryloyl glycine, Dehydroacetic acid, Citric acid, Geraniol, Linalool, Limonene.
* Issus de l'Agriculture Biologique.

À noter dans la composition. Aloe vera, millepertuis, rose, hamamélis et algue en actifs végétaux, huiles de graine de rose et de sésame avec du glycérol pour l'hydratation, une conservation à base du couple Undecylenoyl glycine - Capryloyl glycine (voir p. 14) mais associé à l'acide déhydroacétique. Sans alcool, précise l'étiquette, mais avec trois molécules aromatiques allergènes.

L'avis des experts. Belle sensation de fraîcheur à l'application de ce gel transparent et fluide. On a l'impression d'avoir un bain d'eau sur le visage, c'est très agréable. La peau en sort visiblement détendue. Pour l'étiquetage, bon point encore pour la double indication des dates d'utilisation et de péremption, mais l'astérisque renvoyant à la mention précisant que l'hydratation ne concerne que les couches supérieures de l'épiderme est introuvable. On s'interroge aussi sur la notion de « cosmétique dynamisé », procédé qu'on voit plutôt réservé aux médicaments homéopathiques…

GREEN ENERGY
Le rituel extra doux
Masque anti-stress

Note :	83,38/100.
Présentation :	Pot de 50 ml (étui carton).
Prix indicatif :	17 € *(34 €/100 ml).*
Disponible en :	Parfumeries, Instituts de beauté, Internet (via www.mademoiselle-bio.com)
Site internet :	www.greenenergy-cosmetics.com

12 M

INGREDIENTI / INGREDIENTS INCI (UE) / INCI (USA) : Delonized Water (Aqua/Water), Thermal aqua, Organic avena sativa (Wild oats), Prunus amygdalus dulcis (Sweet almond) fruit extract (Prunus dulcis), Oryza sativa (Rice bran oil), Organic squalene (Olea europaea (Olive), Prunus armeniaca (Apricot kernel oil), Cetearyl glucoside, Vegetal glycerin (Plant based), Borago officinalis (Borage oil), Rosa damascena (Rose water), Hydroxypropyl starch phosphate (New natural binder), Organic aloe vera barbadensis juice, Plant phospholipids, Retinyl palmitate (Vitamin A), Tocopherol (natural vitamin E), Ascorbyl palmitate (Vitamin C), Oat protein, Oat extract, Shea oleate, Cocos nucifera (Coconut) oil, Cocoa powder (Theobroma cacao), Cacao butter (Theobroma cacao), Fresh mint (Mentha piperita), Sandalwood oil (Santalum album), Vanilla absolute (Vanilla planifolia), Spearmint oil (Mentha viridis), Peppermint oil (Mentha piperita), Calophyllum inophyllum (Foraha oil), White nettle extract (Urtica dioica), Lactoferrin, Sodium hydroxymethylglycinate, Glucose oxidase & Lactoperoxidase (Natural enzyme preservatives), 100 % pure natural fragrance.

À noter dans la composition. Après l'eau, c'est l'extrait d'avoine qui est le plus fortement concentré dans ce masque (pour ses propriétés absorbantes). Viennent ensuite les agents hydratants : amandes douces, huiles de son de riz, d'olive, de noyaux d'abricot et de bourrache ainsi que du glycérol, et encore de l'eau florale de rose et de l'aloe vera apaisants, un cocktail de vitamines antioxydantes, enfin le cacao, avec encore de la menthe et de la vanille... Un système de conservation basé sur le duo Glucose oxidase – Lactoperoxidase (voir p. 14), associé à l'hydroxymethylglycinate de sodium.

L'avis des experts. Voilà un gel translucide un peu ambré qui ne sèche pas après l'application et procure une agréable sensation fraîche. On sent la peau détendue et bien hydratée. Vu le nom du produit, on aurait aimé, bien sûr, que la concentration du chocolat soit bien plus importante. L'odeur chocolatée est d'ailleurs aussi légère que le pourcentage de cacao. Quant à l'étiquetage, on ne peut que refaire les mêmes remarques que celles déjà détaillées en p. 153. Mais tout de même, le fabricant a un peu de travail à faire dans ce domaine...

On le dit en passant : Précautions

Usage externe – Ne pas utiliser sur des peaux abîmées ou lésées – Non comestible – Éviter tout contact avec les yeux ou avec les muqueuses – Lire attentivement les précautions d'emploi – Tenir hors de portée des enfants – Produit non comestible… Autant de mentions un peu déconcertantes quand on les voit sur un emballage de cosmétique. Non pas qu'elles soient illégales, ni même éventuellement inutiles. Mais il nous faut tout de même rappeler qu'un cosmétique, « utilisé dans des conditions raisonnablement prévisibles », ne devrait pas être susceptible de provoquer une quelconque réaction indésirable, du moins si l'on en croit la réglementation qui stipule qu'il ne doit pas porter atteinte à la santé humaine. Pour tout dire, les précautions d'emploi devraient rester uniquement dans la sphère des médicaments et les formulations cosmétiques être travaillées de façon à pouvoir éviter d'avoir à inscrire ce genre de mentions.

Les 3 premiers masques Peaux mixtes

SUZANNE AUX BAINS

Silence… on pause

Masque délassant

Note :	82,5/100.
Présentation :	Tube de 50 ml (étui carton).
Prix indicatif :	18,70 € *(37,40 €/100 ml).*
Disponible en :	Pharmacies, Parapharmacies, Grands magasins (Galeries Lafayette, Printemps), Monoprix, Résonances.
Site internet :	www.suzanneauxbains.com

12 M

INGREDIENTS : Aqua (Water), Kaolin, Glycerin, Tilia cordata (Linden) water**, Magnesium aluminum silicate, Sesamum indicum oil**, Simmondsia chinensis (Jojoba) seed oil**, Aloe barbadensis leaf juice extract**, Bis-diglyceryl polyacryladipate-2, Prunus armeniaca (Apricot) kernel oil**, Arachidyl alcohol, Behenyl alcohol, Benzyl alcohol, Tilia platiphyllos**, Squalane, Butyrospermum parkii (Shea) butter**, Alcohol**, Arachidyl glucoside, Parfum (Fragrance), Undecylenoyl glycine, Malva sylvestris (Mallow) extract**, Tocopherol, Palmytoyl hydrolyzed wheat protein, Dehydroacetic acid, Aloe barbadensis extract, Olea europaea leaf extract**, Boswelia carterii (Olibanum) oil, Lavandula angustifolia (Lavender) oil, Ormenis multicaulis (Chamomille) oil, Linalool, Citronellol.

** Ingrédients issus de l'Agriculture Biologique.

À noter dans la composition. Argile (Kaolin) et silicate double de magnésium et d'aluminum absorbants, eau de fleurs de tilleul rafraîchissante et apaisante (Tilia cordata) forment la base de ce masque. Avec ensuite des huiles de sésame, de jojoba et de noyaux d'abricot hydratantes, de l'aloe vera, encore du tilleul, du squalane et du beurre de karité émollients, de la mauve (Malva sylvestris) lissante et apaisante, encore de l'aloe vera, un extrait de feuilles d'olivier, de l'huile d'oliban lissante, des huiles essentielles de lavande et de camomille sauvage et leurs deux molécules aromatiques allergènes.

L'avis des experts. Une bonne formule, bien riche en hydratants comme en agents lissants et apaisants. Au niveau de la composition, un petit bémol pour la conservation uniquement basée sur l'Undecylenoyl glycine et l'acide déhydroacétique (voir p. 14). Sur un peu d'alcool aussi, qu'on n'aime jamais trop voir dans un produit à visée hydratante (même s'il y en a très peu ici). Mais ce masque crème d'une jolie couleur vieux rose ne sèche pas sur le visage, se rince très facilement, laisse le teint clair et la peau fraîche et douce. On aime aussi les packagings élégants de la marque, le nom sympathique de ses produits, les petits clins d'œil humoristiques sur ses emballages (ici : « Avant d'appliquer le masque sur le visage, déridez-vous : quelques grimaces devant la glace... »), mais il faut bien le dire, un peu moins ses prix, toujours plutôt dans le haut de gamme.

L'OCCITANE

Masque éclat express à l'huile d'olive

Note :	81,46/100.
Présentation :	Pot de 100 ml (étui carton).
Prix indicatif :	21 € *(21 €/100 ml).*
Disponible en :	Boutiques L'Occitane, Internet.
Site internet :	www.loccitane.com

12 M

INGREDIENTS : Aqua/Water, Glycerin**, Kaolin**, Hydroxypropyl starch phosphate**, Illite**, Montmorillonite**, Triethylhexanoin, Propylene glycol, Olea europaea (Olive) fruit oil**, Glyceryl polymethacrylate, Avena sativa (oat) kernel flour**, Sodium PCA**, Polysorbate 20**, Citrus medica limonum (Lemon) fruit extract**, Citrus grandis (Grapefruit) peel extract**, Olea europaea (Olive) fruit extract**, Parfum/Fragrance, Xanthan gum**, Tocopherol**, Phenoxyethanol, Benzoic acid, Dehydroacetic acid, Methylchloroisothiazolinone, Methylisothiazolinone, Limonene**, Linalool**.
** Ingrédients d'origine naturelle.

À noter dans la composition. Côté naturel, le glycérol et l'huile d'olive, les argiles (Kaolin, Illite, Montmorillonite) absorbantes, la farine d'avoine, les citron et pamplemousse tonifiants. Côté synthétique, la triethylhexanoïne émolliente, le système conservateur à base de phénoxyéthanol et de deux composés allergisants (Methylchloroisothiazolinone, Methylisothiazolinone). Également deux molécules aromatiques allergènes.

L'avis des experts. La teneur en argiles fait de ce masque un produit réservé aux peaux à tendance vraiment grasse, même si ce n'est pas indiqué sur l'emballage. On note aussi dans la composition la présence d'huile d'olive dont l'argumentaire précise qu'elle est oxygénée, ce qui suppose une oxydation qui ne semble pas forcément pertinente. Mais ce masque crème onctueux procure à l'application une sensation fraîche et confortable. Il appelle un bon rinçage, puis laisse le teint clair et la peau douce.

NATURE & DÉCOUVERTES

Masque éclat aux algues de Molène

Note :	80,83/100.
Présentation :	Pot (verre) de 50 ml (étui carton).
Prix indicatif :	19,95 € *(39,90 €/100 ml).*
Disponible en :	Boutiques Nature & Découvertes.
Site internet :	www.natureetdecouvertes.com

6 M

INGREDIENTS : Rosa damascena distillate*, Aqua, Cetearyl alcohol, Simmondsia chinensis oil*, Kaolin, Montmorillonite, Glyceryl stearate, Algae extract, Maris aqua, Cetearyl glucoside, Algin, Dicaprylyl carbonate, Dicaprylyl ether, Benzyl alcohol, Hydrogenated lecithin, Sodium benzoate, Citrus aurantium dulcis oil*, Prunus amygdalus amara oil, Tocopherol, Potassium sorbate, Lactic acid, Limonene.
* Ingrédients issus de l'Agriculture Biologique.

À noter dans la composition. Dans l'eau florale de rose, de l'huile de jojoba émolliente, deux argiles absorbantes (Kaolin, Montmorillonite), des algues et un peu d'eau de mer, des huiles essentielles d'orange et d'amande amère (avec une molécule aromatique allergène, le limonène), un antioxydant et trois conservateurs autorisés en bio.

L'avis des experts. Cette pâte verte à la texture granitée rappelle, par l'odeur, davantage la pâte d'amandes que les algues. Algues dont la nature exacte n'est pas précisée, ni dans la liste des ingrédients ni dans l'argumentaire : difficile alors d'évaluer leur rôle précis. Mais le masque s'étale facilement, rend la peau douce et confortable, le teint clair. Il faut l'appliquer en couche épaisse et éviter le contour des yeux (c'est dommage). Mais au final, c'est un produit plutôt agréable, bien qu'un peu cher.

Masques Peaux grasses

Les résultats

Évalués : 8 produits, de 7 marques différentes
(auxquels on aurait pu ajouter quelques masques pour peaux mixtes, voir p. précédentes).

Prix moyen / 100 ml : 29,50 €.

Ont obtenu au moins la moyenne : 8.

N'ont pas obtenu la moyenne dans au moins un critère : 2.

Meilleure note : 87,5/100.

Plus mauvaise note : 68,13/100.

Les meilleurs

	Prix	Composition Efficacité	Tolérance cutanée	Étiquetage	Confort d'utilisation	Principe de précaution	Classement
Cattier Masque purifiant	★★★★	★★★★	★★★★	★★★★	★★★★	★★★★★	**1**
Cattier Masque à l'argile verte Peaux grasses	★★★★★	★★★	★★★★	★★★★	★★★★	★★★★★	**2**
Gamarde Sebo-control Masque clarifiant	★★	★★★★	★★★	★★★★	★★★★	★★★★	**3**

Les 3 premiers

CATTIER

Masque purifiant

Note :	87,5/100.
Présentation :	Tube de 75 ml.
Prix indicatif :	5,53 € *(7,37 €/100 ml).*
Disponible en :	Magasins bio, Grands magasins (Printemps, BHV, Galeries Lafayette), Résonances, Monoprix, Parapharmacies.
Site internet :	www.laboratoirecattier.com

12 M

INGREDIENTS : Aqua, Illite, Kaolin, Mentha piperita extract*, Buxus chinensis*, Cetearyl alcohol, Cetearyl glucoside, Benzyl alcohol, Stearic acid, Lactic acid, Melaleuca alternifolia*, Rosmarinus officinalis*, Mentha piperita*.
* 10,5 % du total des ingrédients sont issus de l'Agriculture Biologique. 99,2 % du total des ingrédients sont d'origine naturelle.

À noter dans la composition. Argiles pour absorber l'excès de sébum (Illite, Kaolin), menthe, romarin et arbre à thé purifiants et antibactériens et acide lactique au léger effet kératolytique.

L'avis des experts. Ce masque est présenté dans la gamme destinée aux « Peaux jeunes à problèmes » et il ne fait aucun doute qu'il leur convient parfaitement ! Avec assez peu d'actifs, mais tous reconnus pour leurs performances dans la régulation des peaux particulièrement grasses au moment de la puberté, ce masque est réellement efficace. À appliquer en couche épaisse et à accompagner éventuellement d'une brumisation d'eau thermale en cours d'application pour que le produit ne sèche pas trop vite sur la peau.

2 1 3

CATTIER

Masque à l'argile verte
Peaux grasses

Note :	**87,29/100.**
Présentation :	Tube de 100 ml (étui carton).
Prix indicatif :	3,87 € *(3,87 €/100 ml).*
Disponible en :	Magasins bio, Grands magasins (Printemps, BHV, Galeries Lafayette), Résonances, Monoprix, Parapharmacies.
Site internet :	www.laboratoirecattier.com

12 M

INGREDIENTS : Aqua, Illite, Kaolin, Mentha piperita extract*, Buxus chinensis*, Cetearyl alcohol, Cetearyl glucoside, Benzyl alcohol, Rosmarinus officinalis*, Mentha piperita*, Lactic acid.

* 10 % du total des ingrédients sont issus de l'Agriculture Biologique. 99,3 % du total des ingrédients sont d'origine naturelle.

À noter dans la composition. La formule ressemble comme une petite sœur à celle du masque n° 1, l'arbre à thé en moins.

L'avis des experts. Cette fois, le produit est destiné à toutes les peaux grasses et pas aux seules adolescentes. L'arbre à thé antibactérien est parti, restent de très bons actifs pour absorber l'excès de sébum et tenter de réguler sa production. Autre différence avec le Masque purifiant, le prix, ici incroyablement bas !

GAMARDE

COSMETIQUE BIO CHARTE COSMEBIO

Sebo-control
Masque clarifiant

Note :	**81,67/100.**
Présentation :	Tube de 40 g (étui carton).
Prix indicatif :	15,30 € *(38,25 €/100 ml).*
Disponible en :	Pharmacies, Parapharmacies.
Site internet :	www.gamarde.com

3 M

INGREDIENTS : Gamarde aqua (Gamarde water), Kaolin, Mentha piperita* (Peppermint leaf water and oil), Elaeis guineensis* (Palm kernel oil), Cetearyl alcohol, Cetearyl glucoside, Helianthus annuus (Sunflower seed oil), Argania spinosa* (Argan kernel oil), Camphor (Camphor bark extract powder), Lavandula angustifolia* (Lavender oil), Thymus vulgaris* (Thyme oil), Achillea millefolium (Yarrow oil), Origanum vulgare* (Origan flower oil), Eugenia caryophyllus* (Clove flower oil) et ingrédients naturellement présents dans les

huiles : eugénol, géraniol, limonène et linalol.
* 95 % des ingrédients végétaux sont issus de l'Agriculture Biologique. 27 % du total des ingrédients sont issus de l'Agriculture Biologique. 100 % du total des ingrédients sont d'origine naturelle.

À noter dans la composition. Eau thermale, argile (Kaolin) absorbant, menthe rafraîchissante, huiles de palme, de tournesol (Helianthus annuus) et d'argan émollientes, camphre et huiles essentielles de lavande, thym, achillée millefeuille, origan et clou de girofle aux vertus apaisantes, astringentes ou antibactériennes...

L'avis des experts. Un mot d'abord sur le système de conservation, basé uniquement sur les propriétés antiseptiques des huiles essentielles, ce qui paraît insuffisant aux yeux de nombre d'experts (et qui explique la brève période d'utilisation conseillée après ouverture : 3 mois seulement). À noter que l'emballage indique aussi une période de péremption pour le produit, ce qui est bien. Pour le reste, et même si on aurait aimé que l'huile d'argan revendiquée sur l'emballage soit présente en concentration plus significative, voilà un masque aux senteurs de camphre et de menthe, à la texture crémeuse qui ne sèche pas sur la peau, et la laisse très confortable. Le tout avec de bons actifs pour aider les peaux grasses à éclaircir leur teint.

Mentions spéciales

Masques Peaux sensibles et réactives

Les meilleurs

	Prix	Composition Efficacité	Tolérance cutanée	Étiquetage	Confort d'utilisation	Principe de précaution	Classement
Lamarque Masque Apaisement total Gamme Peau sensible	★	★★★★	★★★★	★★★★	★★★★	★★★★★	1
Avène Masque apaisant hydratant Peaux sensibles	★★★★	★★★	★★★★	★★★	★★★★	★★★★	2

Les nommés

LAMARQUE

Masque Apaisement total
Gamme Peau sensible

Note :	77,08/100.
Présentation :	Tube de 50 ml (étui carton).
Prix indicatif :	57 € *(114 €/100 ml).* Sans étui : réduction de 3 €.
Disponible en :	Boutique de Genève, Internet.
Site internet :	www.lamarque.ch

3 M

INGREDIENTS : Water, Glycerin, C12-15 alkyl benzoate, Butyrospermum parkii, Caprylic/Capric triglyceride, Squalane, Cetearyl alcohol, Ethylhexyl palmitate, Cetyl alcohol, Glyceryl stearate, Coco-glucoside, CI 77891, Ginkgo biloba leaf extract, Ficus carica fruit extract, Papaver rhoeas petal extract, Maltodextrin, Capryloyl glycine, Xanthan gum, Myristyl alcohol, Ceramide 3, p-Anisic acid, Ethylhexylglycerin, Potassium sorbate, Myristyl glucoside, Sodium hydroxide, Fragrance.

À noter dans la composition. Juste après l'eau, pas moins de neuf ingrédients émollients (dont le glycérol, le beurre de karité et le squalane) occupent la tête de la liste. Un émulsifiant (Coco-glucoside) et un colorant blanc précèdent une série d'agents d'entretien de la peau, parmi lesquels du ginkgo biloba, des extraits de figue et de coquelicot apaisant (Papaver rhoeas) et des céramides. La conservation est basée sur de la capryloyl glycine et du sorbate de potassium.

L'avis des experts. Très hydratant, pas le moins du monde irritant ni allergisant : une bonne recette pour les peaux réactives. Ce masque à la texture crémeuse et fine ne sèche pas sur la peau et la laisse douce et très confortable. On apprécie la spatule livrée avec le pot, garantie d'une meilleure hygiène. On s'interroge en revanche sur le système conservateur, qui paraît un peu léger, même si la période d'utilisation conseillée après ouverture n'est que de trois mois. Et on fait la grimace devant le prix, vraiment très élevé.

Flash marque : Lamarque

C'est le principe de précaution poussé à l'extrême qui guide les formulations de cette toute nouvelle marque suisse. Son postulat de base : aucune substance nocive (avérée ou soupçonnée) dans ses produits, ni d'allergènes, mais un maximum d'actifs et l'intégration d'innovations technologiques permettant de concilier sécurité maximum et efficacité optimum. Lamarque joue également la transparence en proposant sur son site Internet les éléments scientifiques permettant d'évaluer le degré de toxicité de différents ingrédients cosmétiques. Le créneau est porteur, et la démarche engagée répond à une attente d'un nombre croissant de consommateurs. Qui doivent payer le prix de cette exigence (Lamarque est chère !) et pour l'heure se fournir sur le web, ces produits n'étant pas encore distribués directement en France.

AVÈNE

Masque apaisant hydratant
Peaux sensibles

Note :	81,25/100.
Présentation :	Tube de 50 ml (étui carton).
Prix indicatif :	14 € *(28 €/100 ml).*
Disponible en :	Pharmacies, Parapharmacies.
Site internet :	www.eau-thermale-avene.com

INGREDIENTS : Avene aqua, Paraffinum liquidum, Stearic acid, Caprylic/Capric triglyceride, Carthamus tinctorius, Hydrogenated palm/Palm kernel oil PEG-6 esters, Triethanolamine, Glyceryl stearate, Cera microcristallina, PEG-100 stearate, Propylene glycol, Caprylic/Capric glycerides, Carbomer, Disodium EDTA, Parfum, Phenyl trimethicone.
Sans conservateur.

À noter dans la composition. Eau thermale, huile (Paraffinum liquidum) et cire (Cera microcristallina) de paraffine, émollients principalement d'origine synthétique avec aussi un extrait de carthame, un régulateur de pH (Triethanolamine) et aucun conservateur comme l'emballage le souligne.

L'avis des experts. Rien qui fâche au niveau de la tolérance, évidemment ! La paraffine (si elle ne paraît pas la meilleure amie de l'environnement) est parfaitement bien tolérée par la peau. Elle agit même de façon reconnue pour préserver l'hydratation. En revanche, il est difficile pour un produit de se présenter comme non comédogène avec une telle proportion de paraffine dont c'est précisément l'inconvénient majeur ! Mais ce masque, avec ses nombreux émollients et aucun ingrédient irritant ou sensibilisant est effectivement très doux pour les peaux sensibles, qu'il rafraîchit et hydrate efficacement. On s'interroge tout de même sur l'absence de tout système de conservation…

Masques Peaux sèches et matures

Les résultats

Évalués : 18 produits, de 16 marques différentes.

Prix moyen / 100 ml : 46,82 €.

Ont obtenu au moins la moyenne : 17.

N'ont pas obtenu la moyenne dans au moins un critère : 10.

Meilleure note : 84,58/100.

Plus mauvaise note : 42,71/100.

Les meilleurs

	Prix	Composition Efficacité	Tolérance cutanée	Étiquetage	Confort d'utilisation	Principe de précaution	Classement
Natessance Sweet Coton – Masque visage	★★★	★★★★	★★★★	★★★	★★★★	★★★★	**1**
Green Energy La récolte d'olive Masque visage nourrissant	★★★	★★★★	★★★	★★	★★★★	★★★★	**2**
Placentor Végétal Masque intégral anti-âge	★★★★	★★★	★★★	★★★★	★★★	★★★★	**3**
Gamarde Près-Âge – Masque réparateur	★★	★★★	★★★	★★★★	★★★★★	★★★★	4
Phyt's Masque J 12	★★★	★★★	★★★★	★★★	★★★★	★★★★	5
Cosmélite B.like – Le masque au caviar et DHEA like	★★★★	★★★	★★★	★★★	★★★★	★★★★	6
Les Floressances Masque crème anti-âge Olivier	★★★★	★★★	★★★	★★★	★★★★	★★★★	7
Weleda Masque vitalité intense rose musquée	★★★	★★★	★★★	★★★	★★★★	★★★★	8
Lamarque Masque Ressources Anti-âge		★★★	★★★★	★★★	★★★★	★★★★	9
Anika Masque de soin Hydratant	★	★★★	★★★	★★★	★★★★	★★★★	10

Les 3 premiers

NATESSANCE

Sweet Coton

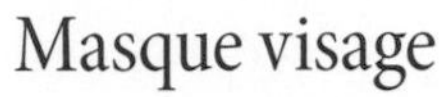

Masque visage

Note :	84,58/100.
Présentation :	Tube de 50 ml (étui carton).
Prix indicatif :	13,90 € *(27,80 €/100 ml).*
Disponible en :	Pharmacies, Parapharmacies, Magasins bio, Internet.
Site internet :	www.natessance.com

12 M

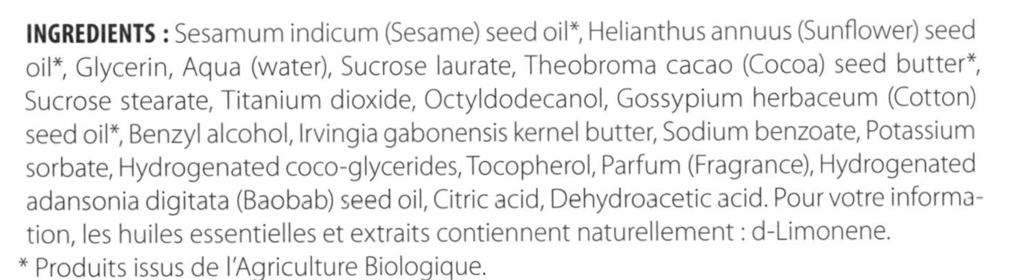

INGREDIENTS : Sesamum indicum (Sesame) seed oil*, Helianthus annuus (Sunflower) seed oil*, Glycerin, Aqua (water), Sucrose laurate, Theobroma cacao (Cocoa) seed butter*, Sucrose stearate, Titanium dioxide, Octyldodecanol, Gossypium herbaceum (Cotton) seed oil*, Benzyl alcohol, Irvingia gabonensis kernel butter, Sodium benzoate, Potassium sorbate, Hydrogenated coco-glycerides, Tocopherol, Parfum (Fragrance), Hydrogenated adansonia digitata (Baobab) seed oil, Citric acid, Dehydroacetic acid. Pour votre information, les huiles essentielles et extraits contiennent naturellement : d-Limonene.
* Produits issus de l'Agriculture Biologique.

À noter dans la composition. Huiles de sésame et de tournesol avec du glycérol en principaux ingrédients (avant l'eau) : la formule est fortement axée sur l'hydratation. Deux agents d'entretien de la peau et émulsifiants dérivés du saccharose (Sucrose laurate, Sucrose stearate), des beurres de cacao et d'amandier africain (Irvingia gabonensis), de l'huile de coton, encore quelques autres émollients dont une huile de baobab hydrogénée, trois conservateurs autorisés en bio et un parfum apportant une molécule aromatique allergène.

L'avis des experts. Pas d'alcool, aucun ingrédient asséchant mais une belle panoplie d'émollients et d'actifs pour nourrir la peau : cette formule pourrait servir de modèle à beaucoup d'autres. Très nourrissant, ce masque à la texture épaisse et à l'odeur très neutre ne sèche pas sur la peau et la laisse toute douce et très confortable. Encore un effort sur l'étiquetage (et notamment la déclaration des allergènes, ici pas tout à fait conforme, voir p. 126), et ce sera presque parfait !

GREEN ENERGY
La récolte d'olive
Masque visage nourrissant

Note :	81,25/100.
Présentation :	Pot de 50 ml (étui carton).
Prix indicatif :	17 € *(34 €/100 ml).*
Disponible en :	Parfumeries, Instituts de beauté, Internet (via www.mademoiselle-bio.com)
Site internet :	www.greenenergy-cosmetics.com

12 M

INGREDIENTI / INGREDIENTS INCI (UE) / INCI (USA) : Organic Saccharum officinarum (Sugar cane) extract, Organic Olea europaea (Olive) fruit oil, Vegetal glycerin, Organic Jojoba (Simmondsia chinensis) oil, Organic Persea gratissima (Avocado) oil, Organic Sweet almond (Prunus amygdalus dulcis) oil, Organic Calophyllum inophyllum (Foraha) oil, Organic Triticum vulgare (Wheat germ) oil, Organic Simmondsia chinensis (Jojoba) seed oil, Organic Butyrospermum parkii (Shea) butter, Organic Calendula officinalis (Calendula) oil, Organic Rosa canina (Rosehip) oil, Lemon (Citrus medica limonum) extract (Botanical origin), Punica granatum extract (Punica granatum), Essential oil of certified organic sweet orange, Citrus aurantium dulcis (Orange) flower water, Citrus paradisi (Pink grapefruit), Certified organic bergamot, Certified organic ginger, Certified organic mandarin oil (Citrus nobilis), Oat beta glucan, Organic Vitis vinifera (Grape) seed oil, Organic Cocos nucifera (Coconut) oil, Cocos nucifera extract (Coconut), Organic Bamboo extract, Retinyl palmitate (Vitamin A), Tocopherol (natural vitamin E), Xanthan gum (From biotechnology Plant-derived gum thickener), Sodium hydroxymethylglycinate, Glucose oxidase & Lactoperoxidase (Natural enzyme, Preservatives). 100% Pure botanical fragrance. Cruelty free.

À noter dans la composition. Comme à l'habitude pour les produits de cette marque, une multitude d'émollients et d'actifs végétaux : sucre de canne, olive, jojoba, avocat, amandes douces, tamanu, germes de blé, beurre de karité, calendula, rose, citron, grenade, orange, pomelo, bergamote, gingembre, mandarine, avoine, pépins de raisin, noix de coco, bambou… Plus deux vitamines antioxydantes et un système de conservation à base d'enzymes et d'hydroxymethylglycinate de sodium.

L'avis des experts. Sur la non-conformité de la déclaration des ingrédients, on a déjà tout dit. On n'y revient pas, mais on n'en pense pas moins. Même remarque à propos du peu de recul pour réellement estimer l'efficacité du système conservateur. Pour le reste, ce gel translucide procure dès l'application une sensation fraîche et hydratante, il reste confortable et ne sèche pas : de ce côté-là, tout va bien !

PLACENTOR VÉGÉTAL

Masque intégral anti-âge

Note :	81,04/100.
Présentation :	3 sachets de 120 g chacun, soit 3 masques prêts à l'emploi (étui carton).
Prix indicatif :	18 € *(5 €/100 g).*
Disponible en :	Pharmacies, Parapharmacies.
Site internet :	www.sicobel.com

INGREDIENTS : Aqua (Water), Glycerin, Citrus aurantium dulcis (orange) fruit water**, Soluble collagen*, Propylene glycol, Kigelia africana fruit extract*, Quillaja saponaria bark extract*, Hydrolyzed soy protein*, Fagus sylvatica extract*, Dehydroacetic acid and Benzyl alcohol, Carbomer, Chrysantellum indicum extract*, Sodium hydroxide, Parfum, Eugenol, Lilial, Linalool, Benzyl benzoate, Hexylcinnamaldehyde, d-limonene.
* Ingrédients d'origine naturelle.
** Ingrédients certifiés bio.

À noter dans la composition. Pour la base : du glycérol et de l'eau de fleurs d'oranger. Pour les actifs : du collagène dont l'argumentaire précise qu'il est marin ; des extraits, annoncés comme tenseurs, de Kigelia africana (un arbre d'Afrique du Nord) et de bois de Panama (Quillaja saponaria) ; un extrait de bourgeons de hêtre (Fagus sylvatica), le « Placenta végétal » ; de la camomille d'or anti-radicalaire. Pour la conservation : de l'acide déhydroacétique et de l'alcool benzylique. Pour le parfum : six molécules aromatiques allergènes.

L'avis des experts. C'est une présentation vraiment originale qui séduit d'abord : un masque en tissu, imprégné de gel et prêt à l'emploi, avec des trous pour les yeux et la bouche, et qu'il suffit d'appliquer sur le visage. Une fois posé (une opération qui peut s'avérer délicate au moins la première fois), ne reste plus qu'à attendre, 20 minutes tout de même, mais dans un bain de fraîcheur et d'hydratation très agréable. Et puis, c'est la récompense : un visage visiblement lissé, des traits reposés, un teint de pêche et une peau toute fraîche.

Flash marque : Placentor Végétal

C'est quoi, ce « Placenta végétal » ? Un concept un peu déconcertant au premier abord, c'est vrai, mais renseignements pris, il s'agit d'une substance naturelle présente sous le pistil des fleurs et dont le rôle est de nourrir les fruits durant leur croissance. Découverte et isolée par le botaniste Bernard Guillot, elle est le fer de lance de cette marque dont le nom est inspiré de son appellation, et est utilisée dans ses produits pour ses propriétés fortement hydratantes.

Sérums et huiles pour le visage

Les critères des experts

Ce sont des formules SOS, qui doivent, comme par un coup de baguette magique, transformer les peaux ternes, fatiguées, fripées ou rougissantes en teints clairs et frais, lisses et sans défaut. Pas de magie dans les petites fioles cosmétiques évidemment, pas de place non plus (au moins sur les bonnes étiquettes) pour les allégations excessives proches de la publicité mensongère ni pour les termes du langage médical : malgré toute son efficacité, la meilleure des formules ne peut jamais prétendre être dotée de propriétés thérapeutiques... Un bon sérum efficace, ce sont d'abord des actifs ciblés en fonction des besoins de chaque peau, présents en concentrations importantes, dans une base nourrissante, hydratante et la moins agressive possible.

À éviter

- L'**alcool,** bien qu'utile pour la conservation, est tout de même assez mal venu dans les formules conçues pour hydrater les peaux sèches ou apaiser les plus sensibles.
- Les **filtres UV** n'ont aucune utilité dans ces produits qui ne sont pas destinés à protéger du soleil. Et leurs inconvénients (voir p. 12) exigent de limiter leur utilisation au strict nécessaire.

À privilégier

- Les **actifs hydratants** ne sont pas réservés aux peaux sèches. Mis à part les épidermes très gras, tous les autres ont des avantages à en tirer, c'est le fondement de leur équilibre. Les huiles végétales forment ainsi la base de nombreux sérums, accompagnées de glycérol (Glycerin), d'urée (Urea) ou d'acide hyaluronique et ses sels (Hyaluronic acid, Sodium hyaluronate...) pour les hydratations les plus intenses.
- Les **antioxydants, vitamines et minéraux** apportent à la peau des éléments nutritifs pour résister aux agressions extérieures (rayons solaires, air pollué, froid...) comme au temps qui passe. Cinq fruits et légumes par jour dans l'assiette d'abord, et pourquoi pas dans le sérum où leur présence semble également assez pertinente. Quelques algues ne seront pas de refus non plus.

Et les « anti-âge » ?

Il faut bien le dire, l'efficacité des actifs les plus souvent utilisés est assez discutée. Mais certains agents lissants comme l'huile d'oliban (Boswelia carterii), l'herbe du tigre (Centella asiatica), certains dérivés de silicone (Trimethoxycaprylylsilane), les fleurs de tilleul (Tilia cordata) ou de mauve (Malva sylvestris) peuvent améliorer l'aspect de la peau. Les céramides ou les dérivés du rétinol (au potentiel irritant pourtant) ne seraient pas inutiles, tout comme l'acide hyaluronique ou les acides gras essentiels de nombreuses huiles végétales… Mais mieux vaut tout de même ne pas en attendre les merveilles annoncées sur les étiquettes.

Sérums et huiles pour le visage Toutes peaux

Les résultats

Évalués : 10 produits, de 10 marques différentes.

Prix moyen / 100 ml : 121,30 €.

Ont obtenu au moins la moyenne : 10.

N'ont pas obtenu la moyenne dans au moins un critère : 3.

Meilleure note : 87,08/100.

Plus mauvaise note : 66,25/100.

Les meilleurs

	Prix	Composition Efficacité	Tolérance cutanée	Étiquetage	Confort d'utilisation	Principe de précaution	Classement
Nature & Découvertes Sérum revitalisant aux algues de Molène	★★★★★	★★★	★★★★	★★★	★★★★	★★★★★	**1**
Alma Carmel Complexe actif de la beauté	★	★★★★	★★★★	★★★★	★★★★	★★★★★	**2**
SantaVerde Aloe vera Hydro repair gel	★★★★	★★★	★★★★	★★★★	★★★★	★★★★	**3**
Jean-Christophe Oleoserum	★★★	★★★	★★★	★★★	★★★★	★★★★★	4
Douces Angevines Aube d'été Fluide de jour lumineux	★★★	★★★★	★★★	★★★	★★★★	★★★★★	5

	Prix	Composition Efficacité	Tolérance cutanée	Étiquetage	Confort d'utilisation	Principe de précaution	Classement
Institut Esthederm Concentré cellulaire Sérum fondamental	★★	★★★ ★	★★★	★★★ ★	★★★ ★★	★★★ ★	6

Les 3 premiers

NATURE & DÉCOUVERTES

Sérum revitalisant
aux algues de Molène

Note :	87,08/100.
Présentation :	Flacon pompe (métal) de 50 ml (étui carton).
Prix indicatif :	19,95 € *(39,90 €/100 ml).*
Disponible en :	Boutiques Nature & Découvertes.
Site internet :	www.natureetdecouvertes.com

6 M

INGREDIENTS : Rosa damascena distillate*, Maris aqua, Alcohol, Algae extract, Aqua, Glycerin, Caprylyl/Capryl glucoside, Benzyl alcohol, Maris sal, Sodium benzoate, Xanthan gum, Potassium sorbate, Citrus aurantium dulcis oil*, Prunus amygdalus amara oil, Limonene
* Ingrédients issus de l'Agriculture Biologique.

À noter dans la composition. Dans de l'eau florale de rose, des actifs marins : eau de mer, algues, sel de mer, et du glycérol hydratant. Avec deux huiles essentielles, d'orange et d'amandes amères, et leur molécule aromatique allergène, le limonène.

L'avis des experts. C'est d'abord son prix incroyablement bas pour un sérum qui a porté ce produit sur la plus haute marche du podium. La formule, assez simple, mise son efficacité sur les apports du milieu marin : magnésium et autres minéraux contenus notamment dans des algues dont on aurait aimé connaître l'espèce exacte. On l'aurait aussi préférée avec moins d'alcool. L'odeur de ce gel fluide et transparent reste discrète. Et on apprécie particulièrement l'honnêteté de l'étiquette qui, loin de promettre l'impossible, prévoit « 28 jours pour redonner à la peau tonus et éclat ». On sent pourtant un léger effet lissant sur la peau dès la première application.

ALMA CARMEL

Complexe actif de la beauté

Note :	85/100.
Présentation :	Flacon pompe airless de 30 ml (étui carton).
Prix indicatif :	117€ *(390 €/100 ml).*
Disponible en :	Pharmacies, Parapharmacies, Boutiques de produits naturels et bio, Beauty room du Printemps Haussmann.
Site internet :	www.almacarmel.com

INGREDIENTS (INCI) : Cucumis sativus (Cucumber) fruit extract*, Prunus persica (Peach) fruit extract*, Pyrus malus (Apple) fruit extract*, Solanum lycopersicum (Tomato) fruit extract*, Polyglyceryl-4 caprate, Cellulose gum, Glycerin, Citrus medica limonum (Lemon) juice*, Xanthan gum, Parfum (Fragrance), Dehydroacetic acid, Benzyl alcohol, Sodium benzoate, Potassium sorbate, Citral, Linalool, Limonene.
* Ingrédients issus de l'Agriculture Biologique.

À noter dans la composition. Concombre, pêche, pomme, tomate et jus de citron : voilà pour les cinq fruits et légumes. Avec du glycérol hydratant, quatre conservateurs autorisés en bio et trois molécules aromatiques allergènes apportées par le parfum.

L'avis des experts. Des antioxydants (flavonoïdes, caroténoïdes, lycopène…) en nombre dans les actifs végétaux (à 91,03 % bio) pour lutter contre la formation de radicaux libres, un gel très fluide à laisser appliquer 40 minutes au minimum (ou toute une nuit) pour retrouver une peau fraîche et lisse. Une composition très qualitative conditionnée sous vide d'air dans une poche hermétique en aluminium pour préserver les actifs et éviter toute contamination extérieure. Un bémol : l'emballage rédigé essentiellement en anglais (mais la notice intérieure est en français), et un point noir : le prix.

On le dit en passant : Airless

La technologie « airless » n'est pas à la portée de n'importe quel laboratoire. Elle suppose un environnement de fabrication stérile, une chaîne de conditionnement sous vide, des packagings très spécifiques pour garantir le produit de tout contact avec l'air ambiant… Un processus contraignant qui offre des garanties de sécurité optimales. Évidemment, tout cela a un coût, très élevé, et souvent dissuasif pour le consommateur. Le prix d'une qualité assez rare sur le marché.

SANTAVERDE

Aloe vera Hydro repair gel

Note :	84,58/100.
Présentation :	Tube de 30 ml (étui carton).
Prix indicatif :	24,92 € *(83 €/100 ml).*
Disponible en :	Boutiques de produits naturels et bio.
Site internet :	www.santaverde.com

INGREDIENTS : Aloe barbadensis*, Sambucus nigra*, Alcohol, Betaine, Sodium lactate, Oenothera biennis oil*, Prunus amygdalus dulcis oil*, Sodium hyaluronate, Xanthan gum, Mangifera indica seed oil, Chondrus crispus extract, Lilium candidum extract*, Tocopherol, Ascorbyl palmitate, Sodium phytate, Glucose, Glyceryl caprylate, Maltodextrin, Lactic acid, Aroma, Linalool, Geraniol.
* Certifié biologique.

À noter dans la composition. La base ici est constituée de gel d'aloe vera et de sureau apaisants, avec de l'alcool qui l'est beaucoup moins. Viennent ensuite des hydratants : huiles d'onagre, d'amande douce et de mangue, hyaluronate de sodium, lys blanc (Lilium candidum), deux antioxydants, vitamine E (Tocopherol) et dérivé de vitamine C (Ascorbyl palmitate), un parfum et ses deux molécules aromatiques allergènes.

L'avis des experts. Une bonne formule régénérante qu'on aurait préférée sans alcool, un gel fluide à l'odeur légèrement fruitée qui pénètre rapidement sans sensation grasse sur la peau et procure un confort agréable. Une bonne préparation à l'application de la crème de soin pour un prix qui sait rester raisonnable.

Mentions spéciales

Sérums et huiles pour le visage Peaux sensibles

Les meilleurs

	Prix	Composition Efficacité	Tolérance cutanée	Étiquetage	Confort d'utilisation	Principe de précaution	Classement
Avène Sérum apaisant hydratant Peaux sensibles	★★★★	★★★	★★★★	★★★★	★★★★	★★★	1
Lamarque Sérum revitalisant total Gamme Peau sensible	★★	★★★★	★★★★	★★★★	★★★★	★★★★★	2

Les nommés

AVÈNE
Sérum apaisant hydratant
Peaux sensibles

Note : 98,5/100.
Présentation : Flacon-pompe de 30 ml (étui carton).
Prix indicatif : 22,60 € *(75,33 €/100 ml).*
Disponible en : Pharmacies, Parapharmacies.
Site internet : www.eau-thermale-avene.com

12 M

INGREDIENTS : Avene aqua, Methyl gluceth-20, PEG-12, Cyclomethicone, Glycerin, Propylene glycol ceteth-3 acetate, Aqua, Polyacrylamide, Alcohol, Benzoic acid, C13-14 isoparaffin, Parfum, Hydroxyethylcellulose, Laureth-7, PEG/PPG-18/18 dimethicone, Phenoxyethanol, Phospholipids, Sodium DNA, Tetrasodium EDTA.
Sans paraben.

À noter dans la composition. Eau thermale, humectants et émollients (huile de silicone, glycérol, dérivé de paraffine…), gélifiants à propriétés filmogènes (Polyacrylamide, Hydroxyethylcellulose), un système conservateur basé sur l'alcool, l'acide benzoïque et le phénoxyéthanol.

L'avis des experts. Pour le côté apaisant : rien qui agresse (même si l'alcool est toujours asséchant) et de l'eau thermale. Pour le côté hydratant, essentiellement du glycérol. Les silicones et les filmogènes assurent à ce gel un peu crémeux mais assez fluide un contact très doux sur la peau. À noter : un prix qui n'exagère pas.

> **On le dit en passant :** Sans
>
> Sans paraben, sans phénoxyéthanol, sans pétrochimie, sans alcool, sans PEG, sans silicones, sans ceci, et sans cela... Nombre de cosmétiques positionnent leur développement sur ce qu'ils ne contiennent pas. La cosmétique « sans » ? Sur un mouvement d'humeur, on serait tenté de dire : la cosmétique sans rien du tout, c'est encore mieux ! Mais les experts ne cèdent pas aux mouvements d'humeur, et plutôt que s'attarder sur le « sans », ils continuent à ne s'intéresser qu'à ce qui compose, réellement, les cosmétiques. Posant toujours la question : « Sans, d'accord, mais avec quoi, s'il vous plaît ? »

LAMARQUE
Sérum revitalisant total
Gamme Peau sensible

Note :	80/100.
Présentation :	Flacon (verre) avec pipette de 15 ml (étui carton).
Prix indicatif :	*77 € (513,30 €/100 ml).* Sans étui : réduction de 3 €.
Disponible en :	Boutique de Genève, Internet.
Site internet :	www.lamarque.ch

3 M

INGREDIENTS : Water, C12-15 alkyl benzoate, Glycerin, Maltodextrin, Persea gratissima oil, C14-22 alcohols, Aesculus hippocastanum seed extract, Ginkgo biloba leaf extract, Capryloyl glycine, Sorbitan stearate, Mannitol, C12-20 alkyl glucoside, Magnesium aluminum silicate, p-Anisic acid, Xanthan gum, Ethylhexylglycerin, Fragrance, Sodium hydroxide, Ceramide 3, Ammonium glycyrrhizate, Caffeine, Zinc gluconate.

À noter dans la composition. Glycérol hydratant, huile d'avocat (Persea gratissima) riche en acides gras essentiels et vitamines, marronnier d'Inde (Aesculus hippocastanum) pour améliorer la microcirculation, ginkgo biloba antiradicalaire et céramides anti-âge, quelques agents émollients ou d'entretien de la peau, dont la caféine et le gluconate de zinc.

L'avis des experts. Quelques bons actifs, un gel crémeux fluide au parfum léger qui pénètre en un clin d'œil et laisse la peau lisse avec une sensation d'extrême légèreté très confortable. Le petit flacon compte-gouttes est bien pratique et idéal du point de vue de l'hygiène. Des réserves tout de même sur le système de conservation basé sur la Capryloyl glycine, qui paraît vraiment léger, même pour une période d'utilisation conseillée après ouverture de trois mois seulement.

Mentions spéciales

Sérums et huiles pour le visage Peaux grasses

Les meilleurs

	Prix	Composition Efficacité	Tolérance cutanée	Étiquetage	Confort d'utilisation	Principe de précaution	Classement
Cattier Touch'Express au melaleuca	★★★	★★★★	★★★★	★★★★	★★★★	★★★★★	1
L'Occitane Vinaigre de lavande	★★★★★	★★★	★★★★	★★★★	★★★★	★★★★★	2

Les nommés

CATTIER
Touch'Express
au melaleuca

Note :	87,92/100.
Présentation :	Flacon-pompe de 5 ml (étui carton).
Prix indicatif :	6,46 € *(129,20 €/100 ml).*
Disponible en :	Magasins bio, Grands magasins (Printemps, BHV, Galeries Lafayette), Résonances, Monoprix, Parapharmacies.
Site internet :	www.laboratoirecattier.com

12 M

INGREDIENTS : Helianthus annuus*, Melaleuca alternifolia*, Jojoba ester, Rosmarinus officinalis*, Mentha piperita*, Beeswax.
* 83,5 % du total des ingrédients sont d'origine naturelle.

À noter dans la composition. Huile de tournesol, actifs assainissants et antibactériens : arbre à thé, romarin et menthe.

L'avis des experts. Un produit quasi miraculeux pour les peaux adolescentes. Une composition assez réduite mais dont tous les actifs sont reconnus pour leur efficacité sur les « peaux jeunes à problèmes ». Un flacon-pompe pratique qui permet de déposer une goutte de produit sur le bout du doigt ou un Coton-Tige pour cibler au plus près les zones à traiter. Une forte odeur de menthe, une fraîcheur intense, et, parole de fille de 16 ans, un « résultat incroyable » ! À faire payer par Maman, tout de même, parce qu'au final, c'est assez cher pour un budget d'ado.

L'OCCITANE

Vinaigre de lavande à l'huile essentielle de lavande

Note :	87,08/100.
Présentation :	Bouteille (métal) de 50 ml.
Prix indicatif :	10 € *(20 €/100 ml).*
Disponible en :	Boutiques L'Occitane, Internet.
Site internet :	www.loccitane.com

12 M

INGREDIENTS : Alcohol denat., Aqua/Water, Lavandula angustifolia (Lavender) oil, Acetum/Vinegar, Camphor, Limonene, Geraniol, Linalool.

À noter dans la composition. Beaucoup d'alcool et du vinaigre, la lavande purifiante en principal actif avec aussi du camphre et trois molécules aromatiques allergènes.

L'avis des experts. Ça ressemble à une recette de grand-mère… mais elle a fait ses preuves. Évidemment, on a du mal à s'extasier devant l'inventivité de la formulation, mais c'est pratique, plutôt efficace et vraiment pas cher. On n'en demande pas tellement plus quand il s'agit de faire la guerre aux boutons.

Sérums et huiles pour le visage Peaux sèches

Les résultats

Évalués : 16 produits, de 15 marques différentes.

Prix moyen / 100 ml : 159,60 €.

Ont obtenu au moins la moyenne : 16.

N'ont pas obtenu la moyenne dans au moins un critère : 4.

Meilleure note : 86,46/100.

Plus mauvaise note : 71,46/100.

Les meilleurs

	Prix	Composition Efficacité	Tolérance cutanée	Étiquetage	Confort d'utilisation	Principe de précaution	Classement
Melvita Soin hydratant pour peaux sèches	★★★★	★★★★	★★★	★★★★	★★★★	★★★★★	**1**
Patyka Huile absolue	★★★	★★★	★★★★	★★★★	★★★★★	★★★★★	**2**
Plante system Huile exquise	★★★★	★★★	★★★	★★★★	★★★★	★★★★★	**3**
Tautropfen Huile d'argousier	★★★★	★★★	★★★★	★★★	★★★★	★★★★★	4
Institut Esthederm Intensif hyaluronic Formule concentrée sérum	★★★	★★★★	★★★	★★★★	★★★★★	★★★	5
Tridyn Biodine visage Sérum nutritif	★★★	★★★	★★★★	★★★★	★★★★	★★★★★	6
Thémis Sérum ressourçant	★★★	★★★★	★★★	★★★★	★★★★	★★★★★	7
Virginale Sérum d'Or Élite	★★★	★★★	★★★	★★★★	★★★★	★★★★★	8
Biguine bio Sérum huile d'argan	★★	★★★	★★★	★★★★	★★★★	★★★★★	9

Les 3 premiers

MELVITA

Soin hydratant
pour peaux sèches

Note :	86,46/100.
Présentation :	Flacon vaporisateur (verre opaque) de 30 ml (étui carton).
Prix indicatif :	20,50 € *(68,33 €/100 ml).*
Disponible en :	Magasins bio et de produits naturels.
Site internet :	www.melvita.com

INGREDIENTS INCI EU [US] : Sesamum indicum [Sesamum indicum (Sesame) seed oil]*, Cannabis sativa [Cannabis sativa seed oil]*, Simmondsia chinensis [Simmondsia chinensis (Jojoba) seed oil]*, Limonene**, Tocopherol, Rosmarinus officinalis [Rosmarinus officinalis (Rosemary) leaf oil]*, Citrus nobilis [Citrus nobilis (Mandarin orange) peel oil]*, Linalool**, Santalum austrocaledonicum [Santalum austrocaledonicum oil], Citrus amara [Citrus aurantium amara (Bitter orange) oil], Geraniol**, Citral**, Citrus grandis [Citrus grandis (grapefruit) peel oil]*, Farnesol**.
* Ingrédients issus de l'Agriculture Biologique.
** Constituants des huiles essentielles.

À noter dans la composition. Huiles de sésame, de chanvre et de jojoba nourrissantes, vitamine E antioxydante (Tocopherol), huiles essentielles tonifiantes de romarin, orange, santal, orange amère et pamplemousse apportant cinq molécules aromatiques allergènes.

L'avis des experts. La contrepartie de l'efficacité des huiles essentielles est toujours leur « richesse » en composés allergènes. Cinq, ici, ça commence à faire beaucoup, mais ce complexe à base de trois huiles végétales réputées pour leurs apports intéressants aux peaux sèches (et aussi leur action anti-âge), avec en fond l'odeur délicate de la mandarine, est très agréable à masser sur le visage, laissant la peau douce et très confortable. Huiles essentielles et végétales sont bien à l'abri de l'oxydation grâce à la vitamine E et à leur flacon-pompe en verre bleuté, même celle de chanvre, qui (on le dit en passant…) est tirée des graines et non des feuilles de… cannabis, tout de même.

On le dit en passant : Animaux

Un petit point sur la législation. Tout test sur les animaux de produits cosmétiques finis est désormais interdit par la loi européenne, applicable en droit français. Les expérimentations des ingrédients, un par un, sont encore admises jusqu'en 2009, pour laisser le temps à l'industrie de développer des méthodes alternatives suffisamment fiables. Pour plus de clarté et d'honnêteté, toute mention indiquant sur un emballage « Non testé sur animaux » ou « Produit fini non testé sur animaux » devrait être complétée par « conformément à la législation ». Car, donc, c'est effectivement le cas de tous les cosmétiques présents sur le marché et pas à proprement parler une réelle information.

PATYKA
Huile absolue

Note :	85,42/100.
Présentation :	Bouteille (verre) de 50 ml (étui carton).
Prix indicatif :	38 € *(76 €/100 ml).*
Disponible en :	Boutique Patyka (Paris), Grands magasins (Printemps, Bon Marché), Magasins de produits naturels.
Site internet :	www.patyka.com

INGREDIENTS : Vegetal squalane, Rosa canina (Rosehip) oil*, Sesamum indicum (Sesame) oil*, Simmondsia chinensis (Jojoba) oil*, Aniba rosaeodora (Organic rosewood) oil*, Hypericum perforatum (St John's wort) oil*, Santalum album (Sandalwood) oil*, Pelargonium graveolens (Geranium) oil*, Citrus grandis (Orange) oil*, Citrus aurantium leaves (Petit grain) oil*, Olea europaea (Olive) oil*, Triticum sativum (Wheat germ) oil, Tocopheryl acetate (Vitamin E).

* Ingrédients issus de l'Agriculture Biologique.

À noter dans la composition. Après le squalane très émollient, des huiles végétales d'églantier, de sésame, de jojoba, de millepertuis (Hypericum perforatum), d'olive et de germes de blé protégées de l'oxydation par la vitamine E, des huiles essentielles de bois de rose, santal, géranium, orange et petit grain, dont les molécules aromatiques allergènes n'atteignent pas les seuils de déclaration légaux (voir p. 429).

L'avis des experts. Sur le papier, on craignait que cette formulation ne donne un produit vraiment particulièrement gras à l'odeur très lourde. Sur la peau, surprise : un parfum discret, une application pratique et très agréable grâce au vaporisateur, une pénétration rapide, aucune sensation de gras ensuite, mais une peau très souple. Quelque chose comme le bonheur... À déconseiller tout de même avant une exposition aux rayons du soleil, le millepertuis étant photosensibilisant.

PLANTE SYSTEM

Huile exquise

Note :	84,58/100.
Présentation :	Flacon (verre) de 50 ml.
Prix indicatif :	13,90 € *(27,80 €/100 ml).*
Disponible en :	Pharmacies, Parapharmacies.
Site internet :	www.plantesystem.com

INGREDIENTS : Sesamum indicum*, Macadamia ternifolia, Hippophae rhamnoides, Olea europaea, Camellia sinensis, Cymbopogon martini, Citrus aurantium, Tocopherol, Geraniol, Farnesol, Linalool, Limonene.
* Ingrédients issus de l'Agriculture Biologique.

À noter dans la composition. Huiles végétales de sésame, noix de macadamia, argousier (Hippophae rhamnoides) et olive, vitamine E (Tocopherol) et deux huiles essentielles d'orange et de palmarosa, apportant tout de même quatre molécules aromatiques allergènes.

L'avis des experts. Une formule très simple, mais regroupant des huiles végétales assez nourrissantes pour les peaux sèches et proposée dans un flacon élégant. À l'application, le mélange est agréable, l'odeur fine. L'huile pénètre rapidement, la peau reste douce et légèrement parfumée. On aurait préféré toutefois avec un ou deux allergènes en moins…

Sérums et huiles pour le visage Anti-âge

Les résultats

Évalués : 44 produits, de 33 marques différentes.

Prix moyen / 100 ml : 157,30 €.

Ont obtenu au moins la moyenne : 44.

N'ont pas obtenu la moyenne dans au moins un critère : 14.

Meilleure note : 86,25/100.

Plus mauvaise note : 60/100.

Les meilleurs

	Prix	Composition Efficacité	Tolérance cutanée	Étiquetage	Confort d'utilisation	Principe de précaution	Classement
Natessance Sweet Coton – Sérum nuit	★★★★	★★★	★★★	★★★★	★★★★	★★★★★	**1**
L'Occitane Élixir à l'huile essentielle d'Immortelle	★★★	★★★★	★★★	★★★★	★★★★	★★★★★	**2**
Virginale Huile faciale régénérante	★★★	★★★★	★★★★	★★★	★★★★	★★★★★	**3**
Phyt's Multi Vita Sérum tenseur anti-âge	★★★	★★★★	★★★	★★★	★★★	★★★★★	4
Tautropfen Pura Verde – Gel fermeté	★★★★	★★★	★★★★	★★★	★★★★	★★★★★	5
Annemarie Börlind Naturesôme Fluide nature effect	★★★	★★★★	★★★	★★★	★★★★	★★★★	6
Weleda Perles vitalité intense rose musquée	★★	★★★	★★★	★★★★	★★★★	★★★★★	7
Biokosma Active – Huile de soin riche pour le visage	★★★	★★★★	★★★★	★★★	★★★★	★★★★	8
Clarins Double sérum Génération 6	★★★	★★★★	★★★	★★★★	★★★★	★★★	9

	Prix	Composition Efficacité	Tolérance cutanée	Étiquetage	Confort d'utilisation	Principe de précaution	Classement
Annemarie Börlind Contour Gel fermeté visage	★★★★	★★★	★★★	★★★★	★★★★	★★★★★	10
Dado Sens Ectoin – Fluide anti-âge	★★★	★★★★	★★★★	★★★	★★★★	★★★★★	11
Logona Âge Protection Gel raffermissant	★★★	★★★	★★★★	★★★	★★★★	★★★★★	12
Jacques Paltz Huile régénérante Rosa Rubiginosa Vierge	★★★	★★★	★★★★	★★★	★★★★	★★★★★	13
Eumadis Dermaclay Sérum liftant éclat	★★★	★★★	★★★	★★★	★★★★	★★★★★	14
Gamarde Nutrition intense Sérum argan	★★★	★★★	★★★	★★★	★★★★	★★★★★	15
Tridyn Biodine visage Sérum anti-âge	★★★	★★★	★★★★	★★★	★★★★	★★★★★	16
Cosmélite Gourmande Huile visage et corps au chocolat	★★★★	★★★	★★★★	★★★	★★★★	★★★	17
Biokosma All Skin Types Fluide anti-aging	★★	★★★	★★★	★★★★	★★★★	★★★★★	18
Cosmélite Bioty's – Sérum actif combleur de rides	★	★★★	★★★★	★★★★	★★★★	★★★★★	19
Bionatural Élixir de jeunesse	★★	★★★	★★★★	★★★	★★★	★★★★★	20

Les 3 premiers

NATESSANCE
Sweet Coton
Sérum nuit

Note :	86,25/100.
Présentation :	Flacon-pompe de 50 ml (étui carton).
Prix indicatif :	20,28 € *(40,56 €/100 ml).*
Disponible en :	Pharmacies, Parapharmacies, Magasins bio, Internet.
Site internet :	www.natessance.com

12 M

INGREDIENTS : Sesamum indicum (Sesame) seed oil*, Helianthus annuus (Sunflower) seed oil*, Aqua (Water), Glycerin, Theobroma cacao (cocoa) seed butter*, Sucrose laurate, Sucrose stearate, Gossypium herbaceum (Cotton) seed oil*, Benzyl alcohol, Hydrolyzed hibiscus esculentus extract, Dextrin, Sodium benzoate, Potassium sorbate, Citric acid, Tocopherol, Parfum (Fragrance), Bassia latifolia seed butter, Dehydroacetic acid. **Pour votre information :** les huiles essentielles et extraits contiennent naturellement : Benzyl benzoate, Benzyl cinnamate, d-Limonene.
* Produits issus de l'Agriculture Biologique.

À noter dans la composition. Huiles de sésame, de tournesol et de coton, glycérol, beurres de cacao et d'illipé (Bassia latifolia), émulsifiants dérivés du saccharose (Sucrose laurate, Sucrose stearate), de la vitamine E antioxydante (Tocopherol), quatre conservateurs autorisés en bio et un parfum avec ses trois molécules aromatiques allergènes.

L'avis des experts. Une formule à visée fortement hydratante et nourrissante, riche d'acides gras essentiels apportés par les huiles végétales. La fleur d'hibiscus est choisie pour son action antirides. Sur l'emballage, on aime l'argumentaire précis et honnête, qui ne promet pas de miracles mais des résultats au bout de trois semaines. On aime moins la façon dont les allergènes sont déclarés (voir p. 126). Sur la peau, la texture fine de ce sérum se transforme en beurre un peu gras, idéal pour nourrir les peaux sèches durant la nuit. Au total, et avec son prix très attractif, ce produit a beaucoup d'arguments en sa faveur !

L'OCCITANE
Élixir à l'huile essentielle d'Immortelle

Note :	85,38/100.
Présentation :	Flacon-pompe (métal) de 30 ml (étui carton).
Prix indicatif :	44 € *(146,70 €/100 ml).*
Disponible en :	Boutiques L'Occitane, Internet.
Site internet :	www.loccitane.com

12 M

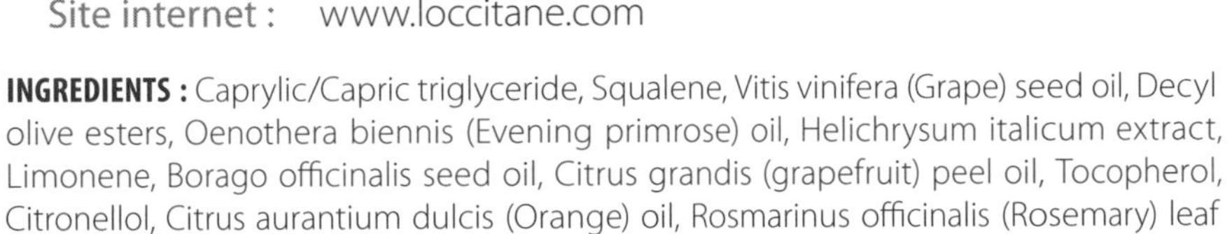

INGREDIENTS : Caprylic/Capric triglyceride, Squalene, Vitis vinifera (Grape) seed oil, Decyl olive esters, Oenothera biennis (Evening primrose) oil, Helichrysum italicum extract, Limonene, Borago officinalis seed oil, Citrus grandis (grapefruit) peel oil, Tocopherol, Citronellol, Citrus aurantium dulcis (Orange) oil, Rosmarinus officinalis (Rosemary) leaf extract, Helianthus annuus (Sunflower) seed oil, Linalool, Pelargonium graveolens flower oil, Geraniol.

À noter dans la composition. Quatre émollients en tête de liste (dont les huiles de pépins de raisin et d'onagre) pour une base bien hydratante. L'immortelle (Helichrysum italicum) en actif antirides, puis encore des huiles de bourrache et de tournesol riches en acides gras essentiels, et des actifs végétaux à base d'orange, de romarin et de géranium. La vitamine E (Tocopherol) en antioxydant et quatre molécules aromatiques allergènes.

L'avis des experts. Une formule régénérante dont pratiquement tous les ingrédients travaillent à nourrir, tonifier et renforcer la peau. On aime le conditionnement en flacon-pompe opaque qui protège au mieux le produit des atteintes extérieures, l'argumentaire qui explicite bien le rôle des actifs et mesure son efficacité sur quatre semaines. On apprécie aussi la forte concentration en immortelle, même si son odeur peut sembler un peu lourde à l'application. Un bon massage du visage avec ce sérum suivi d'une bonne nuit donne au matin une peau douce et lisse, très confortable.

VIRGINALE

Huile faciale régénérante

Note :	85,21/100.
Présentation :	Flacon-pompe (verre) de 30 ml.
Prix indicatif :	36 € *(120 €/100 ml).*
Disponible sur :	Internet.
Site internet :	www.virginale.net

INGREDIENTS : Rosa centifolia and Helianthus annuus, Buxus chinensis, Anthemis nobilis, Calendula officinalis, Ricinus communis, Parfum (huiles essentielles naturelles), Daucus carota. Contient : Linalool, Benzyl benzoate, Geraniol et Limonene, présents dans les huiles essentielles.

À noter dans la composition. Huiles de tournesol (avec de la rose) et de jojoba (déclarée ici sous son ancienne appellation de Buxus chinensis), de ricin et de carotte, camomille (Anthemis nobilis) et calendula, des huiles essentielles (mais on ne nous dit pas lesquelles) et leurs quatre molécules aromatiques allergènes.

L'avis des experts. Un mélange d'huiles assez simple, mais très agréable à l'application avec sa belle couleur dorée et sa bonne odeur de plantes. On sent la peau nourrie (les huiles végétales) et adoucie (la camomille et le calendula)… L'étiquetage plaît un peu moins : le packaging est séduisant mais l'argumentaire assez imprécis et la déclaration officielle des ingrédients assez peu réglementaire.

Contours des yeux

Les résultats

Évalués : 40 produits, de 34 marques différentes.

Prix moyen / 100 ml : 174,80 €.

Ont obtenu au moins la moyenne : 40.

N'ont pas obtenu la moyenne dans au moins un critère : 19.

Meilleure note : 87,25/100.

Plus mauvaise note : 56,96/100.

Les critères des experts

Particulièrement fine et fragile, très sensible et facilement congestionnée, la peau du contour des yeux marque impitoyablement les premiers signes de fatigue de cernes, rides et autres ridules. Elle mérite donc toutes les attentions, de bonnes nuits de sommeil et les soins les plus délicats. Ce qui se traduit par le refus, plus que jamais, de tout composé ne serait-ce qu'un minimum agressif ou allergisant, et par l'exigence d'actifs réellement bienfaisants et au-dessus de tout soupçon.

À éviter

- On se répète (mais les « erreurs » de formulations relevées lors de la préparation de ce Palmarès tout autant !) : la présence d'**alcool** est complètement incohérente dans un soin destiné aux contours des yeux.
- Les **systèmes de conservation inadéquats,** que ce soit trop de substances potentiellement irritantes ou allergisantes (pourquoi accumuler 6 à 10 conservateurs aux mêmes propriétés quand 2 ou 3 suffisent ?), ou des spectres d'action insuffisants (une prévention antifongique ne suffit pas si la protection antibactérienne n'est pas assurée, voir p. 431).
- Les **composés allergènes,** quelle que soit leur nature, sont eux aussi les plus malvenus autour des yeux, où la peau est par essence très réactive et fragile.

À privilégier

- Les **actifs apaisants :** euphraise (Euphrasia officinalis), bleuet (Centaurea cyanus), souci (Calendula officinalis), mauve (Malva sylvestris), réglisse (Glycyrrhiza glabra), bisabolol…
- Les **agents astringents** qui participent à la fermeté de la peau : feuilles de thé (Camellia sinensis), myrte (Myrtus communis)… La prêle aussi (Equisetum arvense), riche en silicium et restructurante du tissu conjonctif.

- Les **acides gras essentiels** régénérants de la peau, comme ceux contenus dans les huiles de bourrache (Borago officinalis seed oil), d'onagre (Oenothera biennis oil) ou de cameline (Camelina sativa oil)…

Les meilleurs

	Prix	Composition Efficacité	Tolérance cutanée	Étiquetage	Confort d'utilisation	Principe de précaution	Classement
Avène Soin apaisant contour des yeux – Yeux sensibles	★★★	★★★ ★	★★★ ★	★★★ ★	★★★ ★	★★★ ★	**1**
Placentor Végétal Pads anti-poches, antirides	★★★ ★	★★★ ★	★★★ ★	★★★ ★	★★★	★★★ ★★	**2**
Annemarie Börlind LL Régénération Crème contour des yeux	★★★ ★	★★★ ★	★★★	★★★	★★★ ★	★★★ ★	**3**
Thémis Contour des yeux Sublimateur du regard	★★★	★★★ ★	★★★	★★★ ★	★★★ ★	★★★ ★★	4
Weleda Soin contour des yeux rose musquée	★★	★★★ ★	★★★ ★	★★★ ★	★★★ ★	★★★ ★★	5
A-Derma Sensiphase – Crème apaisante Contour des yeux	★★★ ★	★★★	★★★ ★	★★★ ★	★★★ ★	★★★	6
Green Energy La récolte des fleurs d'orange – Sérum frais anti-âge Contour yeux	★★	★★★ ★	★★★	★★	★★★ ★★	★★★ ★★	7
Logona Âge protection Crème contour des yeux	★★	★★★ ★	★★★ ★	★★★ ★	★★★ ★	★★★ ★	8
Galénic Argane – Soin yeux-lèvres redensifiant	★★★ ★	★★★	★★★ ★	★★★ ★	★★★ ★	★★★	9
B com Bio Intense – Soin triple action Contour des yeux	★★★ ★	★★★	★★★	★★★	★★★ ★	★★★ ★★	10
Uriage Peptilys Contour des yeux	★★★	★★★ ★	★★★ ★	★★★ ★	★★★ ★	★★★	11
Anika Gel contour des yeux	★★	★★★	★★★ ★	★★★ ★	★★★ ★	★★★ ★★	12

	Prix	Composition Efficacité	Tolérance cutanée	Étiquetage	Confort d'utilisation	Principe de précaution	Classement
Annemarie Börlind Pura Soft Q10 Crème raffermissante contour des yeux	★★★★	★★★★	★★★	★★★	★★★★	★★★★	13
Jacques Paltz Crème Contour des yeux à l'huile essentielle de Bois de rose	★★★★	★★★	★★★	★★★	★★★★	★★★★★	14
Plante system Essentiel Soin contour des yeux	★★★	★★★	★★★★	★★★★	★★★	★★★★	15
Lavera Faces Gel Contour des yeux	★★★★	★★★	★★★	★★★	★★★★	★★★★	16
Avène Ysthéal + Contour des yeux	★★★	★★★★	★★★	★★★★	★★★★	★★★	17
Tautropfen Nayana Fluide contour des yeux	★★★	★★★	★★★★	★★★★	★★★★	★★★★	18
Dr Hauschka Crème fluide Contour des yeux	★★	★★★	★★★★	★★★	★★★★	★★★★★	19
SantaVerde Aloe vera Eye cream	★	★★★	★★★★	★★★★	★★★★	★★★★★	20

Les 3 premiers

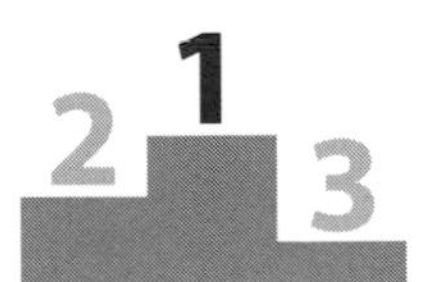

AVÈNE

Soin apaisant contour des yeux

Yeux sensibles

Note :	87,25/100.
Présentation :	Tube de 10 ml (étui carton).
Prix indicatif :	11,60 € *(116 €/100 ml).*
Disponible en :	Pharmacies, Parapharmacies.
Site internet :	www.eau-thermale-avene.com

INGREDIENTS : Avene aqua, Paraffinum liquidum, Caprylic/Capric triglyceride, Cyclomethicone, Glycerin, Sucrose stearate, PEG-12, Sucrose distearate, Triethanolamine, Batyl alcohol,

Bisabolol, Caprylic/Capric glycerides, Carbomer, Dextran sulfate, Disodium EDTA, Sodium hyaluronate, Tocopheryl glucoside.
Sans parfum. Sans paraben.

À noter dans la composition. Dans l'eau thermale, d'abord des émollients pour bien hydrater : huiles de paraffine et de silicone, glycérol (Glycerin), batilol (Batyl alcohol), un agent apaisant (Bisabolol), le sulfate de dextrane décongestionnant, le hyaluronate de sodium hydratant et anti-âge, un dérivé de la vitamine E (Tocopheryl glucoside) antioxydante et antiradicalaire.

L'avis des experts. Aucun composé allergisant, rien qui irrite ou qui fâche. Des actifs reconnus dans une synergie hydratante et apaisante, luttant de plus contre la formation des ridules : un sans faute. La texture onctueuse à l'odeur sans charme (la rançon du « sans parfum » assurant une parfaite tolérance) pénètre sans peine… et sans reproche, cette année comme l'an dernier puisque ce produit était déjà présent dans le Palmarès 2007 !

PLACENTOR VÉGÉTAL

Pads anti-poches, antirides

Note :	85,63/100.
Présentation :	6 sachets de 2 « Pads » de 3 g chacun (étui carton).
Prix indicatif :	18 € *(50 €/100 ml).*
Disponible en :	Pharmacies, Parapharmacies.
Site internet :	www.sicobel.com

INGREDIENTS : Aqua (Water)*, Glycerin*, Centaurea cyanus distillate**, Sorbitol, Soluble collagen*, Propylene glycol, Butylene glycol, Alcohol, Sambucus nigra flower extract*, Hydrolyzed soy protein*, Dehydroacetic acid, Benzyl alcohol, Carbomer, Sodium hydroxide, Fagus sylvatica extract*, Ginkgo biloba*, Esculin*, Acmella oleracea extract*, Sodium polyacrylate.
* Ingrédients d'origine naturelle.
** Ingrédients certifiés bio.

À noter dans la composition. Dans une base d'eau florale de bleuet apaisante et de glycérol émollient, du sorbitol, du propylèneglycol, du butylèneglycol et des hydrolysats de protéines de soja humectants, du collagène, du sureau rafraîchissant (Sambucus nigra), le « Placenta végétal » (Fagus sylvatica, voir p. 226), le ginkgo biloba, l'esculine et la brède mafane (Acmella oleracea) en actif antirides.

L'avis des experts. Présentation originale et pratique : le soin imbibe ces « Pads » de tissu enfermés dans leur sachet à usage unique. Il suffit de les poser et de les laisser agir (20 minutes tout de même) pour que la peau redevienne fraîche et vraiment lissée. Pour un bon confort, mieux vaut appliquer ensuite une crème hydratante. Évidemment, on aurait préféré (même s'il n'y en a pas beaucoup) sans alcool du tout...

ANNEMARIE BÖRLIND

LL Régénération
Crème contour des yeux

Note :	83,79/100.
Présentation :	Pot (verre) de 30 ml (étui carton).
Prix indicatif :	24,90 € *(83 €/100 ml).*
Disponible sur :	Magasins bio et de produits naturels, Instituts de beauté.
Site internet :	www.boerlind.com

INGREDIENTS : Aqua (Water), Butyrospermum parkii (Shea butter), Sesamum indicum (Sesame) seed oil, Zea mays (Corn) oil, Simmondsia chinensis (Jojoba) seed oil, Sorbitol, Stearic acid, Behenyl alcohol, Glyceryl stearate, Methyl glucose sesquistearate, Sucrose cocoate, Glycerin, Calendula officinalis flower extract, Lauryl lactate, Cera alba (Beeswax), Panthenol, Glycine soja (Soybean) oil, Hydrogenated coco-glycerides, Phenoxyethanol, Benzyl alcohol, Alcohol, Cetyl palmitate, Centaurea cyanus flower extract, Euphrasia officinalis extract, Panthenyl ethyl ether, Bisabolol, Acacia dealbata leaf wax, Brassica campestris (Rapeseed) sterol, Phytantriol, Retinyl palmitate, Aroma (Fragrance), Daucus carota sativa (Carot) root extract, Ascorbyl palmitate, Pyridoxine tripalmitate, Alchemilla vulgaris extract, Equisetum arvense extract, Tocopherol, Hydrogenated palm glycerides citrate, Limonene, Potassium sorbate, Lecithin.

À noter dans la composition. Pour l'hydratation : beurre de karité, huiles de sésame, de maïs et de jojoba, sorbitol, acide stéarique, alcool béhénylique, stéarate de glycéryle, méthylglucose sesquistearate, glycérol, lactate de lauryle, cire d'abeille, soja, glycérides de coco et on en passe. Pour l'apaisement : souci, bleuet, euphraise, bisabolol. Des vitamines : B5 (Panthenol), A (Retinyl palmitate), C (Ascorbyl palmitate), E (Tocopherol). Des agents restructurants : alchémille, prêle. Une conservation assurée par le phénoxyéthanol, l'alcool benzylique et le sorbate de potassium. Un parfum apportant une molécule aromatique allergène.

L'avis des experts. Pour une formule riche, c'est une formule riche ! Qui contient tout ce qu'on peut imaginer d'actifs (ou presque) pour le contour des yeux. Et qui donne une émulsion fine et légère d'une jolie couleur crème à la petite odeur fleurie, pénétrant sans problème et laissant la peau toute lisse et confortable.

Soins des lèvres

Les résultats

Évalués : 18 produits, de 14 marques différentes.

Prix moyen / 100 ml : 133,80 €.

Ont obtenu au moins la moyenne : 18.

N'ont pas obtenu la moyenne dans au moins un critère : 9.

Meilleure note : 88,75/100.

Plus mauvaise note : 68,88/100.

Les critères des experts

Nourrir, hydrater, apaiser, adoucir et protéger : voilà les mots d'ordre d'un bon soin des lèvres. Un produit particulier puisqu'on en avale inévitablement (au moins un peu), ce qui rend encore plus présente l'exigence d'innocuité totale du stick ou du baume qu'on espère de plus pas trop collant et d'un goût acceptable… Bonne nouvelle : les conservateurs sont la plupart du temps inutiles dans ces mélanges de corps gras qui ne demandent que des antioxydants pour éviter le rancissement et garantir leur bonne tenue dans le temps.

À éviter

- Les **composés allergisants en nombre,** comme la lanoline (Lanolin) encore trop présente dans ce type de produits, ou les molécules aromatiques (voir p. 429).
- Les **filtres UV** ne sont pertinents que dans les sticks solaires à visée protectrice, pas dans les baumes utilisés chaque jour d'hiver gris (voir p. 12).
- Les ingrédients asséchants, avec toujours en ligne de mire évidemment… l'**alcool.**

À privilégier

- Pour nourrir, protéger et adoucir, les **hydratants et émollients** arrivent encore une fois en tête de liste d'abord sous forme d'huiles végétales, de ricin (Ricinus communis oil), de macadamia (Macadamia ternifolia seed oil), de sésame (Sesamum indicum oil), d'olive (Olea europaea oil), d'argan (Argania spinosa oil)… ou de composés d'origine minérale comme la paraffine ou la paraffine liquide (Paraffin, Paraffinum liquidum). Sont aussi présents les beurres de cacao (Theobroma cacao butter), de karité (Butyrospermum parkii butter), de mangue (Mangifera indica butter), et les cires d'abeille (Cera alba), de carnauba (Cera carnauba), de candelilla (Candelilla cera) ou la cire microcristalline (Cera microcristallina) dont la consistance s'adapte au mieux à la texture des sticks.

- Pour apaiser, principalement le souci (Calendula officinalis extract) ou l'huile d'amande douce (Prunus amygdalus dulcis oil).

Les meilleurs

	Prix	Composition Efficacité	Tolérance cutanée	Étiquetage	Confort d'utilisation	Principe de précaution	Classement
Lavera Basis sensitiv Baume à lèvres	★★★★	★★★★	★★★★	★★★	★★★★	★★★★	1
Sanoflore Baume lèvres bio Protecteur et réparateur	★★★★	★★★★	★★★★	★★★★	★★★★	★★★★	2
Melvita Stick lèvres Protecteur Réparateur	★★	★★★★	★★★★	★★★★	★★★★	★★★★★	3
Plante system Baume lèvres Douceur et hydratation	★★★	★★★	★★★★	★★★	★★★★	★★★★	4
L'Occitane Baume lèvres anti-dessèchement	★★★	★★★	★★★	★★★★	★★★★	★★★★	5

Les 3 premiers

LAVERA

Basis sensitiv

Baume à lèvres

Note : 88,75/100.

Présentation : Stick de 4,5 g (étui carton).

Prix indicatif : 2,70 € *(60 €/100 g).*

Disponible en : Magasins bios et diététiques, Instituts de beauté, Internet.

Site internet : www.lavera.de (en allemand)

Distributeur français : BleuVert, www.bleu-vert.fr

INGREDIENTS : Butyrospermum parkii (Shea butter)*, Olea europaea (Olive) fruit oil*, Beeswax (Cera alba)*, Euphorbia cerifera (Candelilla) wax, Squalane, Soybean glycerides, Simmondsia chinensis (Jojoba) seed oil*, Lysolecithin, Tocopheryl acetate, Prunus

amygdalus dulcis (Sweet almond) oil*, Mangifera indica (Mango) seed butter, Brassica campestris (Rapeseed) sterols, Oryzanol, Anatto (CI 75120), Calendula officinalis flower oil*, Daucus carota sativa (Carot) root extract, Tocopherol, Ascorbyl palmitate, Ascorbic acid, Caprylic/Capric triglyceride, Alcohol.
* Ingredients from certified organic agriculture.

À noter dans la composition. Beurres de karité et de mangue, huiles d'olive, de jojoba et d'amande douce, cires d'abeille et de candelilla avec encore du squalane, des glycérides de soja, des stérols de colza (Brassica campestris sterols) et un extrait de carotte hydratants. Des antioxydants (Tocopheryl acetate, Tocopherol, Ascorbyl palmitate, Ascorbic acid), un colorant orange, le souci apaisant, un tout petit peu d'alcool.

L'avis des experts. Dommage pour l'alcool, même s'il y en a vraiment très peu. Pour le reste, c'est une formule assez exemplaire avec tous les actifs requis pour ce genre de produits, pas un allergène et un très bon confort sur les lèvres, qui ne deviennent pas orange malgré le colorant, mais doucement brillantes, douces et parfaitement protégées. D'ailleurs, ce baume, avec son prix vraiment très attractif, était déjà à cette même place dans le Palmarès 2007 !

SANOFLORE

Baume lèvres bio
Protecteur et réparateur

Note :	87,08/100.
Présentation :	Tube de 10 ml.
Prix indicatif :	6,90 € *(69 €/100 ml).*
Disponible en :	Magasins bio, Pharmacies, Parapharmacies, Grands magasins, Parfumeries.
Site internet :	www.sanoflore.net

9 M

INGREDIENTS : Oleic/Linoleic/Linolenic polyglycerides, Caprylic/Capric triglyceride, Helianthus annuus seed oil*, Cera*, Butyrospermum parkii butter*, Cocos nucifera oil*, Citrus aurantium dulcis oil*, Prunus amygdalus amara oil*, Rosmarinus officinalis leaf extract*, Tocopherol, Limonene, Linalool.
* Ingrédients issus de l'Agriculture Biologique.

À noter dans la composition. En tête de liste, deux émollients précèdent l'huile de tournesol, une cire (qu'on suppose d'abeille ?), du beurre de karité et de l'huile de noix de coco. Trois huiles essentielles (orange, amande amère, romarin) et deux molécules aromatiques allergènes, un antioxydant.

L'avis des experts. Bien sûr, on aurait préféré la même formule sans allergènes… Mais ce baume très nourrissant à la texture riche (et même un peu grasse) et à l'agréable goût d'orange soulage et protège efficacement les lèvres asséchées. Sa présentation en petit tube pratique et hygiénique permet un vrai massage réparateur des lèvres du bout du doigt. Assez économique : une très petite dose suffit à chaque fois.

MELVITA
Stick lèvres
Protecteur réparateur

COSMETIQUE BIO CHARTE COSMEBIO®

Note :	**80,42/100.**
Présentation :	Stick de 4,5 ml.
Prix indicatif :	5,90€ *(131,10 €/100 ml).*
Disponible en :	Magasins bio et de produits naturels.
Site internet :	www.melvita.com

INGREDIENTS INCI EU [US] : Cera alba (Beeswax), Helianthus annuus seed oil [Helianthus annuus (Sunflower) seed oil]*, Butyrospermum parkii butter [Butyrospermum parkii (Shea butter) oil]*, Prunus amygdalus dulcis oil [Prunus amygdalus dulcis (Sweet almond) oil]*, Caprylic/Capric triglyceride, Hydrogenated argania spinosa kernel oil, Oleic/Linoleic/Linolenic polyglycerides, Limonene**, Glyceryl dibehenate, Tribehenin, Cera carnauba [Copernica cerifera (Carnauba) wax], Tocopherol, Glyceryl behenate, Citrus nobilis oil [Citrus nobilis (Mandarin orange) peel oil], Linalool**, Citral**.
* Produits issus de l'Agriculture Biologique.
** Constituant naturel de l'huile essentielle.

À noter dans la composition. Cires d'abeille et de carnauba, huiles de tournesol, d'amande douce et d'argan, beurre de karité et encore d'autres émollients, un antioxydant, de l'huile essentielle de mandarine et ses trois molécules aromatiques allergènes.

L'avis des experts. Un complexe bien nourrissant qui sent très bon la mandarine (on adore !... même si on aime moins les allergènes qui vont avec). Un peu plus large qu'un stick normal, en carton écologique et avec une petite capsule hygiénique pour le refermer : on est dans du bon.

Crèmes pour le

Visage

Crèmes pour le visage

Les critères des experts

Nettoyée, gommée, masquée, préparée d'une huile ou d'un sérum, la peau doit maintenant s'habiller : c'est le temps des crèmes, nourrissantes et protectrices pour affronter une longue journée, réconfortantes et réparatrices pour passer une bonne nuit. Quel que soit le type de peau, la base reste encore et toujours l'hydratation, gage de l'équilibre et du confort de l'épiderme. Chacune y ajoutera ses actifs spécifiques en fonction de ses besoins, et bien sûr évitera ce qui lui convient le moins ou l'agresse le plus. Et en la matière, la qualité ne vient pas toujours d'une liste d'ingrédients à rallonge, mais plutôt de quelques-uns, s'ils sont utiles… et pertinents.

On le dit en passant : Pot

Ça peut être très joli, un pot de crème… mais c'est toujours un pot, largement ouvert à chaque utilisation, dans lequel on trempe le doigt pour prélever sa dose quotidienne, qu'on ne referme pas toujours bien. En d'autres termes, c'est aussi une porte ouverte aux atteintes de l'air, de la lumière, de l'humidité, et de tout un cortège de micro-organismes (bactéries et champignons, levures et moisissures) qui peuvent s'installer sans obstacles dans ce milieu nutritionnellement très riche que constitue une crème cosmétique. Alors nos soins, on les préfère toujours en flacon-pompe ou à défaut en tube. Et si pot il y a, spatule (propre) on utilisera, pour au moins éviter d'ajouter aux risques de contamination…

À éviter (pour toutes les peaux)

- Les **filtres solaires** ont tendance aujourd'hui à envahir les crèmes de jour au nom de la protection antiradicalaire. Leur action, limitée à environ deux heures, est pourtant discutable dans un produit appliqué une seule fois en début de journée (voir p. 12) alors que leurs inconvénients restent bien présents. Et on se demande toujours ce qu'ils viennent faire dans une crème de nuit…
- Les **composés allergisants** voient leur caractère sensibilisant renforcé par les utilisations quotidiennes de ces cosmétiques « non rincés » : cela vaut pour les molécules aromatiques (voir p. 429), certains conservateurs (voir p. 431), la lanoline, et tous les autres…
- Les **ingrédients photosensibilisants,** pouvant provoquer des réactions épidermiques au soleil, ne devraient pas entrer dans la composition au moins des crèmes de jour : c'est le cas du millepertuis (Hypericum perforatum) ou des huiles essentielles d'agrumes.

À privilégier

	Type de peau				
Actifs	**Normale**	**Sensible**	**Sèche**	**Mature**	**Grasse**
Absorbants	---	Non	Non	---	Argiles
Alcool	Non	NON !		Non	---
Anti-âge	---	Avec précautions : parfois irritants	---	Rétinol, algues, silicium	---
Antioxydants	Oui		Oui	Oui	---
Anti-rougeurs	---	Fragon (Ruscus aculeatus), Sulfate de dextrane		---	---
Apaisants	Oui	Hamamélis, mélilot, souci, euphraise, bisabolol...		Oui	Oui
Astringents	---	Non	---	Oui	Reine des prés, rose, saule...
Émollients d'origine minérale	---	Parraffin, Paraffinum liquidum		---	NON
Huiles végétales	Toutes	Amande douce	Onagre, bourrache, argan, olive, avocat, cameline, carthame		Noisette
Hydratants	Tous	Glycérol	Glycérol, huiles et beurres, acide hyaluronique, urée		---
Kératolytiques	---	Non	Non	---	Acides lactique ou salicylique
Matifiants	---	---	Non	Oui	
Purifiants	---	---	---	---	Arbre à thé, romarin, lavande...

Crèmes de jour
Tous types de peaux

Les résultats

Évalués : 50 produits, de 38 marques différentes.

Prix moyen / 100 ml : 70,24 €.

Ont obtenu au moins la moyenne : 50.

N'ont pas obtenu la moyenne dans au moins un critère : 20.

Meilleure note : 83,92/100.

Plus mauvaise note : 55,25/100.

Les meilleures

	Prix	Composition Efficacité	Tolérance cutanée	Étiquetage	Confort d'utilisation	Principe de précaution	Classement
L'Occitane Concentré velours Amande pomme	★★★	★★★★	★★★	★★★★	★★★★	★★★★	**1**
Terre d'Oc Miel de l'Himalaya Soin visage	★★★★	★★★★	★★	★★★★	★★★★	★★★★	**2**
Forest People Crème de jour au jasmin	★★★	★★★	★★★★	★★★	★★★★★	★★★★	**3**
Couleur Caramel Base de maquillage blanche	★★★	★★★	★★★	★★★★	★★★★	★★★★	4
Jardin Bio Étic Secrets d'Amazonie Crème jour à la goyave rose	★★★★★	★★★	★★★	★★★	★★★★	★★★★	5
Cattier Élixir végétal Crème de jour hydratante Peaux normales - mixtes	★★★★	★★★	★★★★	★★★	★★★★	★★★★	6
Tridyn Biodine visage Crème Biodin Éclat	★★★	★★★	★★★	★★★★	★★★★	★★★★★	7
Santé Gel fluide hydratant velours Lotus et thé blanc	★★★★	★★	★★★★	★★★★	★★★★	★★★★	8

	Prix	Composition Efficacité	Tolérance cutanée	Étiquetage	Confort d'utilisation	Principe de précaution	Classement
Patyka Crème visage bio	★★★★	★★★	★★★★	★★★	★★★★	★★★★	9
Weleda Crème hydratante iris	★★★★	★★★	★★★★	★★★	★★★★	★★★★	10
B com Bio Essentielle Crème hydratante Peaux normales - mixtes	★★★★	★★★	★★★★	★★★	★★★★	★★★★★	11
Eumadis – Dermaclay Crème active jour (Hydratante équilibrante / Éclat vitalité / Hydratation fermeté)	★★★★	★★★	★★★	★★★	★★★★	★★★★★	12
Terre d'Oc Grenade de l'Inde Soin illuminateur visage	★★★	★★★	★★★	★★★	★★★★★	★★★★	13
Kibio Crème hydratante éclat	★★	★★★	★★★★	★★★★	★★★★	★★★★★	14
Cosmélite Gourmande – Crème Gourmande au chocolat	★★	★★★	★★★★	★★★	★★★★	★★★★	15
Dr. Hauschka Crème de jour	★★★	★★★	★★★	★★★★	★★★★	★★★★★	16
Lavera Faces – Crème hydratante balance	★★★★	★★★	★★★	★★★	★★★★	★★★★	17
Jean-Christophe Crème hydro-protectrice active de jour	★★★	★★★	★★★	★★★	★★★★	★★★★★	18
Dr. Hauschka Crème de jour au coing	★★	★★★	★★★	★★★★	★★★★	★★★★★	19
Les Floressances Crème de jour – Argan	★★★★	★★★	★★★	★★★	★★★	★★★★★	20

Les 3 premiers

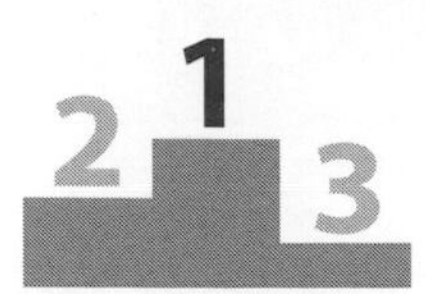

L'OCCITANE
Concentré velours
Amande pomme

Note :	83,92/100.
Présentation :	Pot (verre) 50 ml (étui carton).
Prix indicatif :	35 € *(70 €/100 ml).*
Disponible en :	Boutiques L'Occitane, Internet.
Site internet :	www.loccitane.com

12 M

INGREDIENTS : Aqua/Water, Isononyl isononanoate, Cetearyl alcohol**, Prunus amygdalus dulcis (Sweet almond protein**, Cyclomethicone, Pyrus malus (apple) fruit extract**, Biosaccharide gum-1**, Glycerin, Trioctanoin/Triethylhexanoin, Methylsilanol mannuronate, Glyceryl polymethacrylate, Prunus amygdalus dulcis (Sweet almond) oil**, Squalene**, Cetearyl glucoside**, Corn starch modified**, Vinegar**, Coriandrum sativum (Coriander) fruit oil**, Tocopherol**, Rosmarinus officinalis (Rosemary) leaf extract**, Helianthus annuus (Sunflower) seed oil**, Stearyl alcohol**, Carbomer, Parfum/Fragrance, Cyclohexasiloxane, Propylene glycol, Cyclopentasiloxane, Sodium lauryl sulfate**, Ceteareth-6**, Phenoxyethanol, Benzoic acid, Dehydroacetic acid, Tetrasodium glutamate diacetate, Linalool**, Limonene**.
** Ingrédients issus de l'Agriculture Biologique.

À noter dans la composition. Des émollients en nombre, des protéines et de l'huile d'amande douce, de la pomme, des huiles de silicone, de tournesol aussi, des agents d'entretien de la peau, un antioxydant, de l'huile essentielle de coriandre et du romarin tonifiants, une conservation assurée par l'association des acides benzoïque et déhydroacétique avec le phénoxyéthanol, deux molécules aromatiques allergènes.

L'avis des experts. L'amande adoucissante et nourrissante et la pomme antioxydante revendiquées en actifs principaux sont accompagnées des nombreux hydratants et autres ingrédients œuvrant au confort et à la bonne forme de la peau. La crème, blanche et fine, s'applique et pénètre agréablement, procurant un bon confort. L'odeur reste discrète, le prix dans la moyenne. Évidemment, c'est un pot… mais c'est un joli petit pot.

TERRE D'OC

Miel de l'Himalaya
Soin visage

Note :	83,58/100.
Présentation :	Pot (verre) de 50 ml (étui carton).
Prix indicatif :	14,95 € *(29,90 €/100 ml).*
Disponible en :	Nature et Découvertes.
Site internet :	www.terredoc.com

6 M

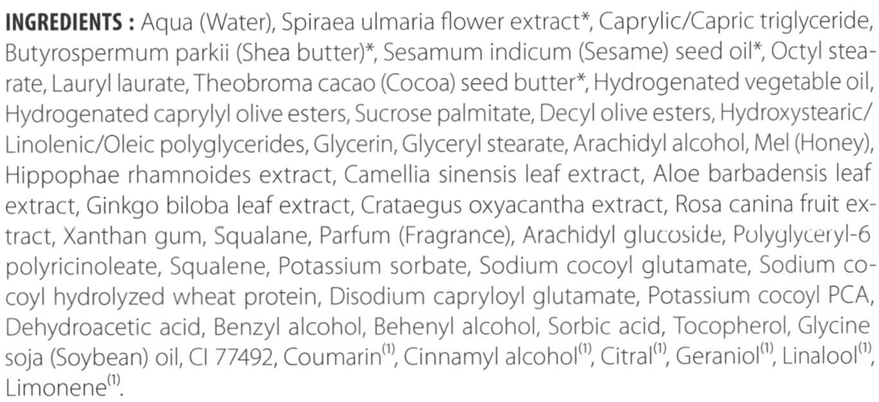
INGREDIENTS : Aqua (Water), Spiraea ulmaria flower extract*, Caprylic/Capric triglyceride, Butyrospermum parkii (Shea butter)*, Sesamum indicum (Sesame) seed oil*, Octyl stearate, Lauryl laurate, Theobroma cacao (Cocoa) seed butter*, Hydrogenated vegetable oil, Hydrogenated caprylyl olive esters, Sucrose palmitate, Decyl olive esters, Hydroxystearic/Linolenic/Oleic polyglycerides, Glycerin, Glyceryl stearate, Arachidyl alcohol, Mel (Honey), Hippophae rhamnoides extract, Camellia sinensis leaf extract, Aloe barbadensis leaf extract, Ginkgo biloba leaf extract, Crataegus oxyacantha extract, Rosa canina fruit extract, Xanthan gum, Squalane, Parfum (Fragrance), Arachidyl glucoside, Polyglyceryl-6 polyricinoleate, Squalene, Potassium sorbate, Sodium cocoyl glutamate, Sodium cocoyl hydrolyzed wheat protein, Disodium capryloyl glutamate, Potassium cocoyl PCA, Dehydroacetic acid, Benzyl alcohol, Behenyl alcohol, Sorbic acid, Tocopherol, Glycine soja (Soybean) oil, CI 77492, Coumarin(1), Cinnamyl alcohol(1), Citral(1), Geraniol(1), Linalool(1), Limonene(1).

* Ingrédient issus de l'Agriculture Biologique.
(1) Constituants d'huiles essentielles naturelles.

À noter dans la composition. À la base, de la reine des prés tonifiante (Spiraea ulmaria), et parmi les émollients, des beurres de karité (Butyrospermum parkii) et de cacao (Theobroma cacao), du glycérol, le miel annoncé sur l'emballage (Mel), des extraits d'argousier, de feuilles de thé, d'aloès, de ginkgo biloba, d'aubépine et d'églantier, un antioxydant, un colorant jaune foncé, quatre conservateurs autorisés en bio et un parfum à base d'huiles essentielles apportant six molécules aromatiques allergènes.

L'avis des experts. Un peu beaucoup d'allergènes, mais bien plus encore (heureusement !) d'émollients, d'actifs nourrissants ou adoucissants et d'extraits végétaux. De bons apports à un prix vraiment très raisonnable ! Sur le visage, cette crème onctueuse et très douce fond comme du beurre, ce que ne peuvent qu'apprécier les peaux fatiguées ou à tendance sèche.

2 1 3

FOREST PEOPLE

Crème de jour au jasmin

Note :	83,42/100.
Présentation :	Pot (verre) de 50 ml.
Prix indicatif :	28,80 € *(57,60 €/100 ml)* et 3,50 € en 5 ml.
Disponible en :	Magasins bio et de produits naturels, équitables ou de bien-être, Spas, Internet.
Site internet :	www.forest-people.com

INGREDIENTS : Argania spinosa oil*, Butyrospermum parkii butter*, Jasminum grandiflorum oil**, Benzyl benzoate.
* Ingrédient sous mention Nature & Progrès cosmétiques bio-écologiques.
** Ingrédient 100 % naturel issu de cueillette sauvage.

À noter dans la composition. Huile d'argan du Maroc, beurre de karité du Burkina Faso, absolu de jasmin en provenance d'Inde (et sa molécule aromatique allergène).

Le coup de cœur des experts. C'était le coup de cœur 2007, cela devient un incontournable en 2008 ! Bien sûr, ce n'est pas à proprement parler une crème (la composition n'intègre pas d'eau) et, dans le pot, c'est bien plutôt un baume à la consistance de beurre tendre, qui fond toujours aussi agréablement sur la peau et sent délicieusement bon. Ce n'est pas le seul intérêt de l'huile essentielle de jasmin, répertoriée dans la nomenclature officielle des ingrédients cosmétiques en tant qu'agent hydratant, apaisant et actif pour l'entretien de la peau. Avec les deux seuls autres ingrédients dont l'intérêt n'est plus à démontrer, on obtient un produit vraiment nourrissant et réellement voluptueux, d'une très bonne tolérance pour toutes les peaux.

Crèmes de nuit Toutes peaux

Les résultats

Évalués : 17 produits, de 14 marques différentes.

Prix moyen / 100 ml : 88,38 €.

Ont obtenu au moins la moyenne : 17.

N'ont pas obtenu la moyenne dans au moins un critère : 7.

Meilleure note : 83,75/100.

Plus mauvaise note : 64,38/100.

Les meilleures

	Prix	Composition Efficacité	Tolérance cutanée	Étiquetage	Confort d'utilisation	Principe de précaution	Classement
Melvita Nectar de crème pour la nuit	★★★★	★★★★	★★★	★★★	★★★★	★★★★	**1**
Forest People Soin de nuit anti-âge au géranium	★★★	★★★	★★★★	★★★	★★★★★	★★★★	**2**
Cattier Songe fleuri Crème de nuit régénérante	★★★	★★★	★★★	★★★★	★★★★	★★★★★	**3**
Tautropfen Émulsion de nuit à la rose	★★★★	★★★	★★★	★★★★	★★★★	★★★★	4
Eumadis Dermaclay – Crème intensive nuit – Relaxante régénérante	★★★★	★★★	★★★	★★★★	★★★★	★★★★★	5
Weleda Crème de nuit iris	★★★★	★★★	★★★★	★★★	★★★★	★★★★	6
Les Floressances Soin de nuit – Argan	★★★★	★★★	★★★	★★★	★★★★	★★★★	7
Jardin Bio Étic Secrets d'Amazonie Crème nuit à l'inca inchi	★★★★★	★★★	★★★	★★★	★★★★	★★★★★	8
Terre de couleur Kioban – Soin du soir	★★★	★★★	★★★★	★★★	★★★★	★★★★★	9
Green Energy La récolte d'olive – Crème nourrissante et régénérante	★★★★	★★★	★★★	★★	★★★★	★★★★	10

Les 3 premières

MELVITA
Nectar de crème pour la nuit

Note :	83,75/100.
Présentation :	Pot de 50 ml (étui carton).
Prix indicatif :	22 € *(44 €/100 ml).*
Disponible en :	Magasins bio et de produits naturels.
Site internet :	www.melvita.com

INGREDIENTS INCI EU [US] : Aqua [Water], Octyldodecanol, Dicaprylyl ether, Cetearyl olivate, Sorbitan olivate, Squalane, Glycerin, Helianthus annuus seed oil [Helianthus annuus (Sunflower) seed oil]*, Argania spinosa oil [Argania spinosa kernel oil]*, Cetearyl alcohol, Hydrolyzed soy protein, Oleic/Linoleic/Linolenic polyglycerides, Stearic acid, Cera alba [Beeswax], Sodium benzoate, Parfum [Fragrance], Xanthan gum, Potassium sorbate, Phytic acid, Limonene**, Hordeum vulgare extract*, Tocopherol, Citric acid, Citral**, Citrus grandis oil [Citrus grandis (Grapefruit) peel oil]*, Linalool**, Helichrysum italicum extract, Backhousia citriodora [Backhousia citriodora oil]*.
* Ingrédients issus de l'Agriculture Biologique.
** Constituants naturels des huiles essentielles.

À noter dans la composition. De nombreux émollients dont le glycérol, les huiles de tournesol et d'argan ou la cire d'abeille (Cera alba). Des protéines de soja et du squalane d'olive régénérants, des extraits d'orge (Hordeum vulgare) et d'immortelle (Helichrysum italicum) protecteurs et apaisants, des huiles essentielles de pamplemousse et de myrte (Backhousia citriodora) tonifiantes avec leurs trois molécules aromatiques allergènes, un système conservateur basé sur les sorbate de potassium et benzoate de sodium.

L'avis des experts. L'an dernier, on disait que la peau pouvait s'endormir confortablement avec cette crème riche et nourrissante, douce et onctueuse, à l'odeur légère. Cette année, elle a légèrement modifié sa composition et quelque peu baissé son prix, mais gardé ses principaux actifs et tout son intérêt (même si son système conservateur pourrait être renforcé). Elle n'a donc pas décollé de la 1ère marche du podium.

FOREST PEOPLE

Soin de nuit anti-âge au géranium

Note :	83,33/100.
Présentation :	Pot (verre) de 50 ml.
Prix indicatif :	28,80 € *(57,60 €/100 ml)*. Et 3,50 € en 5 ml.
Disponible en :	Magasins bio et de produits naturels, équitables ou de bien-être, Spas, Internet.
Site internet :	www.forest-people.com

INGREDIENTS : Butyrospermum parkii butter*, Argania spinosa oil*, Pelargonium rosae oil*, Geraniol.
* Ingrédient sous mention Nature & Progrès cosmétiques bio-écologiques.

À noter dans la composition. Beurre de karité du Burkina Faso, huile d'argan du Maroc, huile essentielle de géranium rosat de Madagascar (et sa molécule aromatique allergène).

L'avis des experts. C'est le complément nocturne de la version au jasmin du matin (voir p. 262). Même principe de formulation très simple mais qualitative, même consistance fondante, même plaisir à l'application... et même succès d'une année sur l'autre puisque c'est encore un « habitué » des podiums du Palmarès des cosmétiques ! Ses ingrédients très nourrissants en font un soin bien hydratant et régénérant, convenant à toutes les peaux, des plus sèches aux plus matures, et vraiment idéal pour la nuit.

CATTIER

Songe fleuri
Crème de nuit régénérante

Note :	83,13/100.
Présentation :	Flacon-pompe de 50 ml (étui carton).
Prix indicatif :	24,98 € *(49,80 €/100 ml)*.
Disponible en :	Magasins bio, Grands magasins (Printemps, BHV, Galeries Lafayette), Résonances, Monoprix, Parapharmacies.
Site internet :	www.laboratoirecattier.com

12 M

INGREDIENTS : Aqua, Caprylic/Capric triglyceride, Helianthus annuus oil*, Glycerin, Alcohol, Cetyl alcohol, Jojoba ester, Butyrospermum parkii*, Sodium benzoate (and) Potassium sorbate, Hydrogenated lecithin, Butyrospermum parkii, Ribes nigrum (Black currant) seed

oil*, Parfum, Benzyl alcohol, Xanthan gum, Squalane, Ceramide 3, Hydrolyzed wheat protein, Tocopherol, Limonene, Linalool, Citronellol, Geraniol.
* Ingrédients issus de l'Agriculture Biologique.

À noter dans la composition. Émollients, huile de tournesol et beurre de karité, glycérol et squalane hydratants, jojoba, lécithine, céramides et protéines de blé en entretien de la peau, un antioxydant et un parfum avec ses quatre molécules aromatiques allergènes. Un peu d'alcool aussi.

L'avis des experts. Pas d'innovation particulière dans la formule de cette crème mais la recette éprouvée d'une texture fine et onctueuse, nourrissante et agréable, dont on sent encore la protection au réveil. On apprécie le joli nom du produit, sa présentation en flacon-pompe élégant, on regrette la présence d'alcool et le nombre d'allergènes, bref… du grand classique cosmétique !

Crèmes Peaux grasses, Peaux jeunes à problèmes

Les résultats

Évalués : 24 produits, de 19 marques différentes.

Prix moyen / 100 ml : 52,02 €.

Ont obtenu au moins la moyenne : 23.

N'ont pas obtenu la moyenne dans au moins un critère : 8.

Meilleure note : 91,67.

Plus mauvaise note : 58,04.

Les meilleures

	Prix	Composition Efficacité	Tolérance cutanée	Étiquetage	Confort d'utilisation	Principe de précaution	Classement
Cattier Gel Crème purifiant à la menthe	★★★★★	★★★★	★★★★	★★★★	★★★★	★★★★★	**1**
Bioderma Sébium AKN – Crème active	★★★★	★★★★	★★★	★★★★	★★★★	★★★★	**2**
Avène Diacnéal – Soin régulateur	★★★★	★★★★	★★★★	★★★★	★★★★	★★★	**3**
Ducray Keracnyl Soin régulateur complet	★★★★	★★★	★★★	★★★	★★★★	★★★★	4

	Prix	Composition Efficacité	Tolérance cutanée	Étiquetage	Confort d'utilisation	Principe de précaution	Classement
Biokosma Young & Clear Crème régulatrice 24 h	★★★	★★★	★★★★	★★★	★★★★	★★★★★	5
Dado Sens PurDerm Crème traitante	★★★★	★★★	★★★	★★★	★★★★	★★★★	6
Annemarie Börlind Purifying Care Crème pour le visage	★★★★	★★★	★★★	★★★	★★★★	★★★★	7
Forest People Crème de jour au pamplemousse	★★★	★★★	★★★★	★★★	★★★★	★★★★	8
Kibio Fluide pureté matifiant	★★	★★★★	★★★	★★★★	★★★★	★★★★★	9
Gamarde Sebo-control Fluide équilibrant	★★★★	★★★	★★★	★★★	★★★★	★★★★	10
Institut Esthederm Pure system Fluide Absolue matité	★★★	★★★★	★★	★★★★	★★★★	★★	11
Avène Cleanance – Émulsion teintée séborégulatrice matifiante	★★★	★★★	★★★	★★★	★★★★	★★★	12

Les 3 premières

CATTIER

Gel Crème purifiant à la menthe

Note :	91,67/100.
Présentation :	Flacon-pompe (verre) de 50 ml.
Prix indicatif :	6,75 € *(13,50 €/100 ml).*
Disponible en :	Magasins bio, Grands magasins (Printemps, BHV, Galeries Lafayette), Résonances, Monoprix, Parapharmacies.
Site internet :	www.laboratoirecattier.com

12 M

LES CRÈMES POUR LE VISAGE

INGREDIENTS : Aqua, Mentha piperita extract*, Citrus aurantium amara flower*, Glycerin, Silica, Xanthan gum, Usnea barbata, Sodium benzoate, Lactic acid.
* 15 % du total des ingrédients sont issus de l'agriculture biologique. 99,4 % du total des ingrédients sont d'origine naturelle.

À noter dans la composition. Menthe et lichen (Usnea barbata) purifiants, eau florale d'orange amère rafraîchissante, glycérol émollient et dioxyde de silicium (Silica) absorbant les excès de sébum, acide lactique régulateur de pH. La conservation est basée sur le sorbate de potassium associé aux propriétés antibactériennes de l'acide usnique (contenu dans le lichen).

L'avis des experts. Il y a des choses avec lesquelles on ne plaisante pas, et les « problèmes » des peaux jeunes sont de ceux-là. Déjà sur le podium en 2007, ce gel à la formule très intéressante est de nature à réconcilier les ados avec leur miroir. Agréable à utiliser avec son odeur discrète et sa texture fluide, il réunit dans son petit flacon-pompe tous les actifs efficaces dont leur peau a besoin. Parfait avec le Touch'Express (du même laboratoire) en complément (voir p. 234).

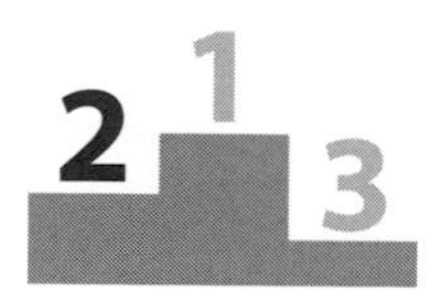

BIODERMA
Sébium AKN
Crème active

Note :	83,71/100.
Présentation :	Tube de 30 ml (étui carton).
Prix indicatif :	9,90 € *(33 €/100 ml).*
Disponible en :	Pharmacies, Parapharmacies.
Site internet :	www.bioderma.com

9 M

INGREDIENTS : Water (Aqua), Di-C12-13 alkyl malate, C12-13 alkyl lactate, Dipropylene glycol, Aluminum starch octenylsuccinate, Glycerin, PTFE, Salicylic acid, Xylitol, Zinc gluconate, Arachidyl alcohol, Glyceryl stearate, PEG-100 stearate, Caprylic/Capric triglyceride, Laminaria ochroleuca extract, Glycyrrhetinic acid, Mannitol, Ginkgo biloba extract, Fructooligosaccharides, Rhamnose, Behenyl alcohol, Polyacrylamide, Sodium hydroxide, Arachidyl glucoside, C13-14 isoparaffin, Xanthan gum, Propylene glycol, Laureth-7, Dodecyl gallate, Fragrance (Parfum).
Visa PP n° 054PP05T208.

À noter dans la composition. Quelques émollients, l'aluminium starch octenylsuccinate absorbant, l'acide salicylique à l'action kératolytique et également conservateur, le gluconate de zinc purifiant, une algue (Laminaria ochroleuca) et l'acide glycyrrhétinique aux vertus apaisantes, du ginkgo biloba et des fructooligosaccharides, un antioxydant (Dodecyl gallate).

L'avis des experts. Purifiante et apaisante, cette crème agit à la fois contre les boutons et les rougeurs des peaux à problèmes ou à tendance acnéique. De bons actifs et l'obtention d'un visa PP sont garants d'un effet scientifiquement prouvé. Et même si l'odeur n'est pas très agréable, cette texture pénètre bien et reste légère.

> **On le dit en passant :** PP
>
> Un produit de beauté n'est pas un médicament, disions-nous p. 174. Mais parfois, un cosmétique peut tout de même revendiquer une action sur des symptômes relevant, par exemple, d'une maladie de la peau comme l'acné. Il faut pour cela qu'il ait obtenu un Visa PP (pour Publicité Produit), accordé, après demande et dépôt de dossier circonstancié auprès des autorités compétentes, aux produits autres que les médicaments pouvant se prévaloir d'une action bénéfique pour la santé. Ainsi, on peut dire qu'un visa PP signe en général un produit sérieux et efficace.

2 1 3

AVÈNE

Diacnéal - Soin régulateur

Note :	83,08/100.
Présentation :	Tube de 40 ml (étui carton).
Prix indicatif :	15,75 € *(39,37 €/100 ml).*
Disponible en :	Pharmacies, Parapharmacies.
Site internet :	www.eau-thermale-avene.com

12 M

INGREDIENTS : Aqua, Cetyl alcohol, Cyclomethicone, Polysorbate 60, Glycolic acid, Avene aqua, Alcohol, Sodium hydroxide, BHT, Dimethiconol, Parfum, Polymethyl methacrylate, Potassium sorbate, CI 17200, Retinal.
Visa PP n° 069PP02P305.

À noter dans la composition. Émollient et silicone, acide glycolique exfoliant, eau thermale apaisante, alcool asséchant et sorbate de potassium pour compléter le système conservateur, un antioxydant (BHT), un colorant et le rétinaldéhyde, utilisé ici, comme le souligne l'argumentaire, pour régulariser les anomalies de la kératinisation et contribuer à éviter la formation des points noirs.

L'avis des experts. Un visa PP, des actifs bien dosés, et une crème pour peaux grasses qui a même des effets antirides grâce au rétinaldéhyde. À utiliser tout de même avec un rien de modération en cas de sensibilité cutanée, ces actifs efficaces et sans risque sur une peau épaisse (comme le sont généralement les peaux grasses) pouvant se révéler un peu agressifs sur des épidermes plus délicats.

Crèmes Peaux sensibles

Les résultats

Évalués : 36 produits, de 19 marques différentes.

Prix moyen / 100 ml : 60,33 €.

Ont obtenu au moins la moyenne : 35.

N'ont pas obtenu la moyenne dans au moins un critère : 15.

Meilleure note : 94,25/100.

Plus mauvaise note : 47,71/100.

Les meilleures

	Prix	Composition Efficacité	Tolérance cutanée	Étiquetage	Confort d'utilisation	Principe de précaution	Classement
Avène Tolérance extrême Crème anti-irritante, apaisante	★★★	★★★★★	★★★★★	★★★★	★★★★	★★★★★	**1**
Stiefel Physiogel – A.I. Crème	★★★★	★★★★	★★★★	★★★★	★★★★	★★★★	**2**
Natessance Soin Douceur Rose	★★★★	★★★★	★★★★	★★★★	★★★★	★★★★★	**3**
Thalgo Hyposensine Crème bio-protectrice	★★	★★★★★	★★★★	★★★★	★★★★	★★★★	4
A-Derma Épithéliale A.H Crème réparatrice	★★★★	★★★★	★★★★	★★★★	★★★★	★★★★	5
Lavera Neutra Fluide pour le visage	★★★★	★★★	★★★★	★★★★	★★★★	★★★★★	6
Avène Cicalfate Crème réparatrice antibactérienne	★★★★	★★★★	★★★★	★★★	★★★	★★★★	7
Avène Émulsion apaisante équilibrante	★★★★	★★★★	★★★★	★★★★	★★★★	★★★	8
Eucerin Peau sensible Re-Balance Soin apaisant	★★★★	★★★★	★★★★	★★★★	★★★	★★★	9

	Prix	Composition Efficacité	Tolérance cutanée	Étiquetage	Confort d'utilisation	Principe de précaution	Classement
Annemarie Börlind ZZ Sensitive Crème de jour	★★★★	★★★	★★★★	★★★★	★★★★	★★★★	10
Cattier Secret botanique – Crème de jour hydratante Peaux sèches - sensibles	★★★	★★★	★★★★	★★★★	★★★★	★★★★★	11
Tautropfen Émulsion de nuit à la rose	★★★★	★★★	★★★	★★★	★★★★	★★★★	12
A-Derma Sensiphase Crème régénérante	★★★	★★★★	★★★	★★★★	★★★★	★★★	13
Eumadis Mosqueta's Gold Élicrisia sensity	★★★	★★★	★★★★	★★★★	★★★★	★★★★	14
Senteurs du Sud Crème de soin	★★	★★★★	★★★★	★★★	★★★★	★★★★★	15
Avène Crème pour peaux intolérantes	★★★★	★★★	★★★★	★★★	★★★★	★★★★	16
Avène Hydrance optimale légère Crème hydratante	★★★	★★★	★★★★	★★★★	★★★★	★★★	17

Les 3 premières

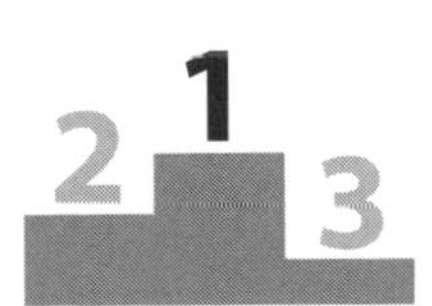

AVÈNE

Tolérance extrême

Crème anti-irritante, apaisante

Note :	94,25/100.
Présentation :	Coffret de 7 unidoses de 5 ml chacune (étui carton).
Prix indicatif :	16,10 € *(46 €/100 ml).*
Disponible en :	Pharmacies, Parapharmacies.
Site internet :	www.eau-thermale-avene.com

INGREDIENTS : Avene aqua, Glycerin, Paraffinum liquidum, Squalane, Carthamus tinctorius, Cyclomethicone, Glyceryl stearate, Sodium carbomer, Titanium dioxide.

À noter dans la composition. Eau thermale apaisante, glycérol émollient, paraffine liquide occlusive et donc antidéshydratante, squalane et huile de carthame agents de restauration de la peau nourrissants, une huile de silicone, encore un émollient, un stabilisateur d'émulsion et un colorant blanc (Titanium dioxide).

L'avis des experts. Une formule sans problème, même pour les peaux les plus intolérantes, ne contenant aucun ingrédient irritant ou allergisant (ni parfum, ni conservateur, ni tensioactif, précise l'étiquette). Une présentation intéressante, vu le type de peau visé : ces unidoses sont en effet fabriquées et conditionnées en milieu stérile, prévues pour une utilisation dans les trois jours après ouverture et refermables pour garantir un maximum de sécurité. Déjà l'an dernier, la dermatologue du jury s'était fendue d'un : « Absolument parfait ! » à peu près aussi rare que le 20/20 en provenance des cosmétologues. Ce produit s'assure aussi la bienveillance de l'esthéticienne, qui apprécie la texture légère enveloppant la peau d'un film protecteur frais et très confortable. Et avec tout cela, le prix du produit n'est même pas excessif. Des arguments à squatter ce podium bien longtemps…

STIEFEL

Physiogel

A.I. Crème

Note :	89,33/100.
Présentation :	Tube de 50 ml (étui carton).
Prix indicatif :	15,65 € *(31,30 €/100 ml).*
Disponible en :	Pharmacies, Parapharmacies.
Site internet :	www.stiefel.com

12 M

INGREDIENTS : Aqua, Olea europaea, Glycerin, Pentylene glycol, Palm glycerides, Olus, Hydrogenated lecithin, Squalane, Betaine, Palmitamide MEA, Sarcosine, Acetamide MEA, Hydroxyethylcellulose, Sodium carbomer, Carbomer, Xanthan gum.

À noter dans la composition. Huile d'olive, glycérol, pentylèneglycol humectant, glycérides d'huile de palme émollientes et une huile végétale riche en acides gras (Olus) forment la base de cette crème. Avec aussi du squalane hydratant, et, en actif antioxydant, antiradicalaire et apaisant, le duo Palmitamide MEA - Acetamide MEA.

L'avis des experts. Encore une très bonne formule, de l'avis unanime de tous les experts du jury. Le fabricant souligne l'absence d'émulsionnants irritants, de parfum, de conservateur, d'urée et de colorant. Il souligne que son actif principal est un complexe moléculaire formé de constituants que l'on retrouve à l'état naturel dans la peau. Quoi qu'il en soit, l'apaisement se fait sentir dès les premières applications, même sur les peaux les plus sensibles ou allergiques.

NATESSANCE

Soin Douceur Rose
Crème de beauté Peaux délicates

Note :	88,54/100.
Présentation :	Flacon-pompe de 50 ml (étui carton).
Prix indicatif :	19,80 € *(39,60 €/100 ml).*
Disponible en :	Pharmacies, Parapharmacies, Internet.
Site internet :	www.natessance.com

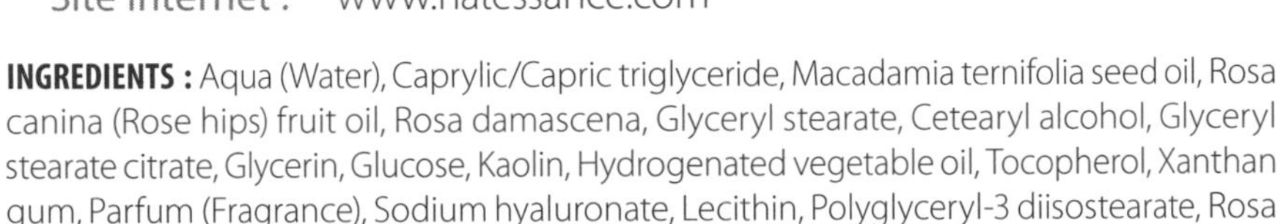

INGREDIENTS : Aqua (Water), Caprylic/Capric triglyceride, Macadamia ternifolia seed oil, Rosa canina (Rose hips) fruit oil, Rosa damascena, Glyceryl stearate, Cetearyl alcohol, Glyceryl stearate citrate, Glycerin, Glucose, Kaolin, Hydrogenated vegetable oil, Tocopherol, Xanthan gum, Parfum (Fragrance), Sodium hyaluronate, Lecithin, Polyglyceryl-3 diisostearate, Rosa centifolia flower wax, Rosa damascena flower wax, Glucose oxidase, Lactoperoxidase, Rosa gallica flower extract.

À noter dans la composition. Dans une base faite d'émollients, d'huile de macadamia et de glycérol, des roses et encore des roses, sous différentes formes (extraits, eaux florales, cires…) et de différentes espèces. Avec aussi un antioxydant, du hyaluronate de sodium hydratant et un système de conservation basé sur deux enzymes (voir p. 14).

L'avis des experts. Le moins qu'on puisse dire est que cette crème n'usurpe pas son nom. De rose il est question, et roses il y a bien et beaucoup dans la composition, celles-ci pour leurs propriétés adoucissantes, celles-là pour leurs vertus régénérantes… On apprécie l'absence d'allergènes, le flacon-pompe qui protège bien le produit, la délicate odeur de pétale… de rose (bien sûr !) de cette émulsion fine et très confortable pour la peau. On émet tout de même une réserve sur le système conservateur, qui, si on le suspecte assez peu de se révéler agressif ou sensibilisant, est tout de même trop récent pour qu'on ait un réel recul sur ses propriétés ou son efficacité.

Crèmes Peaux sèches

Les résultats

Évalués : 41 produits, de 29 marques différentes.

Prix moyen / 100 ml : 68,38 €.

Ont obtenu au moins la moyenne : 41.

N'ont pas obtenu la moyenne dans au moins un critère : 14.

Meilleure note : 87,92/100.

Plus mauvaise note : 53,67/100.

Les meilleures

	Prix	Composition Efficacité	Tolérance cutanée	Étiquetage	Confort d'utilisation	Principe de précaution	Classement
Stiefel Physiogel – Crème	★★★★	★★★★	★★★★	★★★★	★★★★	★★★★★	**1**
Natessance Soin Confort extrême Avocat	★★★	★★★★	★★★★	★★★★	★★★★	★★★★★	**2**
Alma Carmel La naissance de la beauté	★★	★★★★	★★★★	★★★★	★★★★	★★★★★	**3**
Cattier Secret botanique – Crème de jour hydratante Peaux sèches - sensibles	★★★	★★★	★★★★	★★★★	★★★★	★★★★★	4
Coslys Crème visage	★★★★	★★★	★★★	★★★★	★★★★	★★★★★	5
Tridyn Biodine visage Soin confort extrême	★★★	★★★	★★★★	★★★★	★★★★	★★★★★	6
Annemarie Börlind Rosée de roses Crème de jour	★★★	★★★★	★★★	★★★★	★★★★	★★★★	7
Natessance Sweet Coton – Soin jour	★★★	★★★	★★★	★★★★	★★★★	★★★★★	8
B com Bio Essentielle – Crème hydratante Peaux sèches	★★★★	★★★	★★★★	★★★	★★★★	★★★★★	9
Melvita Aloe vera soft Baume hydratant	★★★	★★★★	★★★	★★★★	★★★★	★★★★	10

	Prix	Composition Efficacité	Tolérance cutanée	Étiquetage	Confort d'utilisation	Principe de précaution	Classement
Dado Sens ExtroDerm Crème intensive	★★★★	★★★	★★★★	★★★	★★★★	★★★★	11
Les Floressances Bourrache – Soin express Rides d'expression	★★★★	★★★★	★★★	★★★	★★★★	★★★★	12
Logona Crème de jour Rose	★★★★	★★★	★★★	★★★	★★★★	★★★★	13
Tautropfen Émulsion à l'argousier	★★★	★★★	★★★★	★★★	★★★★	★★★★	14
Senteurs du Sud Crème de soin	★★	★★★★	★★★★	★★★	★★★★	★★★★★	15
Biguine bio Crème onctueuse santal	★★	★★★	★★★	★★★	★★★★	★★★★	16
Institut Esthederm Hydra system Fluide Aqua diffuseur	★★	★★★★	★★★	★★★★	★★★★	★★★	17
Eumadis Mosqueta's – Crème Velours super hydratante	★★★	★★★	★★★	★★★	★★★★	★★★★	18
Annemarie Börlind Rosée de roses Crème de nuit	★★★	★★★	★★★	★★★	★★★★	★★★★	19
Plante system Urgence Crème très nourrissante	★★★	★★★	★★★★	★★★	★★★	★★★	20

Les 3 premières

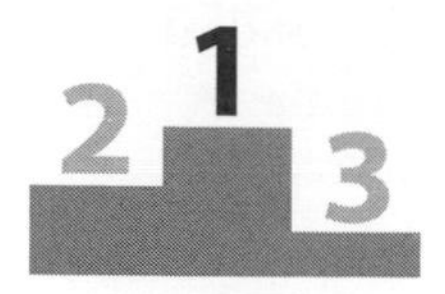

STIEFEL
Physiogel
Crème

Note :	87,92/100.
Présentation :	Tube de 75 ml (étui carton).
Prix indicatif :	13,47 € *(17,96 €/100 ml).*
Disponible en :	Pharmacies, Parapharmacies.
Site internet :	www.stiefel.com

INGREDIENTS : Aqua, Caprylic/Capric triglyceride, Glycerin, Pentylene glycol, Cocos nucifera, Hydrogenated lecithin, Butyrospermum parkii, Hydroxyethylcellulose, Squalane, Xanthan gum, Carbomer, Sodium carbomer, Ceramide 3.

À noter dans la composition. Qu'y a-t-il ici à part des émollients, des humectants ou des hydratants ? Un solvant (Pentylene glycol), des stabilisateurs d'émulsion (Hydroxyethylcellulose, Xanthan gum, Carbomer, Sodium carbomer) et des céramides...

L'avis des experts. Une très bonne formule, conçue pour une hydratation optimale. Une crème blanche un peu épaisse au premier abord, mais qui s'étale sans peine et pénètre facilement. Pas d'odeur et une bonne neutralité pour les peaux sèches et sensibles.

NATESSANCE
Soin Confort extrême Avocat
Nourrissant Peaux sèches

Note :	86,04/100.
Présentation :	Flacon-pompe de 50 ml (étui carton).
Prix indicatif :	19,80 € *(39,60 €/100 ml).*
Disponible en :	Pharmacies, Parapharmacies, Internet.
Site internet :	www.natessance.com

INGREDIENTS : Aqua (Water), Macadamia ternifolia seed oil, Persea gratissima (Avocado) oil, Cetearyl alcohol, Cetearyl glucoside, Butyrospermum parkii (Shea butter) extract, Glycerin, Theobroma cacao (Cocoa) seed butter, Hydrogenated avocado oil, Stearyl alcohol, Glucose, Prunus amygdalus dulcis (Sweet almond) oil, Silica, Squalane, Cetearyl olivate, Sorbitan olivate, Decyl olive esters, Persea gratissima (Avocado) oil unsaponifiables, Squalene, Hydrogenated myristyl olive esters, Parfum (Fragrance), Tocopherol, Sodium hyaluronate,

Lecithin, Xanthan gum, Polyglyceryl-3 diisostearate, Glucose oxidase, Lactoperoxidase, Sodium hydroxide, Glyceryl stearate.

À noter dans la composition. Huiles de macadamia, d'avocat et d'amande douce, beurres de karité et de cacao, glycérol, squalane et squalène hydratants, émollients dont plusieurs dérivés de l'olive (Cetearyl olivate, Sorbitan olivate, Decyl olive esters), un antioxydant, du hyaluronate de sodium hydratant, un système de conservation à base d'enzymes (Glucose oxidase, Lactoperoxidase).

L'avis des experts. Une crème très agréable et nourrissante pour les peaux sèches, d'un joli vert tendre, à l'odeur légère et fraîche. De même facture que le Soin douceur rose (voir p. 273), avec les mêmes qualités (richesse, sécurité du flacon-pompe, prix attractif, confort…) et les mêmes réserves sur le système conservateur.

2 1 3

ALMA CARMEL

La naissance de la beauté

Note :	85,21/100.
Présentation :	Flacon-pompe airless de 50 ml (étui carton).
Prix indicatif :	88€ *(176 €/100 ml).*
Disponible en :	Pharmacies, Parapharmacies, Boutiques de produits naturels et bio, Beauty room du Printemps Haussmann.
Site internet :	www.almacarmel.com

INGREDIENTS (INCI) : Citrus aurantium dulcis (Orange) fruit water*, Caprylic/Capric triglyceride, Glyceryl stearate citrate, Simmondsia chinensis (Jojoba) seed oil*, Cucumis sativus (Cucumber) fruit extract*, Prunus persica (Peach) fruit extract*, Pyrus malus (Apple) fruit extract*, Solanum lycopersicum (Tomato) fruit extract*, Sesamum indicum (Sesame) seed oil*, Cetyl alcohol, Squalane, Rosa canina (Rose hip) fruit oil*, Argania spinosa (Argan) kernel oil*, Glycerin, Citrus medica limonum (Lemon) juice*, Aloe barbadensis leaf extract*, Tocopherol, Xanthan gum, Parfum (Fragrance), Dehydroacetic acid, Benzyl alcohol, Sodium benzoate, Potassium sorbate, Eugenol, Limonene.
* Ingrédients issus de l'Agriculture Biologique.

À noter dans la composition. Eau florale d'orange, émollients, huiles de jojoba, de sésame, d'églantier et d'argan, concombre, pêche, pomme, tomate et jus de citron, aloe vera adoucissant. Avec du glycérol et du squalane hydratants, un antioxydant, quatre conservateurs autorisés en bio et deux molécules aromatiques allergènes apportées par le parfum.

L'avis des experts. Une formule très riche d'hydratants, d'acides gras (dans les huiles végétales), de vitamines, minéraux et antioxydants (légumes, fruits et vitamine E), une bonne régénération pour les peaux sèches. Un parfum très « nature brute » dominé par l'odeur des huiles végétales pouvant désorienter au premier abord et un conditionnement (sous vide d'air dans une poche hermétique en aluminium) préservant au mieux la sécurité microbiologique du produit. Une crème de très bonne tolérance qui peut aussi s'appliquer sur le contour des yeux et se prévaut d'une action anti-âge. Une qualité exigeante avec un très bon pourcentage d'ingrédients bio (77,8 %) et un prix en rapport...

Crèmes Peaux matures, Anti-âge Antirides

Les résultats

Évalués : 68 produits, de 40 marques différentes.

Prix moyen / 100 ml : 93,80 €.

Ont obtenu au moins la moyenne : 67.

N'ont pas obtenu la moyenne dans au moins un critère : 23.

Meilleure note : 84/100.

Plus mauvaise note : 49,83/100.

Les meilleures

	Prix	Composition Efficacité	Tolérance cutanée	Étiquetage	Confort d'utilisation	Principe de précaution	Classement
Uriage Peptilys - Soin jeunesse complet	★★★	★★★★	★★★★	★★★★	★★★★	★★★	**1**
Thémis Soin de nuit - Fluide hydratant anti-âge intensif	★★	★★★★	★★★★	★★★★	★★★★	★★★★	**2**
Melvita Naturalift Crème anti-rides	★★★	★★★	★★★	★★★★	★★★★	★★★★★	**3**
Eucerin Hyaluron-Filler - Soin de comblement rides nuit	★★★	★★★★	★★★★	★★★★	★★★★	★★★	4
Green Energy La récolte des fleurs d'orange - Crème fraîche anti-âge	★★★★	★★★	★★★	★★	★★★★★	★★★★	5

	Prix	Composition Efficacité	Tolérance cutanée	Étiquetage	Confort d'utilisation	Principe de précaution	Classement
Natessance Sweet Coton - Soin jour	★★★	★★★	★★★	★★★★	★★★★	★★★★★	6
Galénic Biophycée - Crème antirides raffermissante	★★★	★★★★	★★★	★★★★	★★★★	★★★	7
Thémis Crème de jour - Émulsion hydratante lissante intensive	★★	★★★★	★★★	★★★★	★★★★	★★★★★	8
Natessance Soin Anti-âge Bourrache – Nuit / Soin Anti-âge Bourrache – Jour	★★★	★★★	★★★★	★★★★	★★★★	★★★★★	9
Les Floressances Bourrache - Crème nuit anti-rides / Bourrache - Crème jour anti-rides	★★★★	★★★	★★★	★★★	★★★★	★★★★	10
B com Bio Intense - Crème anti-rides Toutes peaux	★★★★	★★★	★★★	★★★	★★★★	★★★★★	11
Cosmélite Mogador - Crème de jour anti-âge	★★★	★★★	★★★★	★★★	★★★★	★★★★	12
Résonances Crème anti-âge aux huiles précieuses	★★★★	★★★	★★★★	★★★	★★★★	★★★★	13
Les Floressances Olivier - Émulsion anti-âge / Olivier - Crème confort anti-âge	★★★★	★★★	★★★	★★★	★★★★	★★★★	14
Biokosma Active - Intensive Night Repair Cream	★★	★★★	★★★★	★★★	★★★★	★★★★★	15

Les 3 premières

URIAGE
Peptilys
Soin jeunesse complet

Note :	84/100.
Présentation :	Tube de 40 ml (étui carton).
Prix indicatif :	25 € *(62,50€/100 ml).*
Disponible en :	Pharmacies, Parapharmacies.
Site internet :	www.labo-uriage.com

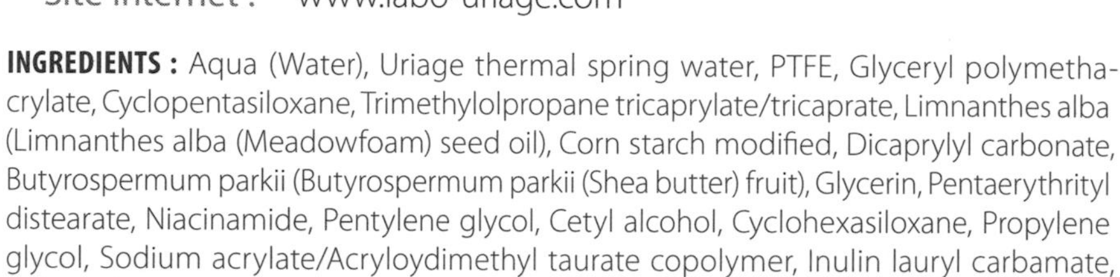

INGREDIENTS : Aqua (Water), Uriage thermal spring water, PTFE, Glyceryl polymethacrylate, Cyclopentasiloxane, Trimethylolpropane tricaprylate/tricaprate, Limnanthes alba (Limnanthes alba (Meadowfoam) seed oil), Corn starch modified, Dicaprylyl carbonate, Butyrospermum parkii (Butyrospermum parkii (Shea butter) fruit), Glycerin, Pentaerythrityl distearate, Niacinamide, Pentylene glycol, Cetyl alcohol, Cyclohexasiloxane, Propylene glycol, Sodium acrylate/Acryloydimethyl taurate copolymer, Inulin lauryl carbamate, Isohexadecane, Steareth-21, Steareth-2, Chlorphenesin, Citric acid, Polysorbate 80, Parfum (Fragrance), O-cymen-5-ol, Tocopheryl acetate, Sorbitan oleate, Sodium hyaluronate, Palmitoyl oligopeptide.

À noter dans la composition. Dans une base d'eau thermale, beaucoup d'émollients dont une huile de graines limnanthe blanc (ou herbe de la prairie), du beurre de karité et du glycérol, un agent lissant sous forme de vitamine PP (Niacinamide), des huiles de silicone assurant une texture douce, un dérivé de la vitamine E antioxydant (Tocopheryl acetate), un acide hyaluronique et des peptides pour l'effet anti-âge. La conservation repose sur deux composés allergisants (Chlorphenesin, O-Cymen-5-ol ou thymol).

L'avis des experts. Une très bonne formule, avec des actifs anti-âge (l'association acide hyaluronique / peptides / vitamine PP) présentés par le fabricant comme l'alternative aux rétinol et acides de fruits plutôt irritants. La texture est fine, le parfum fleuri assez persistant et les résultats annoncés au bout de 28 jours, sur la base de tests effectués sur 80 femmes (un nombre assez conséquent au regard des quotas habituels tournant plutôt autour d'une vingtaine de volontaires…).

2 1 3

THÉMIS

Soin de nuit
Fluide hydratant anti-âge intensif

Note :	83,96/100.
Présentation :	Flacon-pompe de 30 ml (étui carton).
Prix indicatif :	24,50 € *(81,66 €/100 ml).*
Disponible en :	Magasins bio, Parapharmacies, Grands magasins, Instituts de beauté.
Site internet :	www.themis.tm.fr

6 M

INGREDIENTS : Aqua (Water), Mangifera indica (Mango) extract**, Caprylic/Capric triglyceride, Coco caprylate caprate, Microcrystalline cellulose, Cellulose gum, Glycerin, Stearic acid, Cetearyl alcohol, Butyrospermum parkii (Shea) butter, Glyceryl stearate, Dipalmitoyl hydroxyproline, Tocopherol, Lactic acid, Xanthan gum, Dehydroacetic acid, Benzyl alcohol, Parfum naturel (Natural fragrance), Limonene, Linalool, Eugenol, Coumarin, Citral.
Souligné : produits issus du commerce équitable (> 50 % de la matière sèche).
** Produit issus de l'Agriculture Biologique.

À noter dans la composition. Émollients, hydratants et agents d'entretien de la peau forment l'essentiel de la formule avec notamment de la mangue, du beurre de karité et du glycérol. Un antioxydant, des conservateurs autorisés en bio et un parfum à base d'huiles essentielles apportant cinq molécules aromatiques allergènes.

L'avis des experts. Pas d'actif anti-âge à proprement parler, ni de grandes surprises dans cette formule, mais un complexe fortement hydratant destiné à aider la restructuration de la peau durant la nuit. À l'application de cette crème fine, la sensation est douce et le confort au rendez-vous. On aimerait pourtant un peu moins d'allergènes...

3

MELVITA

Naturalift Crème anti-rides

Note :	83,92/100.
Présentation :	Flacon-pompe de 50 ml (étui carton).
Prix indicatif :	25 € *(50 €/100 ml).*
Disponible en :	Magasins bio et de produits naturels.
Site internet :	www.melvita.com

6 M

INGREDIENTS EU [US] : Aqua [Water], Tilia cordata [Tilia cordata flower water]*, Dicaprylyl ether, Caprylic/Capric triglyceride, Octyldodecanol, Glycerin, Arachidyl alcohol, Carthamus tinctorius [Carthamus tinctorius (Safflower) seed oil]*, Behenyl alcohol, Stearic acid. Fagus sylvatica [Fagus sylvatica extract], Cera alba [Beeswax], Camelina sativa [Camelina sativa seed oil]*, Dextrin, Hydrolyzed hibiscus esculentus extract, Sodium benzoate, Arachidyl glucoside, Xanthan gum, Levulinic acid, Potassium sorbate, Pullulan, Cellulose, Hectorite, Citric acid, Limonene, Hordeum vulgare [Hordeum vulgare extract]*, Parfum [Fragrance], Geraniol, Buddleja davidii [Buddleja davidii extract], Helianthus annuus [Helianthus annuus (Sunflower) seed oil], Algae [Algae extract], Citronellol, Rosmarinus officinalis [Rosmarinus officinalis (Rosemary) leaf extract, Linalool, Cyathea medullaris [Cyathea Medullaris extract], Castanea sativa [Castanea sativa (Chesnut) extract]*, Citral.

* Ingrédients issus de l'Agriculture Biologique.

À noter dans la composition. L'eau de fleur de tilleul accueille d'abord des émollients avec du glycérol, des huiles de carthame, de cameline et de tournesol riches en acides gras essentiels, des bourgeons de hêtre hydratants (que d'autres appellent Placenta végétal), de l'hibiscus, un polysaccharide (Pullulan), des extraits d'orge, de l'arbre aux papillons ou lilas d'été (Buddleja davidii), de romarin, fougère (Cyathea medullaris) et de châtaigne pour leurs apports en vitamines et minéraux et une algue dont l'argumentaire précise qu'il s'agit de la Nannochloropsis oculata aux effets tenseurs. Deux conservateurs autorisés en bio, trois molécules aromatiques allergènes.

L'avis des experts. Les actifs sont ici les composés contenus dans les ingrédients d'origine végétale, dans une synergie efficace agissant sur plusieurs tableaux : hydratation, apports nutritifs, lissage de la peau… Le soin peut se suffire à lui-même ou, pour les peaux très sèches, être complété d'une crème. Le système de conservation paraît un peu « léger » malgré le flacon-pompe protecteur et la date d'utilisation conseillée après ouverture de six mois seulement. Mais cette formule confortable et douce, comme son prix raisonnable, garde bien des attraits.

Le
Maquillage

Fonds de teint et crèmes teintées

Les résultats

Évalués : 22 produits, de 9 marques différentes.
Prix moyen / 100 ml : 89,58 €.
Ont obtenu au moins la moyenne : 22.
N'ont pas obtenu la moyenne dans au moins un critère : 26.
Meilleure note : 86,25/100.
Plus mauvaise note : 73,96/100.

Les critères des experts

Un teint parfait, vu du fond d'un tube, c'est de la couvrance et de la tenue. Qu'on peut obtenir avec deux sortes de textures, ayant chacune leurs caractéristiques. Les fluides, en général moyennement couvrants mais discrets, se composent d'eau et de corps gras, et donc de conservateurs. Les compacts, couvrant mieux les imperfections mais dont l'épaisseur a tendance à marquer les rides, associent corps gras et poudres et ont surtout besoin d'antioxydants pour assurer leur longévité. Tous évidemment contiennent des colorants, entre autres ingrédients à bien choisir.

À éviter

- Les **filtres solaires,** on l'a déjà dit (p. 12), peuvent paraître un plus dans le maquillage, mais leur protection ne dure qu'environ deux heures et leurs effets indésirables commandent de les cantonner là où ils sont réellement indispensables : dans les crèmes solaires.
- Les **colorants azoïques** sont stables et leur palette de couleurs est riche, mais leur toxicité (suspectée ou avérée) et leur potentiel allergisant font pâlir leur intérêt. Ils sont nombreux, désignés par un code (comme tous les colorants) commençant par CI (Color Index) suivi de 5 chiffres. Le Lexique des composants (p. 395) recense les principaux.

À privilégier

- Les **hydratants** ne sont jamais de refus dans un fond de teint, puisque ainsi ils ajoutent une touche de soin au maquillage.
- Les **antioxydants** protègent les corps gras du produit du rancissement, ils apportent aussi leurs propriétés antiradicalaires à la peau du visage pour une action anti-âge.

Et puis…

- Les **huiles de silicone** sont très peu biodégradables et polluantes. Difficile dans ce cas de les classer dans les ingrédients à privilégier. Pourtant, elles permettent comme aucun autre corps gras des textures idéales pour les fonds de teint, fluides et souples, qui s'étalent bien et s'avèrent très confortables.

Les meilleurs

	Prix	Composition Efficacité	Tolérance cutanée	Étiquetage	Confort d'utilisation	Principe de précaution	Classement
Couleur Caramel Fond de teint anti-âge	★★★★	★★★★	★★★	★★★★	★★★★	★★★★★	**1**
Couleur Caramel Base de maquillage abricot	★★★★	★★★★	★★★	★★★★	★★★★	★★★★★	**2**
Couleur Caramel Fond de teint fluide	★★★	★★★★	★★★★	★★★★	★★★★	★★★★★	**3**
Revlon ColourStay – MakeUp	★★★★	★★★★	★★★	★★★★	★★★★★	★★★	4
Guayapi Sublimateur de teint à l'urucum	★★★	★★★	★★★	★★★	★★★★	★★★★★	5
Lavera Trend sensitiv Maquillage fluide	★★★★	★★★	★★★	★★★	★★★★	★★★★★	6
Phyt's Crème teintée	★★★	★★★	★★★	★★★	★★★★	★★★★★	7
Santé Fluide hydratant teinté bonne mine Lotus et thé blanc	★★★★★	★★★	★★★	★★★	★★★★	★★★★★	8
Élysambre Fond de teint fluide	★★	★★★★	★★★★	★★★★	★★★★	★★★★★	9
Dr. Hauschka Crème de soin teintée	★★★	★★★	★★★	★★★	★★★★	★★★★★	10

Les 3 premiers

COULEUR CARAMEL
Fond de teint
anti-âge

Note :	86,25/100.
Présentation :	Pot (verre) de 50 ml avec spatule (étui carton). Existe en 5 teintes.
Prix indicatif :	29 € *(58 €/100 ml)*. Recharge : 20 €.
Disponible en :	Instituts de beauté, Salons de coiffure, Magasins bio.
Site internet :	www.couleur-caramel.fr

12 M

INGREDIENTS : Aqua (Water), Centaurea cyanus (Cornflower) water[BIO], Glycerin, Caprylic/Capric triglyceride, Simmondsia chinensis (Jojoba) seed oil[BIO], Glyceryl stearate citrate, Decyl oleate, Decyl olivate, Glyceryl oleate citrate, Prunus amygdalus dulcis (Sweet almond) oil[BIO], Cetyl alcohol, Microcrystalline cellulose, Equisetum arvense (Horsetail) extract*, Citrillus lanatus (Watermelon) seed oil*, Adansonia digitata (Baobab) seed oil*, Squalane, Cellulose gum, Xanthan gum, Squalene, Tocopherol, Alcohol*, Phytic acid, Dehydroacetic acid, Benzyl alcohol, Parfum (Fragrance), Citral, Linalool, Limonene, [+/- May contain : Silica, CI 77891 (Titanium dioxide), CI 77492 (Yellow iron oxide), CI 77491 (Red iron oxide), CI 77499 (Black iron oxide)].

[BIO] Ingrédients issus de l'Agriculture Biologique. * Issus du Commerce équitable.

> **On le dit en passant :** May contain
>
> Dans le maquillage, quand un même produit est décliné en plusieurs teintes, tous les colorants de la gamme sont déclarés en fin de la liste des ingrédients, derrière la mention « +/- May contain ». En clair, cela signifie que le fond de teint peut contenir au moins un ou plusieurs de ces colorants, en fonction de sa teinte.

À noter dans la composition. Dans une base d'eau florale de bleuet, d'abord neuf émollients dont du glycérol, des huiles de jojoba et d'amande douce, et encore un extrait de prêle pour l'effet anti-âge, des huiles de melon du Kalahari (Citrillus lanatus) et de baobab, du squalane et du squalène… De la cellulose microcristalline, des gommes de cellulose et de xanthane pour la texture, un antioxydant (Tocopherol)… La conservation est assurée par un peu d'alcool et deux conservateurs autorisés en bio, le parfum apporte trois molécules aromatiques allergènes. La liste se termine avec les colorants.

L'avis des experts. Il ressemble fort au Fond de teint crème de la même marque arrivé sur la 2e marche du podium l'an dernier. Son nom a un peu changé, sa composition légèrement aussi, mais pas son prix (ni son système de

LE MAQUILLAGE

recharge économique et écologique). La texture est agréable, la couvrance plutôt bonne et la formule très riche en hydratants assure un bon confort de la peau pour la journée. Tout va bien !

COULEUR CARAMEL

Base de maquillage

Abricot

Note :	85,63/100.
Présentation :	Pot (verre) de 50 ml avec spatule (étui carton).
Prix indicatif :	29 € *(58 €/100 ml)*. Recharge : 20 €.
Disponible en :	Instituts de beauté, Salons de coiffure, Magasins bio.
Site internet :	www.couleur-caramel.fr

12 M

INGREDIENTS : Aqua (Water), Centaurea cyanus (Cornflower) water[BIO], Glycerin, Caprylic/Capric triglyceride, Decyl olivate, Prunus amygdalus dulcis (Sweet almond) oil[BIO], Decyl oleate, Glyceryl stearate citrate, Butyrospermum parkii (Shea) butter[BIO], Sesamum indicum (Sesame) seed oil[BIO], Cetyl alcohol, Microcrystalline cellulose, Glyceryl oleate citrate, Squalane, Equisetum arvense (Horsetail) extract, Acacia farnesiana wax, Citrillus lanatus (Watermelon) seed oil[CE], Adansonia digitata (Baobab) seed oil[CE], Cellulose gum, Xanthan gum, Squalene, Tocopherol, Alcohol[BIO], Phytic acid, Dehydroacetic acid*, Benzyl alcohol*, Parfum (Fragrance), Citral, Linalool, Limonene, [+/- May contain : Silica, Mica, CI 77891 (Titanium dioxide), CI 77491 (Yellow iron oxide), CI 77492 (Red iron oxide), CI77492 (Yellow iron oxide), CI 77288 (Chromium oxide)].

* Produits d'origine synthétique.

[BIO] Ingrédients issus de l'Agriculture Biologique. [CE] Issus du Commerce équitable.

À noter dans la composition. Même marque que le produit n° 1, même principe de formulation où l'huile de jojoba cède la place à celle de sésame et au beurre de karité (Butyrospermum parkii). Avec aussi de la cire de cassier (Acacia farnesiana). Même système de conservation, mêmes molécules aromatiques allergènes. Et une palette de colorants.

L'avis des experts. Elle aussi était sur le podium l'an dernier ! Elle aussi a vu sa formule légèrement évoluer, mais pas son prix. Sa déclaration des ingrédients innove en ne signalant pas seulement les composés bio ou issus du commerce équitable (les « bons » ingrédients) mais aussi ceux d'origine synthétique : belle et honnête transparence à saluer. Pour le reste, cette base paraît assez épaisse au premier contact mais s'étale tout de même très bien. Et elle a beau s'appeler « Base de maquillage », elle se révèle relativement couvrante et unifie bien le teint, pouvant tout à fait se suffire à elle-même pour un effet bonne mine.

COULEUR CARAMEL
Fond de teint fluide

Note :	82,71/100.
Présentation :	Flacon (verre) de 30 ml. Existe en 5 teintes.
Prix indicatif :	25 € *(83,33 €/100 g)*. Recharge : 18 €
Disponible en :	Instituts de beauté, Salons de coiffure, Magasins bio.
Site internet :	www.couleur-caramel.fr

INGREDIENTS : Aqua (Water), Centaurea cyanus (Cornflower) water[BIO], Glycerin, Caprylic/Capric triglyceride, Simmondsia chinensis (Jojoba) seed oil[BIO], Prunus amygdalus dulcis (Sweet almond) oil[BIO], C14-22 alcohols, Equisetum arvense (Horsetail) extract[BIO], Coco-caprylate/Caprate, Alcohol, Xanthan gum, Tocopherol, Phytic acid, C12-20 alkyl glucoside, Parfum (Fragrance), Dehydroacetic acid, Benzyl alcohol, Citral, Linalool, Limonene, [+/- May contain : Silica, CI 77891 (Titanium dioxide), CI 77492 (Yellow iron oxide), CI 77491 (Red iron oxide), CI 77499 (Black iron oxide)].
[BIO] : Ingrédients issus de l'Agriculture Biologique. * Issus du Commerce équitable.

À noter dans la composition. Eau florale de bleuet, émollients (glycérol, huiles de jojoba et d'amande douce), deux émulsifiants (C14-22 alcohols, C12-20 alkyl glucoside), de la prêle, un antioxydant, une conservation avec de l'alcool et deux conservateurs autorisés en bio, un parfum et ses trois molécules aromatiques allergènes, des colorants.

L'avis des experts. On se rapproche du principe de la formule du fond de teint anti-âge (n° 1 de ce même podium), mais évidemment en plus léger. Une texture agréable qui unifie bien le teint tout en gardant un effet naturel, avec un bon confort pour la peau. Un sans faute. Et avec cette 3e place pour la même marque, un podium à Couleur unique !

Flash marque : Couleur Caramel

C'est LE spécialiste du maquillage naturel de qualité, bio et équitable, adhérant aux principes du développement durable. Recharges, emballages en matériaux recyclés et recyclables, packagings malins permettant de composer ses propres assortiments de couleurs, gamme exhaustive allant de la base au démaquillant, en passant par les poudres, fards, mascaras et autres rouges à lèvres, pas un aspect n'est oublié. Couleur Caramel, distribué dans les réseaux spécialisés en bio, arrive maintenant dans les pharmacies et parapharmacies, mais sous le biais d'une autre marque, Élysambre. Avec exactement les mêmes compositions, les mêmes principes pour le packaging mais en version un peu plus luxe et avec des visuels plus raffinés…

Poudres

Les résultats

Évalués : 13 produits, de 5 marques différentes.

Prix moyen / 100 ml : 234,60 €.

Ont obtenu au moins la moyenne : 13.

N'ont pas obtenu la moyenne dans au moins un critère : 2.

Meilleure note : 86,25/100.

Plus mauvaise note : 78,54/100.

Les critères des experts

Elles sont d'abord destinées à matifier le teint, et, comme leur nom l'indique, sont constituées… de poudres. Avec des colorants, évidemment. Et pas grand-chose d'autre, ce qui simplifie le choix pour ces produits.

À éviter

- Les **conservateurs trop nombreux :** les poudres ne contenant pas d'eau, elles constituent certainement le milieu cosmétique où le risque microbiologique est le plus faible. Pas besoin, donc, d'une liste de conservateurs potentiellement allergisants à rallonge, mais surtout d'antioxydants pour éviter le rancissement des corps gras qui lient l'ensemble.
- Les **colorants azoïques,** exactement de la même façon et pour les mêmes raisons que celles exposées pour les fonds de teint (voir p. 284).

À privilégier

- Les **poudres** les plus fréquemment utilisées : talc, mica, et amidons par exemple de riz (Oryza sativa) toujours doux pour la peau.

Les meilleures

	Prix	Composition Efficacité	Tolérance cutanée	Étiquetage	Confort d'utilisation	Principe de précaution	Classement
Couleur Caramel Poudre libre	★★★★	★★★	★★★★	★★★★	★★★★	★★★★★	**1**
Avène Couvrance - Poudre mosaïque	★★★★	★★★★	★★★★	★★★	★★★★	★★★	**2**
Annemarie Börlind Poudre compacte	★★	★★★★	★★★★	★★★★	★★★★	★★★★	**3**
Élysambre Poudre compacte	★★★	★★★	★★★★	★★★	★★★★	★★★★★	4
Dr. Hauschka Poudre compacte transparente	★★★	★★★	★★★	★★★	★★★★	★★★★★	5

Les 3 premières

COULEUR CARAMEL
Poudre libre

Note :	86,25/100.
Présentation :	Boîte carton de 10 g (étui carton).
Prix indicatif :	18 € *(180 €/100 ml).*
Disponible en :	Instituts de beauté, Salons de coiffure, Magasins bio.
Site internet :	www.couleur-caramel.fr

INGREDIENTS : Talc, Mica, Zinc stearate, Vitis vinifera (Grape) seed oil[BIO], Butyrospermum parkii (Shea) butter[BIO], Asparagopsis armata extract, Oxycoccus palustris seed oil, Pongamia glabra seed oil, Aspalathus linearis leaf extract, Helianthus annuus (Sunflower) seed oil[BIO], Tocopherol, [+/- May contain : CI 77891 (Titanium dioxide), CI 77491 (Red iron oxide), CI 77492 (Yellow iron oxide), CI 77499 (Black iron oxide)].
[BIO] Ingrédients issus de l'Agriculture Biologique.

À noter dans la composition. Pour les poudres : talc et mica. Du stéarate de zinc antiagglomérant, de l'huile de pépins de raisin et du beurre de karité émollients, un extrait d'algue rouge (Asparagopsis armata), des huiles de canneberge (Oxycoccus palustris), de karanj (Pongamia glabra) et de tournesol (Helianthus annuus) émollientes et restructurantes, des feuilles de thé rouge (Aspalathus linearis) annoncées comme antimicrobiennes et antioxydantes, de la vitamine E (Tocopherol) également antioxydante, et des colorants.

L'avis des experts. Une petite boîte toute légère pour une poudre douce bien matifiante et un prix tout aussi petit. Un bon confort avec cette formule assez originale. La seule petite réserve concerne le système de conservation, qui paraît, même pour une poudre, assez léger, lui aussi (d'autant qu'on n'a pas trouvé de références scientifiques concernant les propriétés antimicrobiennes des feuilles de thé rouge…).

2 1 3

AVÈNE
Couvrance
Poudre mosaïque

Note :	83,42/100.
Présentation :	Boîtier de 9 g (étui carton). Existe en 2 teintes (Translucide et Soleil).
Prix indicatif :	15,65 € *(173,90 €/100 ml).*
Disponible en :	Pharmacies, Parapharmacies.
Site internet :	www.eau-thermale-avene.com

INGREDIENTS : Talc, Mica, Nylon-12, Octyldodecyl stearoyl stearate, Lauroyl lysine, Bis-diglyceryl polyacyladipate-2, Cetyl dimethicone, Ethylparaben, Methylparaben, Phenoxyethanol, Propylparaben, Tocopheryl acetate, May contain (+/-) : Iron oxides (CI 77491) / CI 77492 / CI 77 499, Manganese violet (CI 77742), Titanium dioxide (CI 77891), Ultramarines (CI 77007).

À noter dans la composition. Talc et mica pour la base de cette poudre, avec du nylon-12 et ses propriétés absorbantes, des émollients et agents liants pour assurer une bonne répartition sur la peau, quatre conservateurs, un antioxydant et des colorants.

L'avis des experts. Dans son boîtier blanc très simple (sans miroir ni houppette), cette poudre compacte se divise en alvéoles de différentes couleurs coordonnées ; sur la peau, le résultat est vraiment convaincant mais discret, le teint bien unifié et matifié, et pour toute la journée. On trouve tout de même la conservation un peu lourde, quatre conservateurs n'étant sûrement pas absolument nécessaires dans ce produit.

ANNEMARIE BÖRLIND
Poudre compacte

Note :	82,92/100.
Présentation :	Boîtier de 9 g, avec houppette et miroir (étui carton).
Prix indicatif :	24,90 € *(276,70 €/100 ml).*
Disponible en :	Magasins bio et de produits naturels, Instituts de beauté.
Site internet :	www.boerlind.com

36 M

INGREDIENTS : Talc, Oryza sativa (Rice) starch, Mica, Silica, Magnesium stearate, Squalane, Simmondsia chinensis (Jojoba) seed oil, Kaolin, Phenoxyethanol, Sodium hyaluronate, Cetearyl ethylhexanoate, Bisabolol, Hydrogenated palm glycerides, Hydrogenated palm kernel glycerides, Ascorbyl palmitate, Hydrogenated palm glycerides citrate, Tocopherol, Lecithin. May contain: CI 77489 (Iron oxides), CI 77492 (Iron oxides), CI 77491 (Iron oxides).

À noter dans la composition. Talc, poudre de riz, mica, silice et kaolin pour la base poudrée, quelques hydratants (huile de jojoba, hyaluronate de sodium, cetearyl ethylhexanoate, huile de palme), du bisabolol apaisant, un antioxydant et des colorants.

L'avis des experts. Une bonne formule, une bonne couvrance, un bon confort de la peau, bref, une bonne poudre. Un joli boîtier et un packaging élégant. Très bien, mais un peu cher tout de même…

Mentions spéciales

Fards à joues et blushes

Les meilleurs

	Prix	Composition Efficacité	Tolérance cutanée	Étiquetage	Confort d'utilisation	Principe de précaution	Classement
Terre d'Oc Grenade de l'Inde Rose à joues	★★★★★	★★★★	★★★★	★★★★	★★★★	★★★★★	1
Couleur Caramel Terre Caramel	★★★★	★★★	★★★★	★★★	★★★★	★★★★	2
Élysambre Fard à joues – Blush	★★★	★★★	★★★★	★★★	★★★★	★★★★★	3

Les nommés

TERRE D'OC
Grenade de l'Inde
Rose à joues

Note : 94,58/100.
Présentation : Flacon (verre) de 15 ml avec pinceau applicateur.
Prix indicatif : 16,95 € *(113 €/100 ml).*
Disponible chez : Nature & Découvertes.
Site internet : www.terredoc.com

9 M

INGREDIENTS : Aqua (Water), Hibiscus sabdariffa flower extract*, Aloe barbadensis gel*, Punica granatum seed powder, Maltodextrin, Sodium benzoate, Potassium sorbate.
* Ingrédients issus de l'Agriculture Biologique.

À noter dans la composition. Eau et gel d'aloès, fleurs d'hibiscus et grenade, la maltodextrine pour faire le lien et deux conservateurs autorisés en bio.

L'avis des experts. Pas de colorant dans ce blush un peu liquide, la jolie teinte grenat est apportée par la grenade et l'hibiscus. Assez foncée dans son flacon, elle rosit sur les joues assurant un effet bonne mine très naturel. Une formule simple et originale à 99,3 % de bio qui a vraiment conquis les pommettes… autant que le porte-monnaie : son prix est imbattable !

COULEUR CARAMEL

Terre Caramel

Note :	86,88/100.
Présentation :	Boîte carton de 10 g (étui carton). Existe en 5 teintes.
Prix indicatif :	20,90 € *(209 €/100 ml).*
Disponible en :	Instituts de beauté, Salons de coiffure, Magasins bio.
Site internet :	www.couleur-caramel.fr

INGREDIENTS : Talc, Mica, Zea mays, Magnesium aluminum silicate, Helianthus annuus (Sunflower) seed oil[BIO], Octyldodecanol, Olea europaea (Olive) fruit oil[BIO], Prunus armeniaca (Apricot) kernel seed oil[BIO], Simmondsia chinensis (Jojoba) seed oil[BIO], Vitis vinifera (Grape) seed oil[BIO], Asparagopsis armata extract, Pongamia glabra seed oil, Aspalathus linearis leaf extract, Octyldodecanol, Tocopherol, [+/- May contain : CI 77891 (Titanium dioxide), CI 77491 (Red iron oxide), CI 77492 (Yellow iron oxide), CI 77499 (Black iron oxide)].
[BIO] Ingrédients issus de l'Agriculture Biologique.

À noter dans la composition. C'est une poudre, avec donc les talc, mica, poudre de maïs pour la base, beaucoup d'huiles végétales émollientes (tournesol, olive, noyaux d'abricot, jojoba, pépins de raisin, karanj), un extrait d'algue rouge (Asparagopsis armata) et des feuilles de thé rouge (Aspalathus linearis), un antioxydant, des colorants.

L'avis des experts. C'est une poudre, mais à la teinte bien soutenue, parfaite pour structurer le visage par petites touches. Une texture riche et douce, agréable et légèrement scintillante. Une formule revue depuis l'an dernier (ce produit était déjà cité dans le Palmarès 2007), avec l'apport de l'algue rouge et des feuilles de thé qu'on retrouve beaucoup chez Couleur Caramel cette année, à la fois pour prendre soin de la peau et participer à la conservation du produit, ce qui suscite toujours les mêmes réserves (voir p. 291).

ÉLYSAMBRE

Fard à joues - Blush

Note :	86,46/100.
Présentation :	Boîtier carton de 8 g (recharge pour boîtier).
Prix indicatif :	19,50 € *(243,80 €/100 ml).*
Disponible en :	Pharmacies, Parapharmacies, Spas.
Site internet :	www.elysambre.fr

24 M

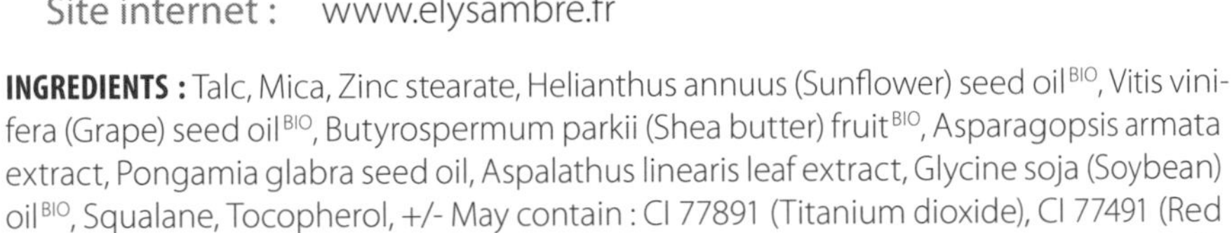

INGREDIENTS : Talc, Mica, Zinc stearate, Helianthus annuus (Sunflower) seed oil[BIO], Vitis vinifera (Grape) seed oil[BIO], Butyrospermum parkii (Shea butter) fruit[BIO], Asparagopsis armata extract, Pongamia glabra seed oil, Aspalathus linearis leaf extract, Glycine soja (Soybean) oil[BIO], Squalane, Tocopherol, +/- May contain : CI 77891 (Titanium dioxide), CI 77491 (Red iron oxide), CI 77492 (Yellow iron oxide), CI 77499 (Black iron oxide), CI 75470 (Carmine)].
[BIO] Ingrédients issus de l'Agriculture Biologique.

À noter dans la composition. Même principe de formulation que les poudres de la maison mère Couleur caramel, avec talc et mica pour la base, huiles de tournesol, de pépins de raisin et de karanj, beurre de karité et squalane pour les émollients, algue rouge et feuilles de thé, vitamine E antioxydante et colorants.

L'avis des experts. On connaît donc ce genre de formulation et on l'a déjà commentée (voir p. 290). La voilà appliquée à un blush d'une jolie teinte mate, qui colore vivement et tient bien. Mais qui, il faut le dire, ne se situe pas dans les meilleurs prix du marché…

Ombres à paupières

Les résultats

Évalués : 14 produits, de 7 marques différentes.

Prix moyen / 100 ml : 472,2.

Ont obtenu au moins la moyenne : 14.

N'ont pas obtenu la moyenne dans au moins un critère : 7.

Meilleure note : 85.

Plus mauvaise note : 70,17.

Les critères des experts

Rien ne ressemble plus à une poudre colorée qu'une autre poudre colorée. Et qu'elle soit destinée à rehausser les pommettes ou à farder les yeux ne change pas grand-chose à la composition, si ce n'est en matière de choix et de variétés de colorants. Tous les conseils de la p. 289 sont donc applicables ici. La peau du contour des yeux étant particulièrement sensible, on se montrera tout de même d'autant plus vigilant vis-à-vis des ingrédients allergisants ou irritants.

Les meilleures

	Prix	Composition Efficacité	Tolérance cutanée	Étiquetage	Confort d'utilisation	Principe de précaution	Classement
Élysambre Ombre à paupières – Mat	☆☆☆☆	☆☆☆	☆☆☆☆	☆☆☆☆	☆☆☆☆	☆☆☆☆☆	**1**
Lavera Trend sensitiv Fard à paupières	☆☆☆	☆☆☆☆	☆☆☆☆	☆☆☆☆	☆☆☆☆	☆☆☆☆	**2**
Terre d'Oc Grenade de l'Inde Ombre à paupières	☆☆	☆☆☆☆	☆☆☆☆	☆☆☆☆	☆☆☆☆	☆☆☆☆☆	**3**
Revlon ColourStay – Ombres à paupières quatuors	☆☆☆	☆☆☆☆	☆☆☆☆	☆☆☆☆	☆☆☆☆	☆☆☆	4
Santé Fard à paupières trio	☆☆☆☆	☆☆☆	☆☆☆☆	☆☆☆	☆☆☆☆	☆☆☆☆☆	5

Les 3 premières

ÉLYSAMBRE

Ombre à paupières

Mat

Note :	85/100.
Présentation :	Boîtier carton de 4 g (recharge pour boîtier).
Prix indicatif :	12 € *(300 €/100 ml).*
Disponible en :	Pharmacies, Parapharmacies, Spas.
Site internet :	www.elysambre.fr

24 M

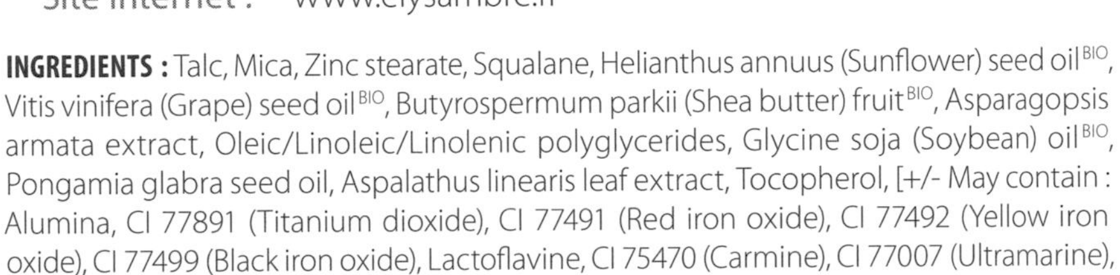

INGREDIENTS : Talc, Mica, Zinc stearate, Squalane, Helianthus annuus (Sunflower) seed oil BIO, Vitis vinifera (Grape) seed oil BIO, Butyrospermum parkii (Shea butter) fruit BIO, Asparagopsis armata extract, Oleic/Linoleic/Linolenic polyglycerides, Glycine soja (Soybean) oil BIO, Pongamia glabra seed oil, Aspalathus linearis leaf extract, Tocopherol, [+/- May contain : Alumina, CI 77891 (Titanium dioxide), CI 77491 (Red iron oxide), CI 77492 (Yellow iron oxide), CI 77499 (Black iron oxide), Lactoflavine, CI 75470 (Carmine), CI 77007 (Ultramarine), CI 77510 (Ferric ferrocyanide), CI 77289 (Chromium hydroxide green)].

BIO Ingrédients issus de l'Agriculture Biologique.

À noter dans la composition. Très peu de différences entre la formule du blush de la même marque (p. 295) et celle-ci. On note simplement un émollient différent (Oleic/Linoleic/Linolenic polyglycerides) et une palette plus étendue de colorants…

L'avis des experts. Une bonne formule de blush sans allergènes convient évidemment très bien aussi aux yeux. Un bel assortiment de coloris, des plus ténébreux aux plus tendres, à appliquer avec mesure pour éviter de marquer les ridules.

LAVERA

Trend sensitiv

Fard à paupières

Note :	84,79/100.
Présentation :	Boîtier de 3,6 g (étui carton).
Prix indicatif :	13,90 € *(386,10 €/100 ml).*
Disponible en :	Magasins bios et diététiques, Instituts de beauté, Internet.
Site internet :	www.lavera.de (en allemand).

36 M

Distributeur français : BleuVert, www.bleu-vert.fr

INGREDIENTS : Talc, Magnesium stearate, Silica, Tricaprylin, Tocopheryl acetate, Glycine soja (Soybean) oil*, Simmondsia chinensis (Jojoba) seed oil*, Olea europaea (Olive) fruit oil*, Calendula officinalis flower extract*, Ceramide 3, Fragrance (Parfum), [+/- Mica, Titanium dioxide (CI 77891), Manganese violet (CI 77742), Iron oxide (CI 77491), Ultramarine (CI 77007), Chromium hydroxide green (CI 77288), Ferric ferrocyanide (CI 77510)].
* Ingrédients issus de l'Agriculture Biologique.

À noter dans la composition. Une poudre à base de talc, stéarate de magnésium et silice. Un dérivé de vitamine E antioxydant (Tocopheryl acetate). Des émollients avec un dérivé du glycérol (Tricaprylin), des huiles de soja, jojoba et olive. Un extrait de souci apaisant, des céramides. Un peu de parfum et la palette des colorants.

L'avis des experts. Un petit boîtier léger mais avec tout de même un miroir pratique pour les retouches. Des couleurs tendres et naturelles à étaler sur la paupière du bout du doigt, une tenue très honorable et une bonne tolérance. Seule réserve : avec une conservation basée uniquement sur un antioxydant, 36 mois d'utilisation conseillée après ouverture, ça paraît quand même très long...

TERRE D'OC
Grenade de l'Inde
Ombre à paupières

Note :	**84,58/100.**
Présentation :	Pot (verre) de 1,6 g (étui carton).
Prix indicatif :	8,50 € *(531,30 €/100 ml).*
Disponible chez :	Nature & Découvertes.
Site internet :	www.terredoc.com

Beige rosé

INGREDIENTS : Mica, CI 77891 (Titanium dioxide), Triticum vulgare (Wheat) extract*, Magnesium carbonate, Talc, CI 77492 (Yellow iron oxide), CI 77491 (Red iron oxide), CI 77499 (Black iron oxide), Punica granatum seed powder, Calendula officinalis extract*, Potassium sorbate, Dehydroacetic acid.
* Ingrédients issus de l'Agriculture Biologique.

Terre cuivrée

INGREDIENTS : Mica, CI 77492 (Yellow iron oxide), CI 77891 (Titanium dioxide), Triticum vulgare (Wheat) extract*, CI 77491 (Red iron oxide), Magnesium carbonate, CI 77499 (Black iron oxide), Talc, Punica granatum seed powder, Calendula officinalis extract*, Potassium sorbate, Dehydroacetic acid.
* Ingrédients issus de l'Agriculture Biologique.

Terre fumée

INGREDIENTS : CI 77492 (Yellow iron oxide), CI 77499 (Black iron oxide), CI 77491 (Red iron oxide), Mica, Triticum vulgare (Wheat) extract*, Magnesium carbonate, Punica granatum seed powder, Calendula officinalis extract*, Potassium sorbate, Dehydroacetic acid, CI 77891 (Titanium dioxide),
* Ingrédients issus de l'Agriculture Biologique.

À noter dans la composition. Trois formules ne différant que par le dosage de leurs colorants qui forment l'essentiel de la composition. Avec aussi du talc pour les deux premières teintes, et pour toutes : du blé, de la grenade (Punica granatum) et le duo conservateur formé par le sorbate de potassium et l'acide déhydroacétique.

L'avis des experts. De bonnes formules et trois jolies poudres soyeuses et douces à poser délicatement et par petites touches sur la paupière. De belles couleurs irisées (mais pas trop), très lumineuses. Vraiment très bien… malgré le prix.

Mentions spéciales

Crayons pour les yeux

Le meilleur

	Prix	Composition Efficacité	Tolérance cutanée	Étiquetage	Confort d'utilisation	Principe de précaution	Classement
Annemarie Börlind Crayon khôl pour les yeux	★★★★	★★★★	★★★★	★★★★	★★★★	★★★★★	1

Le nommé

ANNEMARIE BÖRLIND

Crayon khôl pour les yeux

Note :	87,5/100.
Présentation :	Crayon de 1,1 g (étui carton).
Prix indicatif :	5,90 € *(536,40 €/100 ml).*
Disponible en :	Magasins bio et de produits naturels, Instituts de beauté.
Site internet :	www.boerlind.com

INGREDIENTS : Hydrogenated palm kernel glycerides, Behenyl alcohol, Hydrogenated palm glycerides, Talc, Isopropyl myristate, Simmondsia chinensis (Jojoba) seed oil, Tocopherol, Stearalkonium hectorite, Propylene carbonate, Ascorbyl palmitate. May contain : CI 77499 (Iron oxide), CI 77007 (Ultramarine), CI 77491 (Iron oxide), CI 77510 (Ferric ferrocyanide).

À noter dans la composition. Des émollients pour commencer, du talc et un dérivé d'hectorite (argile), des liants et solvants (Isopropyl myristate, Propylene carbonate), de l'huile de jojoba, deux antioxydants (Tocopherol, Ascorbyl palmitate) et des colorants.

L'avis des experts. Rien à signaler au niveau de la formule assez classique et sans problème de ce crayon. Mais il est bien noir, il se pose facilement, son contact est doux sur les yeux et il tient bien…

Mentions spéciales

Mascaras

Les meilleurs

	Prix	Composition Efficacité	Tolérance cutanée	Étiquetage	Confort d'utilisation	Principe de précaution	Classement
Couleur Caramel Mascara (cils courts ou longs)	★★★★	★★★	★★★★	★★★	★★★★	★★★★	1
Revlon Mascara Fabulash	★★★★	★★★★	★★★	★★★★	★★★★	★★★	2
Élysambre Mascara (cils courts ou longs)	★★★	★★★	★★★★	★★★	★★★★	★★★★	3

Les nommés

COULEUR CARAMEL
Mascara
(cils courts ou longs)

Note : 82,92/100.

Présentation : Tube de 9 ml avec brosse applicateur (étui carton). Existe en 4 teintes.

Prix indicatif : 14,90 € *(165,60 €/100 ml).*

Disponible en : Instituts de beauté, Salons de coiffure, Magasins bio.

Site internet : www.couleur-caramel.fr

INGREDIENTS : Aqua (Water), Glycerin, Acacia senegal gum, Stearic acid, Cera alba (Beeswax), Copernica cerifera (Carnauba) wax, Sucrose acetate isobutyrate, Euphorbia cerifera (Candelilla) wax, Magnesium aluminum silicate, Glyceryl, Stearate, Butyrospermum parkii (Shea) butter, Sodium hydroxide*, Tocopheryl acetate, Benzyl alcohol*, Sodium hydroxymethylglycinate*, Citric acid, Parfum (Fragrance), [+/- May contain : CI 77510 (Ferric ferrocyanide), CI 77491 (Red iron oxide), CI 77492 (Yellow iron oxide), CI 77499 (Black iron oxide), CI 77007 (Ultramarine), CI 75470 (Carmine)].

* Produits d'origine synthétique.

À noter dans la composition. Une base d'eau et de glycérol, avec de la gomme arabique (Acacia senegal), des cires d'abeille (Cera alba), de carnauba ou de candelilla et des filmogènes (Sucrose acetate isobutyrate) pour envelopper les cils, des agents de consistance (Stearic acid, Magnesium aluminum silicate), du beurre de karité, un parfum et des colorants. Pour la conservation, un antioxydant dérivé de la vitamine E (Tocopheryl acetate) avec l'association de l'alcool benzylique et de l'hydroxymethylglycinate de sodium.

L'avis des experts. Une formule et deux brosses : une (très dense) pour les cils courts, une autre (plus fine) pour les cils longs. La composition évite les solvants traditionnels dans ce genre de produits, de même que les composés les plus irritants pour respecter la fragilité des yeux. Les couleurs sont intenses, l'application facile et sans bavures, et la tenue très bonne. D'ailleurs, on le disait déjà l'an dernier dans ce Palmarès où ce produit était n° 1. Et son prix est toujours un des plus attractifs de la catégorie…

REVLON
Mascara Fabulash

Note :	81,92/100.
Présentation :	Tube de 7,9 ml avec brosse applicateur. Existe en 3 teintes.
Prix indicatif :	12,90 € *(163,30 €/100 ml).*
Disponible en :	Parfumeries, Instituts de beauté, Grands magasins, Pharmacies, Parapharmacies, Institut Revlon (Paris).
Site internet :	www.revlon.com

6 M

INGREDIENTS : Aqua, Paraffin, Stearic acid, Isododecane, Copernica cerifera (Carnauba) wax, Polysilicone-6, Cera alba, Cyclopentasiloxane, Glyceryl stearate, Triethanolamine, Acacia senegal gum, Nylon-12, Hydrogenated stearyl olive ester, Hydrolyzed silk, Lecithin, Panthenol, Retinyl palmitate, Tocopheryl acetate, Phytantriol, Persea gratissima (Avocado) oil, Triticum vulgare (Wheat) flour lipids, Polyethylene, Hydroxyethylcellulose, Simethicone, Dimethiconol, Hydrogenated polyisobutene, Sorbitan laurate, Polysorbate 20, Dimethicone crosspolymer-3, Propylene glycol laurate, Propylene glycol stearate, Magnesium ascorbyl phosphate, Polyglyceryl-3 distearate, Polysorbate 60, Myristic acid, Palmitic acid, Guar hydroxypropyltrimonium chloride, Phenoxyethanol, Methylparaben, Propylparaben, [+/- : CI 77491, CI 77492, CI 77499].

À noter dans la composition. Eau, cire de paraffine émolliente pour la consistance, émulsifiant et solvant précèdent dans la liste des cires de carnauba et d'abeille, de la gomme arabique (Acacia senegal), plusieurs dérivés de silicone émollients et filmogènes pour gainer les cils, d'autres émollients (Glyceryl stearate, huile d'avocat…) et émulsifiants, des humectants (Phytantriol…), des protéines de soie (Hydrolyzed silk), des agents antistatiques (Panthenol, Polyethylene), des antioxydants (Retinyl palmitate, Tocopheryl acetate, Magnesium ascorbyl phosphate…), trois conservateurs (Phenoxyethanol, Methylparaben, Propylparaben) et des colorants (trois oxydes de fer).

L'avis des experts. La formule classique, riche et conventionnelle d'un bon mascara, doux à l'application, joli sur les cils et réellement efficace pour bien les séparer et leur donner un effet allongé. Trois couleurs basiques (très noir, noir, marron), un produit sûr à tous points de vue.

ÉLYSAMBRE

Mascara (cils courts ou longs)

Note :	**81,25/100.**
Présentation :	Tube de 9 ml avec brosse applicateur (étui carton). Existe en 4 teintes.
Prix indicatif :	16,50 € *(183,30 €/100 ml).*
Disponible en :	Pharmacies, Parapharmacies, Spas.
Site internet :	www.elysambre.fr

12 M

L'avis des experts. Soyons clair. C'est le même, exactement, que celui de Couleur Caramel sur la 1ère marche du podium, et décliné de la même façon. Seul le design de l'étui a changé… et le prix, ce qui explique que celui-ci n'arrive qu'en 3e position.

Rouges à lèvres

Les résultats

Évalués : 10 produits, de 6 marques différentes.

Prix moyen / 100 ml : 469,80 €.

Ont obtenu au moins la moyenne : 10.

N'ont pas obtenu la moyenne dans au moins un critère : 2.

Meilleure note : 88,5/100.

Plus mauvaise note : 59,5/100.

Les critères des experts

Un bon rouge à lèvres, ce n'est pas seulement (peut-être même pas du tout !) celui qui a bon goût. Cela pourrait paraître un critère déterminant puisqu'on en mange (2 kg en moyenne dans une vie de femme), mais c'est justement parce que ses composants peuvent ainsi pénétrer directement dans l'organisme qu'il vaut mieux surveiller leur propriétés de près pour éviter les moins appétissants... toxicologiquement parlant !

À éviter

- Les **colorants azoïques,** même si certains d'entre eux font partie des additifs alimentaires, sont suspectés de nombreux effets indésirables (voir p. 22).
- Les **BHT et BHA** antioxydants ne semblent pas poser de problèmes quand ils restent sur la peau. Mais leur toxicité pour le système digestif est avérée. Bien sûr, uniquement en cas d'ingestion de très hautes doses, mais ce n'est peut-être pas la peine d'en avaler, même un peu, avec son rouge à lèvres.
- Les **filtres solaires,** encore une fois, n'ont de justification que dans les baumes protecteurs. Il n'est pas forcément pertinent de s'en délecter un peu tous les jours.

À privilégier

- **Émollients, hydratants et autres restructurants** des tissus, d'origine végétale ou non, apportent une touche de soin à la beauté des lèvres. On n'y revient pas : à ce stade de votre lecture, vous les connaissez maintenant par cœur !
- Les agents **filmogènes** aident à obtenir un joli fini régulier, lisse et durable. Quelques substances naturelles peuvent remplir ce rôle comme les cires de candelilla (Candelilla cera), d'abeille (Cera alba), de carnauba (Carnauba wax), ou les gommes, de cellulose (Cellulose gum), de guar (Cyamopsis tetragonolobus gum)... Les composés d'origine synthétique se révèlent

aussi particulièrement efficaces dans cette fonction : c'est le cas des dérivés de silicone ou des copolymères, de la polyacrylamide (Polyacrylamide), de l'homopolymère d'éthylène (Polyethylene)...

Les meilleurs

	Prix	Composition Efficacité	Tolérance cutanée	Étiquetage	Confort d'utilisation	Principe de précaution	Classement
Revlon ColourStay – Overtime Lipcolor	★★★★	★★★★	★★★★	★★★★	★★★★★	★★★	1
Couleur Caramel Rouge à lèvres	★★★★	★★★★	★★★★	★★★★	★★★★	★★★★	2
Élysambre Rouge à lèvres	★★★	★★★★	★★★★	★★★★	★★★★	★★★★	3
Annemarie Börlind Rouge à lèvres	★★★★	★★★	★★★	★★★★	★★★★	★★★★	4
Revlon Super Lustrous Lipstick	★★★★	★★★	★★★★	★★★★	★★★★	★★★	5

Les 3 premiers

REVLON

ColourStay – Overtime Lipcolor

Note :	88,5/100.
Présentation :	Tube avec 2 compartiments de 2 ml chacun et 2 applicateurs. (Existe en 18 teintes). 18 M
Prix indicatif :	13,90€ *(347,50 €/100 ml).*
Disponible en :	Parfumeries, Instituts de beauté, Grands magasins, Pharmacies, Parapharmacies, Institut Revlon (Paris).
Site internet :	www.revlon.com

LIPCOLOR INGREDIENTS : Isododecane, Dimethicone, Trimethylsiloxysilicate, Polyethylene, Disteardimonium hectorite, C12-15 alkyl benzoate, Methicone, Serica (Silk powder – Poudre de soie), Silica, Propylene carbonate, BHT, Sorbic acid, Methylparaben, Propylparaben, [+/- : Mica, bismuth oxychloride (CI 77163), Titanium dioxide (CI 77891), Red 7 lake (CI 15850), Red 33 lake (CI 17200), Yellow 5 lake (CI 19140), Yellow 6 lake (CI 15985), Blue 1 lake (CI 42090), Iron oxides (CI 77491, 77492, 77499), Carmine (C 75470)]. 20948.

TOPCOAT INGREDIENTS : Hydrogenated polydecene, Silica silylate, Benzoic acid, Squalane, Phytantriol, Chamomilla recutita (Matriarca) extract, Foeniculum vulgare (Fennel) seed extract, Lycopene, Glycine soja (Soy) isoflavones. 20947.

À noter dans la composition. Deux listes d'ingrédients, une pour chaque compartiment du tube. La première correspond au rouge à lèvres en lui-même, avec ses solvants, agents filmogènes ou de contrôle de la viscosité, ses conservateurs et antioxydant, ses colorants (dont quatre azoïques). La seconde est celle du brillant, avec des émollients et humectant, l'acide benzoïque conservateur, de la camomille, du fenouil et des isoflavones de soja.

L'avis des experts. D'abord, il séduit par son conditionnement original de deux produits en un. Puis il emporte toutes les adhésions pas son incroyable efficacité et sa tenue réellement indestructible. Appliquez-le, il ne vous quittera plus jusqu'au passage du démaquillant (et mieux vaut que ce dernier soit bon…). À l'application (très facile avec l'applicateur mousse), le rouge semble assécher fortement les lèvres, un peu comme si on avait passé un pinceau enduit de colle dessus… sensation oubliée dès la pose du brillant qui rend le tout très confortable. Ensuite, vous pouvez manger, boire, vous laver les dents, embrasser qui vous voulez… rien ne bouge. Quant à la formule, il est vrai qu'on aurait préféré un autre antioxydant que le BHT et moins de colorants azoïques…

COULEUR CARAMEL

Rouge à lèvres

Note :	81,67/100.
Présentation :	Tube de 3,5 g (étui carton). Existe en mat, brillant, pailleté (40 références en tout). 24 M
Prix indicatif :	13 € *(371,40 €/100 ml).*
Disponible en :	Instituts de beauté, Salons de coiffure, Magasins bio.
Site internet :	www.couleur-caramel.fr

INGREDIENTS (ROUGES À LÈVRES NACRÉS) : Ricinus communis (castor) oil, Hydrogenated stearyl olive esters, Euphorbia cerifera (Candelilla) wax, Oleic/Linoleic/Linolenic polyglycerides, Sucrose acetate isobutyrate, Prunus armeniaca (Apricot) kernel oil unsaponifiables, Butyrospermum parkii (Shea) butter BIO, Olea europaea (Olive) fruit oil BIO, Prunus armeniaca (Apricot) kernel oil BIO, Simmondsia chinensis (Jojoba) seed oil BIO, Pongamia glabra seed oil, Asparagopsis armata extract, Vitis vinifera (Grape) seed oil BIO, Aspalathus linearis leaf extract, Tocopherol, Aroma, [+/- May contain : Alumina, Lactoflavine, CI 77891 (Titanium dioxide), CI 77491 (Red iron oxide), CI 77492 (Yellow iron oxide), CI 77499 (Black iron oxide),

CI 75470 (Carmine), CI 77007 (Ultramarine), CI 77510 (Ferric ferrocyanide)].
BIO Issus de l'Agriculture Biologique.

INGREDIENTS (ROUGES À LÈVRES MATS) : Ricinus communis (castor) oil, Hydrogenated stearyl olive esters, Prunus armeniaca (Apricot) kernel oil unsaponifiables, Isopropyl stearate, Ethylhexyl palmitate, Octyldodecanol, Euphorbia cerifera (Candelilla) wax, Moutain cera, Olea europaea (Olive) fruit oil[BIO], Prunus armeniaca (Apricot) kernel oil[BIO], Simmondsia chinensis (Jojoba) seed oil[BIO], Oleic/Linoleic/Linolenic polyglycerides, Butyrospermum parkii (Shea) butter[BIO], Pongamia glabra seed oil, Asparagopsis armata extract, Vitis vinifera (Grape) seed oil[BIO], Aspalathus linearis leaf extract, Tocopherol, Aroma, [+/- May contain : Alumina, Lactoflavine, CI 77891 (Titanium dioxide), CI 77491 (Red iron oxide), CI 77492 (Yellow iron oxide), CI 77499 (Black iron oxide), CI 75470 (Carmine), CI 77007 (Ultramarine), CI 77510 (Ferric ferrocyanide)].
BIO Issus de l'Agriculture Biologique.

À noter dans la composition. Deux formules qui se ressemblent, à base d'huiles végétales et de cires naturelles, un filmogène supplémentaire pour les nacrés (Sucrose acetate isobutyrate), deux émollients pour les mats (Isopropyl stearate, Ethylhexyl palmitate). Même système de conservation (à base de vitamine E antioxydante et des feuilles de thé rouge dont le fabricant revendique les propriétés antibactériennes), mêmes colorants.

L'avis des experts. La texture est crémeuse et confortable, la tenue est plutôt bonne (la tolérance aussi), les couleurs joliment nuancées. Le petit plus : à chaque effet son arôme. Les mats sentent l'abricot, les brillants la vanille, les pailletés la fraise des bois. La formule est bien nourrissante, sa conservation semble toutefois un peu légère au vu de la période d'utilisation conseillée après ouverture... N'en reste pas moins une bonne impression d'ensemble sur ces bâtons enrobés de carton très écolo !

2 1 3

ÉLYSAMBRE

Rouge à lèvres

Note :	81,25/100.
Présentation :	Tube de 3,5 g (étui carton). Existe en mat, brillant...
Prix indicatif :	13,50€ *(385,70 €/100 ml).*
Disponible en :	Pharmacies, Parapharmacies, Spas.
Site internet :	www.elysambre.fr

24 M

L'avis des experts. On a l'habitude maintenant : même maison-mère, et exactement les mêmes produits que ceux de Couleur Caramel (n° 2), packaging et prix mis à part...

LE MAQUILLAGE

Mentions spéciales

Gloss

Les meilleurs

	Prix	Composition Efficacité	Tolérance cutanée	Étiquetage	Confort d'utilisation	Principe de précaution	Classement
Couleur Caramel Gloss	★★★★	★★★★	★★★★	★★★★	★★★★	★★★★	1
Élysambre Gloss	★★★	★★★★	★★★★	★★★★	★★★★	★★★★	2

Les nommés

COULEUR CARAMEL
Gloss

Note :	87,08/100
Présentation :	Tube de 9 ml (étui carton). Existe en 10 teintes.
Prix indicatif :	14 € *(155,60 €/100 ml).*
Disponible en :	Instituts de beauté Salons de coiffure, Magasins bio.
Site internet :	www.couleur-caramel.fr

INGREDIENTS : Ricinus communis (castor) oil, Oleic/Linoleic/Linolenic polyglycerides, Sucrose acetate isobutyrate, Prunus armeniaca (Apricot) kernel oil unsaponifiables, Silica, Aspalathus linearis leaf extract, Pongamia glabra seed oil, Tocopherol, Aroma, [+/- May contain : Alumina, Lactoflavine, CI 77019 (Mica), CI 77891 (Titanium dioxide), CI 77491 (Red iron oxide), CI 77492 (Yellow iron oxide), CI 77499 (Black iron oxide), CI 75470 (Carmine), CI 77007 (Ultramarine), CI 77510 (Ferric ferrocyanide)].

À noter dans la composition. Une composition très proche de celle des rouges à lèvres de la même marque (voir p. 306), plus légère en émollients et en huiles végétales.

L'avis des experts. On l'aimait déjà beaucoup l'an dernier puisqu'il était déjà cité dans ce Palmarès comme « très doux sur les lèvres, ultra-brillant et bien colorant pour un gloss »… La texture est toujours un peu épaisse mais confortable, et l'effet collant pas trop marqué. La mention spéciale cette année vaut confirmation de l'avis favorable du jury.

ÉLYSAMBRE

Gloss

Note :	85/100.
Présentation :	Tube de 8 ml (étui carton).
Prix indicatif :	15,50 € *(193,80 €/100 ml).*
Disponible en :	Pharmacies, Parapharmacies, Spas.
Site internet :	www.elysambre.fr

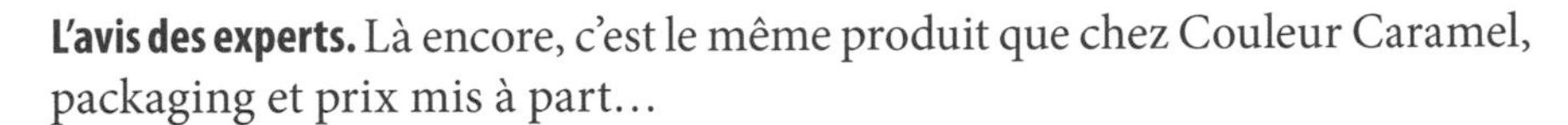

L'avis des experts. Là encore, c'est le même produit que chez Couleur Caramel, packaging et prix mis à part...

Mentions spéciales

Vernis à ongles

Les critères des experts

Il est assez illusoire de vouloir trouver un vernis à ongles 100 % naturel... et même si on se contentait de 10 %, le challenge paraît bien difficile. Solvants et filmogènes sont plus qu'indispensables en effet dans la composition de ces produits, ils en sont la base, ils constituent même la presque totalité de leurs ingrédients. Et ceux qui s'adaptent le mieux aux textures recherchées ici sont bel et bien synthétiques. Restent les colorants, qui peuvent l'être aussi mais pas forcément. Cela dit, tous les composés synthétiques ne se valent pas, et on a tout intérêt à éviter les pires d'entre eux, classiquement intégrés aux formules des vernis, au premier rang desquels on trouve un solvant, le toluène (Toluene), irritant et dont les émanations toxiques peuvent endommager le système nerveux central et le cerveau, et un conservateur, le formol (Formaldehyde), allergisant et cancérogène avéré par inhalation. Tous deux, bien qu'en concentrations limitées, sont pourtant encore autorisés dans les vernis.

Le meilleur

	Prix	Composition Efficacité	Tolérance cutanée	Étiquetage	Confort d'utilisation	Principe de précaution	Classement
Revlon Vernis à ongles	★★★★★	★★★★	★★★★	★★★★	★★★★	★★★★	1

Le nommé

REVLON

Vernis à ongles

Note :	91,17
Présentation :	Flacon (verre) de 14,7 ml avec pinceau applicateur. (Existe en versions : Naturel transparent, Nacré et Crème laquée. 29 références en tout.) 24 M
Prix indicatif :	9,50 € *(64,62 €/100 ml).*
Disponible en :	Parfumeries, Instituts de beauté, Grands magasins, Pharmacies, Parapharmacies, Institut Revlon (Paris).
Site internet :	www.revlon.com

INGREDIENTS : Ethyl acetate, Butyl acetate, Nitrocellulose, Tribenzoin (Glyceryl tribenzoate), Isopropyl alcohol, Propyl acetate, Acetyl tributyl citrate, Stearalkonium bentonite, Silk powder (Serica), Dimethicone, PPG-2 dimethicone, Triacetin, Citric acid, Malic acid, Tetrabutyl phenyl hydroxybenzoate, Stearalkonium hectorite, Calcium borosilicate, Silica, Alumina, Polyacrylate-4, [+/- Mica, CI 77891, CI 77491, CI 77492, CI 77499, CI 15850, CI 15880, CI 19140, CI 77510, CI 77163, CI 77000, CI 75470]. 12758.

À noter dans la composition. À part les solvants et les agents filmogènes, on ne trouve guère dans cette formule que quelques ingrédients pour la texture (Stearalkonium bentonite, Stearalkonium hectorite, Silica), lissant (Serica), régulateurs de pH (Citric acid, Malic acid)… et bien sûr, toute une palette de colorants, dont trois sont azoïques.

L'avis des experts. Une formulation non agressive pour l'ongle et pour l'environnement, dit l'étiquette. Une affirmation approuvée pas les experts du jury qui notent (une fois n'est pas coutume) les grands absents de la formule : pas de toluène, pas de formaldéhyde, pas de plastifiant polluant, pas non plus, comme dans d'autres, de filtres UV destinés à stabiliser la couleur, enfin, en résumé : rien qui fâche. On peut sans hésiter profiter de cette texture fluide et vraiment très facile à poser, permettant un fini impeccable même aux moins expertes. Après le séchage, très rapide, de la première couche, l'aspect naturel de l'ongle est bien mis en valeur par des couleurs délicates et brillantes, une deuxième couche est nécessaire pour un aspect couvrant. Vraiment très bien à tous points de vue, et en plus, il n'est pas cher du tout !

Les Démaquillants et nettoyants pour le visage

Laits, mousses et nettoyants pour le visage

Les critères des experts

Pour l'épiderme fragile du visage, nettoyage ne rime ni avec décapage (agressif pour le film hydrolipidique protecteur et mettant à mal son équilibre), ni avec effleurage (inefficace et laissant sur la peau une belle quantité de ces « saletés » dont il s'agissait de se débarrasser : sueur, sébum, traces de pollution… ou de cosmétiques !). On veut donc de la douceur et de la richesse dans la formule, même si on apprécie de moins en moins les classiques laits gras et épais. De fait, les textures se fluidifient, gagnent en rinçabilité, deviennent légères, et même de plus en plus légères avec ces mousses démaquillantes, la grande tendance du moment. Deux produits se présentaient sous cette forme dans les sélections du Palmarès 2007, on en a compté 12 cette année : chaque marque veut la sienne ! Mais la texture ne change pas grand-chose à la composition qu'on surveille toujours d'aussi près.

À éviter

- Les **tensioactifs et agents nettoyants irritants** au premier rang desquels on trouve toujours les laurylsulfates de sodium et d'ammonium (Sodium lauryl sulfate, Ammonium lauryl sulfate).
- Les **agents de gommages et exfoliants** facilitent un bon nettoyage, mais, même sur les peaux grasses, leur utilisation quotidienne se révèle trop agressive, surtout à long terme.
- Les **composés allergisants** le sont d'autant plus qu'on multiplie les occasions de rentrer en contact avec eux (comme ici chaque matin et chaque soir…) : ce sont des conservateurs (Methylchloroisothiazolinone, Methylisothiazolinone…), des actifs comme le benjoin (Styrax benzoin) ou des émollients comme la lanoline (Lanolin) et bien sûr toujours les molécules aromatiques des parfums et des huiles essentielles (voir p. 429).

À privilégier

- Les **émollients** ne vont pas réellement hydrater la peau (ils ont trop peu de temps pour agir avant que le produit soit rincé), mais ils limitent l'effet asséchant de tout nettoyage. Les peaux très sèches ou sensibles préféreront les huiles minérales ou synthétiques, les peaux fatiguées ou normales les végétales, toutes apprécient les apports du glycérol.

- Les **agents adoucissants,** eux aussi, diminuent l'inévitable effet un peu agressif du démaquillage : bisabolol, allantoïne (Allantoin), huile d'amande douce (Prunus amygdalus dulcis oil)...
- Les **eaux florales** ajoutent leurs bons actifs (tonifiants, apaisants, adoucissants, astringents, rafraîchissants...) à la base nettoyante : mélisse (Melissa officinalis), mélilot (Melilotus officinalis), camomille (Anthemis nobilis), bleuet (Centaurea cyanus), rose (Rosa damascena, Rosa centifolia), hamamélis (Hamamelis virginiana), souci (Calendula officinalis), oranger (Citrus aurantium amara)...

Laits nettoyants Peaux normales

Les résultats

Évalués : 19 produits, de 17 marques différentes.

Prix moyen / 100 ml : 9,70 €.

Ont obtenu au moins la moyenne : 19.

N'ont pas obtenu la moyenne dans au moins un critère : 6.

Meilleure note : 89,17/100.

Plus mauvaise note : 57,83/100.

Les meilleurs

	Prix	Composition Efficacité	Tolérance cutanée	Étiquetage	Confort d'utilisation	Principe de précaution	Classement
Cattier Caresse d'herboriste Lait démaquillant douceur	★★★ ★	★★★ ★	★★★ ★	★★★ ★	★★★ ★	★★★ ★★	**1**
Tridyn Biodine visage Lait de beauté	★★★	★★★ ★	★★★	★★★ ★	★★★ ★	★★★ ★	**2**
Patyka Lait démaquillant bio	★★★ ★★	★★★	★★★ ★	★★★ ★	★★★ ★	★★★ ★	**3**
Melvita Bio Excellia Lait visage 2 en 1	★★★ ★	★★★ ★	★★★	★★★ ★	★★★ ★	★★★ ★	4
Green Energy La récolte des plantes Baume démaquillant	★★★	★★★ ★	★★★	★★	★★★ ★★	★★★ ★★	5
Galénic Pur – 2 en 1 démaquillant Visage et yeux	★★★	★★★ ★	★★★ ★	★★★ ★	★★★ ★	★★★	6
Weleda Lait démaquillant Iris	★★★ ★	★★★	★★★	★★★ ★	★★★ ★	★★★ ★	7
Sanoflore Lait démaquillant végétal	★★★	★★★ ★	★★★	★★★ ★	★★★ ★	★★★ ★★	8
Couleur Caramel Lait démaquillant	★★★	★★★ ★	★★★ ★	★★★	★★★ ★	★★★ ★	9
Thémis Lait démaquillant douceur	★★★	★★★ ★	★★★	★★★ ★	★★★ ★	★★★ ★	10

Les 3 premiers

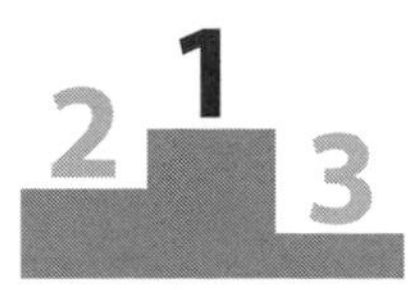

CATTIER

Caresse d'herboriste

Lait démaquillant douceur

Note :	89,17/100.
Présentation :	Flacon-pompe de 200 ml.
Prix indicatif :	11,47 € *(5,73 €/100 ml).*
Disponible en :	Magasins bio, Grands magasins (Printemps, BHV, Galeries Lafayette), Résonances, Monoprix, Parapharmacies.
Site internet :	www.laboratoirecattier.com

12 M

INGREDIENTS : Aqua, Centaurea cyanus extract*, Dicaprylyl carbonate, Glycerin, Cetearyl wheat straw glycosides (and) Cetearyl alcohol, Caprylic/Capric triglyceride, Helianthus annuus oil*, Sodium benzoate (and) Potassium sorbate, Benzyl alcohol, Stearic acid, Xanthan gum, Tocopherol.

* 16 % du total des ingrédients sont issus de l'Agriculture Biologique. 98,2 % des ingrédients sont d'origine naturelle.

À noter dans la composition. Dans l'eau florale de bleuet (Centaurea cyanus), des émollients dont le glycérol et de l'huile de tournesol (Helianthus annuus oil), un émulsifiant, trois conservateurs autorisés en bio et un antioxydant (Tocopherol).

L'avis des experts. Rien de bien compliqué, mais la formule est bonne, le lait fluide, l'odeur discrète, le démaquillage doux, le prix plus que raisonnable, la tolérance de haut niveau, le flacon-pompe sobre et élégant. Simple, et séduisant sur tous les plans : que demander de plus ?

On le dit en passant : (And)

Les ingrédients cosmétiques peuvent être des matières premières simples (une huile d'argan, un sel de potassium…) ou des composés de plusieurs substances, réunies pour obtenir une action particulière (émulsifiante, antirides…). Ce sont eux qu'on retrouve déclarés d'un bloc dans la liste des ingrédients, leurs différentes entités séparées par un : (and). Mais pour le législateur, qui exige l'énumération des matières premières dans leur ordre décroissant d'importance (en masse), il s'agit toujours de plusieurs substances (avec pour chacune un pourcentage précis), qui devraient apparaître dans la déclaration de la composition en fonction de leurs concentrations propres et non pas de la façon dont elles ont été utilisées. Ainsi, le (and) peut paraître plus pratique, mais il peut aussi s'avérer trompeur sur l'importance réelle d'un actif, et il n'est pas réglementaire.

TRIDYN

Biodine visage
Lait de beauté

Note :	**85,21/100.**
Présentation :	Flacon (verre) de 200 ml (étui carton).
Prix indicatif :	19,85 € *(9,92 €/100 ml).*
Disponible en :	Instituts de beauté, Spas, Parapharmacies, Magasins bio.
Site internet :	www.biodine.net

INGREDIENTS : Aqua, Ribes nigrum distillate*, Melissa officinalis distillate*, Cetearyl wheat bran glycosides (and) Cetearyl alcohol, Glycerin, Caprylic/Capric triglyceride, Dicaprylyl carbonate, Benzyl alcohol, Potassium sorbate, Aniba rosaeodora oil, Citrus paradisii oil*, Tocopherol, Limonene, Linalool, Dehydroacetic acid, Geraniol, Benzyl benzoate.
* Issus de l'Agriculture Biologique.

À noter dans la composition. Eaux florales de cassis (Ribes nigrum) et de mélisse, émollients et émulsifiants, trois conservateurs autorisés en bio (Benzyl alcohol, Potassium sorbate, Dehydroacetic acid), un antioxydant et des huiles essentielles de bois de rose et de pamplemousse, avec trois molécules aromatiques allergènes.

L'avis des experts. Une bonne formule (qui ressemble d'ailleurs beaucoup à celle du produit n° 1), avec des eaux florales aux vertus adoucissantes et des huiles essentielles tonifiantes. Le lait, d'une belle couleur crème, à la texture proche de celle d'un gel, nettoie la peau en douceur dans des senteurs très agréables. C'est très bien, ce serait parfait avec moins d'allergènes.

PATYKA

Lait démaquillant bio

Note :	**84,38/100.**
Présentation :	Flacon de 250 ml.
Prix indicatif :	7,90 € *(3,16 €/100 g).*
Disponible en :	Parashop.
Site internet :	www.patyka.com

10 M

INGREDIENTS : Aqua, (Water), Lippia citriodora extract*, Sesamum indicum oil (Sesame seed oil)*, Glycerin, Glyceryl stearate citrate, Cetearyl alcohol, Caprylic/Capric triglyceride, Cocamidopropyl betaine, Tocopherol, Xanthan gum, Dehydroacetic acid, Benzyl alcohol, Sodium hydroxide, Citral.
* Ingrédients issus de l'Agriculture Biologique.

À noter dans la composition. Eau florale de verveine citronnée (Lippia citriodora), huile de sésame, émollients et émulsifiants avec la cocamidopropyl bétaïne également agent nettoyant, un antioxydant, deux conservateurs autorisés en bio et une molécule aromatique allergène, le citral.

Le coup de cœur des experts. Une composition assez classique pour ce lait démaquillant, qui remplit très correctement son office, y compris sur les yeux. Petit bémol pour le potentiel sensibilisant de la cocamidopropyl bétaïne. Et un grand bravo pour le prix : on n'a pas trouvé moins cher !

Laits nettoyants Peaux sèches

Les résultats

Évalués : 19 produits, de 18 marques différentes.

Prix moyen / 100 ml : 15,08 €.

Ont obtenu au moins la moyenne : 19.

N'ont pas obtenu la moyenne dans au moins un critère : 6.

Meilleure note : 85,83/100.

Plus mauvaise note : 72,13/100.

Les meilleurs

	Prix	Composition Efficacité	Tolérance cutanée	Étiquetage	Confort d'utilisation	Principe de précaution	Classement
Natessance Sweet Coton Lait démaquillant	★★★★	★★★★	★★★★	★★★★	★★★★	★★★★	**1**
Green Energy La récolte d'olive Pâté démaquillant	★★★★	★★★★	★★★★	★★	★★★★★	★★★★	**2**
Dado Sens ExtroDerm Nettoyant visage	★★★	★★★★	★★★★	★★★	★★★★	★★★★★	**3**
Logona Lait démaquillant Rose sauvage	★★★	★★★	★★★	★★★★	★★★★	★★★★★	4
Les Floressances Démaquillant naturel lacté Olivier	★★★★★	★★★	★★★	★★★	★★★★	★★★★	5
Weleda Lait démaquillant Rose musquée	★★★★	★★★	★★★	★★★★	★★★★	★★★★★	6
Résonances Lait démaquillant	★★★	★★★	★★★★	★★★★	★★★★	★★★★	7
Annemarie Börlind System absolute Émulsion démaquillante	★★	★★★★	★★★★	★★★★	★★★★	★★★★	8
Biguine bio Lait de verveine	★★★	★★★	★★★★	★★★	★★★★	★★★★	9

	Prix	Composition Efficacité	Tolérance cutanée	Étiquetage	Confort d'utilisation	Principe de précaution	Classement
Gatineau Mélatogénine – Crème démaquillante fraîcheur	☆	☆☆☆ ☆	☆☆☆	☆☆☆ ☆	☆☆☆ ☆	☆☆☆	10

Les 3 premiers

NATESSANCE
Sweet Coton
Lait démaquillant Hydra-douceur

Note :	85,83/100.
Présentation :	Flacon de 200 ml (étui carton).
Prix indicatif :	14,30 € *(7,15 €/100 ml).*
Disponible en :	Pharmacies, Parapharmacies, Magasins bio, Internet.
Site internet :	www.natessance.com

12 M

INGREDIENTS : Aqua (Water), Sesamum indicum (Sesame) seed oil*, Glycerin, Mel (Honey)*, C14-22 alcohols, C12-20 alkyl glucoside, Theobroma cacao (Cocoa) seed butter*, Gossypium herbaceum (Cotton) seed oil*, Benzyl alcohol, Algin, Sodium benzoate, Potassium sorbate, Carrageenan, Xanthan gum, Tocopherol, Parfum (Fragrance), Dehydroacetic acid, Sodium hydroxide, Calophyllum inophyllum seed oil. **Pour votre information :** les huiles essentielles et extraits contiennent naturellement : Benzyl benzoate, Benzyl cinnamate, d-Limonene.
* Produits issus de l'Agriculture Biologique.
Souligné : produits issus du commerce équitable.

À noter dans la composition. Huile de sésame et glycérol, miel, beurre de cacao, huiles de coton (Gossypium herbaceum) et de calophylle, ou tamanu (Calophyllum inophyllum) : voilà pour les émollients et agents hydratants. Deux émulsifiants, quelques ingrédients pour assurer une belle texture (Algin, Carrageenan, Xanthan gum), un antioxydant, trois conservateurs autorisés en bio et un parfum avec ses trois molécules aromatiques allergènes.

L'avis des experts. Une bonne formule, riche et onctueuse, mais qui reste fluide et très agréable d'emploi. Une douce odeur d'amande, un flacon-pompe pratique et un prix très attractif : voilà du tout bon. Sur l'étiquette, on apprécie la présentation exhaustive du rôle des actifs, un peu moins la façon dont sont déclarées les molécules allergènes (voir p. 126). La revendication « anti-âge » est peut-être un peu excessive (pour un lait qui ne reste sur la peau qu'une poignée de secondes...), mais il est certain qu'il est tout à fait adapté aux peaux sèches.

GREEN ENERGY
La récolte d'olive
Pâté démaquillant

Note :	85,75/100.
Présentation :	Pot de 250 ml (étui carton).
Prix indicatif :	17 € *(6,80 €/100 ml).*
Disponible en :	Parfumeries, Instituts de beauté, Internet (via www.mademoiselle-bio.com)
Site internet :	www.greenenergy-cosmetics.com

12 M

INGREDIENTI / INGREDIENTS INCI (UE) / INCI (USA) : Delonized Water (Aqua/Water), Rosa damascena (Rose hydrosol), Olea europaea (Olive) fruit oil / Fruit extract, Plant phospholipids, Hydrogenated palm glycerides, Caprylic/Capric glucoside (Sugar based surfactant), Cocobetaine (Coconut and Palm based surfactant), Prunus amygdalus dulcis (Sweet almond) oil, Aloe barbadensis (Certified organic aloe vera gel), Butyrospermum parkii (Shea butter) fruit (Butyrospermum parkii), Xanthan gum (From biotechnology plant-derived gum thickener), Juglans regia (Walnut) seed, Coryllus avellana (Hazel) seed oil (Coryllus avellana), Cucurbita pepo (pumpkin) seed oil (Cucurbita pepo), Calendula officinalis (Calendula), Simmondsia chinensis (Cold-pressed certified organic jojoba oil), Wildcrafted China bark extract, Rose extract (Rosa Centifolia), Camomile extract (Anthemis nobilis), White nettle extract (Urtica dioica), Brassica campestris (Rapeseed), Melissa officinalis water leaf water, Oat Betaglucan, Tocopheryl acetate, Retinyl palmitate, Ascorbyl palmitate (Vitamins A, C & E), Sodium hydroxymethylglycinate, Glucose oxidase & Lactoperoxidase (Natural enzyme, Preservatives). 100 % Pure botanical fragrance. Cruelty free.

À noter dans la composition. Eau florale de rose et aussi un peu de mélisse, émollients principalement d'origine végétale (huiles d'olive, d'amande douce, de noisette, de graines de courge et de jojoba, beurre de karité...), aloe vera, nombreux actifs végétaux (noyer, souci, rose, camomille, ortie, colza...), deux émulsifiants, des vitamines antioxydantes, et un système de conservation à base d'enzymes (Glucose oxidase, Lactoperoxidase) et d'hydroxymethylglycinate de sodium.

L'avis des experts. Concernant la déclaration des ingrédients des produits de cette marque et les défauts récurrents d'étiquetage, on a déjà dit le peu de bien qu'on en pensait. De même pour le manque de recul sur le système conservateur (p. 14). Passées ces réserves, reste une formule très riche, et... le plaisir. Ce gel-crème, à la tendre couleur vert olive et aux senteurs fleuries, démaquille en douceur et très agréablement. C'est ludique, joyeux, appétissant, ça sent bon et c'est très doux sur la peau : décidément, on aime beaucoup !

2 1 3

DADO SENS
ExtroDerm - Nettoyant visage

Note :	85,67/100.
Présentation :	Flacon de 200 ml (étui carton).
Prix indicatif :	16,50 € *(8,25 €/100 ml).*
Disponible en :	Magasins bio et de produits naturels, Instituts de beauté.
Site internet :	www.dadosens.de

6 M

INGREDIENTS : Aqua (Water), Lauryl glucoside, Sodium lauryl sulfoacetate, Sodium cocoamphoacetate, Sodium chloride, Betaine, Capryl/Capramidopropyl betaine, Levulinic acid, Maris sal (Sea salt), Citric acid, p-Anisic acid, Panthenol, Glyceryl caprylate.

À noter dans la composition. Essentiellement des tensioactifs parmi les mieux tolérés par la peau, et quelques actifs destinés à restaurer l'équilibre cutané comme l'acide lévulinique et la provitamine B5 (Panthenol).

L'avis des experts. Une formule épurée basée sur la tolérance et le soutien aux peaux particulièrement sèches et en souffrance. Ici, on ne parle pas à proprement parler de plaisir, mais d'amélioration de l'état de la peau, d'absence d'irritation et de confort durable. Ce gel transparent à l'odeur neutre devient crémeux sur le visage, permet un démaquillage très doux et convient bien aux personnes âgées ou aux très jeunes enfants.

Laits nettoyants Peaux sensibles

Les résultats

Évalués : 16 produits, de 13 marques différentes.

Prix moyen / 100 ml : 11,34 €.

Ont obtenu au moins la moyenne : 16.

N'ont pas obtenu la moyenne dans au moins un critère : 6.

Meilleure note : 91,5/100.

Plus mauvaise note : 72,33/100.

Les meilleurs

	Prix	Composition Efficacité	Tolérance cutanée	Étiquetage	Confort d'utilisation	Principe de précaution	Classement
Noviderm Sérénactiv – Crème lavante démaquillante	★★★★	★★★★	★★★★	★★★★	★★★★	★★★★★	1
Avène Tolérance extrême Lait nettoyant sans rinçage	★	★★★★	★★★★	★★★★	★★★★	★★★★★	2
Lamarque Lait nettoyant Apaisement extrême Gamme Peau sensible	★	★★★	★★★★	★★★★	★★★★	★★★★★	3

Les 3 premiers

NOVIDERM
Sérénactiv
Crème lavante démaquillante

Note :	91,5/100.
Présentation :	Flacon-pompe (métal) de 150 ml.
Prix indicatif :	8,90 € *(5,93 €/100 ml).*
Disponible en :	Pharmacies, Parapharmacies.
Site internet :	www.expanscience.fr

INGREDIENTS : Aqua, Coco-glucoside, Disodium lauryl sulfosuccinate, Sodium cocoyl isethionate, Zea mays starch, Cetearyl alcohol, Hydroxypropyl guar, Citric acid, Glycine, Hydrogenated castor oil, Glycerin, Polyquaternium 10, Sodium hydroxymethylglycinate, Tetrasodium EDTA, Titanium dioxide, Helianthus annuus seed oil unsaponifiables, Sodium hydroxide.
Sans paraben, sans parfum, sans colorant.

À noter dans la composition. Essentiellement trois tensioactifs très doux et des émollients (alcool cétéarylique, huile de ricin, glycérol, insaponifiable d'huile de tournesol). La conservation repose sur l'hydroxymethylglycinate de sodium.

L'avis des experts. Pas de flash rouge à l'horizon, comme parfois avec certains cosmétiques aux ingrédients très… « actifs ». Ce gel-crème doux et onctueux est réellement parfait pour les peaux sensibles et réactives. Aucun composé allergisant, des ingrédients choisis pour leur bonne tolérance et ce qu'il faut de bons composés pour préserver au maximum la protection naturelle de l'épiderme. Sur le visage, le produit prend de la consistance mais il se rince très bien (on conseille évidemment une lotion apaisante plutôt que de l'eau…), laissant la peau très souple, fraîche et confortable. Un démaquillage efficace, et tout en douceur.

On le dit en passant : INCI

On entend souvent dire : « C'est incompréhensible, ces listes d'ingrédients ! Mais pourquoi font-ils si compliqué ? Pour qu'on n'y comprenne rien ? »

Honnêtement, ce n'est pas le but… même si, il faut l'avouer, c'est trop souvent le résultat. Appellations chimiques ou botaniques, latin et anglais mêlés sont ainsi la base de l'INCI[1]. Cette nomenclature a l'immense avantage de répertorier des milliers d'ingrédients cosmétiques, de clarifier leurs fonctions et d'attribuer à chacun un nom unique et valable dans le monde entier. Un nom cependant parfois trompeur : on ne cite plus l'exemple de l'huile de ricin, qui, sous sa forme hydrogénée, est désignée sous l'appellation de « castor oil », et on peut rester perplexe devant certains termes, comme celui de Butyrospermum parkii, avant de savoir qu'il s'agit simplement d'un excellent beurre de karité. Et ce ne sont que des exemples… simples. La déclaration des ingrédients selon la nomenclature INCI, obligatoire et réglementée, constitue pourtant le seul moyen vraiment fiable de se faire une idée de ce qu'il y a dans un cosmétique (sa traduction en français n'étant soumise à aucune règle et dépendant de la bonne volonté du fabricant, qui peut ainsi « oublier » quelques composés…). Reste à chacun à se procurer un bon lexique… comme celui de ce Palmarès (voir p. 395) !

1. International Nomenclature of Cosmetic Ingredients.

AVÈNE

Tolérance extrême

Lait nettoyant sans rinçage

Note :	89,67/100.
Présentation :	Coffret de 7 unidoses de 10 ml chacune (étui carton).
Prix indicatif :	14,60 € *(20,85 €/100 ml).*
Disponible en :	Pharmacies, Parapharmacies.
Site internet :	www.eau-thermale-avene.com

INGREDIENTS : Avene aqua, Glycerin, Paraffinum liquidum, Cyclomethicone, Glyceryl stearate, Sodium carbomer.

À noter dans la composition. Eau thermale, glycérol, paraffine liquide, silicone, émulsifiant et stabilisateur d'émulsion. Pas de tensioactif irritant, pas de parfum, pas de conservateur, comme le souligne l'étiquette.

L'avis des experts. Voici la version démaquillante de la crème apaisante de la p. 271. Conçue comme elle sans aucun ingrédient irritant ou allergisant, fabriquée et conditionnée en milieu stérile, présentée en unidoses garantissant une sécurité maximale, elle nettoie quotidiennement sans problème ni mauvaise surprise même les peaux hypersensibles ou allergiques, et peut rendre aussi service aux autres en cas de problème ponctuel. Parfait, pratique… mais évidemment un peu cher.

2 1 3

LAMARQUE

Lait nettoyant Apaisement extrême
Gamme Peau sensible

Note :	82,17/100.
Présentation :	Flacon-pompe (verre) de 200 ml (étui carton).
Prix indicatif :	35 € *(17,50 €/100 ml).* Sans étui : réduction de 3 €.
Disponible en :	Boutique de Genève, Internet.
Site internet :	www.lamarque.ch

6 M

INGREDIENTS : Water, Isopropyl myristate, Glycerin, Caprylic/Capric triglyceride, Glyceryl stearate, C14-22 alcohols, Cetyl alcohol, C12-15 alkyl phosphate, Ginkgo biloba leaf extract, Ficus carica fruit extract, Papaver rhoeas petal extract, C20-22 alcohols, Xanthan gum, Capryloyl glycine, C12-20 alkyl glucoside, Disodium cocoamphoacetate, p-Anisic acid, Maltodextrin, Sodium hydroxide, Ethylhexylglycerin, Ceramide 3, Fragrance, Sodium chloride.

À noter dans la composition. D'abord des émollients dont le glycérol, quatre émulsifiants doux, des extraits de ginkgo biloba, de figue, de coquelicot, d'autres agents d'entretien de la peau comme l'éthylhexyl glycérine ou les céramides. Une conservation basée sur la capryloyl glycine.

L'avis des experts. Même en flacon-pompe et même avec une durée d'utilisation conseillée après ouverture de seulement 6 mois, un système de conservation basé sur la seule capryloyl glycine semble d'autant plus faible qu'on manque de recul sur sa réelle efficacité (voir p. 14). Le gros avantage de ce lait est bien sa belle efficacité alliée à son excellente tolérance. Et les peaux vraiment sensibles disposent de bien peu de produits sans allergènes ni ingrédients irritants, agréables à utiliser et qui leur conviennent réellement, comme c'est le cas de celui-ci…

Laits nettoyants Peaux grasses, Jeunes à problèmes

Les résultats

Évalués : 11 produits, de 8 marques différentes.

Prix moyen / 100 ml : 8,06 €.

Ont obtenu au moins la moyenne : 11.

N'ont pas obtenu la moyenne dans au moins un critère : 4.

Meilleure note : 85,92/100.

Plus mauvaise note : 69,17/100.

Les meilleurs

	Prix	Composition Efficacité	Tolérance cutanée	Étiquetage	Confort d'utilisation	Principe de précaution	Classement
Biactol Ultra Gel nettoyant actif	★★★★	★★★	★★★★	★★★★	★★★★	★★★★	**1**
Cattier Gel nettoyant purifiant	★★★★	★★★	★★★★	★★★★	★★★★	★★★★★	**2**
Ducray Keracnyl – Gel moussant	★★★★	★★★★	★★★★	★★★★	★★★★	★★★★	**3**
Biactol Hygiène Jour après jour Gel anti-bactérien	★★★★★	★★★	★★★	★★★	★★★★	★★★★	4
Biactol Hygiène Jour après jour Complet 3 en 1	★★★★	★★★	★★★	★★★★	★★★★	★★★	5
Avène Cleanance Gel nettoyant sans savon	★★★	★★★★	★★★★	★★★★	★★★★	★★★	6

LES DÉMAQUILLANTS

Les 3 premiers

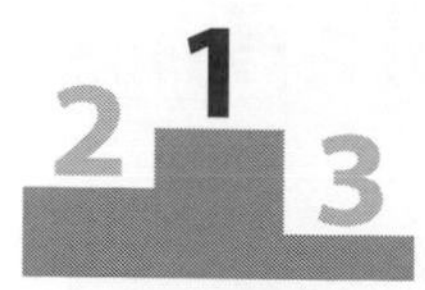

BIACTOL ULTRA

Gel nettoyant actif

Note :	85,92/100.
Présentation :	Flacon-pompe de 200 ml.
Prix indicatif :	6,15 € *(3,07 €/100 ml).*
Disponible en :	Grandes et moyennes surfaces.
Site internet :	www.biactol.fr

INGREDIENTS : Aqua, Sodium laureth sulfate, Coco-glucoside, Glycerin, Salicylic acid, Sodium chloride, Parfum, Menthol, Dextrin, Hydrolyzed milk protein, Disodium phosphate, Glycine, Dipropylene glycol, Sodium lactate, Citric acid, CI 42090.

À noter dans la composition. Deux tensioactifs parmi les moins agressifs (Sodium laureth sulfate, Coco-glucoside) et du glycérol émollient forment la base de ce gel. Pour lutter contre les problèmes de peau, de l'acide salicylique exfoliant et de la dextrine absorbante ; pour la réconforter, du menthol rafraîchissant, des protéines de lait et de la glycine. Deux régulateurs de pH pour assurer une bonne tolérance (Sodium lactate, Citric acid), un colorant bleu de la famille des azoïques.

L'avis des experts. Avec ses bons actifs et son prix très attractif, ce gel bleuté qui promet des résultats en trois jours procure dès la première utilisation une sensation fraîche et l'impression d'une peau plus nette. Sa mousse légère sait rester assez douce pour les peaux jeunes, comme elle l'est pour le budget des ados.

CATTIER
Gel nettoyant purifiant

Note :	85,83/100.
Présentation :	Flacon de 200 ml.
Prix indicatif :	6,75 € *(3,37 €/100 ml).*
Disponible en :	Magasins bio, Grands magasins (Printemps, BHV, Galeries Lafayette), Résonances, Monoprix, Parapharmacies.
Site internet :	www.laboratoirecattier.com

12 M

INGREDIENTS : Aqua, Mentha piperita extract*, Ammonium lauryl sulfate, Cocamidopropyl betaine, Sodium chloride, Sodium benzoate, Benzyl alcohol, Phytic acid, Parfum, Hydrolyzed wheat protein, Melaleuca alternifolia*, Mentha piperita*, Rosmarinus officinalis*.
* 15 % du total des ingrédients sont issus de l'Agriculture Biologique. 99,2 % du total des ingrédients sont d'origine naturelle.

À noter dans la composition. Pour la base, eau florale de menthe et deux tensioactifs. Pour les actifs, acide phytique et huiles essentielles d'arbre à thé, menthe et romarin. Avec deux conservateurs autorisés en bio.

L'avis des experts. Dans la gamme Cattier pour les « Peaux jeunes à problèmes », après le masque (p. 219), le Touch'Express (p. 234) et le gel-crème purifiant (p. 267), voici le nettoyant, et un joli carton plein de podiums pour cette ligne très complète (voir aussi p. 342). On retrouve ici les actifs éprouvés qui font l'efficacité de l'ensemble de ces produits. On émet tout de même une réserve pour le choix des tensioactifs, au potentiel irritant pour l'un (Ammonium lauryl sulfate), sensibilisant pour l'autre (Cocamidopropyl betaine).

DUCRAY
Keracnyl
Gel moussant

Note :	85,79/100.
Présentation :	Tube de 200 ml.
Prix indicatif :	8 € *(4 €/100 ml).*
Disponible en :	Pharmacies, Parapharmacies.
Site internet :	www.dermaweb.com

INGREDIENTS : Water (Aqua), Sodium laureth sulfate, Cocamidopropyl betaine, Decyl glucoside, Glycolic acid, Glycerin, Sodium hydroxide, Ceteareth-60 myristyl glycol, Acid blue

3 (CI 42051), Disodium EDTA, Fragrance (Parfum), Serenoa serrulata fruit extract (Serenoa serrulata), Zinc salicylate.
Visa PP n° 166PP01P405.

À noter dans la composition. Trois tensioactifs précèdent l'acide glycolique (un acide de fruit exfoliant), du glycérol, un colorant, et l'association d'un extrait de sabal (Serenoa serrulata) régulateur de sébum et de salicylate de zinc assainissant.

L'avis des experts. Une bonne formule dans laquelle pourtant on aurait bien vu en plus un actif antiseptique… Mais l'obtention d'un visa PP (voir p. 269) est toujours preuve d'une réelle efficacité et d'un produit bien contrôlé. Et sur le visage, ce gel bleuté prend la consistance d'une crème assez épaisse et douce, qui laisse la peau nette.

Mousses démaquillantes

Les résultats

Évalués : 12 produits, de 12 marques différentes.

Prix moyen / 100 ml : 12,92 €.

Ont obtenu au moins la moyenne : 12.

N'ont pas obtenu la moyenne dans au moins un critère : 5.

Meilleure note : 92,08/100.

Plus mauvaise note : 76,04/100.

Les meilleures

	Prix	Composition Efficacité	Tolérance cutanée	Étiquetage	Confort d'utilisation	Principe de précaution	Classement
Belle et bio Mousse démaquillante	★★★★★	★★★★	★★★★	★★★★	★★★★	★★★★★	**1**
Coslys Cosmousse visage	★★★★	★★★★	★★★	★★★★	★★★★	★★★★★	**2**
Terre d'Oc Grenade de l'Inde Mousse démaquillante Visage et yeux	★★★	★★★★	★★★	★★★★	★★★★	★★★★★	**3**
Cattier Nuage céleste Mousse nettoyante visage	★★★★	★★★	★★★★	★★★	★★★★	★★★★	4

	Prix	Composition Efficacité	Tolérance cutanée	Étiquetage	Confort d'utilisation	Principe de précaution	Classement
Kibio Mousse pureté fraîcheur	★★	★★★★	★★★	★★★★	★★★★	★★★★★	5
Melvita Mousse nettoyante visage	★	★★★★	★★★★	★★★★	★★★★	★★★★★	6

Les 3 premières

BELLE ET BIO

Mousse démaquillante

Note :	92,08/100.
Présentation :	Flacon-pompe mousseur de 150 ml (étui carton).
Prix indicatif :	*9 € (6 €/100 ml).*
Disponible en :	Magasins bio et de produits naturels, Pharmacies, Parapharmacies, Internet.
Site internet :	www.belleetbio.com

INGREDIENTS : Aqua, Rosa damascena distillate*, Sodium lauroyl oat aminoacids, Glycerin, Vaccinium myrtilla extract, Cocamidopropyl betaine, Sodium chloride, Sodium benzoate.
* Ingrédients issus de l'Agriculture Biologique.

À noter dans la composition. De l'eau florale de rose, deux tensioactifs (Sodium lauroyl oat aminoacids, Cocamidopropyl betaine), du glycérol, un extrait de myrtille tonifiant et rafraîchissant, un conservateur autorisé en bio.

L'avis des experts. Mousse légère et aérienne qu'on a plaisir à masser sur le visage, le temps d'un démaquillage très en douceur mais tout à fait performant. Odeur très discrète, packaging nature mais élégant, et produit le moins cher de tous dans la sélection pour cette catégorie ! Sans un allergène ni ingrédient irritant (seule la cocamidopropyl bétaïne est légèrement sensibilisante), tout cela convient très bien aux peaux sensibles, et on s'étonne d'autant plus de la mention sur l'emballage recommandant d'éviter tout contact avec les muqueuses, aussi inutile réglementairement que pratiquement !

COSLYS

Cosmousse visage

Note : 86,88/100.

Présentation : Flacon-pompe mousseur de 150 ml.

Prix indicatif : 10,90 € *(7,26 €/100 ml).*

Disponible en : Magasins bio, Instituts de beauté, Parashop.

Site internet : www.coslys.fr

INGREDIENTS : Aqua, Rosa damascena flower water*, Cocamidopropyl betaine, Glycerin, Aloe barbadensis leaf juice*, Potassium olivate*, Potassium palm kernelate*, Sodium lauryl glucose carboxylate, Lauryl glucoside, Sodium chloride, Sucrose cocoate, Bisabolol, Pelargonium graveolens oil*, Alcohol, Tetrasodium glutamate diacetate, Potassium hydroxide, Sodium hydroxide, Benzyl alcohol, Sodium benzoate, Citronellol, Geraniol, Linalool.

* Ingrédients issus de l'Agriculture Biologique.

À noter dans la composition. Dans de l'eau florale de rose, des tensioactifs et agents nettoyants, du glycérol émollient, de l'aloès hydratant, du bisabolol apaisant dont l'argumentaire précise qu'il est tiré de l'huile essentielle de candeia (un petit arbre de la savane brésilienne), de l'huile essentielle de géranium (Pelargonium graveolens oil) et ses trois molécules aromatiques allergènes (Citronellol, Geraniol, Linalool), un stabilisant et un régulateur de pH, deux conservateurs autorisés en bio.

L'avis des experts. Une bonne formule et une texture fluide se transformant en nuage léger au sortir de l'embout mousseur, un bon démaquillage doux dans une senteur fraîche et délicate. L'étiquette recommande cette mousse aux peaux sensibles, mais il serait dommage de ne la réserver qu'à elles.

TERRE D'OC

Grenade de l'Inde

Mousse démaquillante Visage et yeux

COSMETIQUE BIO CHARTE COSMEBIO

Note : 84,79/100.

Présentation : Flacon-pompe mousseur de 125 ml.

Prix indicatif : 12,95 € *(10,36 €/100 ml).*

Disponible chez : Nature & Découvertes.

Site internet : www.terredoc.com

3 M

INGREDIENTS : Aloe barbadensis gel*, Sodium cocoyl glutamate, Aqua (Water), Polyglyceryl-2 sesquiisostearate, Glycerin, Dehydroacetic acid, Benzyl alcohol, Parfum (Fragrance), Punica

granatum seed powder, Prunus amygdalus dulcis (Sweet almond) oil*, Yogurt powder, Pistacia vera seed oil, Cicer arietinum, Zizyphus joazeiro bark extract, Sesamum indicum (Sesame) seed oil*, Xanthan gum, Potassium sorbate, Polyglyceryl-6 polyricinoleate, Sodium sweetalmondamphoacetate, Sorbic acid, Natural oxides (CI 77491, CI77 492), Citral(1), Limonene(1), Linalool(1).
(1) Constituants d'huiles essentielles naturelles.
* Ingrédients issus de l'Agriculture Biologique.

À noter dans la composition. Gel d'aloe vera et tensioactifs doux pour la base ; glycérol, huiles d'amande douce, de pistache et de sésame, yaourt émollients ; extraits de grenade (Punica granatum), de pois chiches (Cicer arietinum) et de jujubier (Zizyphus joazeiro) en actifs d'entretien de la peau ; trois conservateurs autorisés par les labels bio ; trois molécules aromatiques allergènes.

L'avis des experts. Elle surprend par sa couleur (un joli rose soutenu) et par son parfum aux accents épicés mais léger et frais. Sur le visage, la mousse se fait crémeuse pour un démaquillage efficace et très doux, qui laisse la peau nette et tonique. Très agréable !

Lotions

Les critères des experts

Laits, gels et mousses démaquillants nécessitent le plus souvent d'être rincés. Une remarque : avec ce Palmarès, vous allez bientôt en savoir beaucoup plus sur la composition de vos produits de beauté que sur celle de l'eau de votre robinet. Or, toutes ne se valent pas (bien que toutes potables et contrôlées), leurs teneurs en minéraux ou composés plus ou moins bienvenus (calcaire, chlore, nitrates...) connaissant d'assez fortes disparités régionales. Soyons logique : si on scrute à la loupe tous les ingrédients cosmétiques avant de les permettre sur nos peaux, il paraît logique de laisser l'eau dans son robinet, au moins au moment du démaquillage, et de pratiquer le rinçage avec une eau thermale ou une bonne lotion.

Les « nettoyantes » peuvent se suffire à elles-mêmes (pour les femmes qui n'apprécient pas la texture d'un lait et ne sont pas convaincues par la légèreté des mousses...). Les autres viennent parfaire le démaquillage, apporter la touche finale et, éventuellement, elles tonifient, apaisent, clarifient, matifient, lissent... Leur texture liquide n'en fait pas les meilleurs hydratants, mais toutes au moins rafraîchissent. Et ce sont bien les actifs qu'elles contiennent qui font la différence entre les lotions et une eau pure et simple, ce sont donc eux (leurs propriétés, leur concentration...) qu'il faut évaluer avec précision pour juger de la qualité de ce type de cosmétique, une fois, évidemment, les ingrédients les moins recommandables évités.

À éviter

- Tonifier ou lisser n'est pas synonyme d'**alcool**iser, loin s'en faut. On en connaît pourtant qui confondent encore souvent…
- Les **composés irritants et allergisants,** exactement comme on le détaillait pour les laits démaquillants (voir p. 314), pour les mêmes raisons, et d'autant plus qu'en général, les lotions ne se rincent pas.

À privilégier

- Les **actifs apaisants :** bleuet (Centaurea cyanus), souci (Calendula officinalis), hamamélis (Hamamelis virginiana), mélisse (Melissa officinalis), mauve (Malva sylvestris), réglisse (Glycyrrhiza glabra), camomille (Anthemis nobilis), bisabolol, aloe vera (Aloe barbadensis)…
- Les **agents astringents :** feuilles de thé (Camellia sinensis), myrte (Myrtus communis)…
- Les actifs **tonifiants et rafraîchissants :** lavande (Lavandula angustifolia), orange (Citrus aurantium dulcis), rose (Rosa damascena), verveine (Lippia citriodora), romarin (Rosmarinus officinalis)…

Lotions nettoyantes

Les résultats

Évalués : 14 produits, de 11 marques différentes.

Prix moyen / 100 ml : 9,63 €.

Ont obtenu au moins la moyenne : 14.

N'ont pas obtenu la moyenne dans au moins un critère : 4.

Meilleure note : 89,17/100.

Plus mauvaise note : 77,5/100.

Les meilleures

	Prix	Composition Efficacité	Tolérance cutanée	Étiquetage	Confort d'utilisation	Principe de précaution	Classement
B com Bio Pureté florale – Eau nettoyante démaquillante	★★★★	★★★★	★★★★	★★★★	★★★★	★★★★★	1
Bioderma Créaline H20 Solution micellaire	★★★★★	★★★	★★★★	★★★★	★★★★	★★★★	2

	Prix	Composition Efficacité	Tolérance cutanée	Étiquetage	Confort d'utilisation	Principe de précaution	Classement
Couleur Caramel Lotion démaquillante	★★★	★★★★	★★★★	★★★★	★★★★	★★★★	**3**
A-Derma Sensiphase – Eau nettoyante et démaquillante	★★★★	★★★★	★★★★	★★★★	★★★★	★★★★	4
Plante system Eau micellaire pureté	★★★	★★★	★★★★	★★★★	★★★★	★★★★★	5
Avène Lotion micellaire Peaux sensibles	★★★	★★★★	★★★★	★★★★	★★★★	★★★★	6
Alma Carmel L'eau de la beauté	★	★★★★	★★★★	★★★★	★★★★	★★★★★	7

Les 3 premières

B COM BIO

Pureté florale

Eau nettoyante démaquillante

Note :	89,17/100.
Présentation :	Flacon de 400 ml.
Prix indicatif :	13,46 € *(3,36 €/100 ml).*
Disponible en :	Magasins bio, Pharmacies, Parapharmacies.
Site internet :	www.bcombio.com

INGREDIENTS : Aqua (Water), Anthemis nobilis distillate*, Lavandula angustifolia distillate*, Glycerin**, Caprylyl/Capryl glucoside**, Sodium benzoate, Benzyl alcohol.
* Origine biologique certifiée.
** Origine végétale.

À noter dans la composition. Des eaux florales de camomille et de lavande, du glycérol, un tensioactif, deux conservateurs autorisés en bio.

L'avis des experts. Une formule très simple, mais efficace : le type même de lotion qu'on peut utiliser seule pour un bon nettoyage. Déjà l'an dernier, sur cette même première marche du podium, on appréciait son discret parfum à dominante de lavande et son côté pratique 2-en-1 permettant le démaquillage des yeux comme du visage. On soulignait aussi que son prix était très en dessous de la moyenne et il a à peine pris quelques centimes depuis.

BIODERMA

Créaline H2O

Solution micellaire

Note :	88,33/100.
Présentation :	Flacon de 500 ml.
Prix indicatif :	12,90 € *(2,58 €/100 ml).*
Disponible en :	Pharmacies, Parapharmacies.
Site internet :	www.bioderma.com

12 M

INGREDIENTS : Aqua (Water), PEG-6 Caprylic/Capric glycerides, Propylene glycol, Cucumis sativus (Cucumber) fruit extract, Mannitol, Xylitol, Rhamnose, Fructooligosaccharides, Disodium EDTA, Cetrimonium bromide.

À noter dans la composition. Mis à part l'émulsifiant (PEG-6 Caprylic/Capric glycerides), la formule est constituée essentiellement d'agents émollients ou humectants. Avec aussi un conservateur (Cetrimonium bromide).

L'avis des experts. C'est un liquide tellement fluide qu'on a l'impression d'utiliser de l'eau ! Cette lotion, efficace et donc très légère, se présente comme « non délipidante », ce qui semble tout à fait justifié par le nombre d'actifs mis en œuvre dans ce sens. D'après l'étiquetage, elle est également destinée aux peaux sensibles : on s'étonne alors du choix du conservateur, le bromure de cétrimonium faisant partie des composés reconnus comme irritants.

COULEUR CARAMEL

Lotion démaquillante

Note :	85,54/100.
Présentation :	Flacon de 200 ml (étui carton).
Prix indicatif :	16 € *(8 €/100 ml).*
Disponible en :	Instituts de beauté, Salons de coiffure, Magasins bio.
Site internet :	www.couleur-caramel.fr

12 M

INGREDIENTS : Aqua (Water), Pimpinella anisum (Anise) seed water[BIO], Centaurea cyanus (Cornflower) water[BIO], Glycerin, Coco-glucoside, Xanthan gum, Phytic acid, Dehydroacetic acid, Sodium benzoate, Maris aqua (Sea water), Equisetum arvense (Horsetail) extract, Potassium sorbate, Citric acid, Parfum (Fragrance), Limonene, Benzyl alcohol.
[BIO] Issus de l'Agriculture Biologique.

LES DÉMAQUILLANTS

À noter dans la composition. Eau d'anis et de bleuet (Centaurea cyanus), glycérol et tensioactif (Coco-glucoside), un peu d'eau de mer et un extrait de prêle (Equisetum arvense), trois conservateurs autorisés en bio et un parfum apportant deux molécules aromatiques allergènes.

L'avis des experts. Une lotion un peu épaisse, d'une jolie couleur ambrée, qui démaquille bien et laisse la peau très confortable. Depuis l'an dernier, sa composition a été revue, avec notamment l'apport de l'eau d'anis rafraîchissante et doucement odorante, avec aussi la refonte complète du système de conservation. Le tout pour un prix raisonnable qui n'a pas évolué. Et voilà comment on arrive sur un podium du Palmarès...

Lotions toniques

Les résultats

Évalués : 28 produits, de 25 marques différentes.

Prix moyen / 100 ml : 14,35 €.

Ont obtenu au moins la moyenne : 28.

N'ont pas obtenu la moyenne dans au moins un critère : 14.

Meilleure note : 85,25/100.

Plus mauvaise note : 72,71/100.

Les meilleures

	Prix	Prix	Tolérance cutanée	Étiquetage	Confort d'utilisation	Principe de précaution	Classement
Phyt's Hydrolé feuilles fraîches d'eucalyptus	★★★	★★★★	★★★★	★★★★	★★★★	★★★★★	**1**
B com Bio Brume florale Eau tonifiante hydratante Visage et cheveux	★★★★	★★★★	★★★★	★★★★	★★★★	★★★★	**2**
Tridyn Biodine visage Lotion de beauté	★★★	★★★	★★★★	★★★★	★★★★	★★★★★	**3**
Les Floressances Lotion tonique naturelle Olivier	★★★★★	★★★	★★★★	★★★	★★★★	★★★★	4
Forest People Brume de géranium	★★★★	★★★	★★★★	★★★	★★★★	★★★★★	5
SantaVerde Aloe vera Spray pur	★★	★★★	★★★★	★★★★	★★★★	★★★★★	6
Sanoflore Eau florale rose	★★★★	★★★	★★★★	★★★	★★★	★★★★★	7
Biguine bio Lotion feuilles d'oranger	★★★	★★★★	★★★★	★★★	★★★★	★★★★★	8
Weleda Lotion tonique Iris	★★★★	★★★	★★★★	★★★	★★★★	★★★★★	9
Galénic Pur – Lotion tonique	★★★★	★★★	★★★★	★★★★	★★★★	★★★	10
Weleda Lotion tonique Rose musquée	★★★★	★★★	★★★★	★★★	★★★★	★★★★★	11
Centella Lotion Reine de Hongrie	★★	★★★★	★★★★	★★★	★★★★	★★★★	12
Kibio Lotion de soin tonique	★★★	★★★	★★★★	★★★★	★★★★	★★★★	13

Les 3 premières

PHYT'S
Hydrolé feuilles fraîches d'eucalyptus

Note : 85,25/100.
Présentation : Bouteille (verre opaque) de 200 ml.
Prix indicatif : 16 € *(8 €/100 ml).*
Disponible en : Instituts de beauté.
Site internet : www.phyts.com

INGREDIENTS : Eucalyptus globulus* (leaf extract, leaf water and leaf oil), Aqua (Water), Maris sal extract, Melaleuca viridiflora* (Niaouli leaf oil), Salvia officinalis* (Sage oil), Achillea millefolium (Yarrow oil), et ingrédients naturellement présents dans les huiles essentielles : limonène.

À noter dans la composition. De l'eau d'eucalyptus, du sel de mer et des huiles essentielles de niaouli, sauge et achillée millefeuille. Une molécule aromatique allergène, le limonène.

L'avis des experts. Tonifiante et purifiante, cette composition très simple rafraîchit agréablement, particulièrement les peaux mixtes ou à tendance grasse. Sur l'étiquette, on aimerait une déclaration plus réglementaire des allergènes (voir p. 429), mais on apprécie l'indication de la date de péremption en plus de la période d'utilisation maximum après ouverture, et le bleu opaque de la bouteille qui protège bien les actifs.

B COM BIO
Brume florale – Eau tonifiante hydratante – Visage et cheveux

Note : 84,38/100.
Présentation : Flacon vaporisateur de 200 ml.
Prix indicatif : 11,80 € *(5,90 €/100 ml).*
Disponible en : Magasins bio, Pharmacies, Parapharmacies.
Site internet : www.bcombio.com

INGREDIENTS : Aqua (Water), Lippia citriodora*, Anthemis nobilis distillate*, Citrus aurantium dulcis (Orange) fruit water*, Caprylyl/Capryl glucoside**, Dryopteris filix-mas extract*, Hydrolyzed soy protein**, Sodium PCA**, Dehydroacetic acid, Benzyl alcohol, Parfum**, Citral**, D-limonene**, Linalool**.
* Origine biologique certifiée. ** Origine végétale.

100 % des ingrédients végétaux sont issus de l'Agriculture Biologique. 11 % du total des ingrédients sont issus de l'Agriculture Biologique. 100 % du total des ingrédients sont d'origine naturelle.

À noter dans la composition. Eaux florales de verveine (Lippia citriodora), de camomille (Anthemis nobilis) et d'orange (Citrus aurantium dulcis) avec un tensioactif, un extrait de fougère (Dryopteris filix-mas extract) tonifiant, des protéines de soja et le pyrrolidone-carboxylate de sodium (Sodium PCA) hydratants, deux conservateurs autorisés en bio et trois molécules aromatiques allergènes apportées par le parfum.

L'avis des experts. Conçu pour tonifier le visage autant que pour donner un coup d'éclat aux cheveux, ce complexe à base d'eaux florales procure une sensation bien fraîche, avec sa large brumisation et sa fragrance très nature. Parfait pour terminer le démaquillage du visage le soir ou le « réveiller » doucement le matin, il donne aux cheveux un effet mouillé qu'on peut diversement apprécier. Particulièrement agréable en été.

TRIDYN

Biodine visage - Lotion de beauté

Note :	84,21/100.
Présentation :	Flacon (verre) de 200 ml (étui carton).
Prix indicatif :	20,95 € *(10,47 €/100 ml).*
Disponible en :	Instituts de beauté, Spas, Parapharmacies, Magasins biologiques.
Site internet :	www.biodine.net

INGREDIENTS : Centaurea cyanus distillate*, Melissa officinalis distillate*, Juniperus communis distillate*, Borago officinalis distillate*, Althaea officinalis extract, Glycerin, Aqua, Malachite extract, Benzyl alcohol, Potassium Sorbate, Xanthan gum, Aniba rosaeodora oil*, Phytic acid, Limonene, Geraniol, Benzyl benzoate.
* Ingrédients issus de l'Agriculture Biologique.

À noter dans la composition. Eaux florales de bleuet, mélisse, genévrier et bourrache, extraits de guimauve émolliente (Althaea officinalis) et de malachite raffermissante, glycérol hydratant et huile essentielle de bois de rose tonifiante (Aniba rosaeodora) pour les actifs, alcool benzylique et sorbate de potassium pour la conservation, et deux molécules aromatiques allergènes.

L'avis des experts. Une formule très riche en actifs, d'une texture assez consistante et d'une jolie couleur verte. Sensation bien rafraîchissante à l'application, dans les senteurs très agréables des eaux florales, et très bon confort ensuite. Le parfait complément du Lait de beauté de la p. 318 : on les aime beaucoup tous les deux. On note ici de plus un pourcentage de bio réellement significatif : 91,7 % du total des ingrédients !

On le dit en passant : Bio (2)

Combien d'ingrédients biologiques dans un produit bio ? La réponse est variable selon les formules, évidemment. Un point de repère : le label le plus courant en France, Cosmébio, exige un minimum de 10 % d'ingrédients issus de l'agriculture biologique. 10 % paraissent bien peu, mais les chiffres peuvent s'avérer assez peu parlants. Il faut savoir en effet que l'eau, présente généralement en pourcentage très important dans les cosmétiques, n'est pas incluse dans le décompte, puisqu'on ne peut jamais considérer, toute pure ou naturelle qu'elle soit, qu'elle est de qualité biologique. En fait, la valeur vraiment significative se révèle donc plutôt être le pourcentage des ingrédients végétaux issus de l'agriculture bio... mais elle ne figure pas sur toutes les étiquettes.

Mentions spéciales

Lotions purifiantes

Les meilleures

	Prix	Composition Efficacité	Tolérance cutanée	Étiquetage	Confort d'utilisation	Principe de précaution	Classement
Cattier Lotion purifiante	★★★★★	★★★★	★★★★	★★★★	★★★★	★★★★★	1
Avène Cleanance – Lotion purifiante matifiante	★★★	★★★★	★★★★	★★★★	★★★★	★★★★	2
Sanoflore Eau florale lavande	★★★★	★★★	★★★★	★★★	★★★	★★★★★	3

Les nommées

CATTIER
Lotion purifiante

Note :	92,29/100.
Présentation :	Flacon vaporisateur de 200 ml.
Prix indicatif :	5,46 € *(2,73 €/100 ml).*
Disponible en :	Magasins bio, Grands magasins (Printemps, BHV, Galeries Lafayette), Résonances, Monoprix, Parapharmacies.
Site internet :	www.laboratoirecattier.com

12 M

INGREDIENTS : Aqua, Mentha piperita extract*, Glycerin, Sodium benzoate, Potassium sorbate, Benzyl alcohol, Polyglyceryl-10 laurate, Lactic acid, Rosmarinus officinalis*, Mentha piperita*, Melaleuca alternifolia*.

* 10 % du total des ingrédients sont issus de l'Agriculture Biologique. 99 % du total des ingrédients sont d'origine naturelle.

À noter dans la composition. Menthe, romarin, arbre à thé en actifs purifiants, acide lactique hydratant, glycérol émollient, un émulsifiant (Polyglyceryl-10 laurate), deux conservateurs autorisés en bio.

L'avis des experts. Indéniablement, si elle n'avait pas été là, elle aurait manqué dans la gamme très complète que Cattier a formulée pour les « Peaux jeunes à problèmes » autour de quelques actifs éprouvés et à l'efficacité réelle (l'arbre à thé et le romarin, notamment). La présentation en vaporisateur rend l'application facile et pratique, la sensation de fraîcheur est immédiate et ça sent bon la menthe. Bref, la lotion est très bien (et en plus elle ne va ruiner personne…), et l'ensemble de la gamme très, très bien !

AVÈNE

Cleanance

Lotion purifiante matifiante

Note :	83,29/100.
Présentation :	Flacon de 200 ml.
Prix indicatif :	10,65 € *(5,32 €/100 ml).*
Disponible en :	Pharmacies, Parapharmacies.
Site internet :	www.eau-thermale-avene.com

INGREDIENTS : Avene thermal spring water (Avene aqua), Dipropylene glycol, SD alcohol 39-C (Alcohol denat.), Zinc gluconate, Cucurbita pepo (Pumpkin) seed oil (Cucurbita pepo), Fragrance (Parfum), PEG-40 hydrogenated castor oil, PPG-26-buteth-26, Salicylic acid, Silica, Stearalkonium hectorite , Triethanolamine, Water (Aqua).

À noter dans la composition. Eau thermale et alcool, avec le gluconate de zinc et l'huile de courge (Cucurbita pepo) en actifs assainissants, l'acide salicylique exfoliant et la silice (Silica) en agent absorbant.

L'avis des experts. Bonne surprise ! On retrouve cette lotion déjà citée dans le Palmarès 2007 avec une nouvelle formule… encore mieux que la précédente ! Au passage, elle a perdu un conservateur plutôt irritant et un agent absorbant contenant de l'aluminium... mais elle gardé ses actifs efficaces et son look bi-phase, l'une blanche et poudreuse (les agents absorbants), l'autre liquide et translucide (à bien secouer avant utilisation pour homogénéiser le mélange), comme sa bonne odeur douce et agréable, ce dont on ne se plaint pas. Elle a gardé l'alcool aussi, et comme c'est à peu près la seule catégorie de cosmétiques où on accepte de le voir plutôt volontiers, on en profite pour le saluer…

SANOFLORE

Eau florale lavande

Note :	82,92/100.
Présentation :	Flacon vaporisateur de 200 ml.
Prix indicatif :	5,90 € *(2,95 €/100 ml).*
Disponible en :	Magasins bio, Pharmacies, Parapharmacies, Grands magasins, Parfumeries.
Site internet :	www.sanoflore.net

INGREDIENTS : Lavandula angustifolia distillate*, Benzyl alcohol, Dehydroacetic acid, Arginine, Citric acid, Linalool.
* Ingrédient issu de l'Agriculture Biologique.

À noter dans la composition. De l'eau florale de lavande, deux conservateurs autorisés en bio, un acide aminé (l'arginine), un régulateur de pH (Citric acid), une molécule aromatique allergène.

L'avis des experts. C'est une formule plus que simple, mais intéressante pour les propriétés antiseptiques de la lavande. Et une liste courte diminue aussi les occasions de trouver des ingrédients qui fâchent. D'où les bonnes notes qu'à obtenues ce produit dans pratiquement tous les critères, même si on aurait apprécié que la senteur lavande soit plus franche. Et avec pratiquement la seule eau florale dans le vaporisateur, on obtient un pourcentage bio plus que significatif : 99 %.

Mentions spéciales

Lotions apaisantes

Les meilleures

	Prix	Composition Efficacité	Tolérance cutanée	Étiquetage	Confort d'utilisation	Principe de précaution	Classement
Lamarque Lotion Apaisement extrême - Gamme Peau sensible	☆	☆☆☆ ☆	☆☆☆ ☆	☆☆☆	☆☆☆ ☆	☆☆☆ ☆☆	1
Cattier Rosée florale Lotion de beauté apaisante	☆☆☆ ☆	☆☆☆ ☆	☆☆☆	☆☆☆ ☆	☆☆☆ ☆	☆☆☆ ☆☆	2

Les nommées

LAMARQUE

Lotion Apaisement extrême
Gamme Peau sensible

Note : 87,63/100.

Présentation : Flacon-pompe (verre) de 200 ml (étui carton).

3 M

Prix indicatif : 32 € *(16 €/100 ml).* Sans étui : réduction de 3 €.

Disponible en : Boutique de Genève, Internet.

Site internet : www.lamarque.ch

INGREDIENTS : Water, Glycerin, Mannitol, Capryloyl glycine, Aesculus hippocastanum seed extract, Ginkgo biloba leaf extract, Ficus carica fruit extract, Papaver rhoeas petal extract, Ammonium glycyrrhizate, Potassium sorbate, Disodium cocoamphoacetate, Sodium hydroxide, Maltodextrin, Sodium chloride, Caffeine, Zinc gluconate.

À noter dans la composition. Glycérol et mannitol hydratants, extraits de marronnier d'Inde (Aesculus hippocastanum), de ginkgo biloba, de figue et de coquelicot apaisant (Papaver rhoeas), ammonium glycyrrhizate, caféine et gluconate de zinc assainissant, un tensioactif doux (Disodium cocoamphoacetate). La conservation est basée sur la capryloyl glycine et le sorbate de potassium.

L'avis des experts. Lotion claire, odeur neutre, actifs apaisants et pas un ingrédient allergisant ou irritant : oui, la formule convient bien aux peaux sensibles, qu'elle rafraîchit sans agression. La date d'utilisation maximale conseillée après ouverture (trois mois seulement) est bien adaptée au système de conservation sur lequel on émet toujours les mêmes réserves (voir p. 14). Mais la douceur est au rendez-vous. Et une lotion sans alcool ni molécules allergènes mérite bien un podium...

CATTIER

Rosée florale

Lotion de beauté apaisante

Note :	87,08/100.
Présentation :	Flacon vaporisateur de 200 ml.
Prix indicatif :	32 € *(16 €/100 ml).*
Disponible en :	Magasins bio, Grands magasins (Printemps, BHV, Galeries Lafayette), Résonances, Monoprix, Parapharmacies.
Site internet :	www.laboratoirecattier.com

INGREDIENTS : Aqua, Rosa damascena distillate*, Anthemis nobilis*, Glycerin, Sodium benzoate, (and) Potassium sorbate, Benzyl alcohol, Calendula officinalis*, Hydrolyzed wheat protein, Polyglyceryl-10 laurate, Parfum, Lactic acid, Limonene, Linalool.

* 10,6 % du total des ingrédients sont issus de l'Agriculture Biologique. 98,5 % du total des ingrédients sont d'origine naturelle.

À noter dans la composition. Eau de rose et camomille, glycérol, souci (Calendula officinalis), protéines de blé en actifs très doux. Trois conservateurs autorisés en bio et un parfum apportant deux molécules aromatiques allergènes.

L'avis des experts. L'eau de rose est un classique des lotions apaisantes et elle vient ici parfaitement remplir son office, avec l'aide de la camomille. L'argumentaire souligne que la formule ne contient pas d'alcool, ce qui est très bien ; on aurait préféré qu'elle ne laisse pas de place non plus aux allergènes, même si le parfum qui cause leur présence est léger et très agréable. La présentation en vaporisateur est bien pratique, avec sa brumisation fine et fraîche : un très bon complément au démaquillage.

Démaquillants pour les yeux

Les résultats

Évalués : 16 produits, de 15 marques différentes.

Prix moyen / 100 ml : 12,45 €.

Ont obtenu au moins la moyenne : 16.

N'ont pas obtenu la moyenne dans au moins un critère : 5.

Meilleure note : 91,83/100.

Plus mauvaise note : 77,5/100.

Les critères des experts

Nos yeux sont précieux, la peau qui les entoure constitue certainement le summum du sensible et du délicat. Pourtant, on la couvre quotidiennement (on l'étouffe parfois !) de couches de crèmes et d'huiles, de maquillage, fond de teint et autres fards… Alors, au moment du démaquillage, un seul mot d'ordre prévaut : du doux, du doux, du doux ! Tous les critères (et tous les ingrédients à éviter ou à privilégier) valables pour le démaquillage des peaux sensibles (p. 323 et 345) se retrouvent ici à la puissance 10 (au moins…), tout comme ceux qui prévalent au choix d'un Contours des yeux (voir p. 245).

Les meilleurs

	Prix	Composition Efficacité	Tolérance cutanée	Étiquetage	Confort d'utilisation	Principe de précaution	Classement
Galénic Pur – Démaquillant yeux	★★★★	★★★★	★★★★	★★★★	★★★★	★★★★	**1**
Cattier Pétale d'iris Eau démaquillante yeux sensibles	★★★★	★★★★	★★★★	★★★	★★★★	★★★★★	**2**
Coslys Démaquillant yeux	★★★★	★★★★	★★★	★★★★	★★★★	★★★★	**3**
Avène Démaquillant douceur pour les yeux	★★★★	★★★★	★★★★	★★★★	★★★★	★★★★	4
Klorane Lotion démaquillante apaisante au bleuet	★★★★★	★★★	★★★★	★★★★	★★★★	★★★★	5
Sanoflore Démaquillant yeux bio	★★★★	★★★★	★★★★	★★★★	★★★★	★★★★	6
Melvita Lotion démaquillante pour les yeux	★★★	★★★★	★★★★	★★★	★★★★	★★★★★	7
Institut Esthederm Osmoclean – Démaquillant haute tolérance	★★	★★★★	★★★★	★★★★	★★★★	★★★★	8

Les 3 premiers

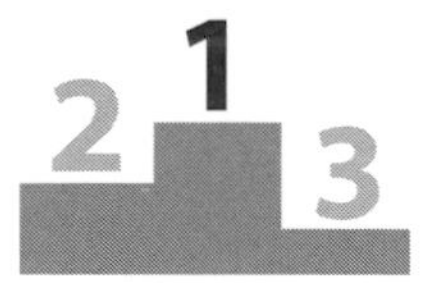

GALÉNIC

Pur – Démaquillant yeux à l'eau distillée de mélilot

Note :	91,83/100.
Présentation :	Flacon 150 ml.
Prix indicatif :	9,60 € *(6,40 €/100 ml).*
Disponible en :	Pharmacies, Parapharmacies.
Site internet :	www.galenic.com

INGREDIENTS : Water (Aqua), Rosa centifolia flower water (Rosa centifolia), Hexylene glycol, Poloxamer 188, Bis-PEG-18 methyl ether dimethyl silane, Melilotus officinalis extract

(Melilotus officinalis), Hydroxethylcellulose, Phenethyl alcohol, Polysorbate 20, Sodium chloride, Sodium hyaluronate, Sorbitol, Triethanolamine.

À noter dans la composition. Eau de rose et extrait de mélilot, émulsifiants et silicone bien tolérés par la peau (à défaut d'être des amis de notre environnement), hyaluronate de sodium et sorbitol facteurs d'hydratation.

L'avis des experts. Une très bonne formule pour les yeux, fluide, douce et tout à fait efficace dans son rôle de démaquillant. Pas de parfum, mais une très légère odeur herbale. D'ailleurs, ce produit était déjà sur le podium l'an dernier, il a même gagné une place, signe d'une valeur sûre.

2 1 3

CATTIER

Pétale d'iris – Eau démaquillante yeux sensibles

Note :	90,42/100.
Présentation :	Flacon de 100 ml.
Prix indicatif :	7,99 € *(7,99 €/100 ml).*
Disponible en :	Magasins bio, Grands magasins (Printemps, BHV, Galeries Lafayette), Résonances, Monoprix, Parapharmacies.
Site internet :	www.laboratoirecattier.com

12 M

INGREDIENTS : Aqua, Centaurea cyanus extract*, Anthemis nobilis*, Glycerin, Sodium coco polyglucose tartrate, Diglycerin, Sodium benzoate, (and) Potassium sorbate, Benzyl alcohol, Lactic acid.

* 12,5 % du total des ingrédients sont issus de l'Agriculture Biologique. 98,5 % du total des ingrédients sont d'origine naturelle.

À noter dans la composition. Eau florale de bleuet et camomille, glycérol, tensioactif très doux, trois conservateurs autorisés en bio et c'est tout.

L'avis des experts. Des actifs classiques du type d'action recherchée, une lotion claire d'odeur assez neutre qui n'agresse ni ne pique les yeux, un démaquillage efficace et en douceur, un joli packaging et un prix très, très raisonnable. Voyez-vous, de vos yeux tout frais démaquillés, autre chose à dire ? C'est simple et c'est très bien !

COSLYS

Démaquillant yeux

Note :	89,17/100.
Présentation :	Flacon vaporisateur de 150 ml.
Prix indicatif :	7,91€ *(5,27 €/100 ml).*
Disponible en :	Magasins bio, Instituts de beauté, Parashop.
Site internet :	www.coslys.fr

INGREDIENTS : Aqua (Water), Citrus amara flower water*, Spiraea ulmaria flower water*, Centaurea cyanus flower water*, Glycerin, Caprylyl/Capryl glucoside, Anthemis nobilis flower water*, Rosa damascena flower water*, Borago officinalis seed oil*, Aniba rosaeodora wood oil*, Glycine soja, Tocopherol, Lauryl glucoside, Polyglyceryl-2 dipolhydroxystearate, Sodium cocoamphoacetate, Sodium lauroyl sarcosinate, Sodium benzoate, Potassium sorbate, Linalool, Limonene, Geraniol.

* Ingrédients issus de l'Agriculture Biologique.

À noter dans la composition. Ça commence par un déluge d'eaux florales : orange, reine des prés, bleuet, camomille, rose… Ça continue avec du glycérol émollient, des tensioactifs bien tolérés par la peau, de l'huile de bourrache, de l'huile essentielle de bois de rose, de la vitamine E antioxydante (Tocopherol)… Ça se termine avec deux conservateurs autorisés en bio et trois molécules aromatiques allergènes.

L'avis des experts. Dommage, toujours, de mettre des allergènes au contact de la peau du contour des yeux. Ils n'arrivent tout de même pas à effacer la très bonne impression d'ensemble devant cette bonne formule, alliant efficacité du démaquillage et douceur des composants, fluidité et senteurs d'oranger, dans un spray très pratique d'utilisation.

Les

Solaires

Crèmes et laits solaires

Les résultats

Évalués : 35 produits, de 14 marques différentes.

Prix moyen / 100 ml : 40,29 €.

Ont obtenu au moins la moyenne : 33.

N'ont pas obtenu la moyenne dans au moins un critère : 7.

Meilleure note : 76,08/100.

Plus mauvaise note : 41,04/100.

Les critères des experts

Le problème des crèmes solaires est un dilemme… brûlant, qui fait l'objet de beaucoup d'interrogations et de suspicions. D'où émerge une question, de plus en plus cruciale : existe-t-il aujourd'hui une protection solaire qu'on puisse utiliser en toute sécurité ? Trois points pour bien comprendre, en essayant à chaque fois de déterminer ce qui est sûr et avéré, et ce qui relève encore plutôt du doute ou du risque potentiel.

- On connaît les dangers des rayonnements UV pour la peau : les expositions répétées provoquent son vieillissement accéléré et, surtout, favorisent le développement de très graves cancers cutanés (mélanomes). Une protection solaire est donc indispensable, c'est un point sur lequel tous les experts et autorités sanitaires tombent d'accord. Et on n'en connaît pas d'autres que l'ombre, ou les filtres et écrans UV contenus dans les crèmes et laits solaires.
- Les filtres synthétiques assurent la protection cutanée en absorbant les rayons solaires. Beaucoup sont très allergisants, et leur surutilisation dans un nombre croissant de cosmétiques les rend d'autant plus sensibilisants : ils sont connus et leurs effets sont indiscutables. D'autres sont suspectés de toxicité, notamment en agissant sur l'organisme comme des hormones (œstrogènes ou androgènes) ou en perturbant le métabolisme des lipides. Pour eux, on se situe encore dans le domaine du doute : les recherches continuent, notamment pour déterminer leur impact réel sur la santé humaine et leur éventuel degré de nuisance, qu'on n'évalue pas encore parfaitement. Certains, aussi, semblent bien tolérés et non toxiques : Laurence Coiffard et Céline Couteau, les cosmétologues du jury de ce Palmarès, ont élaboré un tableau récapitulatif faisant le point des connaissances actuelles sur les filtres les plus utilisés (voir p. 435).
- Les écrans minéraux, eux, réfléchissent la lumière et forment ainsi comme une barrière protectrice. On ne leur connaît pas de toxicité sous leur forme naturelle, mais pour constituer une protection solaire efficace, ils

doivent être micronisés (réduits en poudre très fine). Ils souffrent alors d'un handicap esthétique puisqu'ils laissent sur la peau un film blanc peu apprécié des consommateurs. Pour l'éviter, les minéraux sont maintenant très souvent transformés en nanoparticules. Or, des études préliminaires montrent que ces particules d'environ un milliardième de mètre pourraient être, elles, fortement toxiques. D'une part, leur photoactivité (réaction à la lumière) produit des radicaux libres pouvant endommager l'ADN de la peau. D'autre part, on les suspecte de pouvoir pénétrer assez facilement à l'intérieur de l'organisme (notamment par le biais des petites lésions de la peau : eczéma, micro-coupures...) : leurs incidences sur la santé dans ce cas sont alors en grande partie inconnues mais inquiètent, car on sait que la taille très réduite des nanoparticules les rend d'autant plus réactives à leur environnement. Cette question fait l'objet de nombreuses recherches partout dans le monde : elles demanderont probablement plusieurs années avant de pouvoir arriver à une réponse sur l'effectivité et le degré de risque encouru.

Que conclure ? Car finalement, pour le consommateur amateur de soleil, le problème ne se résume-t-il pas à : « Quel risque choisir ? » Avec la tentation (toujours présente dans ce genre de cas de figure) de rejeter toutes précautions en bloc (sur le thème du « de toutes façons, si on vous écoute, tout est dangereux, alors... »).

Bien sûr, chacun est libre de se déterminer comme il l'entend. Le jury de ce Palmarès a toutefois une opinion, qui a fondé son évaluation des produits de cette catégorie et tient en trois points.

- Il est impensable et dangereux de s'exposer au soleil sans protection : les crèmes et laits solaires sont indispensables.
- On peut choisir son produit de façon à minimiser les risques, en commençant par ceux qui sont avérés : on peut d'abord ainsi préférer les filtres synthétiques les moins nocifs, ceux qui ne sont pas allergisants et ceux dont la toxicité éventuelle paraît la plus faible.
- On aimerait pouvoir préconiser l'utilisation d'écrans minéraux non transformés en nanoparticules, mais cette indication n'est, pour l'heure, pas obligatoire sur l'étiquette et il est difficile pour le consommateur de les repérer (même si la persistance d'un film blanc à l'application peut être interprété comme un « signe » positif). Cependant, au vu des connaissances actuelles (et dans l'attente du résultat de recherches en cours), le risque éventuel généré par l'utilisation des écrans micronisés paraît nettement moins critique que celui d'une exposition sans protection.

On le dit en passant : Micronisation

Microniser une matière première signifie, au sens strict du terme, qu'on la réduit en poudre dont les particules atteignent la taille d'un micron, c'est-à-dire un millionième de mètre. De leur côté, les nanoparticules ne dépassent pas le milliardième de mètre, une échelle bien différente et une nuance importante quand on sait que les poudres micronisées n'ont pas du tout les mêmes propriétés physiques et effets potentiels que les mêmes sous forme de nanoparticules. Mais il arrive que certaines étiquettes se révèlent assez approximatives, et que le mot « micronisé » ne soit pas employé dans son sens premier… Il semble donc assez opportun à ce moment de rappeler que chaque consommateur a le droit de disposer des informations qu'il juge nécessaires sur le produit qu'il veut utiliser (tant qu'il ne rentre pas dans le domaine des secrets de fabrication ou de formulation…) : il suffit qu'il les demande au fabricant.

Par ailleurs, le choix d'un bon produit passe aussi par d'autres critères.

À éviter

- Les **ingrédients photosensibilisants** sont plus que malvenus ici, et particulièrement les huiles essentielles d'agrumes et les molécules aromatiques allergènes (voir p. 429).
- Les **conservateurs allergisants,** surtout s'ils sont présents en nombre, ajoutent au caractère éventuellement sensibilisant du produit. Mais les systèmes de conservation doivent être suffisants : les crèmes solaires doivent être d'une stabilité sans reproche et comporter une protection antifongique ET antibactérienne (voir p. 431).
- L'**alcool** est bien trop asséchant pour être appliqué sur la peau déjà fragilisée par les rayons solaires (et cela vaut même s'il est utilisé en tant que conservateur.)

À privilégier

- Un **bon rapport UVB/UVA :** les premiers ont un effet rapide (les coups de soleil), les deux sont impliqués dans le processus carcinogène. Une double protection est indispensable, avec un rapport UVB/UVA inférieur ou égal à 3 (à vérifier sur l'étiquette).
- Les **antioxydants :** ils aident à lutter contre le vieillissement de la peau au soleil.
- Une **conduite raisonnable au soleil,** avec modération, en évitant les heures où les rayons sont les plus nocifs (11h-16h), et en évitant d'exposer les jeunes enfants.

Les meilleurs

	Prix	Composition Efficacité	Tolérance cutanée	Étiquetage	Confort d'utilisation	Principe de précaution	Classement
Melvita Lait solaire FPS 15	★★★★	★★★	★★★	★★★★	★★★	★★★★	**1**
Melvita Crème solaire FPS 30	★★★	★★★	★★★	★★★★	★★★	★★★★	**2**
Bioderma Photoderm AKN Spray SPF 30	★★★★	★★★	★★★★	★★★	★★★★	★★	**3**
Lavera Sun sensitiv – Spray solaire familial SPF 15	★★★	★★★	★★★	★★★	★★★★	★★★	4
Weleda Lait solaire à l'edelweiss	★★★	★★	★★★	★★★	★★★★	★★★	5
Dr. Hauschka Crème solaire enfants 30	★★★	★★★	★★★	★★★	★★★	★★★	6
Galénic Baume stick solaire SPF 40	★★	★★★	★★★★	★★★	★★★★	★★★	7
Lavera Sun sensitiv – Lait solaire bébés et enfants – SPF 30	★★★	★★★	★★★	★★★	★★★	★★★	8
Bioregena Crème solaire Corps SPF 30	★★★	★★	★★★	★★★★	★★★	★★★	9
Avène Spray Protection modérée SPF 20	★★★	★★★	★★★	★★★★	★★★★	★	10
Bioderma Photoderm AR Crème SPF 50	★★★	★★★★	★★	★★★★	★★★★	★★	11
Gamarde solaire Protection moyenne	★★	★★	★★	★★★★	★★★★	★★★	12

Les 3 premiers

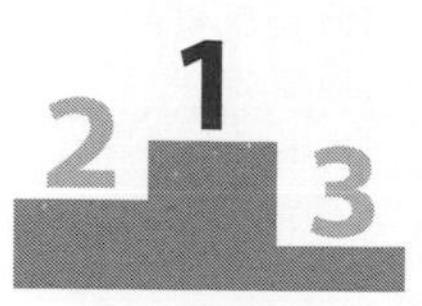

MELVITA

Lait solaire FPS 15

Note :	76,08/100.
Présentation :	Flacon de 75 ml.
Prix indicatif :	13,40 € *(17,86 €/100 ml).*
Disponible en :	Magasins bio et de produits naturels.
Site internet :	www.melvita.com

6 M

INGREDIENTS INCI EU [US] : Aqua [Aqua], Caprylic/Capric triglyceride, Aloe barbadensis extract [Aloe barbadensis leaf extract]*, Titanium dioxide, Cocoglycerides, Zinc oxide, Octyldodecanol, Dicaprylyl carbonate, Polyglyceryl-3 diisostearate, Lauryl laurate, Glyceryl dibehenate, Magnesium sulfate, Mangifera indica seed oil [Mangifera indica (Mango) seed butter], Sesamum indicum oil [Sesamum indicum (Sesame) seed oil]*, Benzyl alcohol, Tribehenin, Polyhydroxystearic acid, Alumina, Aluminum stearate, Parfum [Fragrance], Glyceryl behenate, Dehydroacetic acid, Inositol, Galactaric acid, Isostearic acid, Hordeum vulgare extract*, Sodium benzoate, Linalool**, Citric acid, Citronellol**, Limonene**.
* Ingrédients issus de l'Agriculture Biologique.
** Constituants des huiles essentielles.

À noter dans la composition. De l'eau et toute une série d'émollients avec de l'aloès, du beurre de mangue et de l'huile de sésame pour l'hydratation, quelques émulsifiants aussi : voilà pour la base. De l'acide mucique (Galactaric acid) dérivé de la caroube utilisé comme activateur de bronzage. La protection solaire UVA et UVB provient des deux écrans minéraux. La conservation repose sur l'alcool benzylique, l'acide déhydroacétique et le sorbate de potassium. Le parfum apporte trois molécules aromatiques allergènes.

L'avis des experts. La texture est assez épaisse, et on note un effet blanc sur la peau… Le fabricant, à qui on a posé la question, assure que ses écrans sont, selon ses propres termes, « micronisés mais pas nanonisés », réduits seulement à la taille permettant d'optimiser leur utilisation et leur facteur de protection, mais pas plus. Pour le reste, on regrette vraiment la présence d'allergènes dans un produit solaire. Mais la formule est intéressante pour les peaux déjà habituées au soleil (l'indice de protection est relativement peu élevé). Côté étiquetage, les recommandations réglementaires sont bien en place, et le rapport UVB (15) / UVA (12) clairement indiqué est tout à fait dans les normes préconisées.

MELVITA

Crème solaire FPS 30

Note :	74,21/100.
Présentation :	Tube de 75 ml.
Prix indicatif :	17,50 € *(23,33 €/100 ml).*
Disponible en :	Magasins bio et de produits naturels.
Site internet :	www.melvita.com

6 M

INGREDIENTS INCI EU [US] : Aqua [Aqua], Caprylic/Capric triglyceride, Zinc oxide, Titanium dioxide, Cocoglycerides, Octyldodecanol, Polyglyceryl-2 dipolydroxystearate, Glycerin, Polyglyceryl-3 diisostearate, Polyhydroxystearic acid, Magnesium sulfate, Theobroma grandiflorum [Theobroma grandiflorum seed butter]*, Benzyl alcohol, Alumina, Aluminum stearate, Lauryl laurate, Sesamum indicum oil [Sesamum indicum (Sesame) seed oil]*, Cocos nucifera oil [Cocos nucifera (Coconut) oil], Glyceryl dibehenate, Parfum [Fragrance], Tribehenin, Dehydroacetic acid, Hordeum vulgare extract*, Galactaric acid, Isostearic acid, Glyceryl behenate, Sodium benzoate, Curcuma longa extract [Curcuma longa (Turmeric) root extract], Citric acid, Linalool**, Gardenia tahitensis flower, Citronellol**, Limonene**. Tocopherol.
* Ingrédients issus de l'Agriculture Biologique.
** Constituants des huiles essentielles.

À noter dans la composition. Le principe de la formule est très apparenté à celui mis en œuvre pour le lait de la même marque, n° 1 sur ce même podium, mais avec des proportions différentes pour certains ingrédients, et notamment les écrans minéraux, plus fortement dosés ici. Un peu plus d'émollients aussi, avec le glycérol. Le beurre de mangue est remplacé par un beurre de cupuassu (un arbre proche du cacaoyer). Même système de conservation, mêmes molécules aromatiques allergènes. Un peu de monoï en plus.

L'avis des experts. Texture assez épaisse, léger effet blanc sur la peau… et là encore, comme dans le lait, pas de nanoparticules (le fabricant le certifie) mais des écrans minéraux micronisés. En quantité plus importante, ce qui est normal, l'indice de protection étant deux fois supérieur. Le rapport UVB/UVA indiqué sur l'étiquette est de 30/23, ce qui est parfait pour une bonne protection notamment du visage. Il n'y a que les trois molécules aromatiques allergènes pour ternir un peu une image d'ensemble vraiment très, très positive. Le prix, un peu plus élevé que celui du lait, est encore inférieur à la moyenne des produits de cette catégorie.

BIODERMA
Photoderm AKN Spray SPF 30

Note :	74,08/100.
Présentation :	Flacon vaporisateur de 100 ml.
Prix indicatif :	12,80 € *(12,80 €/100 g).*
Disponible en :	Pharmacies, Parapharmacies.
Site internet :	www.bioderma.com

INGREDIENTS : Aqua (Water), Dicaprylyl carbonate, Octocrylene, Butyl methoxydibenzoylmethane, Methylene bis-benzotriazolyl tetramethylbutylphenol, Cyclomethicone, Tridecyl salicylate, Glycolic acid, Dodecyl gallate, Ginkgo biloba extract, Tocopheryl acetate, Ectoin, Mannitol, Xylitol, Rhamnose, Fructooligosaccharides, Laminaria ochroleuca extract, C20-22 alkyl phosphate, Decyl glucoside, C20-22 alcohols, Sodium hydroxide, Xanthan gum, Disodium EDTA, Propylene glycol, Citric acid, Caprylic/Capric triglyceride, Methylparaben, Propylparaben, Butylparaben, Ethylparaben.

À noter dans la composition. De l'eau et un émollient en tête de liste, puis les trois filtres synthétiques. Par la suite, on remarque la présence de l'acide glycolique (en régulateur de pH), de deux antioxydants (Dodecyl gallate, Tocopheryl acetate), de ginkgo biloba et d'un agent antiradicalaire (Ectoin), de plusieurs humectants et agents d'entretien de la peau dont un extrait d'algue Laminaria ochroleuca... La conservation est assurée par quatre parabens.

Le coup de cœur des experts. L'octocrylène est un filtre UVB bien toléré, le méthylène bis-benzotriazolyl tétramethylbutylphénol assure la protection UVB mais surtout UVA, comme le butyl méthoxydibenzoylméthane, qui pourtant est moins photostable et peut être allergisant. Mais ce complexe paraît tout de même assez sûr. On apprécie beaucoup l'axe antiradicalaire et antioxydant de la formule, pour aider la peau à préserver le vieillissement. Sur l'étiquette, les conseils de précaution font dans le service minimum. Le rapport UVB (30) / UVA (26) est en revanche indiqué très clairement. À l'application (pratique en spray !), cette crème blanche s'étale facilement et ne laisse aucune trace.

Après-soleil

Les résultats

Évalués : 14 produits, de 12 marques différentes.

Prix moyen / 100 ml : 14,46 €.

Ont obtenu au moins la moyenne : 14.

N'ont pas obtenu la moyenne dans au moins un critère : 10.

Meilleure note : 83,75/100.

Plus mauvaise note : 56,58/100.

Les critères des experts

On pourrait penser (et surtout après le débat sur les crèmes solaires) que les esprits s'échaufferaient moins avec les laits après-soleil (après tout, c'est leur rôle…). Parce que finalement, de quoi a-t-on besoin après une exposition ? D'une bonne hydratation, et la cosmétique, riche en laits corporels hydratants (voir p. 154), sait faire… Oui, mais voilà. Vouloir hydrater ne suffit pas, il faut aussi ne pas sensibiliser ni assécher davantage la peau, qui n'en a franchement pas besoin à ce moment-là. Et on a trouvé dans cette sélection 2008 de produits pour cette catégorie beaucoup plus d'« erreurs » de formulation qu'on aurait pu l'imaginer. Du coup, ils sont bien peu à avoir les honneurs de ce Palmarès.

À éviter

- L'**ALCOOL !** Il est présent dans de très nombreux produits après-soleil, souvent à des fins de conservation et en grande quantité. Pourtant, il s'y révèle encore moins souhaitable que jamais, la peau étant bien suffisamment asséchée par le soleil et éventuellement le sel de mer.
- Les **ingrédients sensibilisants,** sur un épiderme ainsi fragilisé, sont eux aussi les plus malvenus : il s'agit toujours en premier lieu des molécules aromatiques allergènes (voir p. 429) ou de certains conservateurs (voir p. 431).

À privilégier

- Les **hydratants et émollients** ont là toute leur place, et plus ils sont nombreux et riches, mieux cela vaut. Dans les listes d'ingrédients : Glycerin, Squalane… Et bien sûr les beurres, de mangue (Mangifera indica), de karité (Butyrospermum parkii)… et toutes les huiles végétales.
- Les **agents apaisants et/ou adoucissants** aident la peau à se remettre de l'épreuve solaire : allantoïne, aloe vera…

LES SOLAIRES

Les meilleurs

	Prix	Composition Efficacité	Tolérance cutanée	Étiquetage	Confort d'utilisation	Principe de précaution	Classement
Melvita Lait après-soleil	★★★★	★★★★	★★★	★★★	★★★★	★★★★★	1
Forest People Après-soleil réparateur et apaisant	★★	★★★	★★★★	★★★	★★★★★	★★★★★	2
Galénic Soins soleil Lait après-soleil Visage et corps anti-âge	★★★	★★★★	★★★★	★★★★	★★★★	★★★	3

Les 3 premiers

MELVITA

Lait après-soleil

Note :	83,75/100.
Présentation :	Flacon de 400 ml.
Prix indicatif :	17,50 € *(4,37 €/100 ml).*
Disponible en :	Magasins bio et de produits naturels.
Site internet :	www.melvita.com

INGREDIENTS INCI EU [US] : Aqua [Aqua], Caprylic/Capric triglyceride, Glycerin, Octyldodecanol, Dicaprylyl ether, Butyrospermum parkii butter [Butyrospermum parkii (Shea) butter) oil]*, Helianthus annuus seed oil [Helianthus annuus (Sunflower) seed oil]*, Sesamum indicum oil [Sesamum indicum (Sesame) seed oil]*, Squalane, Arachidyl alcohol, Cocos nucifera [Cocos nucifera (Coconut) oil], Parfum [Fragrance], Behenyl alcohol, Sodium benzoate, Arachidyl glucoside, Cera alba [Beeswax], Sclerotium gum, Xanthan gum, Potassium sorbate, Tocopherol, Cetearyl alcohol, Hordeum vulgare extract*, Citric acid, Gardenia tahitensis flower.
* Ingrédients issus de l'Agriculture Biologique.

À noter dans la composition. Des émollients et solvants pour commencer, puis une belle énumération d'hydratants d'origine végétale avec le beurre de karité et les huiles de tournesol, sésame et coco. Avec aussi du squalane, de la cire d'abeille émolliente (Cera alba), de la vitamine E antioxydante (Tocopherol) et un tout petit peu de monoï (Gardenia tahitensis flower).

L'avis des experts. Une formule très convenable, sans, il faut le noter, d'alcool ni d'allergènes. Sur la peau, ce lait à l'odeur sucrée paraît riche et bien nourrissant : idéal pour les peaux asséchées. Sur l'étiquette, on aurait aimé que la revendication « d'hydratation intense » soit accompagnée de la mention précisant qu'elle concerne les couches superficielles de la peau, et en ce qui concerne la présentation de la liste d'ingrédients, on a déjà dit ce qu'on en pensait. Mais le prix est très, très raisonnable et le conditionnement en version familiale bien pratique.

2 1 3

FOREST PEOPLE

Après-soleil réparateur et apaisant

Note :	82,5/100.
Présentation :	Flacon de 150 ml.
Prix indicatif :	24,50 € *(16,33 €/100 ml)* et 3 € en 5 ml.
Disponible en :	Magasins bio et de produits naturels, équitables ou de bien-être, Spas, Internet.
Site internet :	www.forest-people.com

12 M

INGREDIENTS : Argania spinosa oil*, Caryocar villosum oil**, Calophyllum inophyllum oil*.
* Ingrédients sous mention Nature & progrès.
** Ingrédient 100 % naturel issu de cueillette sauvage.

À noter dans la composition. Trois huiles : d'argan (en provenance du Maroc), de péquia (d'Amazonie brésilienne) et de calophylle, ou tamanu, originaire de Madagascar.

L'avis des experts. Elle avait déjà droit à une Mention spéciale dans le Palmarès 2007, elle n'a rien changé cette année, pas même son prix. Sur le papier, la formule est on ne peut plus simple ; sur la peau, c'est toujours du bonheur pur. Elle assouplit, adoucit, nourrit, et son odeur de nature un peu épicée plaît toujours autant. Appliquée à chaque retour de la plage, elle réconforte et se révèle très efficace pour éviter à la peau de peler.

2 1 3

GALÉNIC

Soins soleil

Lait après-soleil Visage et corps anti-âge

Note :	**81,79/100.**
Présentation :	Tube de 200 ml (étui carton).
Prix indicatif :	14,45 € *(7,22 €/100 ml).*
Disponible en :	Pharmacies, Parapharmacies.
Site internet :	www.galenic.com

INGREDIENTS : Water (Aqua), Cyclomethicone, Isopropyl palmitate, Mineral oil (Paraffinum liquidum), Cocos nucifera (Coconut) oil (Cocos nucifera), Glycerin, Sorbitan stearate, Squalane, Carbomer, Cetearyl alcohol, Fragrance (Parfum), Methylparaben, Mica, Phenoxyethanol, PPG-12/SMDI copolymer, Propylparaben, Sodium cetearyl sulfate, Sodium hydroxide, Sucrose cocoate, Titanium dioxide (CI 77891), Tocopheryl acetate, Uncaria tomentosa extract (Uncaria tomentosa), Yellow 6 (CI 15985).

À noter dans la composition. Une base émolliente grâce à l'huile de silicone (Cyclomethicone) et la paraffine liquide, auxquelles s'ajoutent de l'huile de coco et du glycérol ou encore du squalane. La conservation repose sur le phénoxyéthanol et deux parabens. La liste se termine avec un antioxydant, un extrait d'Uncaria antiradicalaire et un colorant jaune de la famille des azoïques.

L'avis des experts. Une bonne formule, fortement hydratante, une texture fluide et rosée, qui s'étale agréablement et pénètre bien, laissant la peau douce et confortable. On regrette tout de même que l'astérisque indiquant la limitation de l'hydratation aux couches supérieures de l'épiderme soit introuvable sur l'emballage…

Autobronzants

Les résultats

Évalués : 10 produits, de 7 marques différentes.

Prix moyen / 100 ml : 16,75 €.

Ont obtenu au moins la moyenne : 10.

N'ont pas obtenu la moyenne dans au moins un critère : 3.

Meilleure note : 82,25/100.

Plus mauvaise note : 60,88/100.

Les critères des experts

Le « bronzage sans soleil » repose aujourd'hui sur un actif principal, la dihydroxyacétone ou DHA. Cette molécule réagit avec les acides aminés présents dans la couche cornée de la peau (constituée de cellules mortes), provoquant la formation de complexes colorés, et, cinq à six heures après l'application, une illusion de bronzage. La couleur, il faut bien le dire, n'est pas toujours idéale, ni forcément la même pour tout le monde puisqu'elle dépend de l'acidité de la peau, variable selon les individus, mais elle donne le plus souvent de jolis résultats. Ce faux bronzage va ensuite disparaître en une semaine environ, avec la desquamation naturelle et régulière de la couche cornée. Cette réaction (dite de Maillard) est-elle toxique ? Non, répondent les experts. Elle ne concerne que des cellules mortes, rapidement éliminées, ne pénètre pas dans l'organisme, et 20 ans de recul sur son utilisation permettent d'affirmer qu'elle est très bien tolérée. Et à part les recommandations habituelles sur les ingrédients qui composent les cosmétiques, ce sont surtout des conseils d'utilisation qui paraissent importants ici.

À éviter

- Une **application à la va-vite.** Elle doit être soigneuse et régulière, de façon à étaler à peu près les mêmes doses de produit sur chaque zone du corps ou du visage et à n'en oublier aucune, pour éviter les démarcations disgracieuses ou les « taches » blanches.
- Une **tentative pour masquer des imperfections.** Boutons et point noirs sont riches en acides aminés, la DHA va donc s'y concentrer et les colorer davantage : visage « en confettis » garanti !
- Une **exposition solaire sans protection après l'application d'un autobronzant.** La réaction colorée ne fait en aucune façon intervenir la mélanine, et ce faux bronzage ne protège donc pas du tout des effets nocifs des rayons UV ni des coups de soleil.

LES SOLAIRES

À privilégier

- Une peau bien lisse, grâce à une **exfoliation** poussée et une bonne **hydratation.** Particulièrement sur les zones calleuses, où la peau, plus épaisse qu'ailleurs, renferme, là aussi, plus d'acides aminés, d'où un possible effet de surcoloration.

Les meilleurs

	Prix	Composition Efficacité	Tolérance cutanée	Étiquetage	Confort d'utilisation	Principe de précaution	Classement
Évian Holiday skin Hâle et fermeté	★★★★★	★★★	★★★	★★★★	★★★★	★★★	**1**
Terre d'Oc Argan du Maroc – Brume dorée à l'huile d'argan	★★★★	★★★★	★★★	★★★	★★★★	★★★★	**2**
Gatineau Mélatogénine Soins solaires – Spray anti-âge auto-bronzant	★	★★★★	★★★★	★★★★	★★★★	★★★	**3**
Cosmélite – Bioty's Lait raffermissant Fermeté et hâle progressif	★★★★	★★★	★★★	★	★★★★	★★★★	4
Galénic Soins soleil – Gelée autobronzante Visage et corps anti-âge	★★★	★★★★	★★★	★★★★	★★★★	★★	5
Cosmélite – Tan Center Lait hydratant autobronzant	★★★★	★★★	★★★	★★★★	★★★★	★★	6

Les 3 premiers

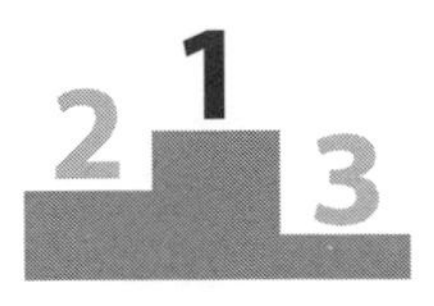

ÉVIAN

Holiday skin

Hâle et fermeté

Note :	82,25/100.
Présentation :	Tube de 200 ml.
Prix indicatif :	6,75 € *(3,37 €/100 ml).*
Disponible en :	Grandes et moyennes surfaces.
Site internet :	www.evian-affinity.com

12 M

INGREDIENTS : Aqua*, Ethylhexyl stearate, Glycerin, Cyclohexasiloxane, Hydroxypropyl starch phosphate, Dihydroxyacetone, Arachidyl alcohol, Cetyl alcohol, Sorbitol, Glyceryl caprylate, Calendula officinalis flower extract, Cyclopentasiloxane, Glycine soja (Soybean) oil, Glycine soja (Soybean) protein, Behenyl alcohol, Arachidyl glucoside, Glyceryl stearate, PEG-100 stearate, p-Anisic acid, Disodium EDTA, Citric acid, Sodium hydroxide, Tocopheryl acetate, Phenoxyethanol, Parfum.
* Évian.

À noter dans la composition. Eau thermale et émollients en tête de liste, pour une base qui accueille bien vite la DHA, puis encore des émollients, du calendula, des protéines de soja décrites par l'argumentaire comme « dermo-raffermissantes », des émulsifiants, des régulateurs de pH, un antioxydant, le phénoxyéthanol conservateur et un parfum.

L'avis des experts. La formule va bien, qui s'occupe d'hydrater autant que de colorer. L'effet raffermissant n'est peut-être pas époustouflant, mais la peau prend une jolie couleur qui la fait paraître tout de suite plus en forme. À l'application, la crème est légère, et le parfum fleuri. À l'achat, le prix est vraiment très, très largement en dessous de la moyenne. Sur l'étiquetage, on apprécie la mention : « Ne protège pas du soleil », on aime moins le mot « hâle » dans le nom du produit à cause du risque de confusion avec une crème solaire, et malgré ce que dit l'argumentaire, la coloration de la peau est certainement bien davantage due à la dihydroxyacétone qu'aux fleurs de calendula...

TERRE D'OC

Argan du Maroc
Brume dorée à l'huile d'argan

Note :	81,25/100.
Présentation :	Flacon vaporisateur (verre) de 150 ml (étui carton).
Prix indicatif :	13,95 € *(9,30 €/100 ml).*
Disponible chez :	Nature & Découvertes.
Site internet :	www.terredoc.com

9 M

INGREDIENTS : Aqua (Water), Aloe barbadensis gel*, Dihydroxyacetone, Glycerin, Microcrystalline cellulose, Argania spinosa kernel oil*, Curcuma longa (Turmeric) root powder*, Rhizobian gum, Caprylyl/Capryl glucoside, Sodium cocoyl glutamate, Potassium cocoyl PCA, Potassium sorbate, Parfum (Fragrance), Potassium aluminum silicate, Iron oxides, Sorbic acid, Dehydroacetic acid, Benzyl alcohol, Sodium hyaluronate, Geraniol (1), Limonene(1), Linalool(1).
(1) Constituants d'huiles essentielles naturelles.
* Ingrédients issus de l'Agriculture Biologique.

À noter dans la composition. Dans un gel d'aloès, la dihydroxyacétone côtoie du glycérol, un agent pour la texture (Microcrystalline cellulose), de l'huile d'argan, du curcuma, des tensioactifs, des oxydes de fer colorants, quatre conservateurs autorisés en bio, du hyaluronate de sodium hydratant et un parfum apportant trois molécules aromatiques allergènes.

L'avis des experts. La présentation en vaporisateur est pratique, même si elle ne dispense pas de bien répartir le produit sur la peau. La couleur ocre de cette jolie brume fluide est apportée par les oxydes de fer et le curcuma, la DHA s'occupe de la peau. À noter que n'étant pas trop fortement dosée, celle-ci permet une coloration cutanée très progressive, ce qui permet de rattraper dès le lendemain les signes trop visibles d'une application éventuellement hasardeuse. L'odeur est très agréable, et le prix ne fâche pas.

On le dit en passant : DHA

Bien que plusieurs fabricants l'affirment sur les étiquettes de leur produit, la dihydroxyacétone n'est pas franchement une substance naturelle, ni même vraiment d'origine naturelle… ou alors c'est une bien lointaine origine. Pour faire simple, la DHA est obtenue par la fermentation de glycérol, extrait par exemple du maïs (l'origine naturelle…), puis purifié à l'aide de solvants. Rien de tout cela n'est dangereux, mais rien de tout cela n'est 100 % naturel non plus…

GATINEAU

Mélatogénine Soins solaires
Spray anti-âge auto-bronzant

Note :	73,5/100.
Présentation :	Flacon vaporisateur de 125 ml (étui carton).
Prix indicatif :	49 € *(39,20 €/100 ml).*
Disponible en :	Parfumeries, Instituts de beauté, Grands magasins.
Site internet :	www.gatineau-paris.com

18 M

INGREDIENTS : Aqua, Butylene glycol, Dihydroxyacetone, PEG-40 hydrogenated castor oil, Urea, Ethoxydiglycol, Phenoxyethanol, Manganese sulfate, Sorbitol, Citric acid, Parfum, TEA-lactate, Ethylene brassilate, Glycerin, Lactic acid, Serine, Sodium lactate, PEG-8, Allantoin, Lauryl aminopropylglycine, Lauryl diethylenediaminoglycine, PPG-1-PEG-9 lauryl glycol ether, Palmitoyl methoxytryptamine.

À noter dans la composition. Juste de l'eau et un solvant avant la DHA. Puis dans l'ordre, un émulsifiant, l'urée hydratante, un solvant, le phénoxyéthanol conservateur, du sulfate de manganèse, du sorbitol humectant, de l'acide citrique régulateur de pH, un parfum, et encore ensuite des humectants dont du glycérol, des régulateurs de pH, l'allantoïne apaisante, des agents d'entretien de la peau, un émulsifiant et un actif anti-âge breveté par la marque.

L'avis des experts. De la DHA bien dosée pour un résultat visible dès la première application et qui persiste une bonne semaine. La peau se fait douce et souple à son contact. Un vaporisateur ingénieux, bien que la transparence du produit, peu visible à l'application, ne paraisse pas des plus pratiques pour une répartition uniforme. Senteur fleurie et packaging soigné, à la hauteur de l'exigence haut de gamme de la marque.

Les produits pour

Hommes

Mentions spéciales

Gels-douche

Les critères des experts

Bien sûr, ces messieurs peuvent utiliser sans problème le gel-douche familial, qui leur convient très bien à eux aussi. Ils peuvent aussi préférer les fragrances moins fleuries et plus solides des produits formulés spécialement pour eux. Parce qu'il faut bien le dire, le parfum est à peu près la seule différence (avec le packaging !) entre un gel-douche pour homme et un gel-douche pour tout le monde. Le reste de la formule est pour ainsi dire un copié-collé, et les critères de choix, évidemment, exactement les mêmes que ceux développés p. 114.

Les meilleurs

	Prix	Composition Efficacité	Tolérance cutanée	Étiquetage	Confort d'utilisation	Principe de précaution	Classement
Lavera Men SPA – Shampooing douche Cool Lemon	★★★★	★★★★	★★★★	★★★★	★★★★	★★★★	**1**
L'Occitane L'Occitan – Gel douche pour homme	★★★	★★★★	★★★★	★★★★	★★★★	★★★★	**2**
Axe Gel douche Vice	★★★★★	★★★	★★★	★★★	★★★★	★★★★	**3**

Les nommés

LAVERA

Men SPA

Shampooing douche Cool Lemon

Note :	87,92/100.
Présentation :	Tube de 150 ml (étui carton).
Prix indicatif :	6,90 € *(4,60 €/100 ml).*
Disponible en :	Magasins bio et diététiques, Instituts de beauté, Internet.
Site internet :	www.lavera.de (en allemand)

Distributeur français : BleuVert, www.bleu-vert.fr

INGREDIENTS CFTA/INCI: Water (Aqua), Glycerin, Coco-glucoside, Caprylyl/Capryl glucoside, Sodium lauryl sulfoacetate, Xanthan gum, Alcohol, Citrus aurantifolia (Lime) fruit extract*, Aloe barbadensis leaf juice*, Mentha piperita (Peppermint) leaf water*, Citrus tangerina (Tangerine) oil*, Fragrance (Parfum)**, Geraniol**, Limonene**, Linalool**.

* Ingrédients issus de l'Agriculture Biologique.

** Huiles essentielles naturelles.

À noter dans la composition. Après l'eau et le glycérol émollient, trois tensioactifs bien tolérés par la peau. Également du jus d'aloès très hydratant et un peu d'alcool pour la conservation. La note parfumée est apportée par le citron vert (Citrus aurantifolia), l'eau florale de menthe (Mentha piperita) et l'huile essentielle de mandarine (Citrus tangarina) à la fois tonifiants et rafraîchissants. Avec aussi trois molécules aromatiques allergènes.

L'avis des experts. Une bonne formule ! Un gel transparent doux et tonique agréablement citronné, très bien aussi pour les cheveux pour un tout-en-un qui fait de la douche un moment agréablement efficace. Le tout pour un prix vraiment raisonnable. Très bien !

L'OCCITANE

L'Occitan – Gel douche pour homme Corps et cheveux

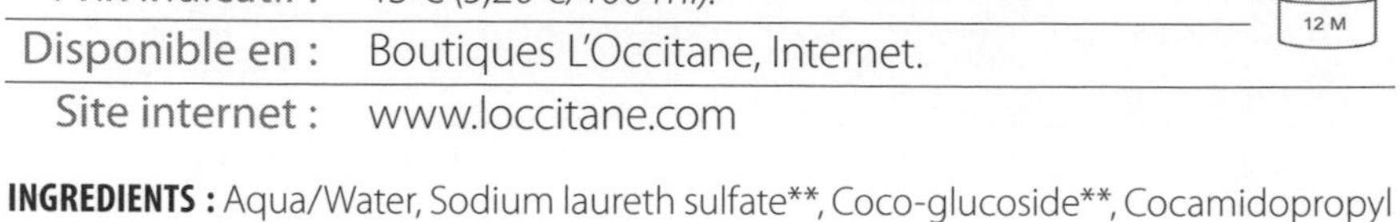

Note :	81/100.
Présentation :	Flacon de 250 ml.
Prix indicatif :	13 € *(5,20 €/100 ml).*
Disponible en :	Boutiques L'Occitane, Internet.
Site internet :	www.loccitane.com

12 M

INGREDIENTS : Aqua/Water, Sodium laureth sulfate**, Coco-glucoside**, Cocamidopropyl betaine**, Sodium chloride**, Parfum/Fragrance, Sodium PCA**, Glyceryl oleate**, PEG-120 methyl glucose dioleate**, PEG/PPG-14/4 dimethicone, Sodium benzoate, Hexyl cinnamal, Butylphenyl methylpropional, Alpha-isomethyl ionone, Coumarin**, Eugenol**.
** Ingrédients d'origine naturelle.

À noter dans la composition. Des tensioactifs bien tolérés par la peau (dont certains sont éthoxylés), le sodium PCA hydratant et le PEG-120 methyl glucose dioleate pour prendre soin de la peau et des cheveux, un parfum apportant cinq molécules aromatiques allergènes.

L'avis des experts. Une base douce, un gel transparent et une mousse fine, ce gel-douche se distingue surtout par sa fragrance, boisée et épicée, pas trop forte mais qui laisse son sillage agréable sur la peau et les cheveux. On apprécie l'aspect 2-en-1 (corps et cheveux) et le petit orifice du flacon qui permet de se montrer économe dans l'utilisation, un peu moins les cinq allergènes (ça commence à faire beaucoup). Et puis, on veut bien qu'un PEG soit « d'origine naturelle », mais tout de même, l'origine est assez lointaine et avant d'arriver dans le flacon, cette matière première a subi quelques traitements qui, eux, ne le sont pas du tout…

AXE

Gel douche Vice

Note :	79,92/100.
Présentation :	Flacon de 250 ml.
Prix indicatif :	2,95 € *(1,18 €/100 ml).*
Disponible en :	Grandes et moyennes surfaces.
Site internet :	www.axe.tm.fr

12 M

INGREDIENTS : Aqua, Sodium laureth sulfate (A) / Sodium C12-13 pareth sulfate (B)*, Cocamidopropyl betaine, Parfum, Sodium chloride, Menthol, Guar hydroxypropyltrimonium chloride, PEG-40 hydrogenated castor oil, Citric acid, Sodium hydroxide, Sodium benzoate, Benzyl alcohol, Butylphenyl methylpropional, Limonene, Linalool, CI 16255.
* Voir code de production.

À noter dans la composition. Deux tensioactifs, dont l'un est éthoxylé et l'autre un peu allergisant (Cocamidopropyl betaine), du menthol rafraîchissant et un parfum apportant trois molécules aromatiques allergènes (Butylphenyl methylpropional, Limonene, Linalool), un colorant rouge de la famille des azoïques.

L'avis des experts. Décidément, on n'aime pas cette façon de déclarer les tensioactifs (soit l'un, soit l'autre en fonction de la production) : d'abord, elle n'est pas réglementaire, et puis, elle ne favorise pas une information claire du consommateur. Passé ce « détail » qui fâche, voilà une formule assez classique pour un gel translucide couleur fraise (le colorant) et à la fragrance très marquée (il faut aimer). On réserve notre opinion sur l'argumentaire (« Pousse au vice en restant clean… Un parfum envoûtant qui dévergonde les filles sages… »), cependant pour être tout à fait honnête, il faut rappeler que le jury du Palmarès est constitué en majorité de femmes, assez peu touchées par ce genre d'arguments. Mais le prix, lui, est carrément imbattable !

Mentions spéciales

Déodorants

Les critères des experts

Les sticks se font plus larges, les fragrances plus soutenues, les packagings plus masculins… À part cela, un déodorant reste un déodorant, un anti-transpirant un produit contenant des sels d'aluminium qu'on préfère éviter (voir p. 21), et les bons réflexes pour choisir le meilleur les mêmes que ceux évoqués pour les femmes en p. 138. Mais chez les hommes, il est apparu bien difficile de trouver un vrai déodorant qui ne contienne pas trop d'alcool, ni une ribambelle excessive de conservateurs ou d'allergènes, et se révèle en plus efficace sur la journée. Alors, s'il n'en reste qu'un, ce sera celui… de l'année dernière !

Le meilleur

	Prix	Composition Efficacité	Tolérance cutanée	Étiquetage	Confort d'utilisation	Principe de précaution	Classement
L'Occitane Baux – Stick déodorant pour homme	★★★	★★★★	★★★	★★★★	★★★★	★★★★	1

Le nommé

L'OCCITANE

Baux

Stick déodorant pour homme

Note :	81,92/100.
Présentation :	Stick de 75 g.
Prix indicatif :	14 € *(18,66 €/100 ml).*
Disponible en :	Boutiques L'Occitane, Internet.
Site internet :	www.loccitane.com

12 M

INGREDIENTS : Propylene glycol, Aqua/Water, Sodium stearate, Parfum/Fragrance, Ethylhexylglycerin, Cetyl alcohol, Styrene/Acrylates copolymer, Linalool, Coumarin, Benzyl benzoate, Limonene, Benzyl alcohol, Sodium lauryl sulfate, Isoeugenol.

À noter dans la composition. Un solvant pour commencer, un émulsifiant juste après l'eau, ce qu'il faut d'ingrédients pour lier l'ensemble et tout de même six molécules aromatiques allergènes apportées par les huiles essentielles, à la fois parfum et agents de lutte contre les bactéries responsables des mauvaises odeurs de la transpiration.

L'avis des experts. Même prix, même formule : dans le Palmarès 2007, on appréciait déjà sa texture douce et non alcoolisée, son odeur agréable bien masculine et sa belle efficacité. Rien n'a changé cette année, donc…

Mousses et gels de rasage

Les résultats

Évalués : 13 produits, de 10 marques différentes.

Prix moyen / 100 ml : 15,06 €.

Ont obtenu au moins la moyenne : 13.

N'ont pas obtenu la moyenne dans au moins un critère : 2.

Meilleure note : 87,92/100.

Plus mauvaise note : 73,46/100.

Les critères des experts

Il n'y a pas plus masculin que ce geste-là, quotidien et… assez agressif : on ne parle pas pour rien du « feu du rasoir ». Mousse ou gel, bombe ou tube, blaireau ou pas, c'est une affaire de choix personnel. Mais qu'il vaut mieux orienter en fonction de quelques autres données…

À éviter

- L'**alcool** n'est pas l'ingrédient cosmétique le plus doux qui soit. Le rasoir maltraite déjà suffisamment la peau, ce n'est pas la peine d'en rajouter…
- Les **ingrédients sensibilisants,** qu'il s'agisse de la lanoline (Lanolin), des molécules aromatiques allergènes (voir p. 429) ou de certains conservateurs (voir p. 431) ne devraient pas avoir droit de cité sur une peau ainsi fragilisée… ou alors vraiment le moins possible.

À privilégier

- Les **émollients** contribuent à assouplir la peau pour faciliter la glisse du rasoir, à commencer toujours par le glycérol (Glycerin)…
- Les **agents adoucissants et/ou apaisants** limitent dans la mesure du possible le fameux « feu du rasoir » : bisabolol, allantoïne, hamamélis,

souci (Calendula officinalis), aloe vera (Aloe barbadensis), bleuet (Centaurea cyanus)...

- Un peu d'**antiseptique** n'est pas de refus non plus, la peau pouvant facilement être entaillée, même de façon minime, par la lame.

À noter

- Les **gaz propulseurs** entrent dans la composition de toutes les mousses conditionnées en bombes. Certains sont dits inertes et ne posent pas de problèmes (Nitrogen), d'autres font partie des composés organiques volatils et s'avèrent polluants pour l'environnement (butane, propane, pentane...).

Les meilleurs

	Prix	Composition Efficacité	Tolérance cutanée	Étiquetage	Confort d'utilisation	Principe de précaution	Classement
Klorane Cible homme – Mousse de rasage anti-irritations	★★★★★	★★★★	★★★★	★★★★	★★★★	★★★★	**1**
Liérac Hommes Rasage express mousse hydratante	★★★★	★★★★	★★★	★★★★	★★★★★	★★★	**2**
Weleda Crème à raser	★★★	★★★	★★★★	★★★★	★★★★	★★★★★	**3**
Klorane Cible homme Gel de rasage	★★★★	★★★★	★★★★	★★★★	★★★★	★★★★	4
Santé Mousse à raser Homme	★★★★	★★★	★★★★	★★★★	★★★★	★★★★★	5
Avène Pour homme Mousse à raser	★★★★	★★★★	★★★★	★★★★	★★★★	★★★★	6
Annemarie Börlind For Men – Crème rasage	★★★	★★★★	★★★★	★★★★	★★★★	★★★★★	7
Zvonko Gel de rasage	★	★★★★	★★★★	★★★★	★★★★	★★★★★	8

Les 3 premiers

KLORANE

Cible homme

Mousse de rasage anti-irritations

Note :	87,92/100.
Présentation :	Bombe de 200 ml.
Prix indicatif :	5,90 € *(2,92 €/100 ml).*
Disponible en :	Pharmacies, Parapharmacies.
Site internet :	www.dermaweb.com

INGREDIENTS : Water (Aqua), Stearic acid, Glycerin, Ceteareth-50, Triethanolamine, Butane, Methyl gluceth-20, Aloe barbadensis leaf extract (Aloe barbadensis), Fragrance (Parfum), Glyceryl linoleate, Glyceryl linolenate, Isobutane, Panthenol, Potassium hydroxide, Propane, Propylene glycol, Triclosan.

À noter dans la composition. Une base très fortement émolliente et humectante, avec notamment le glycérol, les linoléate et linolénate de glycéryle ou le propylèneglycol, de l'aloe vera, des tensioactifs pour la mousse, des régulateurs de pH pour une bonne tolérance cutanée, du panthénol pour son action « anti-irritations » et un conservateur antibactérien, le triclosan. Avec aussi des gaz propulseurs : butane, isobutane et propane.

L'avis des experts. Elle était déjà sur le podium l'an dernier. On la retrouve inchangée, avec sa bonne formule, sa mousse dense laissant une sensation fraîche sur la peau, son odeur bien masculine et sa douceur. Même son prix n'a pas pris un centime...

LIÉRAC HOMMES

Rasage express mousse hydratante

Note :	87,88/100.
Présentation :	Bombe de 150 ml.
Prix indicatif :	9,90 € *(6,60 €/100 ml).*
Disponible en :	Pharmacies, Parapharmacies.
Site internet :	www.lierac.fr

INGREDIENTS : Water (Aqua), Palmitic acid, Triethanolamine, Glycerin, Isobutane, Fragrance (Parfum), TEA-lauryl sulfate, Mentha piperita (Peppermint) extract, Potassium gluconate, Sodium mannuronate methylsilanol, Calcium gluconate, Magnesium gluconate, Zinc gluconate, Copper gluconate, Manganese gluconate, Iron glycerophosphate, Propylene glycol, Allantoin, Propane, PEG-12 PEG-50 lanolin, PVP, Myristamine oxide, Butane, Dimethicone, Sodium silicate, Methylparaben, Propylparaben, Chlorhexidine digluconate.

À noter dans la composition. Émollients, régulateur de pH (Triethanolamine), gaz propulseur et tensioactif en tête de liste, avec de la menthe rafraîchissante, puis la fête commence pour les gluconates ! De potassium, calcium, magnésium, zinc, cuivre et manganèse, tous prenant soin de la peau avec chacun sa petite particularité, et encore complété par le fer (Iron glycerophosphate). De l'allantoïne, un filmogène (PVP), une huile de silicone (Dimethicone)... La conservation est assurée par deux parabens et le digluconate de chlorhexidine, également antiseptique.

L'avis des experts. Intéressante formule, émolliente et apaisante, assurant bonne glisse du rasoir et protection antiseptique. Super texture, épaisse et très onctueuse, qui sort de l'embout tel un bandeau de guimauve blanche. Sur la peau, la sensation est très crémeuse, et le rasage vraiment confortable. Le parfum est marqué mais frais. Un vrai bon produit.

WELEDA

Crème à raser

Note :	87,71/100.
Présentation :	Tube (métal) de 75 ml (étui carton).
Prix indicatif :	5,95 € *(7,95 €/100 ml).*
Disponible en :	Pharmacies, Parapharmacies, Magasins de produits naturels, Espace Weleda (Paris).
Site internet :	www.weleda.fr

9 M

INGREDIENTS INCI : Aqua, Potassium stearate, Glycerin, Potassium olivate, Potassium cocoate, Sodium stearate, Magnesium sulfate, Parfum*, Linalool*, Citronellol*, Viola tricolor, Prunus dulcis, Caprae lac, Sodium olivate, Sodium cocoate, Sodium silicate, Alcohol.
* From natural essential oils.

À noter dans la composition. Tensioactifs et émollients en tête de liste, de la pensée (Viola tricolor) apaisante, de l'amande douce (Prunus dulcis) et du lait de chèvre (Caprae lac) adoucissants, un régulateur de pH, un peu d'alcool pour la conservation, deux molécules aromatiques allergènes apportées par le parfum.

L'avis des experts. Encore une habituée de ce podium où elle figurait déjà l'an dernier. Et on aime encore cette année cette crème bien consistante utilisable avec ou sans blaireau, son odeur très fraîche et sa douceur sous le rasoir. Évidemment, on l'aimerait encore plus sans allergènes...

Soins après-rasage

Les résultats

Évalués : 15 produits, de 14 marques différentes.

Prix moyen / 100 ml : 38,97€.

Ont obtenu au moins la moyenne : 15.

N'ont pas obtenu la moyenne dans au moins un critère : 6.

Meilleure note : 85,21/100.

Plus mauvaise note : 62,5/100.

Les critères des experts

Messieurs, voici venue l'heure de faire preuve de toute la douceur dont on vous sait capable. La peau tiraille, s'échauffe, souffre et devient d'une sensibilité exacerbée. Oublions, s'il vous plaît, les bonnes petites claques viriles au moment d'appliquer l'après-rasage, faisons plutôt dans la caresse délicate. Qui commence, toujours, dans la liste des ingrédients que vous allez choisir pour chouchouter votre épiderme malmené…

À éviter

- **Alcool, allergènes, conservateurs sensibilisants…** comme pour les mousses à raser (voir p. 375). On se répète, c'est vrai, mais la fragilisation de la peau par le rasage aussi, et tous les jours…

À privilégier

- **Émollients, hydratants, apaisants, adoucissants,** oui, là encore, comme pour le rasage et pour les même raisons ! Mais en concentrations encore plus importantes, c'est mieux.

On le dit en passant : Lot et dates

On n'y fait pas toujours attention, sauf quand on est expert dans le jury de ce Palmarès, mais le numéro de lot est primordial pour assurer la traçabilité du produit, et les dates de péremption et de péremption après ouverture indispensables pour son utilisation en toute sécurité. Mentions à ce point importantes que la réglementation prévoit qu'elles soient présentes à la fois sur l'emballage primaire, directement en contact avec le produit (flacon, tube, pot, bombe…), et sur l'emballage secondaire (étui carton, film plastique…). Une seule exception concerne les emballages primaires trop petits (surtout dans le maquillage) où le numéro de lot peut apparaître alors uniquement sur l'étui. Et on ne peut que constater qu'on a cherché bien souvent cette double inscription… en vain. Disons-le clairement : c'est plus que dommage, c'est illégal.

Les meilleurs

	Prix	Composition Efficacité	Tolérance cutanée	Étiquetage	Confort d'utilisation	Principe de précaution	Classement
Melvita Aloe vera soft Baume hydratant	★★★★	★★★★	★★★	★★★★	★★★★	★★★★	**1**
Avène Pour homme Fluide après-rasage	★★★★	★★★★	★★★★	★★★★	★★★★	★★★	**2**
Lavera Men SPA – Aqua fresh Lotion après-rasage	★★★★	★★★	★★★★	★★★★	★★★★	★★★★★	**3**
Weleda Baume après-rasage	★★★★★	★★★	★★★	★★★★	★★★★	★★★★	4
Logona Mann Baume après-rasage	★★★	★★★	★★★★	★★★★	★★★★	★★★★★	5
Zvonko Gel après-rasage	★★	★★★	★★★	★★★★	★★★★	★★★★★	6
Florame Homme Baume après-rasage	★★★★	★★★★	★★★	★★★	★★★★	★★★★	7
Liérac Hommes Baume apaisant après-rasage	★★★	★★★★	★★★	★★★★	★★★★	★★	8

Les 3 premiers

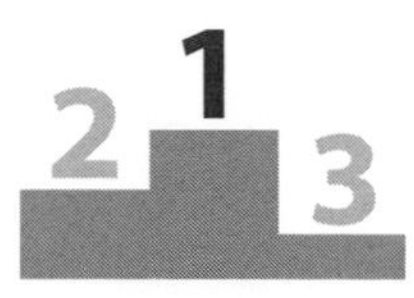

MELVITA

Aloe vera soft

Baume hydratant

Note :	85,21/100.
Présentation :	Tube de 100 ml (étui carton).
Prix indicatif :	11,70 € *(11,70 €/100 ml).*
Disponible en :	Magasins bio et de produits naturels.
Site internet :	www.melvita.com

6 M

INGREDIENTS INCI EU [US] : Aloe barbadensis extract [Aloe barbadensis leaf extract], Glycerin, Sorbitol, Vitis vinifera seed oil [Vitis vinifera (grape) seed oil], C14-22 alcohols, Aqua [Water], Hydrogenated vegetable oil, Octyldodecanol, Triticum vulgare germ oil [Triticum vulgare (Wheat) germ oil], Caprylic/Capric triglyceride, Butyrospermum parkii butter [Butyrospermum parkii (Shea butter) oil], Cera alba [Beeswax], Cetearyl alcohol, Ethyl macadamiate, Simmondsia chinensis oil [Simmondsia chinensis oil (Jojoba) seed oil], Stearic acid, Parfum [Fragrance], C12-20 alkyl glucoside, Hydroxypropyl starch phosphate, Potassium sorbate, Sclerotium gum, Sodium benzoate, Xanthan gum, Tocopherol, Helianthus annuus seed oil [Helianthus annuus (Sunflower) seed oil], Rosmarinus officinalis extract [Rosmarinus officinalis (Rosemary) leaf extract], Linalool**, Limonene**, Citronellol**, Coumarin**.

** Constituants des huiles essentielles.

À noter dans la composition. Des émollients, des émollients et encore des émollients… Aloe vera (concentré, précise l'argumentaire, à 70 %), glycérol, huiles de pépins de raisin, de germes de blé, de jojoba et de tournesol, beurre de karité, cire d'abeille, macadamia… pour n'en citer que quelques-uns. Avec aussi quelques émulsifiants, un antioxydant (Tocopherol), deux conservateurs autorisés en bio et le romarin antibactérien, quatre molécules aromatiques allergènes.

L'avis des experts. Une formule bien riche et bien adoucissante, dont l'effet apaisant est toutefois un peu tempéré par la présence des quatre allergènes. Mais la crème est fine et s'applique facilement, ne laissant aucune sensation de gras, la peau douce et confortable. Au final, l'impression est très favorable… même si on cherche encore l'astérisque renvoyant la notion d'hydratation à la mention légale « des couches superficielles de l'épiderme ».

AVÈNE

Pour homme

Fluide après-rasage

Note :	85,13/100.
Présentation :	Tube de 75 ml (étui carton).
Prix indicatif :	14,90 € *(19,86 €/100 ml).*
Disponible en :	Pharmacies, Parapharmacies.
Site internet :	www.eau-thermale-avene.com

INGREDIENTS : Avene aqua, Cyclomethicone, Butylene glycol, PEG-12 dimethicone, Glycerin, Polysorbate 60, Polymethyl methacrylate, Aluminum sucrose octasulfate, Bisabolol, C13-14 isoparaffin, Chlorphenesin, Cucurbita pepo, Parfum, Glycol montanate, Laureth-7, o-Phenylphenol, Polyacrylamide, Sorbitan stearate, Triclosan, Aqua.

À noter dans la composition. Silicones, émulsifiants, émollients, agents filmogènes (Polymethyl methacrylate, Polyacrylamide), et pour prendre soin de la peau, l'aluminium sucrose octasulfate annoncé par le fabricant comme favorisant la régénération des tissus, le bisabolol apaisant et le triclosan antibactérien.

L'avis des experts. Bonne formule, résolument axée sur l'hydratation et l'apaisement. Une crème dont la texture rappelle celle d'un gel. Fluide, légère et fraîche, elle s'applique sans peine et laisse sur la peau un parfum discret d'eau de Cologne et aucune sensation grasse. Un bon classique.

LAVERA

Men SPA

Aqua fresh – Lotion après-rasage

Note :	85/100.
Présentation :	Bouteille (verre) de 50 ml (étui carton).
Prix indicatif :	6,90 € *(13,80 €/100 ml).*
Disponible en :	Magasins bios et diététiques, Instituts de beauté, Internet.
Site internet :	www.lavera.de (en allemand)

Distributeur français : BleuVert, www.bleu-vert.fr

INGREDIENTS CFTA/INCI: Water (Aqua), Alcohol, Hamamelis virginiana (Witch hazel) water*, Calendula officinalis flower extract, Echinacea angustifolia extract*, Aloe barbadensis leaf juice*, Algae extract, Dipotassium glycyrrhizate, Aesculus hippocastanum (Horse chesnut) extract, Thymus vulgaris (Thymus) extract*, Cymbopogon flexuosus extract*,

Vetiveria zizanoides root oil*, Fragrance (Parfum)**, Citral**, Limonene**, Linalool**.
* Ingrédients issus de l'Agriculture Biologique.
** Huiles essentielles naturelles.

À noter dans la composition. Beaucoup d'alcool (l'étiquette revendique un « moment vivifiant »), mais aussi de l'hamamélis, des extraits de souci, de rudbeckia (Echinacea angustifolia) bien plus doux, de l'aloe vera, une algue, du marronnier d'Inde (Aesculus hippocastanum) et du thym, le lemongrass et l'huile essentielle de vétiver pour le parfum, avec trois molécules aromatiques allergènes (Citral, Limonene, Linalool).

L'avis des experts. C'est bien... même si on aurait préféré avec un peu moins d'alcool et pas d'allergènes. On aurait bien aimé connaître le nom de l'algue, aussi, comme la réglementation le demande, ce qui permet de mieux évaluer son action (parce que non, les algues ne rendent pas toutes les mêmes services à la peau...). Mais la formule renferme beaucoup d'actifs végétaux aux propriétés apaisantes et un parfum frais et léger. Très agréable.

Mention (très) spéciale

Masques - Gommages

Les critères des experts

Les soins de la peau au masculin arrivent en nombre croissant sur le marché. Encore assez peu d'hommes sont réellement demandeurs, mais de plus en plus se montrent intéressés. C'est sûr, Messieurs, entre incitations publicitaires et envie bien légitime de s'occuper de soi dans une démarche globale de développement personnel, vous y viendrez, aux crèmes et aux onguents. On parle même déjà de maquillage...

Mais avant de foncer sur gommages et autres masques, penchez-vous sur la composition des produits, et si vous en trouvez sans alcool, sans (trop) d'ingrédients allergisants et/ou irritants, mais dont la formule laisse au moins espérer un résultat satisfaisant sur la peau... écrivez-nous ! Parce que dans ces catégories, le jury de ce Palmarès a fini par déclarer forfait : il n'en a pas trouvé un qu'il ait réellement envie de recommander. Et si en attendant que l'offre se diversifie, vous alliez piquer un peu de ceux de votre compagne ? Pour voir...

Mentions spéciales

Soins du visage

Les critères des experts

Hydratants et antirides ne sont donc plus du domaine réservé de ces dames. Et si leurs noms diffèrent un peu dans les rayons masculins (on voit encore plus « d'antifatigue » que « d'anti-âge » clairement revendiqués, par exemple...), ils n'en ont pas moins les mêmes objectifs : faire paraître plus jeune, plus lisse, plus beau. Avec à peu près les mêmes bases, les mêmes actifs, les mêmes recettes... ce qui implique les mêmes conseils que ceux déjà donnés p. 256 et p. 257.

Les meilleurs

	Prix	Composition Efficacité	Tolérance cutanée	Étiquetage	Confort d'utilisation	Principe de précaution	Classement
Zvonko Baume hydratant	★	★★★★	★★★	★★★★	★★★★	★★★★★	1
L'Occitane Cade – Concentré jeunesse pour homme	★★	★★★★	★★★	★★★★	★★★★	★★★	2
Nickel Super Speed – Hydratant	★★★	★★★★	★★★	★★★★	★★★★	★★★★	3

Les nommés

ZVONKO

Baume hydratant

Note :	83,04/100.
Présentation :	Flacon-pompe (métal) de 50 ml (étui carton).
Prix indicatif :	37 € *(74 €/100 ml).*
Disponible en :	Pharmacies, Parapharmacies, Galeries Lafayette, BHV Rivoli, Internet : www.mademoiselle-bio.com, www.comptoirdelhomme.com
Site internet :	www.zvonkoparis.com

INGREDIENTS : Centaurea cyanus water*, Aqua (Water), Cetearyl alcohol, Glycerin, Dicaprylyl ether, Dicaprylyl carbonate, Vegetable oil, Glyceryl stearate, Cetearyl glucoside, Algae extract, Calodendrum capense seed oil, Benzyl alcohol, Xanthan gum, Mangifera indica (Mango) seed butter, Hydrogenated lecithin, Hydrogenated vegetable oil, Sodium benzoate, Potassium sorbate, Lavandula angustifolia (Lavender) oil*, Tocopherol, Candelilla cera (Euphorbia cerifera (Candelilla) wax), Prunus amygdalus amara (Bitter almond) kernel oil, Panax ginseng root extract, Linalool, Geraniol.
* Ingrédients issus de l'Agriculture Biologique.

À noter dans la composition. Eau florale de bleuet, émollients (alcool cétéarylique, glycérol, dicaprylyl carbonate, huiles de yangu, beurre de mangue, etc.), un tensioactif (Glyceryl stéarate), un extrait d'algue, une autre de ginseng, des huiles essentielles de lavande et d'amande amère, un antioxydant, deux conservateurs autorisés en bio et deux molécules aromatiques allergènes.

L'avis des experts. Une formule douce, bien hydratante et qui vient nourrir la peau sans laisser de sensation grasse. Texture fine, légère senteur d'amande, voilà une crème qui a tout pour plaire, dans son packaging sobre au look noir et métallisé très élégant. Deux petites réserves tout de même : le prix d'abord, assez conséquent, et l'imprécision sur l'origine des algues dans la liste des ingrédients (Algae extract). Certes, elle est précisée dans l'argumentaire : il s'agit d'une algue rouge de type Palmaria et d'une algue brune de type Laminaria aux vertus restructurantes et apaisantes, mais elles auraient dû être déclarées comme telles, sous leur appellation INCI précisant le genre et l'espèce. À part cela, rien qui fâche dans l'étiquetage, toutes les mentions légales et nécessaires sont bien en place, avec un petit plus toujours apprécié : la traduction en français de la majeure partie de la composition.

Flash marque : Zvonko

« Le Beau, le Bio, et l'Écolo », c'est la devise de cette marque pour hommes, qui se veut une fusion entre le naturel, le luxe et le masculin. Le positionnement « luxe » se ressent clairement au travers des packagings et des prix, le naturel réside dans la garantie bio de ces produits aux processus de fabrication s'inscrivant dans la logique du développement durable. Ainsi, les algues ou les actifs marins qui entrent dans les compositions de toute la gamme proviennent de la réserve naturelle d'Iroise et le fabricant garantit que leur exploitation ne vient pas perturber l'équilibre aquatique. Le fabricant, ou plutôt les fabricantes, puisqu'à la tête de cet univers masculin se trouvent deux femmes, une mère et sa fille, qui ont reconverti leur expérience professionnelle acquise auprès d'une grande marque de dermocosmétiques en projet personnel et philosophique.

L'OCCITANE
Cade
Concentré jeunesse pour homme

Note :	82,75/100.
Présentation :	Pot (verre) de 50 ml (étui carton).
Prix indicatif :	37 € (74 €/100 ml).
Disponible en :	Boutiques L'Occitane, Internet.
Site internet :	www.loccitane.com

12 M

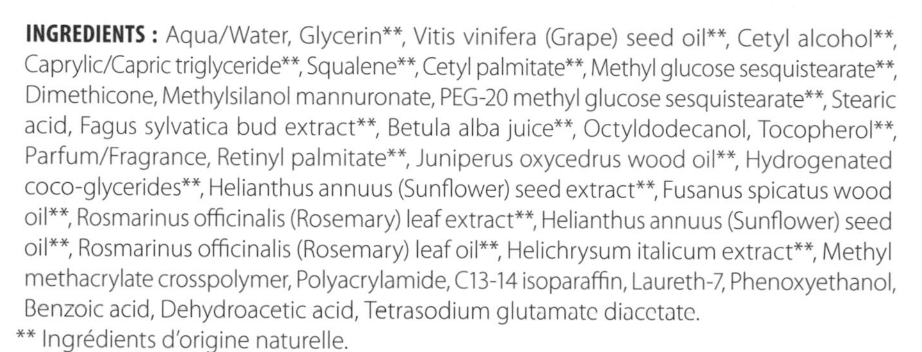
INGREDIENTS : Aqua/Water, Glycerin**, Vitis vinifera (Grape) seed oil**, Cetyl alcohol**, Caprylic/Capric triglyceride**, Squalene**, Cetyl palmitate**, Methyl glucose sesquistearate**, Dimethicone, Methylsilanol mannuronate, PEG-20 methyl glucose sesquistearate**, Stearic acid, Fagus sylvatica bud extract**, Betula alba juice**, Octyldodecanol, Tocopherol**, Parfum/Fragrance, Retinyl palmitate**, Juniperus oxycedrus wood oil**, Hydrogenated coco-glycerides**, Helianthus annuus (Sunflower) seed extract**, Fusanus spicatus wood oil**, Rosmarinus officinalis (Rosemary) leaf extract**, Helianthus annuus (Sunflower) seed oil**, Rosmarinus officinalis (Rosemary) leaf oil**, Helichrysum italicum extract**, Methyl methacrylate crosspolymer, Polyacrylamide, C13-14 isoparaffin, Laureth-7, Phenoxyethanol, Benzoic acid, Dehydroacetic acid, Tetrasodium glutamate diacetate.
** Ingrédients d'origine naturelle.

À noter dans la composition. Une base très hydratante avec notamment le glycérol et de l'huile de pépins de raisin en belle position, du squalène... Avec aussi le bourgeon de hêtre (Fagus sylvatica) et l'immortelle en actifs anti-âge, le bouleau (Betula alba) pour le soin des peaux un peu grasses, des antioxydants et actifs antiradicalaires (Tocopherol, Retinyl palmitate), de l'huile de genévrier cade qui donne son nom au produit, du tournesol et du romarin... Avec enfin trois conservateurs (Phenoxyethanol, Benzoic acid, Dehydroacetic acid).

L'avis des experts. Une bonne formule bien équilibrée, hydratante et raffermissante. De bons actifs pour cette crème blanche à la texture fine. Sur la peau, une sensation de légèreté absolument pas grasse, qui s'oublierait dès qu'elle est appliquée, si ce n'était la senteur cade boisée et épicée, typique de cette gamme et qui plaît beaucoup. Le petit pot en verre teinté fait peut-être un peu féminin mais on ne doute pas que les hommes s'y fassent très bien ! Et puisqu'on parlait du prix avec le produit n° 1 sur ce même podium, il faut noter qu'il est ici... exactement le même, la « valeur ajoutée » anti-âge expliquant certainement ici cette belle égalité.

NICKEL
Super Speed Hydratant

Note :	80,75/100.
Présentation :	Flacon-pompe de 50 ml (étui carton).
Prix indicatif :	29 € *(58 €/100 ml).*
Disponible en :	Parfumeries, Parapharmacies, Instituts Nickel, Internet.
Site internet :	www.nickel.fr

12 M

INGREDIENTS : Aqua (Water), Glycerin, Acrylates copolymer, Ammonium acryloyldimethyltaurate/VP copolymer, Sodium hyaluronate, Simmondsia chinensis (jojoba) seed oil, Bisabolol, Citrullus vulgaris (Watermelon) fruit extract, Allantoin, PEG-6 stearate, Ceteth-20, Steareth-20, PEG-30 dipolyhydroxystearate, Isohexadecane, Trideceth-9 PG-amodimethicone, Tricedeth-12, Xanthan gum, Phenoxyethanol, Caprylyl glycol, Chlorphenesin, Citric acid, CI 42090 (Blue1).

À noter dans la composition. Glycérol émollient et deux agents filmogènes pour commencer, avec du hyaluronate de sodium hydratant, de l'huile de jojoba émolliente, du bisabolol et de l'allantoïne apaisants. Avec encore quelques émulsifiants, un extrait de pastèque vitaminé (Citrullus vulgaris), deux conservateurs et un colorant bleu de la famille des azoïques.

L'avis des experts. Un gel-crème bleuté, qui s'applique facilement et agréablement. Une formule à la fois hydratante et apaisante. L'argumentaire est peut-être un peu…, disons, enthousiaste et superlatif, mais il est incontestable que, de façon super speed ou non, cet hydratant peut faire retrouver confort et souplesse aux peaux desséchées. Pour un prix raisonnable, ce qui ne gâche rien.

Mentions spéciales

Contours des yeux et anticernes

Les critères des experts

« Éviter le contact avec les yeux » : cette mention, sur une étiquette d'un contour… des yeux, a laissé l'ensemble du jury pour le moins interloqué. Et, bien sûr, n'a pas plaidé en faveur de la formule du produit qu'elle désignait. Est-il besoin de redire à quel point, surtout sur cette zone très sensible, il est particulièrement déconseillé d'utiliser des ingrédients irritants et/ou sensibilisants, de quelque nature qu'ils soient ? Pour le détail, voir p. 245…

Les meilleurs

	Prix	Composition Efficacité	Tolérance cutanée	Étiquetage	Confort d'utilisation	Principe de précaution	Classement
Zvonko Contour des yeux	★★★★★	★★★	★★★★	★★★	★★★★	★★★★★	**1**
Liérac Hommes Diopti Contour des yeux Anti-poches, anti-cernes	★★★	★★★★	★★★	★★★★	★★★★	★★★	**2**

Les nommés

ZVONKO

Contour des yeux

Note : 90,63/100.

Présentation : Flacon-pompe (métal) de 50 ml (étui carton).

Prix indicatif : 49 € *(98 €/100 ml).*

Disponible en : Pharmacies, Parapharmacies, Galeries Lafayette, BHV Rivoli, Internet : www.mademoiselle-bio.com, www.comptoirdelhomme.com

Site internet : www.zvonkoparis.com

INGREDIENTS : Centaurea cyanus water*, Aqua (Water), Glycerin, Benzyl alcohol, Xanthan gum, Fagus sylvatica extract*, Algae extract, Sodium benzoate, Aesculus hippocastanum (Horse chesnut) seed extract.
* Ingrédients issus de l'Agriculture Biologique.

À noter dans la composition. Une base d'eau florale de bleuet apaisante et de glycérol émollient, un extrait de bourgeons de hêtre tonifiant et restructurant (Fagus sylvatica), une algue, du marronnier d'Inde pour améliorer la microcirculation dans le but de réduire les cernes (Aesculus hippocastanum), deux conservateurs autorisés en bio, et c'est tout !

L'avis des experts. L'espèce de l'algue fucus pourrait (devrait) être précisée. Mais à part cela, on apprécie tout ici : la formule pas très compliquée, mais qui contient tous les actifs nécessaires pour nourrir et lisser la peau du contour des yeux, la sensation fraîche et bien hydratante à l'application, l'élégant flacon-pompe métallisé, le bon résultat immédiat et le pourcentage d'ingrédients bio (50 %).

LIÉRAC HOMMES

Diopti Contour des yeux
Anti-poches, anti-cernes

Note :	75,88/100.
Présentation :	Flacon-pompe de 15 ml (étui carton).
Prix indicatif :	23 € *(153,33 €/100 ml).*
Disponible en :	Pharmacies, Parapharmacies.
Site internet :	www.lierac.fr

6 M

INGREDIENTS : Water (Aqua), Alchemilla vulgaris extract, Hedera helix (Ivy) leaf/stem extract, Propylene glycol, Chamomilla recutita (Matricaria) flower extract, Equisetum arvense extract, Ruscus aculeatus root extract, Ferric glycerophosphate, Zinc gluconate, Potassium gluconate, Calcium gluconate, Copper gluconate, Manganese gluconate, Magnesium gluconate, Sodium mannuronate methylsilanol, Arnica montana flower extract, Tocopherol, Carbomer, Tromethamine, PPG-1-PEG-9 lauryl glycol ether, Phenoxyethanol, Methylparaben, Ethylparaben, Propylparaben, Butylparaben, Isobutylparaben.
(Origine végétale).

À noter dans la composition. D'abord de l'alchémille, du lierre (Hedera helix) et de la prêle (Equisetum arvense) restructurants, puis de la camomille (Chamomilla recutita) apaisante et du fragon actif sur la microcirculation (Ruscus aculeatus), une série de gluconates de différents minéraux pour soutenir la peau, de l'arnica, de la vitamine E antioxydante (Tocopherol), un émulsifiant et six conservateurs, dont cinq parabens.

L'avis des experts. Une belle palette d'actifs et un effet réellement lissant immédiat, un bon résultat aussi sur les poches que ce produit tend visiblement à dégonfler. Une vraie sensation de fraîcheur à l'application (rien que cela fait du bien), un joli gel ambré dans un petit flacon-pompe tout léger. Tout va bien… sauf le nombre de conservateurs : la formule aurait gagné à ce qu'ils soient moins dosés. Mais c'est vraiment la seule réserve !

Annexe I

Sigles et logos

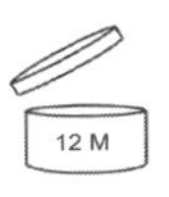

Le pot ouvert

Il indique la PAO, Péremption Après Ouverture, sous la forme d'un chiffre suivi de la lettre M pour mois. Au-delà de cette durée d'utilisation conseillée, le produit risque de perdre en qualité ou en sécurité. Il est conseillé de noter (sur l'emballage ou le tube) la date de sa première ouverture, seule garantie pour que ce logo serve à quelque chose… Le pot ouvert est obligatoire pour les produits qui peuvent être utilisés au-delà de trente mois après leur fabrication.

Les informations à consulter

Quand le récipient ou l'emballage est trop petit pour que les précautions d'emploi y figurent lisiblement, ce livre ouvert renvoie le consommateur à une notice, une étiquette ou un site Internet où elles sont disponibles.

De même, la liste des ingrédients peut être apposée au dos de l'étiquette, qu'il faut alors décoller pour vérifier le contenu du produit, en suivant cette flèche : ➦.

Écocert

Organisme de contrôle et de certification français.

Il garantit que le produit a respecté les règles de la production biologique, tout au long de sa chaîne de fabrication : production, transformation, emballage, transport, distribution, etc.

Cosméco et Cosmébio

Labels français contrôlés par une association de fabricants de produits cosmétiques.

Le label Cosmétique écologique garantit 95 % d'ingrédients d'origine naturelle, 5 % minimum (et 50 % minimum des végétaux) étant issus de l'agriculture biologique.

Le label Cosmétique écologique et biologique impose quant à lui également 95 % d'ingrédients d'origine naturelle mais avec 10 % minimum (et 95 % minimum des végétaux) issus de l'agriculture biologique.

Par « origine naturelle », la charte Cosmébio entend : matières premières issues des agro-ressources, transformées suivant des procédés respectueux de l'environnement et non issues de la pétrochimie ; interdiction des parfums et colorants de synthèse, silicones et glycols. Seuls quelques ingrédients de synthèse sont autorisés quand ils sont indispensables et non encore disponibles en origine naturelle. Par ailleurs, Écocert encourage les fabricants à donner une traduction en langage usuel des dénominations INCI.

Nature et Progrès

Ce logo français, contrôlé par une association de consommateurs et de professionnels, garantit des préparations uniquement composées de matières végétales issues de l'agriculture biologique ou de matières minérales non pétrochimiques, sans molécules de synthèse ni matière première d'origine animale, et contenant des ingrédients obtenus uniquement par des procédés mécaniques ou de chimie simple dans le respect de l'environnement. Seul l'emploi de quelques conservateurs inscrits sur une liste positive est autorisé.

BDIH

Label allemand contrôlé par des entreprises commerciales et industrielles de médicaments, produits diététiques, compléments alimentaires et soins corporels. La « directive BDIH » préconise l'emploi de matières premières végétales et la protection des animaux. Elle règlemente les procédés de fabrication, interdit le recours aux rayonnements ionisants, les colorants organiques et substances aromatiques synthétiques, les matières premières éthoxylées, la silicone, la paraffine et autres produits dérivés du pétrole, et n'autorise qu'une poignée de conservateurs.

Max Havelaar

Ce label est attribué par une organisation indépendante, qui n'achète ni ne vend elle-même aucun produit. L'association certifie ceux qui répondent aux critères internationaux du commerce équitable. Sont ainsi pris en compte le versement du prix minimum garanti ou des relations directes et durables avec les organisations de producteurs. L'association assure pour ce faire un contrôle sur l'ensemble de la chaîne de production.

Annexe II

Petit dictionnaire cosmétique

Agent antistatique : Réduit l'électricité statique, et empêche les cheveux ou les poils d'être électriques.

Agent astringent : Resserre les pores de la peau.

Agent de chélation : Réagit et forme des complexes avec des ions métalliques susceptibles d'affecter la stabilité et/ou l'aspect des produits cosmétiques. Très utilisé dans les savons car séquestrant du calcium, composant du calcaire.

Agent de foisonnement : Réduit la densité apparente des produits cosmétiques.

Agent filmogène : Produit un film continu sur la peau, les cheveux ou les ongles.

Agent kératolytique : Aide à éliminer les cellules mortes de la couche cornée de l'épiderme.

Agent masquant : Réduit ou masque l'odeur de base et/ou l'arôme d'un produit.

Conditionneur capillaire : Laisse les cheveux faciles à coiffer, souples, doux et brillants et/ou donne du volume, de la lumière, du brillant, etc.

Émollient : Assouplit et adoucit la peau.

Émulsifiant : En langage officiel : favorise la formation de mélanges intimes entre des liquides non miscibles (comme par exemple l'eau et l'huile). En clair : permet la réalisation des émulsions, à partir d'huile et d'eau.

Éthoxylation : Réaction chimique par laquelle de l'oxyde d'éthylène est greffé à des molécules apolaires (comme des acides gras) pour rendre ces dernières plus solubles dans l'eau. Ce processus rend les matières premières (éthoxylées) moins agressives pour la peau, mais est mis en cause pour ses conséquences environnementales. Voir Aussi : PEG et dérivés de PEG, p. 24.

Humectant : Maintient la teneur en eau d'un cosmétique dans son emballage et sur la peau.

Hydrotrope : Augmente la solubilité d'une substance qui est peu soluble dans l'eau.

INCI : International Nomenclature of Cosmetic Ingredients. C'est la nomenclature officielle, établie au niveau européen, qui répertorie tous les ingrédients autorisés dans les cosmétiques, avec leur appellation légale, leur composition et leurs fonctions.

Synergiste de mousse : Améliore la qualité de la mousse (volume, texture, stabilité…).

Annexe III

Lexique des composants

Tous les ingrédients contenus dans les produits cités dans ce Palmarès sont listés ici, avec pour chacun :

Le nom selon la nomenclature INCI : Sa traduction la plus courante – *Ses principales fonctions.*

2-bromo-2-nitropropane 1,3 diol : Bronopol – *Conservateur (libérateur de formol, voir aussi p. 24).*

3-Aminopropane sulfonic acid : 3-Aminopropane sulfonic acid – *Tensioactif/ Hydrotrope.*

3-nitro-p-hydroxyethylaminophenol : 3-nitro-p-hydroxyethylaminophenol – *Colorant capillaire.*

Acacia dealbata extract : Extrait de feuilles de mimosa – *Entretien de la peau.*

Acacia farnesiana extract : Extrait de fleurs et tronc de cassier – *Agent astringent.*

Acacia senegal gum extract : Extrait de gomme d'acacia (gomme arabique) – *Agent de contrôle de la viscosité.*

Acetamide MEA : Acetamide MEA – *Agent antistatique.*

Acetum : Vinaigre – *Agent antistatique.*

Acetyl tributyl citrate : Acetyl tributyl citrate – *Agent filmogène/ Plastifiant/ Déodorant.*

Achillea millefolium extract : Extrait des feuilles et fleurs d'achillée millefeuille – *Agent apaisant/ Agent antipelliculaire/ Agent rafraîchissant/ Agent nettoyant/ Tonifiant.*

Achillea millefolium oil : Huile essentielle d'achillée millefeuille – *Agent apaisant/ Agent antipelliculaire/ Agent rafraîchissant/ Agent nettoyant/ Tonifiant.* Ne contient pas d'allergènes dont la déclaration est obligatoire.

Acmella oleacea extract : Extrait de brède mafane (plante d'Amérique du Sud) – *Entretien de la peau.*

Acrylates copolymer : Acrylates copolymer – *Agent gélifiant/ Agent antistatique/ Liant/ Agent filmogène.*

Acrylates/C10-30 alkyl acrylate crosspolymer : Acrylates/C10-30 alkyl acrylate crosspolymer – *Agent filmogène.*

Acrylates/Lauryl acrylate/Stearyl acrylate/Ethylamine oxide methacrylate copolymer : Acrylates/Lauryl acrylate/Stearyl acrylate/Ethylamine oxide methacrylate copolymer – *Agent filmogène.*

Adansonia digitata extract : Extrait des fruits du baobab – *Émollient.*

Adansonia digitata oil : Huile de fruits du baobab – *Émollient / Entretien de la peau.*

Adiantum capillus veneris extract : Extrait de feuilles de capillaire – *Agent antipelliculaire / Agent astringent.*

Aesculus hippocastanum bark extract : Extrait d'écorce de marronnier d'Inde – *Tonifiant / Agent astringent / Améliore la microcirculation.*

Alchemilla vulgaris extract : Extrait de feuilles d'alchémille – *Entretien de la peau / Agent nettoyant / Agent astringent.*

Alcohol denat. : Alcool dénaturé – *Solvant.*

Alcohol : Alcool – *Solvant.*

Algae : Algues – *Tonifiant / Agent rafraîchissant / Agent apaisant / Humectant.*

Algin : Alginate de sodium – *Liant / Agent de contrôle de la viscosité.*

Allantoin : Allantoïne – *Agent apaisant.*

Aloe barbadensis extract : Extrait de feuilles d'aloès (aloe vera) – *Émollient / Hydratant.*

Aloe barbadensis gel : Jus de feuilles d'aloès (aloe vera) – *Émollient / Hydratant.*

Aloe ferox extract : Extrait de feuilles d'aloe vera – *Hydratant / Agent apaisant.*

Alpha isomethyl ionone : Alpha isomethyl ionone – *Composant synthétique classé parmi les 26 composés odorants allergènes dont la déclaration est obligatoire.*

Althaea officinalis extract : Extrait de racines de guimauve – *Émollient.*

Alumina : Oxyde d'aluminium – *Agent abrasif / Opacifiant / Agent de contrôle de la viscosité.*

Aluminum chlorohydrate : Chlorohydrate d'aluminium – *Agent antiperspirant / Agent déodorant / Agent astringent.*

Aluminum chlorohydrex PEG : Aluminum chlorohydrex PEG – *Agent antiperspirant / Agent astringent.*

Aluminum chlorohydrex PG : Aluminum chlorohydrex PG – *Agent antiperspirant / Agent astringent.*

Aluminum starch octenylsuccinate : Aluminum starch octenylsuccinate – *Agent absorbant / Agent de contrôle de la viscosité / Agent antiagglomérant.*

Aluminum stearate : Monostéarate d'aluminium – *Colorant / Agent antiagglomérant.*

Aluminum sucrose octasulfate : Aluminum sucrose octasulfate – *Entretien de la peau.*

Ammonium acryloyldimethyl taurate/VP copolymer : Ammonium acryloyl dimethyltaurate/VP copolymer – *Agent antistatique / Liant / Agent filmogène / Agent de contrôle de la viscosité.*

Ammonium glycyrrhizate : Ammonium glycyrrhizate – *Entretien de la peau / Actif apaisant.*

Ammonium lauryl sulfate : Dodécylsulfate d'ammonium – *Tensioactif / Agent nettoyant / Agent moussant.*

Amodimethicone : Amodimethicone (silicone) – *Agent antistatique / Conditionneur capillaire.*

Amyl cinnamal : Amyl cinnamal – *Agent masquant. Également composé odorant allergène dont la déclaration est obligatoire.*

Anatto : Voir CI 75120.

Aniba rosaeodora oil : Huile essentielle de bois de rose – *Tonifiant.* **Peut contenir :** Linalool.

Anthemis nobilis distillate : Eau florale de camomille – *Entretien de la peau (Adoucissant) / Agent apaisant.*

Anthemis nobilis flower water : Voir Anthemis nobilis distillate.

Anthyllis vulneraria extract : Extrait de fleurs d'anthyllis vulnéraire – *Entretien de la peau.*

Apricot kernel oil polyglyceryl-10 esters : Dérivé d'huile de noyau d'abricot – *Émollient / Conditionneur capillaire - Émulsifiant (ou tensioactif).*

Aqua : Eau – *Solvant.*

Arachidyl alcohol : Alcool arachidylique – *Émollient.*

Arachidyl glucoside : Arachidyl glucoside – *Émulsifiant (ou tensioactif).*

Arctium lappa extract : Extrait de racines de bardane – *Entretien de la peau et des cheveux gras / Agent apaisant / Agent astringent / Tonifiant.*

Arctium majus extract : Extrait de racines de bardane – *Agent nettoyant / Conditionneur capillaire / Agent antipelliculaire / Entretien de la peau / Agent astringent.*

Argania spinosa oil : Huile d'argan – *Hydratant / Entretien de la peau (Anti-âge).*

Arginine : Arginine – *Agent antistatique.*

Arnica chamissonis extract : Extrait d'arnica – *Actif apaisant / Tonifiant / Émollient.*

Arnica montana extract : Extrait de fleurs d'arnica des montagnes – *Actif apaisant / Tonifiant / Émollient / Agent antipelliculaire / Agent antimicrobien.*

Arrabidaea Chica extract : Extrait de Crajiru – *Astringent / Colorant.*

Ascorbic acid : Acide ascorbique – *Antioxydant / Régulateur de pH.*

Ascorbyl palmitate : Palmitate d'ascorbyle (Dérivé de vitamine C) – *Antioxydant.*

Asiaticoside : Voir Centella asiatica extract.

Aspalathus linearis extract : Extrait de feuilles de thé rouge – *Entretien de la peau.*

Asparagopsis armata extract : Extrait d'algue rouge – *Agent de protection de la peau.*

Avena sativa flour : Farine d'avoine – *Agent absorbant / Agent de contrôle de la viscosité.*

Avena sativa kernel extract : Extrait de grains d'avoine – *Agent abrasif / Agent absorbant / Agent de foisonnement.*

Avena sativa kernel oil : Huile d'avoine – *Entretien de la peau.*

Babassu oil : Voir Orbignya oleifera oil.

Backhousia citriodora oil : Huile essentielle de myrte citronnée – *Tonifiant / Agent masquant.*
Peut contenir : Linalool, Geraniol.

Backhousia citriodora oil : Huile essentielle de myrte citronnée – *Tonifiant / Agent masquant.*
Peut contenir : Linalool, Geraniol.

Bambusa arundinacea powder : Poudre de tiges de bambou séchées – *Agent abrasif.*

Bambusa vulgaris extract : Extrait de tiges de bambou – *Entretien de la peau.*

Bassia latifolia butter : Beurre d'illipé – *Émollient.*

Batyl alcohol : Batilol – *Émollient.*

Beeswax : Voir Cera alba.

Behentrimonium chloride : Chlorure de béhentrimonium – *Conservateur/conditionneur capillaire.*

Behentrimonium methosulfate : Behentrimonium methosulfate – *Conservateur / Conditionneur capillaire.*

Behenyl alcohol : Alcool béhénylique – *Émollient.*

Bellis perennis extract : Extrait de fleurs de pâquerette – *Entretien de la peau.*

Bentonite : Bentonite (Argile : montmorillonite) – *Agent absorbant / Stabilisateur d'émulsion / Agent de contrôle de la viscosité / Colorant blanc (CI 77004).*

Benzoic acid : Acide benzoïque – *Conservateur* (voir aussi p. 431).

Benzophenone-4 : Sulisobenzone – *Filtre UV / Absorbant UV.*

Benzyl alcohol : Alcool benzylique – *Conservateur / Solvant. Également composé odorant allergène dont la déclaration est obligatoire.*

Benzyl benzoate : Benzoate de benzyle – *Solvant. Également composé odorant allergène dont la déclaration est obligatoire.*

Benzyl salicylate : Salicylate de benzyle – *Absorbant UV. Également composé odorant allergène dont la déclaration est obligatoire.*

Betaine : Bétaïne – *Tensioactif / Agent antistatique / Agent de contrôle de la viscosité.*

Betula alba extract : Extrait d'écorce de bouleau – *Tonifiant / Agent astringent / Agent apaisant.*

BHT : Butyl hydroxyanisole – *Antioxydant.* (Voir aussi p. 22).

Biosaccharide gum-1 : Biosaccharide gum-1 – *Entretien de la peau.*

Biotin : Biotine (vitamine B8 ou H) – *Conditionneur capillaire / Entretien de la peau.*

Bisabolol : Bisabolol – *Agent apaisant.*

Bis-diglyceryl polyacyladipate-2 : Bis-diglyceryl polyacyladipate-2 – *Émollient.*

Bis-PEG/PPG-14/14 dimethicone : Bis-PEG/PPG-14/14 dimethicone (huile de silicone) – *Tensioactif.*

Bis-PEG-18 methyl ether dimethyl silane : Cire de silicone (éthoxylé) – *Émollient.*

Bixa orellana extract : Extrait des fruits du rocouyer (rocou) – *Colorant.*

Borago officinalis distillate : Eau florale de bourrache – *Entretien de la peau.*

Borago officinalis seed oil : Huile de graines de bourrache – *Émollient.*

Boswelia carterii oil : Huile d'oliban – *Tonifiant / Agent lissant.*

Brassica campestris sterols : Stérols d'huile de colza – *Émollient.*

Brassica Oleracea Italica oil : Huile de graines de brocoli – *Émollient.*

Buddleja davidii extract : Extrait de l'arbre aux papillons (ou lilas d'été) – *Entretien de la peau.*

Butane : Butane – *Gaz propulseur.*

Butyl acetate : Acétate de butyle – *Solvant (dans les vernis à ongles).*

Butylene glycol dicaprylate/dicaprate : Butylene glycol dicaprylate/dicaprate – *Émollient.*

Butylene glycol : Butylène glycol – *Humectant / Solvant.*

Butylparaben : Butylparaben – *Conservateur* (voir aussi p. 432).

Butylphenyl methylpropional : Butylphenyl methylpropional – *Agent masquant. Également composé odorant allergène dont la déclaration est obligatoire.*

Butyrospermum parkii butter : Beurre de karité (tiré du fruit) – *Émollient.*

Buxus chinensis : Voir Simmondsia chinensis.

C12-13 alkyl lactate : C12-13 alkyl lactate – *Émollient.*

C12-15 alkyl benzoate : C12-15 alkyl benzoate – *Émollient.*

C12-15 alkyl phosphate : C12-15 alkyl phosphate – *Émollient.*

C12-16 alcohols : C12-16 alcohols – *Agent antistatique / Émollient / Stabilisateur d'émulsion / Agent de contrôle de la viscosité / Conditionneur capillaire.*

C12-20 alkyl glucoside : C12-20 alkyl glucoside – *Émulsifiant.*

C13-14 isoparaffin : Isoalcanes – *Émollient / Solvant.*

C14-22 alcohols : C14-22 alcohols – *Émulsifiant.*

C20-22 alcohols : C20-22 alcohols – *Émulsifiant.*

C20-22 alkyl phosphate : C20-22 alkyl phosphate – *Entretien de la peau.*

C20-40 pareth-10 : C20-40 pareth-10 – *Agent émulsifiant.*

Caffeine : Caféine – *Entretien de la peau / Actif amincissant.*

Calcium borosilicate : Calcium borosilicate – *Pigment minéral.*

Calcium carbonate : Carbonate de calcium – *Agent tampon / Opacifiant / Agent abrasif pour hygiène buccale (dentifrices) / Colorant blanc (CI 77220).*

Calcium gluconate : Gluconate de calcium – *Hygiène buccale / Humectant.*

Calendula officinalis extract : Extrait de fleurs de souci – *Émollient / Apaisant.*

Calendula officinalis oil : Huile de fleurs de souci – *Émollient.*

Calodendrum capense oil : Huile de yangu – *Émollient / Entretien de la peau.*

Calophyllum inophyllum oil : Huile de calophylle (tamanu) – *Émollient / Entretien de la peau.*

Calophyllum tacamahaca oil : Huile de calophylle (tamanu) – *Émollient / Entretien de la peau.*

Camelina sativa oil : Huile de graines de cameline – *Émollient.*

Camellia kissi seed oil : Huile de graines de camélia – *Émollient.*

Camellia oleifera seed oil : Huile de graines de camélia – *Émollient.*

Camellia sinensis extract : Extrait de feuilles de thé – *Entretien de la peau / Agent astringent / Tonifiant.*

Camphor : Camphre – *Dénaturant / Plastifiant.*

Cananga odorata oil : Huile essentielle de fleurs d'ylang-ylang – *Solvant.* **Peut contenir :** Linalool, Benzyl alcohol, Farnesol, Eugenol, Isoeugenol, Benzyl benzoate.

Candelilla cera : Cire de candelilla (extraite de l'euphorbia cerifera) – *Émollient / Agent filmogène.*

Candida bombicola/Glucose/Methyl rapeseedate ferment : Candida bombicola/Glucose/Methyl rapeseedate ferment – *Agent de protection et d'entretien de la peau : Agent nettoyant.*

Cannabis sativa oil : Huile de chanvre – *Émollient / Entretien de la peau.*

Caprae lac : Lait de chèvre – *Entretien de la peau.*

Capryl/Capramidopropyl betaine : Capryl/Capramidopropyl bétaïne – *Agent antistatique / Conditionneur capillaire / Entretien de la peau / Tensioactif / Agent nettoyant / Synergiste de mousse / Agent de contrôle de la viscosité.*

Caprylic/Capric glycerides : Caprylic/Capric glycerides – *Émollient.*

Caprylic/Capric triglyceride : Caprylic/Capric triglyceride – *Émollient / Solvant.*

Capryloyl glycine : Capryloyl glycine – *Agent nettoyant.* Voir aussi p. 14.

Caprylyl glycol : Caprylyl glycol – *Émollient / Humectant / Conditionneur capillaire.*

Caprylyl/Capryl glucoside : Caprylyl/Capryl glucoside – *Tensioactif / Agent nettoyant / Agent moussant.*

Caramel : Caramel – *Colorant brun.*

Carbomer : Carbomer – *Stabilisateur d'émulsion / Agent de contrôle de la viscosité / Agent de gélification.*

Carnauba wax : Voir Cera carnauba.

Carnitine tartaric acid : Voir Carnitine tartrate.

Carnitine tartrate : Tartrate de carnitine (acide aminé) – *Actif amincissant.*

Carrageenan : Carraghénanes (extrait d'algue) – *Liant / Stabilisateur d'émulsion / Agent de contrôle de la viscosité / Agent de gélification.*

Carthamus tinctorius oil : Huile de graines de carthame – *Émollient.*

Carthamus tinctorius extract : Extrait des fleurs de carthame – *Émollient.*

Caryocar villosum oil : Huile de péquia– *Émollient/ Entretien de la peau.*

Cassia auriculata leaf powder : Poudre de feuilles de cassia – *Entretien de la peau.*

Castanea sativa extract : Extrait des feuilles de châtaignier – *Agent apaisant.*

Castor isostearate succinate : Castor isostearate succinate (Zenolin) – *Agent antistatique/ Émollient/ Solvant/ Conditionneur capillaire/ Agent émulsifiant/ Liant.*

Castor oil : Nom anglais de Ricinus communis oil.

Cellulose gum : Carmellose (dérivé de cellulose) – *Liant/ Stabilisateur d'émulsion/ Agent filmogène/ Agent de contrôle de la viscosité.*

Centaurea cyanus extract : Extrait de fleurs de bleuet des champs – *Hydratant/ Entretien de la peau/ Agent apaisant.*

Centaurea cyanus water : Eau florale de bleuet des champs – *Entretien de la peau/ Agent apaisant.*

Centella asiatica extract : Extrait d'herbe du tigre – *Agent lissant/ Agent apaisant/ Agent nettoyant/ Tonifiant/ Agent stimulant la formation du collagène.*

Cera alba (ou Cera flava): Cire d'abeille – *Émollient/ Agent filmogène.*

Cera carnauba : Cire de carnauba (palmier) – *Émollient/ Agent filmogène.*

Cera microcristallina : Cires de paraffine et cires d'hydrocarbures microcristallines – *Liant/ Stabilisateur d'émulsion/ Opacifiant/ Agent de contrôle de la viscosité.*

Ceramide 3 : Céramide 3 – *Conditionneur capillaire/ Hydratant/ Entretien de la peau (Anti-âge).*

Ceramide 6 : Céramide 6 – *Conditionneur capillaire/ Hydratant/ Entretien de la peau (Anti-âge).*

Ceteareth-20 : Ceteareth-20 (éthoxylé) – *Agent émulsifiant (ou tensioactif).*

Ceteareth-33 : Ceteareth-33 (éthoxylé) – *Agent émulsifiant (ou tensioactif).*

Ceteareth-50 : Ceteareth-50 (éthoxylé) – *Agent émulsifiant (ou tensioactif).*

Ceteareth-6 : Ceteareth-6 (éthoxylé) – *Agent émulsifiant (ou tensioactif).*

Ceteareth-60 myristyl glycol : Ceteareth-60 myristyl glycol – *Émulsifiant (ou tensioactif).*

Cetearyl alcohol : Alcool cétéarylique – *Émollient/ Stabilisateur d'émulsion/ Opacifiant/ Agent de contrôle de la viscosité.*

Cetearyl ethylhexanoate : Cetearyl ethylhexanoate – *Émollient.*

Cetearyl glucoside : Cetearyl glucoside – *Agent émulsifiant.*

Cetearyl olivate : Cetearyl olivate – *Émollient.*

Cetearyl wheat straw (ou bran) glycosides : Dérivé de blé – *Émulsifiant.*

Ceteth-20 : Ceteth-20 – *Agent émulsifiant (ou tensioactif).*

Cetrimonium bromide : Bromure de cétrimonium – *Conservateur* (voir aussi p. 432).

Cetrimonium chloride : Chlorure de cétrimonium – *Conservateur* (voir aussi p. 432).

Cetyl alcohol : Alcool cétylique – *Émollient/ Agent émulsifiant/ Opacifiant/ Agent de contrôle de la viscosité.*

Cetyl dimethicone : Cetyl dimethicone – *Émollient.*

Cetyl palmitate : Cetyl palmitate – *Émollient.*

Cetyl PEG/PPG-10/1 dimethicone : Dérivé de silicone éthoxylé – *Émulsifiant.*

Cetyl phosphate : Cetyl phosphate – *Agent émulsifiant.*

Chamomilla recutita extract : Extrait de camomille – *Émollient.*

Chlorella emersonii extract : Algue Chlorella emersonii – *Entretien de la peau.*

Chlorophyllin-magnesium complex : Chlorophyllin-magnesium complex – *Colorant vert.*

Chlorphenesin : Chlorophénésine – *Conservateur* (voir aussi p. 432).

Cholesteryl hydroxystearate : Cholesteryl hydroxystearate – *Émollient/ Agent de contrôle de la viscosité.*

Chondrus crispus extract : Carragheen (Extrait de l'algue Chondrus crispus ou goémon frisé) – *Agent de contrôle de la viscosité.*

Chrysantellum indicum extract : Extrait de camomille d'or – *Entretien de la peau.*

CI 14700 : *Colorant rouge,* azoïque (voir aussi p. 22).

CI 15510 : *Colorant orange,* azoïque (voir aussi p. 22).

CI 15850 : *Colorant rouge,* azoïque (voir aussi p. 22).

CI 15880 : *Colorant rouge,* azoïque (voir aussi p. 22).

CI 15985 : *Colorant jaune,* azoïque (voir aussi p. 22).

CI 16035 (ou Red Up : *Colorant rouge,* azoïque (voir aussi p. 22).

CI 16255 : Rouge cochenille A – *Colorant rouge, azoïque* (voir aussi p. 22).

CI 17200 : *Colorant rouge.*

CI 19140 : Tartrazine – *Colorant jaune, azoïque* (voir aussi p. 22).

CI 26100 : *Colorant rouge,* azoïque (voir aussi p. 22).

CI 42051 : Acid blue 3 – *Colorant bleu.*

CI 42053 : *Colorant vert.*

CI 42090 : Bleu brillant FCP – *Colorant bleu, azoïque* (voir aussi p. 22).

CI 47000 : *Colorant jaune.*

CI 47005 : *Colorant jaune.*

CI 47005 : Jaune de quinoléine – *Colorant jaune.*

CI 75120 : Rocou – *Colorant orange.*

CI 75470 : Carmin – *Colorant rouge.*

CI 75810 (Chlorophyllin-copper complex) : Chlorophylline cuivrique – *Colorant vert.*

CI 75815 (Chlorophyllin-copper complex) : Chlorophylline cuivrique – *Colorant vert.*

CI 77000 : Aluminium – *Colorant blanc.*

CI 77004 : Voir Kaolin.

CI 77007 : Lazurite ou Ultramarine – *Colorant bleu.*

CI 77019 : Voir Mica.

CI 77163 : Oxychlorure de bismuth – *Agent nacrant/ Colorant blanc.*

CI 77288 : Trioxyde de chrome – *Colorant vert.*

CI 77289/ CI 77289 : Trioxyde de dichrome – *Colorant vert.*

CI 77491 (Iron oxides) : Trioxyde de fer – *Colorant rouge-marron.*

CI 77492 (Iron oxides) : Oxyde de fer – *Colorant jaune-marron.*

CI 77499 (Iron oxides) : Tétraoxyde de fer – *Colorant noir.*

CI 77510 (Bleu de Prusse) : *Colorant bleu.*

CI 77742 (Diphosphate d'ammonium et de manganèse) : *Colorant violet.*

CI 77891 : Voir Titanium dioxide.

CI 77947 : Voir Zinc oxide.

Cicer arietinum extract : Extrait de pois chiches – *Agent abrasif.*

Ciclopirox olamine : Ciclopirox olamine – *Agent antipelliculaire / Agent antimicrobien.*

Ciclopiroxolamine : Ciclopiroxolamine – *Agent antipelliculaire.*

Cinnamal : Cinnamaldéhyde – *Dénaturant. Également composé odorant allergène dont la déclaration est obligatoire.*

Cinnamomum camphora oil : Huile essentielle de camphrier – *Tonifiant / Agent masquant.* **Peut contenir :** Limonene.

Cinnamomum zeylanicum oil : Huile essentielle de cannelle – *Hygiène buccale / Agent masquant / Conditionneur capillaire.* **Peut contenir :** Linalool, Citronellol, Isoeugenol, Coumarin.

Cinnamyl alcohol : Alcool cinnamylique – *Agent masquant. Également composé odorant allergène dont la déclaration est obligatoire.*

Citral : Citral – *Agent masquant – Également composé odorant allergène dont la déclaration est obligatoire.*

Citric acid : Acide citrique – *Régulateur de pH / Agent de chélation.*

Citrillus lanatus seed oil : Huile de melon du Kalahari – *Émollient / Entretien de la peau.*

Citronellol : Citronellol – *Agent masquant. Également composé odorant allergène dont la déclaration est obligatoire.*

Citrullus vulgaris extract : Extrait de pastèque – *Entretien de la peau.*

Citrus amara flower water : Voir Citrus aurantium amara flower distillate.

Citrus aurantifolia extract : Extrait de fruit du limettier (citron vert) – *Entretien de la peau / Conditionneur capillaire / Tonifiant / Agent nettoyant.*

Citrus aurantium amara flower distillate : Eau de fleurs d'oranger amer – *Agent rafraîchissant.*

Citrus aurantium amara flower extract : Extrait de fleurs de bigaradier (oranger amer) – *Agent rafraîchissant.*

Citrus aurantium amara flower oil : Huile essentielle de fleurs d'oranger amer (Néroli) – *Tonifiant / Agent masquant.* **Peut contenir :** Linalool, Limonene, Geraniol, Benzyl alcohol, Farnesol.

Citrus aurantium amara oil : Huile essentielle d'oranges amères – *Agent rafraîchissant.* **Peut contenir :** Limonene, Linalool, Citronellol, Geraniol, Coumarin.

Citrus aurantium dulcis extract : Extrait des fruits de l'oranger – *Entretien de la peau.*

Citrus aurantium dulcis flower oil : Huile essentielle de fleurs d'oranger – *Agent astringent / Tonifiant.*

Citrus aurantium dulcis oil : Huile essentielle d'écorces d'oranges douces – *Agent astringent – Tonifiant.* **Peut contenir :** Limonene, Linalool, Citronellol, Citral, Geraniol, Coumarin.

Citrus grandis extract : Extrait de pamplemousse – *Entretien de la peau / Agent astringent / Tonifiant.*

Citrus grandis oil : Huile essentielle de pamplemousse – *Agent astringent / Tonifiant.* **Peut contenir :** Limonene.

Citrus junos oil : Extrait d'écorce de yuzu (citron du Japon) – *Tonifiant.*

Citrus medica limonum extract : Extrait de citron – *Tonifiant.*

Citrus medica limonum oil : Huile essentielle d'écorces de citron – *Tonifiant / Agent masquant.* **Peut contenir :** Limonene, Coumarin.

Citrus medica vulgaris extract : Extrait de cédrat – *Tonifiant.*

Citrus nobilis oil : Huile essentielle d'écorces de mandarine – *Tonifiant / Agent masquant.* **Peut contenir :** Limonene, Linalool, Citronellol, Coumarin.

Citrus paradisii oil : Voir Citrus grandis oil.

Citrus reticulata blanco oil : Voir Citrus nobilis oil.

Citrus sinensis oil : Voir Citrus aurantium dulcis oil.

Citrus tangerina oil : Huile essentielle de tangerine (mandarine) – *Tonifiant / Agent masquant.* **Peut contenir :** Limonene, Citronellol, Linalool.

Cocamide DEA : Cocamide DEA – *Agent émulsifiant (ou tensioactif) / Stabilisateur d'émulsion / Agent de contrôle de la viscosité / Synergiste de mousse.*

Cocamide MIPA : Cocamide MIPA – *Agent émulsifiant (ou tensioactif) / Stabilisateur d'émulsion / Agent de contrôle de la viscosité / Synergiste de mousse.*

Cocamidopropyl betaine : Cocamidopropyl bétaïne – *Tensioactif / Agent nettoyant / Synergiste de mousse.*

Coco caprylate caprate : Coco caprylate caprate – *Émollient / Entretien de la peau.*

Coco-betaine : Cocobétaïne – *Tensioactif / Agent nettoyant / Synergiste de mousse.*

Coco-caprylate/Caprate : Coco-caprylate caprate – *Émollient.*

Cocodimonium hydroxypropyl hydrolyzed wheat protein : Dérivé de protéines de blé hydrolysées – *Agent antistatique / Conditionneur capillaire.*

Coco-glucoside : Coco-glucoside – *Tensioactif / Agent moussant.*

Cocoglycerides : Glycérides de coco – *Émollient / Agent émulsifiant.*

Coconut acid : Acides gras de coco – *Émollient / Agent émulsifiant (ou tensioactif).*

Coconut alcohol : Alcool de coco – *Émollient / Agent émulsifiant / Agent stabilisateur.*

Cocos nucifera extract : Extrait du fruit du cocotier – *Entretien de la peau / Conditionneur capillaire / Émollient.*

Cocos nucifera oil : Huile de noix de coco – *Émollient / Solvant.*

Cocos nucifera shell powder : Poudre d'écorce de noix de coco – *Entretien de la peau / Conditionneur capillaire / Émollient.*

Coffea arabica bean extract : Extrait de fèves de caféier – *Entretien de la peau / Exfoliant.*

Commiphora myrrha extrait : Extrait de myrrhe – *Agent nettoyant.*

Commiphora myrrha oil : Huile essentielle de myrrhe – *Tonifiant / Agent masquant.* **Peut contenir :** Limonene.

Copaifera officinalis resin : Baume de Copaïba – *Agent filmogène.*

Copernicia cerifera wax : Voir Cera carnauba.

Copper gluconate : Gluconate de cuivre – *Entretien de la peau / Agent de protection de la peau.*

Copper PCA : Pyrrolidone carboxylate de cuivre (dérivé de cuivre) – *Hydratant / Humectant.*

Copper sulfate : Sulfate de cuivre – *Entretien de la peau.*

Coriandrum sativum oil : Huile essentielle de coriandre – *Tonifiant / Agent masquant.*

Coriandrum sativum seed oil : Huile de coriandre – *Émollient.*

Corn starch modified : Amidon de maïs modifié – *Gélifiant / Agent absorbant / Matifiant.*

Corylus avellana nut oil : Huile de noisette – *Émollient.*

Coumarin : Coumarine – *Agent masquant. Également composé odorant allergène dont la déclaration est obligatoire.*

Crataegus oxyacantha extract : Extrait de baies, de fleurs et de feuilles d'aubépine – *Entretien de la peau.*

Crithmum maritimum extract : Extrait de Criste marine – *Tonifiant.*

Cryptocarya massoy oil : Huile essentielle d'écorce de Cryptocarya massoia (arbre d'Asie) – *Tonifiant / Agent masquant.*

Cucumis sativus extract : Extrait de concombre – *Tonifiant/ Rafraîchissant/ Émollient.*

Cucurbita pepo seed oil : Huile de graines de courge – *Émollient.*

Cupressus funebris oil : Huile essentielle de cyprès – *Tonifiant.* Ne contient pas d'allergènes dont la déclaration est obligatoire.

Cupressus sempervirens cone extract : Extrait des cônes du cyprès – *Tonifiant.*

Cupressus sempervirens oil : Huile essentielle de cyprès – *Tonifiant. Ne contient pas d'allergènes dont la déclaration est obligatoire.*

Curcuma longa extract : Extrait des rhizomes du curcuma – *Tonifiant/ Colorant.*

Cyamopsis tetragonolba : Voir Cyamopsis tetragonolobus gum.

Cyamopsis tetragonolobus gum : Guar – *Liant/ Stabilisateur d'émulsion/ Agent filmogène/ Agent de contrôle de la viscosité.*

Cyathea Medullaris extract : Extrait de mamaku (fougère de Nouvelle-Zélande) – *Entretien de la peau.*

Cyclohexasiloxane : Cyclohexasiloxane (silicone) – *Conditionneur capillaire/ Émollient/ Solvant.*

Cyclomethicone : Cyclométhicone (silicone) – *Agent antistatique/ Émollient/ Solvant/ Agent de contrôle de la viscosité/ Conditionneur capillaire.*

Cyclopentasiloxane : Cyclopentasiloxane (silicone) – *Conditionneur capillaire/ Émollient/ Solvant.*

Cymbopogon citratus oil : Huile essentielle de citronnelle – *Tonifiant.* **Peut contenir :** Citral, Limonene.

Cymbopogon flexuosus extract : Extrait de lemongrass – *Agent apaisant.*

Cymbopogon flexuosus oil : Huile essentielle de lemongrass – *Tonifiant.* **Peut contenir :** Citral, Geraniol, Farnesol.

Cymbopogon martini oil : Huile essentielle de palmarosa – *Tonifiant.* **Peut contenir :** Geraniol, Linalool.

Cymbopogon schoenanthus oil : Huile essentielle de lemongrass – *Tonifiant/ Agent masquant.* **Peut contenir :** Citral, Farnesol, Geraniol, Linalool.

Daucus carota extract : Extrait de carotte – *Agent anti-âge/ Émollient.*

Daucus carota oil : Huile essentielle de carotte – *Tonifiant/ Agent masquant.* **Peut contenir :** Linalool, Geraniol.

Decyl glucoside : Decyl glucoside – *Tensioactif/ Stabilisateur d'émulsion.*

Decyl oleate : Oléate de décyle – *Émollient.*

Decyl olivate : Dérivé d'huile d'olive – *Émollient.*

Decyl olive esters : Decyl olive esters – *Émollient.*

Dehydroacetic acid : Acide déhydroacétique – *Conservateur* (voir aussi p. 432).

Dextran sulfate : Sulfate de dextrane – *Anti-rougeurs/ Liant.*

Dextrin : Dextrine – *Agent absorbant/ Liant/ Agent de contrôle de la viscosité.*

Diazolidinyl urea : Diazolidinylurée – *Conservateur (libérateur de formol, voir aussi p. 24 et 432).*

Di-C12-13 alkyl malate : Di-C12-13 alkyl malate – *Émollient/ Entretien de la peau.*

Dicaprylyl carbonate : Dicaprylyl carbonate – *Émollient.*

Dicaprylyl ether : Dicaprylyl ether – *Solvant.*

Diglycerin : Diglycerin – *Humectant/ Solvant.*

Dihydroxyacetone : Dihydroxyacétone – *Agent de réduction/ Agent de bronzage.*

Diisopropyl adipate : Adipate de diisopropyle – *Émollient.*

Dimethicone crosspolymer-3 : Dimethicone crosspolymer-3 – *Agent filmogène / Agent de contrôle de la viscosité.*

Dimethicone : Diméthicone (silicone) – *Agent anti-mousse / Émollient.*

Dimethiconol : Dimethiconol (silicone) – *Agent anti-mousse / Émollient / Hydratant.*

Dimethyl phenylpropanol : Dimethyl phenylpropanol – *Agent masquant.*

Dimethylpabamidopropyl laurdimonium tosylate : Dimethylpabamidopropyl laurdimonium tosylate – *Absorbant UV.*

Dipalmitoyl hydroxyproline : Dipalmitoyl hydroxyproline – *Agent antistatique / Conditionneur capillaire.*

Dipentaerythrityl tetrahydroxystearate : Dipentaerythrityl tetrahydroxystearate – *Agent émulsifiant / Agent lissant.*

Dipotassium glycyrrhizate : Dipotassium glycyrrhizate – *Humectant / Entretien de la peau.*

Dipropylene glycol : Dipropylene glycol – *Humectant / Solvant.*

Disodium capryloyl glutamate : Disodium capryloyl glutamate – *Tensioactif / Agent nettoyant.*

Disodium cocoamphoacetate : Disodium cocoamphoacetate – *Tensioactif / Agent moussant / Agent nettoyant / Conditionneur capillaire.*

Disodium cocoamphodiacetate : Disodium cocoamphodiacetate – *Tensioactif / Agent nettoyant / Conditionneur capillaire / Entretien de la peau.*

Disodium cocoyl glutamate : Disodium cocoyl glutamate – *Tensioactif.*

Disodium EDTA : EDTA disodique – *Agent de chélation.* (Voir aussi : EDTA, p. 23)

Disodium laureth sulfosuccinate : Disodium laureth sulfosuccinate (éthoxylé) – *Tensioactif / Agent moussant / Agent nettoyant.*

Disodium lauryl sulfosuccinate : Disodium lauryl sulfosuccinate – *Tensioactif / Entretien de la peau / Agent nettoyant / Agent moussant.*

Disodium phosphate : Phosphate de sodium – *Régulateur de pH.*

Distarch phosphate : Distarch phosphate – *Liant / Agent anti-agglomérant / Agent absorbant.*

Disteardimonium hectorite : Dérivé d'hectorite (argile) – *Agent stabilisateur / Agent de contrôle de la viscosité.*

Distearoylethyl hydroxyethylmonium methosulfate : Distearoylethyl hydroxyethylmonium methosulfate – *Agent antistatique / Conditionneur capillaire.*

DMDM hydantoin : DMDM hydantoïne – *Conservateur (libérateur de formol, voir aussi p. 24 et 432).*

Dodecyl gallate : Gallate de dodécyle – *Antioxydant.*

Dryopteris filix-mas extract : Extrait de feuilles de fougère mâle – *Entretien de la peau / Tonifiant.*

Echinacea pallida extract : Extrait de rhizome d'échinacée – *Tonifiant / Entretien de la peau / Hydratant.*

Echinacea purpurea extract : Extrait de rudbeckia – *Entretien de la peau / Tonifiant / Hydratant.*

Ectoin : Ectoin – *Antiradicalaire.*

EDTA : Acide éthylène-diamine-tétraacétique – *Agent de chélation / Opacifiant / Agent de foisonnement / Agent absorbant / Agent de contrôle de la viscosité.*

Elaeis guineensis oil : Huile de graine de palmier – *Émollient.*

Empetrum nigrum extract : Extrait de baies de camarine noire – *Actif amincissant.*

Equisetum arvense extract : Extrait de tiges de prêle – *Émollient / Agent astringent / Tonifiant / Agent apaisant.*

Esculin : Esculin – *Tonifiant (améliore la micro-circulation).*

Ethoxydiglycol : Éthoxydiglycol (Éther de glycol) – *Humectant / Solvant.*

Ethyl acetate : Acétate d'éthyle – *Solvant (dans les vernis à ongles).*

Ethyl ester of hydrolyzed silk : Ester éthylique de soie hydrolysée – *Agent antistatique / Conditionneur capillaire / Entretien de la peau.*

Ethyl macadamiate : Ester d'huile de macadamia – *Émollient.*

Ethylene brassylate : Éthylene brassylate – *Tonifiant / Agent masquant.*

Ethylhexyl methoxycinnamate (ou Octylmethoxycinnamate) : Méthoxycinnamate d'éthylhexyle – *Filtre UV / Absorbant UV.*

Ethylhexyl palmitate : Palmitate de 2-éthylhexyle – *Émollient.*

Ethylhexyl stearate : Ethylhexyl stearate – *Émollient.*

Ethylhexylglycerin : Ethylhexylglycerin – *Entretien de la peau.*

Ethylparaben : Ethylparaben – *Conservateur* (voir aussi p. 432)

Etidronic acid : Acide étidronique – *Agent de chélation.*

Eucalyptus globulus extract : Extrait de feuilles fraîches d'eucalyptus – *Tonifiant / Agent déodorant / Agent nettoyant / Agent antimicrobien.*

Eugenia caryophyllus oil : Huile essentielle de fleurs de giroflier (clou de girofle) – *Tonifiant.* **Peut contenir :** Eugenol, Isoeugenol.

Eugenol : Eugénol – *Dénaturant / Tonifiant. Également composé odorant allergène dont la déclaration est obligatoire.*

Euphorbia cerifera wax : Voir Candelilla cera.

Euphrasia officinalis extract : Extrait d'euphraise – *Tonifiant / Agent apaisant / Agent astringent / Agent antimicrobien / Entretien de la peau.*

Fagus sylvatica extract : Extrait de bourgeons de hêtre – *Tonifiant.*

Farnesol : Farnésol – *Agent apaisant / Solvant / Agent déodorant. Également composé odorant allergène dont la déclaration est obligatoire.*

Ficus carica extract : Extrait des fruits et figues du figuier – *Entretien de la peau.*

Foeniculum vulgare extract : Extrait de fenouil – *Tonifiant / Émollient / Agent apaisant / Entretien de la peau.*

Fructooligosaccharides : Fructooligosaccharides – *Humectant / Entretien de la peau.*

Fucus vesiculosus extract : Extrait de fucus – *Agent apaisant / Agent lissant / Émollient / Entretien de la peau.*

Fusanus spicatus oil : Huile de bois de santal Fusanus spicatus – *Émollient / Entretien de la peau.*

Gaiazulene : Gaiazulène – *Agent antimicrobien.*

Galactaric acid : Acide mucique – *Entretien de la peau.*

Galactoarabinan : Galactoarabinane – *Agent filmogène.*

Garcinia cambogia extract : Extrait des fruits du tamarinier de Malabar – *Entretien de la peau.*

Gardenia tahitensis flower extract : Extrait de fleurs de tiaré (monoï) – *Entretien de la peau.*

Gelidium cartilagineum extract : Extrait de l'algue Gelidium cartilagineum – *Agent de protection de la peau.*

Geraniol : Géraniol – *Tonifiant. Également composé odorant allergène dont la déclaration est obligatoire.*

Ginkgo biloba extract : Extrait de feuilles de ginkgo biloba – *Tonifiant / Entretien de la peau (Antiradicalaire / Anti-âge).*

Glucose glutamate : Glucose glutamate – *Humectant / Conditionneur capillaire / Entretien de la peau / Agent antistatique.*

Glucose oxidase : Glucose oxidase – *Agent stabilisateur.* Voir aussi p. 14.

Glucose : Glucose – *Humectant.*

Glycerin : Glycérol – *Dénaturant / Humectant / Solvant.*

Glyceryl acrylate/Acrylic acid copolymer : Glyceryl acrylate/Acrylic acid copolymer – *Filmogène.*

Glyceryl behenate : Glyceryl behenate – *Émollient / Agent émulsifiant.*

Glyceryl caprylate : Glyceryl caprylate – *Émollient / Agent émulsifiant.*

Glyceryl citrate/lactate/linoleate/oleate : Esters mixtes de plusieurs acides et de glycérol – *Agent émulsifiant.*

Glyceryl dibehenate : Glyceryl dibehenate – *Émollient.*

Glyceryl laurate : Laurate de glycéryle – *Agent émulsifiant.*

Glyceryl linoleate : Linoléate de glycéryle – *Agent émulsifiant.*

Glyceryl linolenate : Linolénate de glycéryle – *Agent émulsifiant / Émollient.*

Glyceryl oleate citrate : Glyceryl oleate citrate – *Agent émulsifiant.*

Glyceryl oleate : Glyceryl oleate – *Agent émulsifiant.*

Glyceryl polymethacrylate : Glyceryl polymethacrylate – *Agent de contrôle de la viscosité.*

Glyceryl stearate citrate : Glyceryl stearate citrate – *Agent émulsifiant / Entretien de la peau.*

Glyceryl stearate SE : Glyceryl stearate SE – *Agent émulsifiant.*

Glyceryl stearate : Stéarate de glycéryle – *Agent émulsifiant.*

Glycine soja extract : Extrait de fèves de soja – *Entretien de la peau / Émollient / Agent de foisonnement / Conditionneur capillaire / Solvant / Hydratant.*

Glycine soja isoflavones : Isoflavones de soja – *Émollient / Entretien de la peau.*

Glycine soja oil : Huile de soja – *Émollient / Entretien de la peau.*

Glycine soja protein : Protéine de soja – *Entretien de la peau / Solvant / Hydratant / Émollient.*

Glycine soja sterol : Phytostérols de soja – *Émollient/Entretien de la peau.*

Glycine : Glycine – *Agent antistatique / Agent tampon / Entretien de la peau / Conditionneur capillaire.*

Glycol distearate : Distéarate d'éthylène – *Émollient / Agent émulsifiant / Opacifiant / Agent de contrôle de la viscosité / Entretien de la peau.*

Glycol montanate : Glycol montanate – *Agent émulsifiant / Opacifiant / Entretien de la peau.*

Glycol palmitate : Palmitate de glycol – *Agent émulsifiant.*

Glycol stearate : Stéarate de glycol – *Agent émulsifiant (ou tensioactif).*

Glycolic acid : Acide glycolique – *Régulateur de pH / Exfoliant chimique.*

Glycolipids : Glycolipides – *Conditionneur capillaire.*

Glycyrrhetinic acid : Acide glycyrrhétinique – *Entretien de la peau.*

Glycyrrhiza glabra extract : Extrait de racines de réglisse – *Agent apaisant /Agent lissant / Émollient / Hydratant.*

Gossypium herbaceum extract : Extrait de cotonnier – *Entretien de la peau.*

Gossypium oil : Huile de coton – *Émollient/ Entretien de la peau.*

Guanidine carbonate : Carbonate de diguanidinium – *Agent tampon/Entretien de la peau/Agent de défrisage/Actif tenseur.*

Guar hydroxypropyltrimonium chloride : Dérivé de gomme guar – *Agent antistatique/ Agent filmogène/ Agent de contrôle de la viscosité/ Entretien de la peau.*

Hamamelis virginiana distillate : Eau florale d'hamamélis – *Agent astringent/ Entretien de la peau/ Conditionneur capillaire.*

Hamamelis virginiana extract : Extrait d'hamamélis – *Agent astringent/ Vasoconstricteur (améliore la micro-circulation)/ Agent apaisant/ Entretien de la peau/ Conditionneur capillaire.*

Harpagophytum procubens extract : Extrait de racines d'harpagophytum – *Agent apaisant/ Agent astringent/ Entretien de la peau.*

HC Blue n° 2 : *Colorant capillaire, bleu.*

HC Red n° 3 : *Colorant capillaire, rouge.*

Hedera helix extract : Extrait de feuilles de lierre – *Tonifiant/ Entretien de la peau (Restructurant).*

Helianthus annuus seed oil unsaponifiables : Insaponifiable d'huile de tournesol – *Émollient.*

Helianthus annuus seed oil : Huile de tournesol – *Émollient/ Entretien de la peau.*

Helichrysum italicum extract : Extrait de fleurs d'immortelle – *Agent apaisant/ Entretien de la peau.*

Hexamidine diisethionate : Hexamidine diisethionate – *Conservateur/ Agent anti-mousse* (voir aussi p. 432).

Hexyl cinnamal : Hexyl cinnamal – *Composant d'huile essentielle classé parmi les 26 composés odorants allergènes dont la déclaration est obligatoire.*

Hexyldecanol : Hexyldecanol – *Humectant/ Solvant/ Entretien de la peau.*

Hexyldecyl laurate : Hexyldecyl laurate – *Entretien de la peau.*

Hexyldecyl stearate : Hexyldecyl stearate – *Entretien de la peau/ Émollient.*

Hexylene glycol : Hexylèneglycol – *Solvant/ Humectant.*

Hibiscus esculentus extract : Extrait de fleurs d'hibiscus – *Entretien de la peau.*

Hibiscus sabdariffa extract : Extrait de fleurs de roselle (Hibiscus) – *Émollient/ Agent apaisant/ Entretien de la peau.*

Hippophae rhamnoides extract : Extrait des fruits de l'argousier – *Entretien de la peau/ Agent masquant.*

Hippophae rhamnoides oil : Huile des fruits de l'argousier – *Émollient/ Entretien de la peau.*

Histidine : Histidine – *Agent antistatique/ Humectant/ Entretien de la peau.*

Hordeum vulgare extract : Extrait d'orge – *Agent de protection de la peau.*

Humulus lupulus extract : Extrait de houblon – *Tonifiant/ Agent astringent/ Émollient/ Agent apaisant/ Agent antimicrobien/ Entretien de la peau.*

Hydrated silica : Acide silicique – *Agent abrasif/ Agent absorbant/ Opacifiant/ Agent de contrôle de la viscosité /Agent antiagglomérant/ Agent de foisonnement.*

Hydrochloric acid : Acide chlorhydrique – *Régulateur de pH.*

Hydrogenated adansonia digitata oil : Huile de baobab hydrogénée – *Émollient/ Entretien de la peau.*

Hydrogenated avocado oil : Huile d'avocat hydrogénée – *Émollient/ Entretien de la peau.*

Hydrogenated caprylyl olive esters : Hydrogenated caprylyl olive esters – *Émollient.*

Hydrogenated castor oil : Huile de ricin hydrogénée – *Émollient/ Agent de contrôle de la viscosité/ Entretien de la peau.*

Hydrogenated coco-glycerides : Glycérides de coco hydrogénées – *Émollient/ Entretien de la peau.*

Hydrogenated jojoba wax : Cire de jojoba hydrogénée – *Émollient/ Entretien de la peau.*

Hydrogenated lecithin : Lécithines hydrogénées – *Agent émulsifiant.*

Hydrogenated myristyl olive esters : Ester d'acides gras d'huile d'olive hydrogéné – *Entretien de la peau.*

Hydrogenated palm glycerides citrate : Dérivés de glycérides d'huile de palme hydrogénés – *Émollient/ Agent émulsifiant (ou tensioactif)/ Entretien de la peau/ Agent stabilisateur.*

Hydrogenated palm glycerides : Glycérides d'huile de palme hydrogénés – *Émollient/ Entretien de la peau/ Agent de contrôle de la viscosité.*

Hydrogenated palm kernel glycerides : Glycérides d'huile de palme hydrogénés – *Émollient/ Agent stabilisateur.*

Hydrogenated palm/Palm kernel oil PEG-6 esters : Hydrogenated palm/Palm kernel oil PEG-6 esters – *Émollient/ Agent émulsifiant/ Entretien de la peau/tensioactif/ Agent stabilisateur.*

Hydrogenated phosphatidylcholine : Lécithines hydrogénées – *Émulsifiant.*

Hydrogenated polydecene : Polydécène hydrogéné – *Émollient.*

Hydrogenated polyisobutene : Hydrogenated polyisobutene (dérivé d'hydrocarbures) – *Émollient/ Entretien de la peau/ Agent de contrôle de la viscosité.*

Hydrogenated starch hydrolysate : Hydrogenated starch hydrolysate – *Humectant.*

Hydrogenated stearyl olive esters : Hydrogenated stearyl olive esters – *Émollient/ Agent de contrôle de la viscosité.*

Hydrogenated vegetable oil : Huiles végétales hydrogénées – *Émollient/ Entretien de la peau.*

Hydrolyzed adansonia digitata leaf extract : Extrait de feuilles de baobab hydrolysées – *Hydratant/ Astringent.*

Hydrolyzed beeswax : Cire d'abeille hydrolysée – *Stabilisateur d'émulsion/ Agent stabilisateur.*

Hydrolyzed milk protein : Hydrolysats de protéines de lait – *Agent antistatique/ Entretien de la peau/ Conditionneur capillaire.*

Hydrolyzed oats : Avoine hydrolysée – *Agent antistatique/ Entretien de la peau/ Conditionneur capillaire.*

Hydrolyzed rice protein : Hydrolysats de protéines de riz – *Agent antistatique/ Entretien de la peau/ Conditionneur capillaire.*

Hydrolyzed silk : Hydrolysats de protéines de soie – *Agent antistatique/ Humectant/ Conditionneur capillaire/ Entretien de la peau.*

Hydrolyzed soy protein : Hydrolysats de protéines de germes de soja – *Agent antistatique/ Humectant/ Conditionneur capillaire/ Entretien de la peau.*

Hydrolyzed soy starch : Amidon de soja – *Entretien de la peau (Absorbant/ Matifiant).*

Hydrolyzed vegetable protein : Protéines végétales hydrolysées – *Agent antistatique/ Conditionneur capillaire/ Entretien de la peau.*

Hydrolyzed wheat gluten : Hydrolysats de gluten de blé – *Hydratant/ Agent de protection de la peau/ Entretien de la peau.*

Hydrolyzed wheat peptides : Peptides de blé hydrolysées – *Agent antistatique/ Conditionneur capillaire/ Entretien de la peau.*

Hydrolyzed wheat protein : Hydrolysats de protéines de germes de blé – *Agent antistatique/ Conditionneur capillaire/ Entretien de la peau.*

Hydrolyzed wheat starch : Amidon de blé hydrolysé – *Agent de contrôle de la viscosité.*

Hydroxycitronellal : Hydroxycitronellal – *Agent masquant. Également composé odorant allergène dont la déclaration est obligatoire.*

Hydroxyethyl acrylate/Sodium acryloyldimethyl taurate copolymer : Hydroxyethyl acrylate/Sodium acryloyldimethyl taurate copolymer – *Agent de contrôle de la viscosité.*

Hydroxyethyl ethylcellulose : Hydroxyethylcellulose – *Liant/ Stabilisateur d'émulsion/ Agent filmogène/ Agent de contrôle de la viscosité.*

Hydroxyethylcellulose : voir Hydroxyéthyl ethylcellulose.

Hydroxyisohexyl 3-cyclohexene carboxaldehyde : Hydroxyisohexyl 3-cyclohexene carboxaldehyde – *Composant synthétique classé parmi les 26 composés odorants allergènes dont la déclaration est obligatoire.*

Hydroxypropyl guar hydroxypropyltrimonium chloride : Dérivé de gomme de Guar – *Agent antistatique/ Conditionneur capillaire.*

Hydroxypropyl guar : Dérivé de gomme de Guar – *Agent antistatique/ Liant/ Stabilisateur d'émulsion/ Agent filmogène/ Agent de contrôle de la viscosité/ Tensioactif.*

Hydroxypropyl methylcellulose : Hydroxypropylméthylcellulose – *Liant/ Stabilisateur d'émulsion/ Agent filmogène/ Agent de contrôle de la viscosité/ Agent antistatique/ Tensioactif.*

Hydroxypropyl starch phosphate : Amidon modifié – *Stabilisateur d'émulsion.*

Hydroxystearic/Linolenic/Oleic polyglycerides : Hydroxystearic/Linolenic/Oleic polyglycerides – *Émollient.*

Hypericum perforatum extract : Extrait de fleurs et feuilles de millepertuis – *Agent astringent/ Agent apaisant/ Agent de protection de la peau/ Tonifiant/ Agent antimicrobien/ Agent masquant.*

Hypericum perforatum oil : Huile de fleurs de millepertuis – *Émollient.*

Illite : Illite (argile) – *Agent absorbant.*

Imidazolidinyl urea : Imidazolidinylurée – *Conservateur (libérateur de formol, voir aussi p. 24 et 432).*

Indigofera tinctoria : Feuilles d'indigofera broyées – *Tonifiant/ Agent masquant/ Colorant capillaire bleu.*

Inositol : Inositol – *Agent antistatique/ Humectant/ Conditionneur capillaire.*

Inulin lauryl carbamate : Inulin lauryl carbamate – *Émulsifiant.*

Inulin : Inuline – *Émollient.*

Iodopropynyl butylcarbamate : Butylcarbamate de 3-iodo-2-propynyle – *Conservateur* (voir aussi p. 432).

Iron glycerophosphate : Glycérophosphate de fer – *Entretien de la peau.*

Irvingia gabonensis oil : Huile d'Irvingia gabonensis (amandier africain) – *Émollient/ Entretien de la peau.*

Isobutane : Isobutane – *Gaz propulseur* (voir aussi p. 22).

Isodecyl neopentanoate : Isodecyl neopentanoate – *Émollient/ Entretien de la peau.*

Isododecane : Isododecane (dérivé d'hydrocarbures) – *Émollient/ Solvant.*

Isoeugenol : Isoeugénol – *Agent masquant. Également composé odorant allergène dont la déclaration est obligatoire.*

Isohexadecane : Isohexadecane (hydrocarbures) – *Émollient/ Solvant/ Entretien de la peau.*

Isononyl isononanoate : Isononyl isononanoate – *Agent antistatique/ Émollient/ Entretien de la peau.*

Isopropyl alcohol : Alcool isopropylique – *Agent antimousse/ Solvant/ Agent de contrôle de la viscosité.*

Isopropyl myristate : Myristate d'isopropyle – *Émollient/ Solvant.*

Isopropyl palmitate : Palmitate d'isopropyle – *Agent antistatique/ Liant/ Émollient/*

Isopropyl stearate : Stéarate d'isopropyle – *Solvant/ Liant/ Émollient/ Entretien de la peau.*

Isostearic acid : Acide isostéarique – *Facteur de consistance/ Surgraissant/ Donne naissance à un tensioactif par action d'une base.*

Isostearyl diglyceryl succinate : Isostearyl diglyceryl succinate – *Agent antistatique/ Entretien de la peau.*

Jasminum grandiflorum oil : Huile essentielle de jasmin – *Parfum/ Entretien de la peau/ Agent apaisant/ Agent masquant.* **Peut contenir :** Benzyl benzoate, Linalool, Geraniol.

Jasminum officinale extract : Extrait de fleurs de jasmin – *Entretien de la peau/ Hydratant/ Agent apaisant/ Agent masquant.*

Jojoba esters : Mélange d'huile de jojoba et de cire de jojoba hydrogénée – *Entretien de la peau/ Émollient/ Agent apaisant/ Hydratant.* En micro-billes : *Exfoliant.*

Jojoba wax : Voir Hydrogenated jojoba wax.

Juglans nigra shell extract : Extrait des coques du noyer – *Agent astringent/ Agent masquant/ Colorant.*

Juglans regia extract : Extrait de feuilles de noyer – *Agent astringent/ Colorant.*

Juniperus communis oil : Huile essentielle de genévrier – *Agent déodorant/ Agent antiséborrhéique/ Agent masquant.* **Peut contenir :** Limonene, Coumarin.

Juniperus oxycedrus wood oil : Huile de genévrier cade – *Agent masquant/ Agent antiséborrhéique.*

Kaolin : Kaolin (Argile) – *Agent absorbant/ Agent anti-agglomérant/ Agent abrasif/ Agent de foisonnement/ Opacifiant/ Colorant blanc (CI 77004)*

Kaolinite : Kaolinite (Argile) – *Agent absorbant/ Agent anti-agglomérant/ Agent abrasif/ Agent de foisonnement/ Opacifiant.*

Kigelia africana extract : Extrait de kigelia africana (ou saucissonier) – *Agent de protection de la peau.*

Krameria triandra extract : Extrait de ratanhia – *Agent astringent/ Agent nettoyant.*

Lactic acid : Acide lactique – *Régulateur de pH/ Humectant/ Entretien de la peau.*

Lactoflavin : Riboflavine – *Colorant cosmétique jaune/ Colorant capillaire.*

Lactoflavine : Lactoflavine (Curcumine) – *Colorant jaune.*

Lactoperoxidase : Lactoperoxidase – *Agent stabilisateur* (Voir aussi p. 14).

Laminaria ochroleuca extract : Extrait d'algue Laminaria ochroleuca – *Agent de protection de la peau.*

Lanolin alcohol : Alcools de lanoline – *Conditionneur capillaire/ Agent de contrôle de la viscosité/ Liant.*

Lanolin : Lanoline (substance grasse obtenue à partir de laine de mouton) – *Agent antistatique/ Émollient/ Agent émulsifiant (ou tensioactif)/ Entretien de la peau/ Conditionneur capillaire.*

Lauramidopropyl betaine : Lauramidopropyl betaine – *Agent antistatique/ Tensioactif/ Agent nettoyant/ Agent de contrôle de la viscosité/ Synergiste de mousse/ Conditionneur capillaire/ Entretien de la peau.*

Laurdimonium hydroxypropyl hydrolyzed wheat protein : Dérivé de protéines de blé hydrolysées – *Agent antistatique/ Conditionneur capillaire.*

Laureth-2 : Laureth-2 (éthoxylé) – *Agent émulsifiant (ou tensioactif)/ Agent nettoyant.*

Laureth-3 : Laureth-3 (éthoxylé) – *Agent émulsifiant (ou tensioactif).*

Laureth-4 : Laureth-4 (éthoxylé) – *Agent émulsifiant (ou tensioactif)/ Agent masquant/ Agent antistatique.*

Laureth-7 : Laureth-7 – *Agent émulsifiant (ou tensioactif).*

Laureth-9 : Laureth-9 (Polidocanol – *éthoxylé) – Agent émulsifiant (ou tensioactif).*

Lauric acid : Acide laurique (acide gras) – *Entretien de la peau (restaure la barrière cutanée).*

Lauroyl lactate : Lactate de lauroyle – *Hydratant.*

Lauroyl lysine : Lauroyl lysine – *Agent de contrôle de la viscosité/ Conditionneur capillaire/ Entretien de la peau.*

Lauroyl sarcosine : Lauroylsarcosine – *Agent antistatique/ Tensioactif/Agent nettoyant/ Conditionneur capillaire.*

Laurus nobilis oil : Huile essentielle de laurier – *Agent rafraîchissant/ Tonifiant/ Agent masquant.* **Peut contenir :** Linalool, Geraniol, Eugenol. NB : l'huile de graines de laurier est interdite d'utilisation cosmétique.

Lauryl alcohol : Alcool laurylique (Alcool gras) – *Émollient/ Surgraissant (reconstitue la barrière cutanée)/ Stabilisateur d'émulsion/ Agent de contrôle de la viscosité.*

Lauryl aminopropylglycine : Lauryl aminopropylglycine – *Agent antistatique/ Conditionneur capillaire/ Entretien de la peau.*

Lauryl betaine : Lauryl betaine – *Agent antistatique/ Tensioactif/ Conditionneur capillaire/ Entretien de la peau/ Agent nettoyant.*

Lauryl diethylenediaminoglycine : Dodicine – *Agent antistatique/ Conditionneur capillaire/ Entretien de la peau.*

Lauryl glucoside : Lauryl glucoside – *Tensioactif.*

Lauryl lactate : Lactate de lauryle – *Émollient/ Entretien de la peau.*

Lauryl laurate : Lauryl laurate – *Émollient.*

Lauryl pyrrolidone : Lauryl pyrrolidone – *Tensioactif/ Agent nettoyant/ Conditionneur capillaire.*

Lavandula angustifolia extract : Extrait de fleurs de lavande – *Tonifiant/ Agent rafraîchissant/ Agent nettoyant/ Agent déodorant/ Agent masquant.*

Lavandula angustifolia oil : Huile essentielle de lavande – *Tonifiant/ Agent masquant.* **Peut contenir :** Linalool, Limonene, Geraniol.

Lavandula angustifolia water (ou aqua ou distillate) : Eau florale de lavande – *Eau parfumée.*

Lavandula hybrida oil : Huile essentielle de fleurs de lavandin – *Tonifiant/ Agent masquant.* **Peut contenir :** Linalool, Coumarin.

Lavandula hybrida water : Eau florale de lavandin – *Tonifiant/ Parfum.*

Lawsonia inermis extract : Extrait de fleurs, fruits et feuilles de henné – *Agent masquant/ Colorant capillaire.*

Lecithin : Lécithine – *Agent antistatique/ Émollient/ Agent émulsifiant/ Entretien de la peau/ Composant des liposomes.*

Leontopodium alpinum extract : Extrait de fleurs d'edelweiss – *Entretien de la peau.*

Levulinic acid : Acide lévulinique – *Entretien de la peau.*

Lilium candidum extract : Extrait des bulbes du lis blanc – *Humectant/ Agent apaisant/ Émollient/ Agent masquant.*

Limnanthes alba seed oil : Huile de graines de limnanthe blanc (herbe de la prairie) – *Émollient / Agent déodorant.*

Limonene : Limonène – *Composant d'huile essentielle classé parmi les 26 composés odorants allergènes dont la déclaration est obligatoire.*

Linalool : Linalol – *Agent déodorant. Également composé odorant allergène dont la déclaration est obligatoire.*

Linoleamidopropyl PG-Dimonium chloride phosphate : Linoleamidopropyl PG-Dimonium chloride phosphate – *Agent antistatique.*

Lippia citriodora extract : Extrait de fleurs de verveine citronnée – *Tonifiant.*

Litchi chinensis extract : Extrait des fruits du litchi – *Entretien de la peau.*

Litsea cubeba oil : Huile essentielle de baies de litsée (verveine citronnée) – *Tonifiant.* **Peut contenir :** Citral, Limonene, Linalool, Citronellol, Geraniol.

Lupinus albus oil : Huile de graines de lupin – *Conditionneur capillaire / Entretien de la peau / Émollient.*

Lysine HCl : Voir Lysine hydrochloride.

Lysine hydrochloride : Lysine hydrochloride – *Entretien de la peau.*

Lysine : Lysine – *Agent antistatique / Conditionneur capillaire / Entretien de la peau.*

Lysolecithin : Lécithines hydrolysées – *Agent émulsifiant.*

Macadamia ternifolia extract : Extrait de noix de Macadamia – *Émollient / Entretien de la peau.*

Macadamia ternifolia seed oil : Huile de noix de Macadamia – *Émollient / Entretien de la peau.*

Madecassoside : Voir Centella asiatica extract.

Magnesium aluminum silicate : Silicate double de magnésium et d'aluminum – *Agent absorbant / Opacifiant / Agent de contrôle de la viscosité / Agent anti-agglomérant.*

Magnesium ascorbyl phosphate : Magnesium ascorbyl phosphate (forme stabilisée de la vitamine C) – *Antioxydant.*

Magnesium carbonate (CI 77713) : Carbonate de magnésium – *Agent absorbant / Opacifiant / Agent de foisonnement / Liant / Colorant blanc.*

Magnesium gluconate : Gluconate de magnésium – *Entretien de la peau.*

Magnesium nitrate : Nitrate de magnésium – *Conditionneur capillaire.*

Magnesium stearate : Stéarate de magnésium – *Colorant cosmétique / Agent de foisonnement / Agent anti-agglomérant.*

Magnesium sulfate : Sulfate de magnésium – *Agent de contrôle de la viscosité / Conditionneur capillaire / Agent de foisonnement.*

Majorana hortensis : Voir Origanum majorana extract.

Malachite extract : Extrait de malachite – *Raffermissant.*

Malic acid : Acide malique (Acide de fruit issu de la pomme) – *Régulateur de pH / Hydratant ou kératolytique selon le pourcentage utilisé.*

Malpighia glabra extract : Extrait d'acérola – *Entretien de la peau.*

Maltodextrin : Maltodextrine – *Agent absorbant / Liant / Stabilisateur d'émulsion / Agent filmogène / Entretien de la peau / Conditionneur capillaire.*

Malva sylvestris extract : Extrait de fleurs et de feuilles de mauve – *Agent apaisant / Agent lissant / Émollient.*

Manganese gluconate : Gluconate de manganèse – *Entretien de la peau.*

Manganese sulfate : Sulfate de manganèse – *Entretien de la peau.*

Mangifera indica butter : Beurre de mangue – *Émollient/Entretien de la peau.*

Mangifera indica extract : Extrait des fruits du manguier – *Entretien de la peau.*

Mangifera indica seed oil : Huile de noyaux de mangue – *Émollient/ Entretien de la peau.*

Mannitol : Mannitol – *Liant/ Humectant/ Agent masquant/ Entretien de la peau/ Hydratant.*

Maris aqua : Eau de mer – *Entretien de la peau.*

Maris sal : Sel de mer – *Entretien de la peau.*

Mel : Miel – *Émollient/ Humectant/ Hydratant.*

Melaleuca alternifolia oil : Huile essentielle de feuilles d'arbre à thé – *Agent antimicrobien.* **Peut contenir :** Limonene.

Melaleuca leucadendron oil : Huile essentielle de cajeput – *Tonifiant.* **Peut contenir :** Eugenol.

Melaleuca viridiflora oil : Huile essentielle de niaouli - – *Tonifiant/ Agent masquant.*

Melia azadirachta extract : Extrait d'écorce de margousier – *Entretien de la peau.*

Melia azadirachta leaf extract : Extrait de feuilles de margousier – *Entretien de la peau.*

Melia azadirachta seed oil : Huile de graines de margousier – *Émollient.*

Melilotus officinalis extract : Extrait de mélilot – *Agent apaisant/ Agent astringent/ Agent masquant.*

Melissa officinalis distillate : Eau florale de mélisse – *Tonifiant/ Agent masquant.*

Melissa officinalis extract : Extrait de mélisse – *Tonifiant/ Agent apaisant.*

Mentha arvensis leaf extract : Extrait de feuilles de menthe – *Agent rafraîchissant/ Agent masquant.*

Mentha piperita extract : Extrait de feuilles de menthe poivrée – *Tonifiant/ Agent nettoyant/ Agent rafraîchissant/ Agent déodorant/ Agent masquant.*

Mentha piperita oil : Huile essentielle de menthe poivrée – *Tonifiant/ Agent rafraîchissant/ Agent déodorant/ Agent masquant.* **Peut contenir :** Limonene, Linalool, Coumarine.

Mentha piperita water : Eau florale de menthe – *Tonifiant/ Agent rafraîchissant/ Agent déodorant/ Agent masquant.*

Menthol : Menthol – *Dénaturant/ Agent apaisant/ Agent rafraîchissant/ Agent masquant.*

Menthoxypropanediol : Menthoxypropanediol – *Agent rafraîchissant/ Agent masquant.*

Methicone : Méthicone – *Agent antistatique/ Émollient.*

Methyl gluceth-20 : Methyl gluceth-20 (éthoxylé) – *Humectant/ Hydratant/ Tensioactif.*

Methyl glucose sesquistearate : Methyl glucose sesquistearate – *Émollient/ Agent émulsifiant/ Entretien de la peau.*

Methyl methacrylate crosspolymer : Methyl methacrylate crosspolymer – *Agent filmogène.*

Methyl tyrosinate HCl : Methyl tyrosinate HCl – *Activateur de bronzage.*

Methylchloroisothiazolinone : Methylchloroisothiazolinone – *Conservateur* (voir aussi p. 432).

Methylisothiazolinone : Methylisothiazolinone – *Conservateur* (voir aussi p. 433).

Methylparaben : Méthylparaben – *Conservateur* (voir aussi p. 433).

Methylpropanediol : Methylpropanediol – *Solvant.*

Methylsilanol acetyltyrosine : Methylsilanol acetyltyrosine – *Agent antistatique/ Entretien de la peau.*

Methylsilanol mannuronate : Methylsilanol mannuronate – *Agent antistatique/ Entretien de la peau.*

Mica : Minéral blanc – *Opacifiant/ Colorant blanc (CI 77019).*

Microcrystalline cellulose : Cellulose microcrystalline– *Agent absorbant/ Stabilisateur d'émulsion/ Opacifiant/ Agent de contrôle de la viscosité/ Agent stabilisateur/ Agent anti-aggloméránt/ Agent de foisonnement.*

Montmorillonite : Montmorillonite – *Agent absorbant/ Stabilisateur d'émulsion/ Agent de contrôle de la viscosité/ Agent de foisonnement/ Agent stabilisateur.*

Myristamine oxide : Myristamine oxide – *Agent antistatique/ Agent émulsifiant (ou tensioactif)/ Agent nettoyant/ Conditionneur capillaire/ Synergiste de mousse/ Hydrotrope.*

Myristic acid : Acide tétradécanoïque (acide gras) – *Entretien de la peau.*

Myristyl alcohol : Alcool myristylique – *Émollient/ Stabilisateur d'émulsion/ Agent de contrôle de la viscosité/ Entretien de la peau/ Synergiste de mousse.*

Myristyl glucoside : Myristyl glucoside – *Émollient/ Entretien de la peau.*

Myristyl lactate : Lactate de tétradécyle – *Émollient/ Entretien de la peau.*

Myristyl myristate : Myristate de myristyle – *Émollient/ Opacifiant/ Entretien de la peau.*

Myrtus communis extract : Extrait de feuilles de myrte – *Agent astringent.*

Nasturtium officinale extract : Extrait de fleurs et feuilles de cresson de fontaine – *Agent de gélification/ Tonifiant/ Agent apaisant.*

Nelumbium speciosum extract : Extrait de fleurs de lotus – *Agent de gélification/ Tonifiant/ Agent apaisant.*

Nelumbo nucifera flower extract : Voir Nelumbium speciosum extract.

Niacinamide : Nicotinamide (vitamine PP) – *Agent lissant.*

Nicomethanol hydrofluoride : Fluorinol – *Hygiène buccale (fluorure organique)/ Agent anti-plaque.*

Nitrocellulose : Nitrocellulose – *Agent filmogène (dans les vernis à ongles).*

Nylon-12 : Nylon-12 – *Opacifiant/ Agent de contrôle de la viscosité/ Agent de foisonnement.*

Oat beta-glucan : Bêta-glucane d'avoine – *Entretien de la peau.*

Ocinum basilicum oil : Huile essentielle de basilic – *Tonifiant/ Agent masquant.* **Peut contenir :** Linalool, Eugenol, Citronellol, Geraniol.

Octyl stearate : Voir Ethylhexyl Stearate.

Octyldodecanol : Octyldodecanol – *Émollient/ Solvant.*

Octyldodeceth-25 : Octyldodeceth-25 – *Agent émulsifiant/ Agent nettoyant.*

Octyldodecyl stearoyl stearate : Octyldodecyl stearoyl stearate – *Émollient/ Agent de contrôle de la viscosité.*

O-Cymen-5-ol : O-Cymen-5-ol (Thymol) – *Conservateur* (voir aussi p. 433).

Oenothera biennis oil : Huile d'onagre – *Émollient.*

Olaflur : Olafluor – *Hygiène buccale (fluorure organique)/ Agent anti-plaque / Fixateur capillaire.*

Olea europaea extract : Extrait des fruits de l'olivier – *Conditionneur capillaire/ Entretien de la peau.*

Olea europaea leaf extract : Extrait des feuilles de l'olivier – *Conditionneur capillaire / Entretien de la peau.*

Olea europaea oil : Huile des fruits de l'olivier – *Émollient/ Solvant.*

Oleic/Linoleic/Linolenic polyglycerides : Oleic/Linoleic/Linolenic polyglycerides – *Émollient.*

Oleyl alcohol : Alcool oléylique – *Émollient/ Agent émulsifiant/ Opacifiant/ Agent de contrôle de la viscosité.*

Olivamidopropyl betaine : Olivamidopropyl betaine – *Tensioactif / Agent nettoyant.*

Olivoyl hydrolyzed wheat protein : Huile d'olive + Protéines de blé hydrolysées – *Émollient / Émulsifiant (ou tensioactif).*

Olus oil : Huile végétale (très riche en acides gras) – *Émollient.*

o-Phenylphenol : o-Phenylphenol – *Conservateur* (voir p. 433).

Opuntia ficus indica fruit extract : Extrait de fruit de figuier de Barbarie – *Entretien de la peau.*

Orbignya oleifera oil : Huile de babassu (palmier) – *Émollient.*

Origanum compactum oil : Huile essentielle d'origan – *Tonifiant.* **Peut contenir :** Linalool.

Origanum majorana extract : Extrait de feuilles de marjolaine – *Agent rafraichissant / Tonifiant / Agent de gélification.*

Origanum vulgare oil : Huile essentielle de marjolaine – *Tonifiant.* **Peut contenir :** Linalool

Ormenis multicaulis oil : Huile essentielle de camomille sauvage – *Agent masquant / Tonifiant.* Ne contient pas d'allergènes dont la déclaration est obligatoire.

Oryza sativa bran oil : Huile de son de riz – *Émollient.*

Oryza sativa germ powder : Poudre de riz – *Agent de foisonnement / Agent absorbant / Abrasif.*

Oryza sativa hull powder : Poudre de balles (enveloppe du grain) de riz – *Agent abrasif.*

Oryza sativa starch : Amidon de riz – *Agent absorbant / Liant / Agent de contrôle de la viscosité / Agent de foisonnement.*

Oryzanol : Oryzanol – *Agent antistatique / Entretien de la peau.*

Oxycoccus palustris seed oil : Huile de canneberge – *Entretien de la peau.*

Ozokerite : Ozokérite (Cires d'hydrocarbures) – *Liant / Stabilisateur d'émulsion / Opacifiant / Agent de contrôle de la viscosité.*

Palm glycerides : Glycérides d'huile de palme – *Émollient / Agent émulsifiant.*

Palm kernel acid : Acides gras d'huile de palmiste – *Émollient.*

Palmitamide MEA : Palmitamide MEA – *Agent antistatique / Agent de contrôle de la viscosité / Synergiste de mousse.*

Palmitic acid : Acide palmitique – *Émollient / Agent émulsifiant après action d'une base / Surgraissant.*

Palmitoyl hydrolyzed wheat protein : Dérivé de protéines de blé hydrolysées – *Tensioactif / Agent nettoyant.*

Palmitoyl oligopeptide : Palmitoyl oligopeptide – *Entretien de la peau / Agent nettoyant.*

Panax ginseng extract : Extrait de racine de ginseng – *Tonifiant / Conditionneur capillaire / Émollient / Agent de protection de la peau.*

p-Anisic acid : Acide 4-méthoxybenzoïque – *Agent masquant.*

Panthenol : Panthénol (Provitamine B5) – *Agent antistatique / Conditionneur capillaire / Entretien de la peau.*

Panthenyl ethyl ether : Panthenyl ethyl ether – *Agent antistatique / Conditionneur capillaire.*

Pantolactone : Pantolactone – *Humectant / Conditionneur capillaire.*

Papaver rhoeas extract : Extrait de pétales de coquelicot – *Agent apaisant / Émollient.*

Paraffin : Paraffine – *Émollient / Agent de contrôle de la viscosité.*

Paraffinum liquidum : Huile de paraffine (hydrocarbures liquides dérivés de la chimie des pétroles) – *Agent antistatique / Émollient / Solvant / Agent de protection de la peau.*

Parfum : Parfum et compositions aromatiques ainsi que leurs matières premières – *Agent déodorant / Agent masquant.*

Paullinia cupana extract : Extrait de graines de guarana – *Entretien de la peau / Tonifiant.*

PEG/PPG-14/4 dimethicone : PEG/PPG-14/4 dimethicone (dérivé de silicone éthoxylé) – *Conditionneur capillaire / Agent antistatique / Émollient.*

PEG/PPG-18/18 dimethicone : PEG/PPG-18/18 dimethicone (dérivé de silicone éthoxylé) – *Conditionneur capillaire / Agent antistatique / Émollient.*

PEG-100 stearate : PEG-100 stearate (éthoxylé) – *Tensioactif.*

PEG-12 dimethicone : Siliglycol (dérivé de silicone éthoxylé) – *Agent filmogène* (Voir aussi : PEG, p. 24).

PEG-12 PEG-50 lanolin : PEG-12 PEG-50 lanolin (éthoxylé) – *Agent émulsifiant.*

PEG-12 : PEG-12 (éthoxylé) – *Humectant / Solvant* (Voir aussi : PEG, p. 24).

PEG-120 methyl glucose dioleate : PEG-120 methyl glucose dioleate (éthoxylé) – *Agent émulsifiant.*

PEG-15 cocopolyamine : PEG-15 cocopolyamine (éthoxylé) – *Agent antistatique / Agent émulsifiant.*

PEG-150 distearate : PEG-150 distearate (éthoxylé) – *Agent émulsifiant (ou tensioactif) / Agent de contrôle de la viscosité.*

PEG-20 methyl glucose sesquistearate : PEG-20 methyl glucose sesquistearate (éthoxylé) – *Émollient / Agent émulsifiant / Entretien de la peau.*

PEG-200 hydrogenated glyceryl palmate : PEG-200 hydrogenated glyceryl palmate (éthoxylé) – *Émollient.*

PEG-2M : PEG-2M (éthoxylé) – *Liant / Stabilisateur d'émulsion / Agent de contrôle de la viscosité.*

PEG-30 dipolyhydroxystearate : PEG-30 dipolyhydroxystearate (éthoxylé) – *Agent émulsifiant.*

PEG-33 castor oil : Huile de ricin éthoxylée – *Agent émulsifiant (ou tensioactif).*

PEG-35 castor oil : PEG-35 castor oil (Huile de ricin éthoxylée) – *Agent émulsifiant (ou tensioactif).*

PEG-4 : PEG-4 (éthoxylé) – *Humectant / Solvant.*

PEG-4 rapeseedamide : PEG-4 rapeseedamide (éthoxylé) – *Agent de contrôle de la viscosité.*

PEG-40 hydrogenated castor oil : Huile de ricin hydrogénée et éthoxylée – *Agent émulsifiant (ou tensioactif).* (Voir aussi : PEG, p. 24)

PEG-6 Caprylic/Capric glycerides : PEG-6 Caprylic/Capric glycerides – *Agent émulsifiant.*

PEG-6 stearate : PEG-6 stearate (éthoxylé) – *Agent émulsifiant.*

PEG-60 almond glycerides : PEG-60 almond glycerides (éthoxylé) – *Agent émulsifiant.*

PEG-7 glyceryl cocoate : PEG-7 glyceryl cocoate (éthoxylé) – *Agent émulsifiant (ou tensioactif).*

PEG-8 : PEG-8 (éthoxylé) – *Humectant / Solvant.*

PEG-90 glyceryl isostearate : PEG-90 glyceryl isostearate (éthoxylé) – *Agent émulsifiant.*

Pelargonium asperum oil : Voir Pelargonium graveolens oil.

Pelargonium graveolens oil : Huile essentielle de fleurs de géranium – *Tonifiant.* **Peut contenir :** Citronellol, Geraniol, Linalool.

Pentaerythrityl distearate : Pentaerythrityl distearate – *Agent émulsifiant.*

Pentaerythrityl stearate/caprate/caprylate adipate : Pentaerythrityl stearate/caprate/caprylate adipate – *Émollient.*

Pentylene glycol : Pentylène glycol – *Humectant.*

Persea gratissima oil unsaponifiables : Unsaponifiables d'huile d'avocat - *Émollient/ Agent stabilisateur.*

Persea gratissima oil : Huile d'avocat - *Émollient.*

Phenethyl alcohol : Alcool de phénétyle - *Agent déodorant.*

Phenoxyethanol : Phénoxyéthanol - *Conservateur* (voir aussi p. 24 et 433).

Phenyl trimethicone : Phenyl trimethicone (dérivé de silicone) - *Agent antimousse/ Agent antistatique/ Émollient.*

Phospholipids : Phospholipides - *Entretien de la peau.*

Phytantriol : Phytantriol - *Humectant.*

Phytic acid : Acide phytique - *Agent de chélation.*

Pimpinella anisum extract : Extrait des fruits de l'anis vert - *Hygiène buccale/ Agent masquant.*

Pinus sylvestris cone extract : Extrait des cônes du pin sylvestre - *Tonifiant/ Agent antipelliculaire/ Agent nettoyant/ Agent de gélification.*

Pinus sylvestris leaf extract : Extrait d'aiguilles de pin sylvestre - *Tonifiant.*

Pinus sylvestris oil : Huile essentielle de pin sylvestre - *Tonifiant.* **Peut contenir :** Limonene.

Piper nigrum oil : Huile essentielle de poivre - *Tonifiant/ Agent rafraîchissant.* **Peut contenir :** Linalool.

Piroctone olamine : Piroctone olamine - *Conservateur/ Agent antipelliculaire* (voir aussi p. 433).

Pistacia vera seed oil : Huile de pistache - *Émollient.*

Plumeria alba extract : Extrait de fleurs de frangipanier - *Entretien de la peau.*

Pogostemon cablin oil : Huile essentielle de patchouli - *Agent masquant.* **Peut contenir :** Eugenol, Cinnamal, Limonene.

Poloxamer 188 : Poloxamère 188 (éthoxylé) - *Agent émulsifiant (ou tensioactif).*

Polyacrylamide : Polyacrylamide - *Agent antistatique/ Liant/ Agent filmogène.*

Polyacrylate-4 : Polyacrylate-4 - *Pigment à effets spéciaux.*

Polyaminopropyl biguanide : Polyaminopropyl biguanide - *Conservateur* (voir aussi p. 433).

Polyethylene : Homopolymère d'éthylène - *Agent antistatique/ Liant/ Stabilisateur d'émulsion/ Agent filmogène/ Agent de contrôle de la viscosité/ Poudre de charge.* En micro-billes : *Abrasif bucco-dentaire/ Exfoliant.*

Polyglyceryl-10 laurate : Polyglyceryl-10 laurate - *Agent émulsifiant.*

Polyglyceryl-2 dipolhydroxystearate : Polyglyceryl-2 dipolhydroxystearate - *Agent émulsifiant.*

Polyglyceryl-2 dipolydroxystearate : Polyglyceryl-2 dipolydroxystearate - *Entretien de la peau.*

Polyglyceryl-2 dipolyhydroxystearate : Polyglyceryl-2 dipolyhydroxystearate - *Entretien de la peau.*

Polyglyceryl-2 sesquiisostearate : Polyglyceryl-2 sesquiisostearate - *Agent émulsifiant.*

Polyglyceryl-3 caprylate : Polyglyceryl-3 caprylate - *Agent émulsifiant.*

Polyglyceryl-3 diisostearate : Polyglyceryl-3 diisostearate - *Agent émulsifiant.*

Polyglyceryl-3 distearate : Polyglyceryl-3 distearate - *Agent émulsifiant.*

Polyglyceryl-3 polyricinoleate : Polyglyceryl-3 polyricinoleate - *Agent émulsifiant/ Agent de contrôle de la viscosité.*

Polyglyceryl-6 distearate : Polyglyceryl-6 distearate – *Agent émulsifiant.*

Polyglyceryl-6 polyricinoleate : Polyglyceryl-6 polyricinoleate – *Agent émulsifiant / Agent de contrôle de la viscosité.*

Polyglyceryl-6 polyricinoleate : Polyglyceryl-6 polyricinoleate – *Agent émulsifiant / Agent de contrôle de la viscosité.*

Polyhydroxystearic acid : Acide polyhydroxystéarique – *Agent émulsifiant.*

Polymethyl methacrylate : Polymethyl methacrylate – *Agent filmogène / Agent de contrôle de la viscosité.*

Polymethyl methacrylate : Polymethyl methacrylate – *Agent filmogène.*

Polyquaternium-10 : Polyquaternium-10 – *Agent antistatique / Agent filmogène.*

Polyquaternium-22 : Polyquaternium-22 – *Agent antistatique / Agent filmogène.*

Polyquaternium-37 : Polyquaternium-37 – *Agent antistatique / Agent filmogène.*

Polyquaternium-61 : Polyquaternium-61 – *Agent antistatique / Agent filmogène.*

Polyquaternium-7 : Polyquaternium-7 – *Agent antistatique / Agent filmogène.*

Polysilicone-6 : Polysilicone-6 (silicone) – *Agent filmogène.*

Polysorbate 20 : Polysorbate 20 (éthoxylé) – *Agent émulsifiant (ou tensioactif).*

Polysorbate 60 : Polysorbate 60 (éthoxylé) – *Agent émulsifiant (ou tensioactif).*

Polysorbate 80 : Polysorbate 80 (éthoxylé) – *Agent émulsifiant (ou tensioactif).*

Pongamia glabra oil : Huile de karanj – *Entretien de la peau.*

Potassium acesulfame : Acésulfame K – *Édulcorant.*

Potassium alum : Sulfate d'aluminium et de potassium – *Agent antiperspirant / Agent déodorant.*

Potassium cetyl phosphate : Potassium cetyl phosphate – *Tensioactif.*

Potassium citrate : Citrate de potassium – *Régulateur de pH / Agent de chélation.*

Potassium cocoate : Cocoate de potassium – *Agent émulsifiant (ou tensioactif).*

Potassium cocoyl PCA : Potassium cocoyl PCA – *Tensioactif.*

Potassium gluconate : Gluconate de potassium – *Entretien de la peau.*

Potassium hydroxide : Hydroxyde de potassium – *Régulateur de pH.*

Potassium olivate : Dérivé d'huile d'olive – *Agent émulsifiant (ou tensioactif).*

Potassium olivoil PCA : Polyphénols d'olive – *Hydratant / Entretien de la peau.*

Potassium palm kernelate : Potassium palm kernelate – *Agent nettoyant/agent de contrôle*

Potassium palmitoyl hydrolyzed wheat protein : Dérivé de protéines de blé – *Conditionneur capillaire / Entretien de la peau / Agent nettoyant.*

Potassium sorbate : Sorbate de potassium – *Conservateur* (voir aussi p. 433).

Potassium stearate : Stéarate de potassium – *Agent émulsifiant (ou tensioactif) / Agent nettoyant.*

Potentilla erecta extract : Tormentille – *Agent astringent / Agent apaisant / Tonifiant / Agent antimicrobien.*

PPG-1 trideceth-6 : PPG-1 trideceth-6 (éthoxylé) – *Émollient / Stabilisateur d'émulsion.*

PPG-12/SMDI copolymer : PPG-12/SMDI copolymer – *Émollient / Fixateur capillaire / Entretien de la peau / Agent filmogène.*

PPG-1-PEG-9 lauryl glycol ether : PPG-1-PEG-9 lauryl glycol ether – *Agent émulsifiant.*

PPG-2 dimethicone : PPG-2 dimethicone (éthoxylé) – *Émulsifiant.*

PPG-2 hydroxyethyl coco/Isostearamide : PPG-2 hydroxyethyl coco/Isostearamide (éthoxylé) – *Agent antistatique/ Conditionneur capillaire/ Tensioactif.*

PPG-26-buteth-26 : PPG-26-buteth-26 (éthoxylé) – *Agent antistatique/ Agent émulsifiant/ Entretien de la peau.*

Propane : Propane – *Gaz propulseur* (voir aussi p. 22).

Propolis : Propolis – *Hydratant/ Antiseptique.*

Propyl acetate : Acétate de propyle – *Solvant.*

Propylene carbonate : Carbonate de propylène – *Solvant/ Agent de contrôle de la viscosité.*

Propylene glycol ceteth-3 acetate : Propylene glycol ceteth-3 acetate – *Émollient/ Entretien de la peau.*

Propylene glycol dicaprylate/Dicaprate : Propylene glycol dicaprylate/Dicaprate – *Émollient.*

Propylene glycol laurate : Laurate de propylène glycol – *Émollient/ Agent émulsifiant/ Stabilisateur d'émulsion.*

Propylene glycol stearate : Monostéarate de propylène glycol – *Émollient/ Agent émulsifiant/ Opacifiant.*

Propylene glycol : Propylèneglycol – *Humectant/ Solvant/ Entretien de la peau/ Agent de contrôle de la viscosité.*

Propylparaben : Propylparaben – *Conservateur* (voir aussi p. 433).

Prunus amygdalus amara oil : Huile essentielle d'amande amère – *Agent masquant.* **Peut contenir :** Geraniol, Linalool.

Prunus amygdalus dulcis extract : Extrait d'amande douce – *Entretien de la peau/ Agent abrasif/ Agent de foisonnement/ Hydratant.*

Prunus amygdalus dulcis oil : Huile d'amande douce – *Émollient/ Entretien de la peau.*

Prunus amygdalus shell powder : Poudre de coques d'amandes – *Exfoliant.*

Prunus armeniaca extract : Extrait des fruits de l'abricotier – *Émollient/ Hydratant.*

Prunus armeniaca kernel oil : Huile de noyaux d'abricot – *Émollient/ Entretien de la peau.*

Prunus persica extract : Extrait des fruits du pêcher – *Entretien de la peau.*

Prunus persica kernel oil : Huile de noyaux de pêche – *Émollient/ Entretien de la peau.*

PTFE : Polytétrafluoroéthylène – *Liant/ Entretien de la peau.*

Ptychopetalum olacoides extract : Extrait d'écorces et de racines de muira puama (arbre tropical) – *Émollient.*

Pullulan : Pullulan – *Entretien de la peau.*

Punica granatum extract : Extrait d'écorces et de fruits de grenade – *Agent astringent/ Tonifiant/ Agent abrasif.*

PVP : Polyvinylpyrrolidone – *Agent antistatique/ Liant/ Stabilisateur d'émulsion/ Agent filmogène/ Fixateur capillaire.*

PVP/Dimethylaminoethylmethacrylate/Polycarbamyl polyglycol ester : Liant/ Conditionneur capillaire/ Agent antistatique/ Agent filmogène.

Pyridoxine HCl : Pyridoxine HCL (Vitamine B6) – *Agent antistatique/ Conditionneur capillaire/ Entretien de la peau.*

Pyridoxine tripalmitate : Pyridoxine tripalmitate – *Agent antistatique/ Conditionneur capillaire/ Entretien de la peau.*

Pyrus cydonia cera : Cire de cognassier – *Émollient.*

Pyrus malus extract : Extrait de fruits du pommier – *Hydratant ou kératolytique selon le pourcentage utilisé/ Émollient.*

Quaternium-15 : Quaternium-15 – *Conservateur (libérateur de formol, voir aussi p. 24 et 433).*

Quaternium-18 : Quaternium-18 – *Agent antistatique/ Agent filmogène.*

Quaternium-80 : Quaternium-80 – *Agent antistatique/ Conditionneur capillaire.*

Quaternium-87 : Quaternium-87 – *Agent antistatique/ Conditionneur capillaire.*

Quercus robur extract : Extrait d'écorce de chêne – *Agent astringent.*

Quillaja saponaria extract : Extrait d'écorce de bois de Panama – *Agent moussant/ Agent émulsifiant/ Agent nettoyant pour cheveux gras.*

Ravintsara cinnamomum : Voir Cinnamomum camphora.

Retinal : Rétinaldéhyde (dérivé de vitamine A) – *Agent anti-âge.*

Retinol : Rétinol (vitamine A) – *Agent anti-âge/ Entretien de la peau.*

Retinyl palmitate : Palmitate de rétinyle (Dérivé de vitamine A) – *Entretien de la peau (Anti-âge).*

Rhamnose : Rhamnose – *Humectant.*

Rhizobian gum : Gomme de rhizobian – *Agent de contrôle de la viscosité.*

Rhus succedanea cera : Cire de fruits du toxicodendron – *Émollient.*

Ribes nigrum extract : Extrait des fruits du cassissier – *Émollient/ Entretien de la peau/ Agent astringent.*

Ricinus communis oil : Huile de ricin – *Émollient/ Entretien de la peau/ Agent lissant/ Solvant.*

Rosa canina fruit oil : Huile des fruits de l'églantier – *Émollient/ Entretien de la peau.*

Rosa centifolia water : Eau de rose à cent feuilles – *Agent de protection de la peau.*

Rosa damascena distillate : Eau florale de rose – *Agent de protection de la peau.*

Rosa damascena extract : Extrait de fleurs de rosier – *Tonifiant.*

Rosa damascena flower water : Voir Rosa damascena distillate.

Rosa damascena oil : Huile essentielle de rose – *Agent masquant/ Tonifiant.* **Peut contenir :** Citronellol, Geraniol, Eugenol, Linalool, Farnesol.

Rosa gallica extract : Extrait de fleurs du Rosier de France – *Entretien de la peau/ Agent astringent/ Tonifiant.*

Rosa moschata seed oil : Huile de graines de rosier musqué – *Émollient/ Agent astringent/ Tonifiant.*

Rosa rubiginosa oil : Huile de rose musquée – *Émollient/ Agent astringent/ Tonifiant.*

Rosmarinus officinalis extract : Extrait de feuilles de romarin – *Tonifiant/ Agent rafraîchissant/ Agent antimicrobien.*

Rosmarinus officinalis leaf water : Eau florale de romarin – *Tonifiant/ Agent rafraîchissant/ Entretien de la peau.*

Rosmarinus officinalis oil : Huile essentielle de romarin – *Tonifiant/ Agent rafraîchissant.* **Peut contenir :** Limonene, Linalool.

Ruscus aculeatus extract : Extrait de fragon – *Active la microcirculation.*

Saccharide isomerate : Saccharide isomerate – *Humectant.*

Saccharin : Saccharine – *Édulcorant.*

Saccharum officinarum extract : Extrait de canne à sucre – *Hydratant/ Entretien de la peau.*

Sage extract : Nom anglais de Salvia officinalis extract.

Sagia juglans : Voir Juglans nigra.

Salicylic acid : Acide salicylique – *Conservateur/ Agent kératolytique* (voir aussi p. 433).

Salix alba bark extract : Extrait d'écorce de saule – *Agent kératolytique.*

Salvia officinalis extract : Extrait de sauge – *Entretien de la peau.*

Salvia officinalis oil : Huile essentielle de fleurs de sauge – *Tonifiant/ Agent masquant.* **Peut contenir :** Linalool, Limonene, Coumarin.

Salvia sclarea oil : Huile essentielle de sauge sclarée – *Tonifiant/ Agent masquant.* **Peut contenir :** Linalool, Citronellol, Geraniol, Coumarin.

Sambucus nigra extract : Extrait de fleurs de sureau – *Agent apaisant.*

Santalum album oil : Huile de santal – *Émollient.*

Santalum austrocaledonicum oil : Huile essentielle de santal sauvage – *Agent masquant.* Ne contient pas d'allergènes dont la déclaration est obligatoire.

Sapindus mukorossi extract : Extrait d'écorces de noix indiennes – *Tensioactif/ Agent moussant/ Agent nettoyant.*

Sarcosine : Sarcosine – *Entretien de la peau.*

Sclerocarya birrea kernel oil : Huile de marula – *Surgraissant/ Entretien de la peau.*

Sclerotium gum : Gomme de sclerotium rolfssii (gomme d'origine microbiologique) – *Stabilisateur d'émulsion/ Agent de contrôle de la viscosité.*

SD Alcohol 38-B : Voir Alcohol denat.

SD Alcohol 39-C : Voir Alcohol denat.

Serenoa serrulata extract : Extrait de fruits du sabal – *Entretien de la peau (Agent antiséborrhéique).*

Serica : Soie – *Hydratant.*

Serine : Sérine – *Hydratant/ Agent antistatique/ Conditionneur capillaire.*

Sesamum indicum oil : Huile de sésame – *Émollient/ Conditionneur capillaire/ Entretien de la peau.*

Shorea robusta butter : Beurre d'illipé – *Émollient.*

Shorea robusta butter : Beurre d'Illipé (arbre d'Asie) – *Émollient/ Surgraissant.*

Sigesbeckia orientalis extract : Extrait de feuilles de Sigesbeckia orientalis – *Tonifiant.*

Silica dimethyl silylate : Dérivés de silice – *Agent anti-mousse/ Émollient/ Agent de contrôle de la viscosité/ Agent anti-agglomérant/ Stabilisateur d'émulsion.*

Silica silylate : Silica silylate – *Agent antimousse/ Émollient/ Agent de contrôle de la viscosité/ Agent antiagglomérant/ Stabilisateur d'émulsion.*

Silica : Dioxyde de silicium (silice) – *Agent abrasif/ Agent absorbant/ Opacifiant/ Agent de contrôle de la viscosité/ Agent anti-agglomérant/ Agent de foisonnement.*

Simethicone : Siméthicone – *Émollient/ Conditionneur capillaire/ Agent antimousse.*

Simmondsia chinensis cera : Cire de jojoba – *Émollient/ Conditionneur capillaire/ Entretien de la peau/ Agent de contrôle de la viscosité.*

Simmondsia chinensis oil : Huile de graines de jojoba – *Émollient.*

Sodium acrylate/Acryloydimethyl taurate copolymer : Sodium acrylate/Acryloydimethyl taurate copolymer – *Liant/ Stabilisateur d'émulsion/ Agent de contrôle de la viscosité.*

Sodium ascorbyl phosphate : Sodium ascorbyl phosphate – *Antioxydant.*

Sodium beeswax : Dérivé de cire d'abeille – *Facteur de consistance/ Agent émulsifiant.*

Sodium benzoate : Benzoate de sodium – *Conservateur* (voir aussi p. 433).

Sodium bicarbonate : Bicarbonate de sodium – *Agent abrasif/ Hygiène buccale/ Agent tampon.*

Sodium C12-13 pareth sulfate : Sodium C12-13 pareth sulfate – *Tensioactif/ Agent nettoyant/ Agent émulsifiant.*

Sodium carbomer : Sodium carbomer – *Agent de contrôle de la viscosité/ Agent de gélification/ Stabilisateur d'émulsion.*

Sodium cetearyl sulfate : Sodium cetearyl sulfate – *Tensioactif/ Agent nettoyant/ Agent moussant.*

Sodium chloride : Chlorure de sodium – *Agent de contrôle de la viscosité/ Agent de foisonnement.*

Sodium chondroitin sulfate : Sodium chondroitin sulfate – *Agent antistatique/ Conditionneur capillaire.*

Sodium citrate : Citrate de sodium – *Régulateur de pH/ Agent de chélation.*

Sodium coco polyglucose tartrate : Sodium coco polyglucose tartrate – *Tensioactif/ Agent nettoyant/ Agent émulsifiant.*

Sodium cocoamphoacetate : Cocoamphoacétate de sodium – *Tensioactif/ Agent moussant/ Agent nettoyant/ Conditionneur capillaire.*

Sodium cocoate : Cocoate de sodium – *Agent émulsifiant (ou tensioactif)/ Agent nettoyant.*

Sodium coco-glucoside tartrate : Sodium Coco-glucoside tartrate – *Tensioactif/ Agent nettoyant/ Agent émulsifiant.*

Sodium coco-sulfate : Sodium coco-sulfate – *Tensioactif/ Agent nettoyant/ Agent*

Sodium cocoyl glutamate : Sodium cocoyl glutamate – *Tensioactif/ Agent nettoyant.*

Sodium cocoyl hydrolyzed wheat protein : Dérivés d'hydrolysats de protéines de blé – *Tensioactif/ Agent antistatique/ Conditionneur capillaire.*

Sodium cocoyl isethionate : Dérivé d'acides gras de coco – *Tensioactif/ Conditionneur capillaire/ Agent nettoyant.*

Sodium corn starch octenylsuccinate : Sodium corn starch octenylsuccinate – *Agent matifiant.*

Sodium diethylenetriamine pentamethylene phosphonate : Sodium diethylenetriamine pentamethylene phosphonate – *Agent de chélation.*

Sodium DNA : Sodium DNA – *Anti-âge/ Hydratant.*

Sodium fluoride : Fluorure de sodium – *Hygiène buccale (fluorure minéral)/ Agent anti-plaque.*

Sodium hyaluronate : Hyaluronate de sodium – *Humectant/ Hydratant/ Anti-âge.*

Sodium hydroxide : Hydroxyde de sodium – *Régulateur de pH/ Dénaturant.*

Sodium hydroxymethylglycinate : Sodium hydroxymethylglycinate – *Conservateur* (voir aussi p. 433).

Sodium isostearate : Isostéarate de sodium – *Agent nettoyant/ Tensioactif.*

Sodium lactate : Lactate de sodium – *Régulateur de pH/ Humectant/ Hydratant.*

Sodium laureth sulfate : Sodium laureth sulfate (éthoxylé) – *Tensioactif/ Agent nettoyant/ Agent moussant.*

Sodium lauroyl oat amino acid : Dérivés d'acides aminés d'avoine – *Agent antistatique/ Agent nettoyant/ Entretien de la peau/ Tensioactif.*

Sodium lauroyl sarcosinate : Lauroylsarcosinate de sodium – *Agent antistatique/ Tensioactif (ou émulsifiant)/ Agent de contrôle de la viscosité/ Conditionneur capillaire/ Agent nettoyant/ Agent moussant/ Entretien de la peau.*

Sodium lauryl glucose carboxylate : Sodium lauryl glucose carboxylate – *Tensioactif.*

Sodium lauryl sulfate : Laurylsulfate de sodium – *Agent émulsifiant (ou tensioactif)/ Agent moussant.* (Voir aussi p. 25)

Sodium lauryl sulfoacetate : Sodium lauryl sulfoacetate – *Tensioactif / Agent nettoyant / Agent moussant.*

Sodium levulinate : Lévulinate de sodium – *Entretien de la peau.*

Sodium magnesium silicate : Dérivé de silice – *Agent de contrôle de la viscosité / Agent abrasif / Agent absorbant / Opacifiant.*

Sodium mannuronate methylsilanol : Sodium mannuronate methylsilanol – *Humectant / Entretien de la peau.*

Sodium myreth sulfate : Sodium myreth sulfate (éthoxylé) – *Agent émulsifiant (ou tensioactif) / Agent moussant / Agent nettoyant.*

Sodium myristoyl glutamate : Sodium myristoyl glutamate – *Tensioactif / Agent nettoyant.*

Sodium olivamphoacetate : Sodium olivamphoacetate (à base d'olive) – *Tensioactif / Agent moussant / Agent nettoyant / Conditionneur capillaire.*

Sodium olivate : Huile d'olive saponifiée (olive + soude) – *Agent émulsifiant (ou tensioactif) / Agent nettoyant.*

Sodium palm kernelate : Huile de palmiste saponifiée (palmiste + soude) –*Agent émulsifiant (ou tensioactif) / Agent nettoyant.*

Sodium palmate : Dérivé d'acides gras d'huile de palme – *Tensioactif / Agent émulsifiant / Agent de contrôle de la viscosité / Agent nettoyant.*

Sodium PCA : Pyrrolidone-carboxylate de sodium – *Agent antistatique / Humectant / Hydratant / Entretien de la peau.*

Sodium phytate : Phytate de sodium – *Agent de chélation.*

Sodium polyacrylate : Sodium polyacrylate – *Agent de contrôle de la viscosité / Liant / Agent filmogène.*

Sodium propylparaben : Propylparaben sodium – *Conservateur* (voir aussi p. 433).

Sodium saccharin : Sel de sodium de la saccharine – *Édulcorant.*

Sodium salicylate : Salicylate de sodium – *Conservateur* (voir aussi p. 433).

Sodium shale oil sulfonate : Dérivé d'acide ichthyolique – *Tensioactif / Agent antipelliculaire.*

Sodium sheamphoacetate : Sodium sheamphoacetate (à base de beurre de karité) – *Tensioactif / Agent moussant / Agent nettoyant / Conditionneur capillaire.*

Sodium silicate : Silicate de sodium – *Régulateur de pH / Agent anti-corrosion.*

Sodium stearate : Stéarate de sodium – *Agent émulsifiant (ou tensioactif) / Agent de contrôle de la viscosité / Agent nettoyant.*

Sodium stearoyl lactylate : Sodium stearoyl lactylate – *Agent émulsifiant.*

Sodium sweetalmondamphoacetate : Sodium sweetalmondamphoacetate – *Tensioactif / Agent moussant / Agent nettoyant / Conditionneur capillaire.*

Sodium tallowate : Suif saponifiée (suif + soude) – *Agent émulsifiant (ou tensioactif) / Agent nettoyant / Synergiste de mousse.*

Sodium xylenesulfonate : Xylènesulfonate de sodium – *Tensioactif / Hydrotrope.*

Solanum lycopersicum extract : Extrait des feuilles, tiges et fruits de la tomate – *Entretien de la peau / Agent astringent.*

Soluble collagen : Collagène – *Anti-âge.*

Solum diatomeae : Dioxyde de silicium – *Agent abrasif / Agent absorbant / Opacifiant / Agent anti-agglomérant.*

Sorbic acid : Acide sorbique – *Conservateur* (voir aussi p. 433).

Sorbitan laurate : Laurate de sorbitane – *Agent émulsifiant.*

Sorbitan oleate : Oléate de sorbitan – *Agent émulsifiant.*

Sorbitan olivate : Sorbitan olivate – *Agent émulsifiant.*

Sorbitan stearate : Stéarate de sorbitan – *Agent émulsifiant.*

Sorbitol : Sorbitol – *Humectant/ Plastifiant/ Entretien de la peau.*

Soybean glycerides : Glycérides de soja – *Émollient/ Agent de restauration lipidique.*

Spiraea ulmaria distillate (ou water) : Eau de fleurs de reine des prés – *Tonifiant/ Agent astringent.*

Spiraea ulmaria extract : Extrait de reine des prés – *Agent astringent/ Tonifiant.*

Spiraea ulmaria water : Eau florale de reine des prés – *Tonifiant.*

Squalane : Squalane – *Émollient/ Conditionneur capillaire/ Agent de restauration lipidique/ Entretien de la peau.*

Squalene : Squalene – *Agent antistatique/ Émollient/ Conditionneur capillaire/ Agent de restauration lipidique.*

Stearalkonium bentonite : Stearalkonium bentonite – *Agent de contrôle de la viscosité/ Agent de gélification.*

Stearalkonium chloride : Chlorure de stéaralkonium – *Conservateur/ Agent antistatique/ Tensioactif.*

Stearalkonium hectorite : Stéaralkonium hectorite – *Agent de contrôle de la viscosité/ Agent de gélification.*

Stearamidopropyl dimethylamine : Stearamidopropyl dimethylamine – *Agent antistatique/ Agent émulsifiant (ou tensioactif)/ Conditionneur capillaire.*

Stearamidopropyl dimethylamine lactate : Stearamidopropyl dimethylamine lactate – *Agent émulsifiant/ Conditionneur capillaire.*

Stearamidopropyl dimethylamine sterate : Stearamidopropyl dimethylamine stéarate – *Agent émulsifiant/ Conditionneur capillaire.*

Steareth-2 : Steareth-2 (éthoxylé) – *Agent émulsifiant (ou tensioactif).*

Steareth-20 : Steareth-20 – *Agent émulsifiant (ou tensioactif).*

Steareth-21 : Steareth-21 (éthoxylé) – *Agent émulsifiant (ou tensioactif)/ Agent nettoyant.*

Stearic acid : Acide stéarique – *Émulsifiant par action d'une base/ Stabilisateur d'émulsion/ Agent de restauration lipidique/ Agent nettoyant/ Surgraissant.*

Stearyl alcohol : Alcool stéarylique – *Émollient/ Stabilisateur d'émulsion/ Opacifiant/ Agent de contrôle de la viscosité/ Synergiste de mousse/ Agent de restauration lipidique.*

Stearyl glycyrrhetinate : Glycyrrhétinate de stéaryle – *Entretien de la peau/ Agent apaisant.*

Styrax benzoin gum : Résine de benjoin – *Antiseptique.*

Styrene/Acrylates copolymer : Styrene/Acrylates copolymer – *Opacifiant.*

Sucrose acetate isobutyrate : Dérivé de saccharose – *Agent filmogène/ plastifiant.*

Sucrose cocoate : Cocoate de saccharose – *Agent antistatique/ Agent émulsifiant/ Entretien de la peau.*

Sucrose distearate : Distéarate de saccharose – *Agent émulsifiant/ Entretien de la peau.*

Sucrose laurate : Laurate de saccharose – *Agent émulsifiant (ou tensioactif)/ Entretien de la peau.*

Sucrose palmitate : Palmitate de saccharose – *Agent émulsifiant (ou tensioactif)/ Entretien de la peau.*

Sucrose polysoyate : Polysoyate de saccharose – *Émollient/ Agent émulsifiant.*

Sucrose stearate : Stéarate de saccharose – *Agent émulsifiant/ Entretien de la peau.*

Sulfated castor oil : Huile de ricin sulfatée – *Agent émulsifiant (ou tensioactif)/ Humectant/ Agent nettoyant.*

Sweet almond oil polyglyceryl-6 esters : Dérivé d'huile d'amande douce – *Émollient / Émulsifiant (ou tensioactif).*

Sweet almond oil polyglyceryl-6 esters : Dérivé d'huile d'amande douce – *Émollient / Émulsifiant (ou tensioactif).*

Talc : Talc – *Agent absorbant / Agent de foisonnement.*

Tapioca starch : Amidon de tapioca – *Agent absorbant / Agent de contrôle de la viscosité.*

Taurine : Taurine – *Agent tampon.*

TEA-lactate : TEA-lactate – *Hydratant.*

TEA-lauryl sulfate : TEA lauryl sulfate – *Agent émulsifiant (ou tensioactif) / Agent Nettoyant / Agent moussant.*

Terpineol : Terpinéol – *Dénaturant / Solvant.*

Tetrabutyl phenyl hydroxybenzoate : Tetrabutyl phenyl hydroxybenzoate – *Ingrédient de vernis à ongles.*

Tetrasodium EDTA : Édétate de sodium – *Agent de chélation.* (Voir aussi : EDTA, p. 23).

Tetrasodium etidronate : Étidronate de sodium – *Agent de chélation / Stabilisateur d'émulsion / Agent de contrôle de la viscosité.*

Tetrasodium glutamate diacetate : Diacétate du glutamate de sodium – *Stabilisant.*

Thea sinensis extract : Voir Camellia sinensis extract.

Thenoyl methionate : Thenoyl methionate – *Agent antistatique / Conditionneur capillaire.*

Theobroma cacao butter : Beurre de cacao – *Émollient.*

Theobroma grandiflorum butter : Beurre de Cupuassu (arbre proche du cacaoyer) – *Émollient.*

Theophylline : Théophylline – *Amincissant.*

Thymus vulgaris extract : Extrait de fleurs et feuilles de thym – *Tonifiant / Agent masquant.*

Thymus vulgaris oil : Huile essentielle de fleurs et feuilles de thym – *Tonifiant / Agent masquant.* **Peut contenir :** Linalool, Geraniol.

Tilia cordata extract : Extrait de fleurs de tilleul – *Agent apaisant.*

Tilia platiphyllos extract : Extrait d'écorce et de feuilles de tilleul – *Agent apaisant.*

Tilia tomentosa extract : Extrait d'écorces et de feuilles de tilleul – *Entretien de la peau.*

Titanium dioxide (ou CI 77891) : Dioxyde de titane – *Opacifiant / Écran anti-UV / Colorant blanc.*

Tocopherol : Tocophérol (Vitamine E) – *Antioxydant / Entretien de la peau.*

Tocopheryl acetate : Acétate de tocophéryle – *Antioxydant.*

Tocopheryl glucoside : Glucoside de tocophérol (Vitamine E) – *Antioxydant.*

Triacetin : Triacétine – *Agent antimicrobien / Agent filmogène / Solvant / Plastifiant / Colorant capillaire.*

Tribehenin : Tribehenin – *Émollient / Entretien de la peau.*

Tribenzoin : Glyceryl tribenzoate – *Aromatisant.*

Tricaprylin : Triacylglycérol (glycérol estérifié par trois molécules d'acides gras) – *Émollient / Solvant / Entretien de la peau.*

Tricedeth-12 : Tricedeth-12 – *Agent émulsifiant.*

Tricedeth-9 : Tricedeth-9 – *Agent émulsifiant.*

Trichilia emetica seed butter : Beurre de mafura (fleur africaine) – *Émollient / Entretien de la peau.*

Triclosan : Triclosan – *Conservateur antibactérien* (voir aussi p. 434).

Tricontanyl PVP : Tricontanyl PVP – *Agent filmogène/ Humectant.*

Trideceth-12 : Trideceth-12 – *Agent émulsifiant (ou tensioactif).*

Tridecyl salicylate : Salicylate de tridécyle – *Agent antistatique/ Entretien de la peau.*

Triethanolamine : Triéthanolamine – *Régulateur de pH* (Voir aussi p. 25).

Triethyl citrate : Citrate de triéthyle – *Agent déodorant/ Solvant/ Plastifiant.*

Triethylhexanoin : Triethylhexanoin – *Agent antistatique/ Émollient/ Solvant/ Entretien de la peau/ Agent de restauration lipidique.*

Trigonella foenum graecum extract : Extrait de fenugrec – *Entretien de la peau.*

Trimethoxycaprylylsilane : Trimethoxycaprylylsilane (silicone) – *Liant/ Agent lissant.*

Trimethylolpropane tricaprylate/tricaprate : Trimethylolpropane tricaprylate/tricaprate – *Émollient/ Entretien de la peau.*

Trimethylsiloxysilicate : Trimethylsiloxysilicate – *Agent antimousse/ Émollient/ Entretien de la peau.*

Trioctanoin/Triethylhexanoin : Trioctanoin/Triethylhexanoin – *Agent antistatique/ Émollient/ Solvant/ Entretien de la peau/ Agent de restauration lipidique.*

Trisodium EDTA : Édétate de sodium – *Agent de chélation.*

Triticum vulgare bran extract : Extrait de son de blé – *Agent de protection de la peau/ Entretien de la peau.*

Triticum vulgare flour lipids : Lipides de blé – *Conditionneur capillaire/ Entretien de la peau.*

Triticum vulgare germ oil : Huiles de germes de blé – *Émollient.*

Triticum vulgare germ oil unsaponifiables: Insaponifiable d'huile de germe de blé – *Agent de protection de la peau/ Agent abrasif.*

Triticum vulgare starch : Amidon de blé – *Agent absorbant/ Agent de contrôle de la viscosité.*

Tropaeolum majus extract : Extrait de feuilles et fleurs de capucine – *Agent antipelliculaire/ Agent antimicrobien.*

Ulva lactuca extract : Algue Ulva lactuca – *Agent de protection de la peau.*

Uncaria tomentosa extract : Extrait d'Uncaria (plante amazo-nienne) – *Antiradicalaire.*

Undecyl alcohol : Alcool undécylénique – *Émollient.*

Undecylenoyl glycine : Undecylenoyl glycine (dérivé estérifié de glycine et d'acide octanoïque) – *Agent antibactérien et antifongique.* Voir aussi p. 14.

Urea : Urée – *Hydratant/ Agent kératolytique (à fortes doses).*

Urtica dioica extract : Extrait d'ortie – *Antiséborrhéique/ Conditionneur capillaire.*

Urtica urens extract : Extrait de feuilles d'ortie – *Entretien de la peau.*

Usnea barbata extract : Extrait de lichen – *Agent déodorant.*

Vaccinium myrtilla extract : Extrait de feuilles et fruits de myrtille – *Agent éclaircissant.*

Vanilla planifolia extract : Extrait du fruit du vanillier – *Agent de protection de la peau/ Agent lissant.*

Verbena officinalis extract : Verveine – *Entretien de la peau/ Émollient.*

Vetiveria zizanoides extract : Extrait de racine de vétiver – *Entretien de la peau.*

Vetiveria zizanoides oil : Huile essentielle de vétiver – *Tonifiant.* Ne contient pas d'allergènes dont la déclaration est obligatoire.

Viburnum prunifolium extract : Extrait d'écorce et de fruits de la viorne – *Entretien de la peau.*

Vinegar : Voir Acetum.

Viola tricolor extract : Extrait de pensée sauvage – *Émollient / Agent de protection de la peau / Agent apaisant.*

Vitis vinifera seed extract : Extrait de pépins de raisin – *Entretien de la peau / Antioxydant.*

Vitis vinifera seed oil : Huile de pépins de raisin – *Émollient.*

Wheat amino acids : Acides aminés de blé – *Agent de protection de la peau / Agent apaisant / Entretien de la peau.*

Xanthan gum : Gomme Xanthane – *Liant / Stabilisateur d'émulsion / Agent de contrôle de la viscosité et Agent de gélification.*

Xanthophyll : Xanthophylle – *Pigment jaune de la famille des caroténoïdes.*

Xylitol : Xylitol – *Édulcorant.*

Yogurt : Yaourt – *Conditionneur capillaire / Agent de protection de la peau.*

Zanthoxylum alatum extract : Extrait de fruits de Zanthoxylum alatum – *Entretien de la peau.*

Zea mays cob powder : Poudre de maïs – *Liant.*

Zea mays germ oil : Huile de germes de maïs – *Émollient.*

Zea mays oil : Huile de maïs – *Agent antistatique / Émollient / Solvant.*

Zea mays starch : Amidon de maïs – *Agent absorbant / Agent de contrôle de la viscosité / Agent anti-agglomérant.*

Zinc gluconate : Gluconate de zinc – *Agent déodorant / Entretien de la peau / Agent assainissant.*

Zinc oxide : Oxyde de zinc – *Agent de foisonnement / Écran anti-uv / Agent de protection de la peau / Colorant blanc (CI 77947).*

Zinc PCA : Pyrrolidone carboxylate de zinc (dérivé de zinc) – *Hydratant / Humectant / Entretien de la peau.*

Zinc pyrithione : Pyrithione de zinc – *Conservateur / Agent antipelliculaire* (voir aussi p. 434).

Zinc ricinoleate : Diricinoléate de zinc – *Agent déodorant / Opacifiant / Agent antiagglomérant.*

Zinc salicylate : Salicylate de zinc – *Agent kératolytique / Antiseptique.*

Zinc stearate : Stéarate de zinc – *Colorant cosmétique / Agent antiagglomérant.*

Zingiber officinale oil : Huile essentielle de gingembre – *Tonifiant / Agent masquant.* **Peut contenir :** Limonene, Citronellol, Linalool.

Zizyphus joazeiro extract : Extrait d'écorce de jujubier – *Entretien de la peau.*

Annexe IV

Les molécules aromatiques allergènes

Vingt six composés aromatiques, présents notamment dans les huiles essentielles, doivent obligatoirement figurer dans la liste des ingrédients, dès qu'elles sont présentes à plus de 0,01 % dans les produits sans rinçage et à plus de 0,001 % dans les produits à rincer.

Récapitulatif élaboré par Laurence Coiffard et Céline Couteau

Nom INCI de l'allergène	Sources
Alpha isomethyl ionone	N'existe pas à l'état naturel
Amyl cinnamal	N'existe pas à l'état naturel
Amylcinnamyl alcohol	N'existe pas à l'état naturel
Anisyl alcohol	HE d'anis, Vanille de Tahiti
Benzyl alcohol	Baume du Pérou, Baume de Tolu, HE de jasmin
Benzyl benzoate	Baume du Pérou, Baume de Tolu, HE de jasmin, Ylang-ylang
Benzyl cinnamate	Baume du Pérou, Baume de Tolu, Copahu
Benzyl salicylate	Propolis
Butylphenyl methylpropional	N'existe pas à l'état naturel
Cinnamal	Cannelier, HE de cannelle, HE de jacinthe, HE de patchouli
Cinnamyl alcohol	Cannelier, Jacinthe

Nom INCI de l'allergène	Sources
Citral	HE de citron, HE d'écorce d'orange, HE de mandarine, HE d'eucalyptus
Citronellol	HE de citronnelle de Ceylan
Coumarin	Aspérules, Flouves, Mélilots, Angélique, Berce
Eugenol	HE de giroflier, de piment de la Jamaïque, de bay (Myrcia acris), de benoîte, de cannelier de Ceylan, de laurier noble, de ciste labdanifère, de basilic, de sassafras, de basilic de Java, de cassie, d'acore, d'œillet, de boldo, de cascarille, de galanga, de feuilles de laurier, de muscade, de rose pâle, d'ylang-ylang, de marjolaine, de muscade, de calamus, de camphrier, de citronnelle, de patchouli
Farnesol	HE de rose, HE de néroli, HE d'ylang-ylang, Tilleul, Baume de Tolu
Geraniol	HE de rose, Orange, Palmarosa, Serpolet, Verveine, Néroli, Citronnelle, Géranium, Hysope, Laurier noble, Lavande, Lavandin, Mandarine, Mélisse, Muscade, Myrte
Hexyl cinnamal	N'existe pas à l'état naturel
Hydroxycitronnellal	N'existe pas à l'état naturel
Hydroxyisohexyl 3-cyclo hexene carboxaldehyde	N'existe pas à l'état naturel
Isoeugenol	HE de citronnelle de Ceylan, HE d'ylang-ylang
Limonene	HE de citronnier, HE d'aneth, HE de genévrier commun, Orange, Verveine, Néroli, Niaouli, Melaleuca, Mélisse, Menthe poivrée, Muscade, Myrrhe, Angélique, Aspic, Badiane, Bergamote, Mandarine, Bigaradier, Carvi, Céleri, Lavande, Limette
Linalool	HE de thym, HE de lavande officinale et lavandin, HE de pin sylvestre, HE de laurier noble, HE de bigaradier, HE de marjolaine, HE de menthe poivrée, Citron, Orange, Serpolet, Ylang-ylang, Verveine, Myrte, Néroli, Coriandre, Géranium, Limette, Mélisse, Muscade, Lemongrass, Basilic, Bergamote, Bois de rose
Methyl 2-octynoate	N'existe pas à l'état naturel
Evernia prunastri	Extrait naturel de mousse de chêne
Evernia furfuracea	Extrait naturel de mousse d'arbre

Annexe V

Les conservateurs

Un système de conservation est indispensable dans chaque cosmétique : il met à l'abri des proliférations microbiennes, assurant la sécurité du produit et, accessoirement, celle de son utilisateur. Pour être parfaitement efficace, il doit inclure à la fois une protection antibactérienne à large spectre (agissant sur les bactéries Gram + et les bactéries Gram -) et antifongique (luttant contre la prolifération des champignons et l'apparition de moisissures…).

NB : La liste qui suit ne comprend que les conservateurs répertoriés comme tels dans la nomenclature officielle.

Récapitulatif élaboré par Laurence Coiffard et Céline Couteau

	Protection		Commentaires
	Antibactérienne	Antifongique	
2-bromo-2-nitropropane-1,3-diol	++	++	Générateur de formol – Peut être allergisant – Peut provoquer la formation de nitrosamines
Ammonium benzoate	+	+++	Dérivé d'acide benzoïque
Ammonium sulfite (bisulfite)	+	++	
Behentrimonium chloride	++		Irritant
Benzalkonium bromide	++		Irritant – Éviter le contact avec les yeux

	Protection		Commentaires
	Antibactérienne	Antifongique	
Benzalkonium chloride	++ (G+)	++	Irritant, allergisant
Benzoic acid	+	+++	
Benzyl alcohol	+ (G+)		Dérivé d'acide benzoïque
Butyl benzoate	+	+++	Dérivé d'acide benzoïque
Butylparaben	++	++	Faiblement allergisan*
Calcium propionate		++	Dérivé de l'acide propionique
Cetrimonium bromide	++		Irritant
Cetrimonium chloride	++		Irritant
Chlorhexidine	++	+	
Chlorhexidine digluconate	++	+	
Chlorphenesin	++		Peut être allergisant
Climbazole		+++	Utilisé surtout comme actif antipelliculaire
Dehydroacetic acid		++	
Diazolidinyl urea	++ (G-)	++	Générateur de formol – Peut être allergisant
DMDM hydantoin	+	+ (moisissures)	Générateur de formol – Peut être allergisant
Ethylparaben	++	++	Faiblement allergisant*
Formaldehyde = formol	+++	+++	Irritant, allergisant
Formic acid		++ (levures)	
Hexamidine	++		Allergisant
Imidazolidinyl urea	+	+	Générateur de formol – Peut être allergisant
Iodopropynyl butylcarbamate	+++	+++	Allergisant, comme tous les dérivés organiques de l'iode
MEA-benzoate	+	+++	Dérivé d'acide benzoïque
Methylchloro-isothiazolinone	+++	+++	Avec la méthylisothiazolinone, forme le Kathon CG® – Allergisant
Methyldibromo-glutaronitrile	Interdit depuis la directive européenne 2007/17/CE du 22 mars 2007		

	Protection		Commentaires
	Antibactérienne	Antifongique	
Methylisothiazolinone	+++	+++	Avec la méthylchloroisothiazolinone, forme le Kathon CG® – Allergisant
Methylparaben	++	+	Faiblement allergisant*
o-Cymen-5-ol (thymol, isopropylmétacrésol)	++	++	Allergisant
o-Phenylphenol	++ (G+)	+	
p-Chloro-m-cresol	++		Allergisant
Phenoxyethanol	+++ (G-)		Considéré comme sûr d'emploi par les autorités sanitaires
Piroctone olamine		+++	Utilisée surtout comme actif antipelliculaire (bien tolérée)
Polyaminopropyl-biguanide	++	++	
Potassium sorbate		++	Dérivé de l'acide sorbique
Propionic acid		++	
Propylparaben	++	++	Faiblement allergisant*
Quaternium-15	++	++ (moisissures)	Générateur de formol – Peut être allergisant
Salicylic acid	++	++	Utilisé surtout comme kératolytique
Sodium benzoate	+	+++	Dérivé d'acide benzoïque
Sodium hydroxymethylglycinate	++		
Sodium metabisulfite	+	++ (moisissures)	
Sodium propionate		++	Dérivé de l'acide propionique
Sodium salicylate	++	++	Dérivé de l'acide salicylique
Sodium sulfite	+	++	
Sorbic acid		++	
Stearalkonium chloride			Irritant – Éviter le contact avec les yeux

	Protection		Commentaires
	Antibactérienne	Antifongique	
Triclocarban	++		Utilisé aussi comme antiseptique dans les déodorants
Triclosan	++ (G+)	+	Utilisé aussi comme antiseptique dans les déodorants
Zinc pyrithione	++	++	Utilisé surtout comme actif antipelliculaire – Irritant

* Les parabens ont une activité et une toxicité croissantes avec la longueur de leur chaîne hydrocarbonée (méthyl < éthyl < propyl < butyl).

Annexe VI

Les filtres et écrans solaires

La protection solaire est assurée par des filtres synthétiques et/ou des écrans minéraux. (Les absorbants UV sont définis comme des ingrédients destinés à protéger les produits cosmétiques et non la peau des rayons ultra-violets).

La protection doit prendre en compte les rayons UVB (c'est ce qu'exprime le SPF, Sun Protection Factor ou en français FPS, Facteur de Protection Solaire) et les rayons UVA, dans un rapport préconisé par les autorités sanitaire UVB/UVA inférieur ou égal à 3. À ce propos, on notera qu'il existe beaucoup plus de filtres UVB que de filtres UVA...

Quatre types de protection sont définis.

- Protection faible : FPS compris entre 6 et 14
- Protection moyenne : FPS compris entre 15 et 29
- Haute protection : FPS compris entre 30 et 59
- Très haute protection : FPS à partir de 60 (ou 50+)

Pour mémoire, on considère que les FPS inférieurs à 6 n'offrent pas de réelle protection, et qu'au-delà de 60, on ne note aucune garantie supplémentaire même quand l'indice augmente. Et attention, un indice supérieur ne signifie pas qu'on peut allonger le temps d'exposition, seulement que le degré de protection convient au type de peau (claire, mate ou déjà bronzée...).

Pour rester efficace, un filtre doit être photostable, c'est-à-dire ne pas être dégradé sous l'effet de la lumière.

Récapitulatif élaboré par Laurence Coiffard et Céline Couteau

	Protection		Commentaires
	UVB	UVA	
Allantoin PABA	X		Absorbant UV
Benzalphtalide			Absorbant UV
Benzophenone (BZP)			Pénétration cutanée possible : la BZP-3 est retrouvée dans l'urine humaine à raison de 1 à 2% de la dose appliquée
Benzophenone-1	X	modérée	Peut être photosensibilisante
Benzophenone-2	modérée	X	Utilisée en absorbant UV et non en photoprotection – Peut avoir des effets œstrogéniques
Benzophenone-3 (Oxybenzone)	X	X	Allergies courantes (doit être signalée par la mention « Contient de l'oxybenzone » si la concentration utilisée dépasse 0,5%) – Toxicité systémique
Benzophenone-4	X	X	Allergisante – Toxicité systémique
Benzyl salicylate	médiocre		Absorbant UV – Utilisé dans les parfums – Activité anti-androgénique
3-benzylidene-camphor	X		Peu sûr sur un plan toxicologique – Quasiment abandonné
Bis-ethylhexyl oxyphenol methoxyphenyl triazine	X	X	
Bumetrizole			Absorbant UV
Butyl methoxy-dibenzoylmethane (BMDBM, Avobenzone)		X	Peu photostable – Peut être allergisant
Camphor benzalkonium methosulfate (Mexoryl SO)	X		Breveté par L'Oréal – Aucune information, sauf celles émanant de ce laboratoire
DEA-methoxycinnamate	X	X	Absorbant UV
Diethylhexyl butamido triazone	X		
Ethyl cinnamate	X		Peu photostable – Suspecté d'effets œstrogéniques et sur le métabolisme des lipides
Ethyl methoxycinnamate	X		Absorbant UV
Ethylhexyl dimethyl PABA	X		

	Protection		Commentaires
	UVB	UVA	
Ethylhexyl methoxycinnamate (OMC)	X		Considéré comme sûr d'emploi (non allergisant, non toxique) mais suspecté d'effets œstrogéniques et sur le métabolisme des lipides
Ethylhexyl salicylate	X		Photostable et bien toléré
Ethylhexyl triazone	X		
Etocrylene	X		Absorbant UV
Homosalate	X		
Isopropyl dibenzoylmethane	X		Absorbant UV – Très allergisant et photoallergisant
Isoamyl methoxycinnamate	X		Suspecté d'effets œstrogéniques et sur le métabolisme des lipides
4-methylbenzylidene camphor	X		Allergies courantes – Toxicité systémique potentielle
Methylene bis-benzotriazolyl tetramethyl butylphenol	X	X	Photostable – Quelques cas d'allergies de contact
Octocrylene	X		Bien toléré
Octrizole			Absorbant UV
PABA (Acide 4-aminobenzoïque)	X		Très allergisant (quasiment abandonné eu Europe, ainsi qu'aux USA)
Phenylbenzimidazole sulfonic acid	X		Allergisant potentiel
Polyacrylomethyl benzylidene camphor (Mexoryl SW)	X		Breveté par L'Oréal – Aucune information, sauf celles émanant de ce laboratoire
Sodium phenylbenzimidazole sulfonate	X		Photoactif
TEA salicylate	X		
Titanium dioxyde	X	X	Sécurité d'emploi remise en cause quand il est utilisé sous forme de nanoparticules
Zinc oxide	X	X	Sécurité d'emploi remise en cause quand il est utilisé sous forme de nanoparticules

Table des matières

Achevé d'imprimer en janvier 2008
sur les presses de la Nouvelle Imprimerie Laballery
58500 Clamecy
Dépôt légal : janvier 2008
Numéro d'impression : 712152

Imprimé en France

La Nouvelle Imprimerie Laballery est titulaire du label Imprim'Vert®